Beck-Wirtschaftsberater:
Financial Dictionary, Teil I

C000185806

Beck-Wirtschaftsberater:
Financial Dictionary

Fachwörterbuch Finanzen, Banken, Börse
Teil II: Deutsch-Englisch

Von Prof. Dr. Wilhelm Schäfer

2. Auflage

Deutscher
Taschenbuch
Verlag

Dezember 1992
Redaktionelle Verantwortung: Verlag C. H. Beck, München
Umschlaggestaltung: Celestino Piatti
Umschlagbild: Birgit Koch
Gesamtherstellung: C. H. Beck'sche Buchdruckerei, Nördlingen
ISBN 3 423 05805 6 (dtv)
ISBN 3 800 6 16548 (C. H. Beck/Vahlen)

Es zeugt von Bildung, nur soviel Genauigkeit zu
fordern, wie dem Gegenstand angemessen ist.

It is a hallmark of the truly educated person to
demand no greater precision than is congenial
to the subject in hand.

Vorwort zur 2. Auflage

Geringes Gewicht, leistungsfähiger Prozessor, obtimale Benut-
zerschnittstelle, kurze Zugriffszeit, günstiges Preis-Leistungsver-
zeichnis – dies sind einige der Anforderungen, die die Benutzer
an Klein-PCs, wie Notebooks. Pentops u. a. stellen.
Die gleichen Merkmale sollten auch für diese neue Auflage des
‚Financial Dictionary‘ gelten. Benutzeranregungen folgend,
wurde der Terminologiebestand im gewissen Umfang umstruk-
turiert, um der Zielgruppe noch besser an die Hand gehen zu
können.
Verlag und Verfasser würden sich freuen, wenn sie ihre Grund-
konzeption durch eine weiterhin stürmische Nachfrage bestätigt
sähen.

Wilhelm Schäfer

Benutzerhinweise

1. Eine Besonderheit dieses Wörterbuchs: Im Gegensatz zu der allgemeinen Gepflogenheit sind alle Stichwörter an ihrem Platz im Alphabet zu finden. Das Ausbreiten von Wortfeldern wurde wie die Pest gemieden, weil sie dem eiligen Benutzer bei seiner Arbeit in Schule, Kontor und Intercity eher hinderlich als hilfreich sind. Systematische Fachkenntnisse erwirbt man nicht mit dem Wörterbuch.

2. Eine eigene Liste sachbezogener Abkürzungen wurde wegen des strengen Alphabetisierungsgrundsatzes nicht vorgeschaltet; sie sind im Textkorpus enthalten.

3. Die Zahl der zum Nachschlagen nötigen Abkürzungen hält sich in Grenzen; es sind:

com	(general) commercial English
Bö	Börse
Fin	Finanzwirtschaft
WeR	Wertpapierrecht
m	männlich
f	weiblich
n	sächlich
cf	vergleiche
eg	zum Beispiel
esp	insbesondere
ie	das heißt
opp	Gegensatz
pl	Mehrzahl
sl	Slang
syn	Synonym
AktG	Aktiengesetz
AO	Abgabenordnung
BGB	Bürgerliches Gesetzbuch
BewG	Bewertungsgesetz
GmbHG	GmbH-Gesetz
KWG	Kreditwesengesetz
UCC	Unified Commercial Code
USC	United States Code

Einige grundsätzliche Bemerkungen

Um wieviel reibungsloser ginge es unter Menschen zu, wenn alle, die schreiben und reden, den Grundsatz beherzigten: „Für viele Widersprüche findet man meist eine leichte Lösung, wenn man zeigen kann, daß verschiedene Verfasser die gleichen Worte in verschiedener Bedeutung verwendeten." Der dies schrieb, war Peter Abaelard, dessen Romanze mit Héloïse ihn mit einem kräftigen Hauch von Verruchtheit als einen der Großen in Philosophiegeschichte und Literatur des Mittelalters eingehen ließ. Eindrucksvoll das Urteil eines modernen Kommentators: „He founded no lasting school, but he left a lasting spirit."

Modern liest sich der Grundsatz Abaelards so: Wörter benennen Begriffe. Das Wort gehört der Sprache zu, der Begriff ist (grob gesagt) eine Denkeinheit, und beide beziehen sich, oder sollen sich beziehen, auf die Wirklichkeit, sei sie konkret oder abstrakt.

Auf diesem elementaren Zusammenhang baut dieses Wörterbuch auf. Alle alphabetisierten Wörter, die (wie man sieht) keine Begriffe sind, bezeichnen jeweils einen Ausschnitt aus den Bereichen der Finanzwirtschaft, der Börse, des Wertpapierrechts usw.

Für viele Zwecke genügt die einfache Gleichung auf der Wortebene: Wertpapier = security; Aktienmarkt = equity market usw. Die Schwierigkeit beginnt, wenn Deutsche und Engländer/ Amerikaner unter dem jeweiligen Wort sich etwas anderes vorstellen, davon einen anderen Begriff haben. Es kommt zu Mißverständnissen, wenn man, was in der Praxis die Regel ist, in die Einzelheiten des Faches geht. Die Begriffe, die Vorstellungen von der Sache, stimmen eben nicht mehr überein, so daß diese Begriffe definiert werden müssen.

Jedermann weiß, daß Lehrbücher über weite Strecken nichts weiter als Begriffsdefinitionen enthalten, die in einen systematischen Zusammenhang eingebettet sind. Wer in der Verwendung von Wörtern und Begriffen eines Fachgebiets in zwei Sprachen sattelfest sein wollte, müßte also zwei Lehrbücher durchgearbeitet haben. Dies hätte den zusätzlichen, oft unerläßlichen Nebeneffekt, daß man erführe, in welche allgemeine Sprache, in ihre Logik, Grammatik und Rhetorik, diese Begriffe eingebettet sind.

Man sieht, das Wörterbuch ist ein erster, notwendiger, wenn auch stets begrenzter Schritt auf diesem Wege. Der Meister seines Faches wird diesen ganz gehen müssen. Den unzähligen anderen ist das Wörterbuch dienlich zum raschen Nachschlagen von Wortgleichungen, deren Zugehörigkeit zum Fachgebiet hier durch die Abkürzungen (com), (Fin), (Bö), (WeR) gekennzeichnet wurde. Definitionen als Zusatzinformationen wurden in den großen Ausgaben bisher als sehr nützlich empfunden und hier im zulässigen Umfang angefügt.

A

abändern
(com) to change
(ie, implies essential difference, loss of identity, or substitution of one thing for another)
– to alter
(ie, difference in some respect, without loss of identity)
– to modify
(ie, implies a difference that limits or restricts; it often suggests minor changes)
(com) to correct
– to rectify

Abänderung *f*
(com) alteration
– change
– modification
– revision
(com) correction
– rectification

Abandon *m*
(com) relinquishment of a right in order to be discharged from a duty
(ie, um von (Zahlungs–)Verpflichtungen befreit zu werden; cf, Börsenterminhandel, Nachschußpflicht, Zubuße)

abandonnieren
(Bö) to abandon *(ie, old-fashioned)*

abarbeiten
(com) to work off *(eg, debts)*

abbauen
(com) to reduce *(eg, prices, wages)*
(com) to abolish gradually
(eg, tariffs, tax advantages)
(com) to work off *(eg, backlog of orders on hand)*
(com) to run down *(eg, stocks)*
(Fin) to repay *(eg, debt)*

abbezahlen
(Fin) to pay off
– to pay by installments

Abbrechen *n*
(com) breaking off *(eg, negotiations)*

(com) tearing/pulling ... down
– dismantling *(syn, Abbruch)*

abbrechen
(com) to break off *(eg, negotiations, talks)*

abbröckelnd
(Bö) slackening
– easing
– crumbling

abbröckeln
(Bö) to ease off
– to edge down
– to drift down
– to ease marginally

Abbruch *m*
(com) break off *(eg, negotiations)*

Abbuchungsauftrag *m* (Fin) credit transfer instruction

Abbuchungsauftragsverfahren *n*
(Fin) = Abbuchungsverfahren

Abbuchungsermächtigung *f*
(Fin, US) preauthorized payment mandate

Abbuchungsverfahren *n*
(Fin) direct debiting service
– preauthorized payment method
(ie, Zahlungsverpflichteter gibt Auftrag an sein Kreditinstitut; cf, Einzugsermächtigungsverfahren)

abdecken
(Fin) to repay *(eg, a credit or debt)*
(Fin) to cover *(eg, a risk)*
– to hedge
(ie, to take a defensive measure in order to safeguard portfolios against any dramatic fall in values)
(Bö) to conclude a covering transaction
(ie, in forward operations)

abdisponieren
(Fin) to transfer
(Fin) to withdraw

Abdisposition *f*
(Fin) transfer
(Fin) withdrawal

Aberdepot *n* (Fin) deposit of fungible securities

1

abfertigen

(ie, bank need only return paper of same description and quantity)

abfertigen
(com) to attend
– to serve
– to wait on customers
(com) to deal with
– to process *(esp in public offices)*
(com) to dispatch
– to forward
– to expedite *(eg, consignment)*

Abfinanzierung *f* (Fin) repayment of debt and/or equity

abfinden
(com, Re) to compensate
– to indemnify

Abfindung *f*
(Fin) money compensation
(ie, beim Ausscheiden e–s od mehrerer Gesellschafter; Anspruch auf Anteil an Vermögenswerten und Vermögenszugang; zu regeln nach § 738 BGB; cf, auch: §§ 305, 330 AktG)

Abfindungsangebot *n*
(com) offer of lump-sum compensation
(ie, in settlement of a claim)
(com) offer of cash payment
(ie, unter bestimmten Umständen haben Minderheitsaktionäre Anspruch auf e–e Barabfindung; cf, § 305 AktG; minority shareholders may demand cash payment)

abflachen (com) to level off *(eg, prices, rates; syn stabilize)*

Abfluß *m* (Fin) outflow *(ie, of funds)*

Abfluß *m* **liquider Mittel** (Fin) cash drain

abführen (Fin) to pay over *(ie, to make formal payment; eg, to revenue authorities)*

Abgabedruck *m* (Bö) sales/selling . . . pressure *(syn, Angebotsdruck)*

Abgabefrist *f*
(com) due date
– filing date
– final date for acceptance

Abgabekurs *m* (Bö) issue price

Abgaben *fpl* (Bö) sales (of securities)

Abgabeneigung *f* (Bö) selling tendency

Abgabesatz *m*
(com) amount of fiscal charges *(ie, in % of income)*
(Fin) selling rate *(ie, charged by German Bundesbank for money market paper; opp, Rücknahmesatz)*

Abgabetermin *m*
(com) due date
– filing date (for acceptance)
– time for filing *(eg, report, tax return)*

Abgabe *f* **von Angeboten**
(com) submission of bids
– bidding

abgebrochene Rente *f* (Fin) curtate annuity

Abgeld *n*
(Fin) discount *(syn, Disagio, Damnum)*

abgeschlossenes Börsengeschäft *n* (Bö) round transaction

abgetretener Bestand *m* (Fin) ceded portfolio

abhaken (com) to tick off *(eg, items on a list)*

Abhakungszeichen *n*
(com) check
– tick

abhängige Gesellschaft *f* (com) dependent/controlled . . . company

abhängiges Unternehmen *n* (com) controlled/dependent . . . enterprise
(ie, rechtlich selbständiges Unternehmen, unter beherrschendem Einfluß e–s anderen Unternehmens, § 17 AktG)

abheben
(Fin) to draw
– to withdraw *(ie, money from a bank account)*

Abhebung *f* (Fin) withdrawal

Abhilfe *f* (com, Re) relief

Abhilfemaßnahmen *fpl*
(com, IndE) corrective action *(ie, to eliminate non-conformance; syn, Korrekturmaßnahmen)*

Abhilfemaßnahmen *fpl* **in Gang setzen**
(com) to instigate
– to take . . . corrective action

Abkommenskonten *npl* (Fin) clearing accounts
(ie, aufgrund e–s zwischenstaatlichen Zahlungsabkommens bei e–r od mehreren Notenbanken geführt)

Ablauf *m*
(WeR) maturity

Ablauftermin *m*
(Fin) due date
– date of maturity

Ablehnung *f*
(com, Re) refusal
– rejection
– decline

ablösbar
(Fin) redeemable
– repayable
– refundable

ablösen
(Fin) to redeem
– to repay

Ablösung *f* **e–r Anleihe** (Fin) anticipatory redemption of a loan

Ablösungsbetrag *m*
(Fin) amount required for redemption
– redemption sum

Ablösungsfinanzierung *f* (Fin) consolidation financing
(ie, Aufnahme von Eigenkapital zur Ersetzung von Fremdkapital; provision of equity capital to repay borrowed funds)

Ablösungsfonds *m* (Fin) sinking fund

Ablösungsrecht *n*
(Fin) equity/right . . . of redemption
(ie, of borrower to redeem property taken by a creditor)

Ablösung *f*
(Fin) discharge
– redemption
– repayment *(ie, in a single sum)*
(Fin, Vers) commutation

Abmeldung *f*
(com) withdrawal

– cancellation *(eg, of membership)*
– cancellation of registration

abnehmen
(com) to order
– to purchase *(eg, goods, merchandise, products)*
(com) to accept
– to take delivery *(ie, of goods)*
(Fin, infml) to soak
– (GB) to rush
(eg, how much did they rush you for that car?)

Abnehmer *m*
(Bö) taker

Abnehmerkredit *m* (Fin) = Kundenanzahlung, qv

abrechnen
(Fin) to clear *(eg, checks)*
(Bö) to liquidate
– to settle

Abrechnung *f*
(Fin) clearing
(Bö) liquidation
– settlement
(Bö) contract note

Abrechnungskurs *m*
(Bö) making-up price
(Bö) settlement rate

Abrechnungsperiode *f*
(Bö, GB) account period

Abrechnungssaldo *m* (Fin) clearing balance

Abrechnungsspitzen *fpl* (Bö) settlement fractions

Abrechnungsstellen *fpl* (Fin) clearing offices
(ie, run by the Landeszentralbanken – central banks of the Laender)

Abrechnungstag *m* (Bö) pay/settlement . . . day

Abrechnungstermin *m* (Fin) due/settlement . . . date

Abrechnungsvaluta *f* (Bö) settlement currency
(syn, Abrechnungswährung)

Abrechnungsverkehr *m*
(Fin) clearing system
– system of clearing transactions
(ie, set up to settle mutual accounts

of banks, which arise from transfers, checks, bills, etc.)

Abrechnungswährung *f*
(Fin) accounting currency
(Bö) settlement currency

Abrechnungszeitraum *m*
(Bö) settlement period

abrufbar (Fin) callable

abrufen
(Fin) to call *(ie, funds made available by a bank)*

ABS-Anleihen *fpl* (Fin, US) asset-backed securities
(ie, werden durch Poolen unterschiedlicher Aktiva besichert)

Absatz *m* **festverzinslicher Wertpapiere** (Fin) bond sales

Absatzfinanzierung *f* (Fin) sales/customer ... financing
(ie, Finanzierung von Warenverkäufen od Dienstleistungen; Hilfe an nachgelagerte Unternehmen; syn, Kundenfinanzierung)

Absatz *m* **finden** (com) to find a market

Absatzflaute *f*
(com) dull
– flagging
– slack ... sales
– low level of sales

Absatzphase *f* **nach Neuemission** (Bö) period of digestion

abschicken
(com) to send off
– to forward
– to dispatch
– (US) to ship *(eg, a letter)*

Abschiedsrede *f*
(com, US) valedictory speech
– farewell speech

abschießen (com, infml) to zap *(eg, a project; syn, vereiteln)*

Abschlag *m*
(com) price reduction
– reduction in price
(com) payment on account
– installment
(Fin) discount *(eg, on forward dollars)*
(Fin) payment of interim dividend

(Bö) markdown *(ie, of share prices)*

Abschlagsdividende *f*
(Fin) interim /quarter ... dividend
– fractional dividend payment
(ie, im Gegensatz zu den USA in Deutschland nicht üblich; cf, aber § 59 I AktG; syn, Interimsdividende, Zwischendividende)

Abschlagszahlung *f*
(com) part payment
(com) payment on account
(com) progress payment

Abschlagszahlung *f* **auf den Bilanzgewinn**
(Fin) interim dividend

abschließen
(com) to close a deal
– to strike a bargain

Abschlüsse *mpl* **am Sekundärmarkt**
(Fin) secondary dealings

Abschluß *m*
(com) sales contract *(eg, § 94 HGB)*
(com) conclusion of a sale
(Bö) bargain *(eg, finalized by contract note)*

Abschluß *m* **auf Abladung** (Bö) transaction for delivery within a specified period
(ie, made on commodity exchanges)

Abschlußbedingungen *fpl* (Fin) closing conditions *(ie, loan agreement conditions)*

Abschlußbericht *m* (com) final report

Abschlußbesprechung *f*
(com) final ... discussion/conference

Abschlußdividende *f* (Fin) final/year-end ... dividend

Abschluß *m* **e-s Geschäfts** (com) conclusion of a transaction

Abschluß *m* **e-s Kaufvertrages** (com) conclusion of a purchase order contract

Abschluß *m* **in rollender od schwimmender Ware** (Bö) transaction for delivery of goods in transit *(ie, made on commodity exchanges)*

Abschlußkurs *m* (Bö) contract price

Abschlußpreis *m* (Bö) strike/striking . . . price

Abschlußrechnung *f*
(Bö) settlement note

Abschlußtag *m*
(Bö) settlement day

Abschlußzahlung *f*
(com) final payment
(Fin) final . . . installment/payment

Abschnitt *m*
(WeR) bill of exchange
(Re) clause
– section

Abschnitte *mpl*
(Fin) bills (of exchange)
(Fin) denominations *(eg, securities)*

Abschreibung *f* **auf Rentenbestand**
(Fin) writeoff on fixed-income securities

Abschreibung *f* **auf Wertpapiere**
(Fin) write-off on securities portfolio
– writedowns of securities

Abschreibungsfinanzierung *f* (Fin) ‚depreciation financing‘ *(ie, recovery of fixed-asset costs through depreciation charges)*

Abschreibungsgesellschaft *f*
(Fin) depreciation company
– project write-off company
– company selling depreciation allowances
– tax loss company
(ie, Sonderform e–r Verlustzuweisungsgesellschaft zum Zwecke der vergleichsweise günstigen Beschaffung von ‚venture capital‘ für Anlagenfinanzierung: scheme offering tax savings by producing artificial accounting losses; cf, aber § 15 a EStG)

Abschwächungsmöglichkeiten *fpl*
(Bö) downside potential

Abschwächung *f*
(com) decline
– fall
(eg, in business activity or in the trend of capital investment)

(Bö) easing
– sagging *(ie, of prices)*

absenden
(com) to send off
– to forward
– to dispatch
– (US) to ship *(eg, a letter)*
(syn, abschicken)

Absender *m*
(com) sender *(eg, of letters, parcels)*
– consignor
(ie, concludes freight contract with carrier in his own name)

absichern
(com) to guard/cover . . . against
(com) to provide cover/security against
(Fin) to hedge against *(ie, to protect oneself financially)*

Absicherungsfazilität *f* (Fin) hedging facility
(eg, swaps, options, financial futures, NIFs, RUFs)

absolut (com) in absolute terms

absoluter Höchststand *m* (com) all-time high

absoluter Tiefstand *m* (com) all-time low

absolute Vorteilhaftigkeit *f* (Fin) absolute profitability
(ie, of a capital spending project: Vorteilhaftigkeit e–r Investition gegenüber der Alternative Unterlassen)

Absprache *f*
(com) arrangement

abstellen
(com) to remedy
– to rectify *(eg, defects, shortcomings)*

Abstempelung *f* (Fin) official stamping of shares
(eg, on capital reduction, change of firm, reduction of bond interest)

Abstimmung *f* **laufender Einnahmen und Ausgaben** (Fin) cash management

Abstimmungstermin *m* (Fin) reconcilement date

(eg, Clearingzentrale überprüft Ausgleich aller Positionen)

abstoßen

(com) to sell off *(eg, merchandise)*

(Fin) to divest

– to sell off

– to shed

– to unload

(eg, security holdings, foreign assets, subsidiaries)

(Bö) to job off *(ie, to sell cheaply)*

Abstoßen *n* **von Aktien**

(Bö) bail out

– dumping

– unloading

(ie, at the earliest possible moment, with no regard for losses)

Abteilung *f* (com) department

(ie, organisatorischer Teilbereich, qv; any division of a business enterprise)

Abteilung *f* **Einkauf** (com) purchasing department

Abteilung *f* **Forderungsinkasso** (Fin) collection department

abtragen

(Fin) to pay off (debt)

abtrennbarer Optionsschein *m* (Fin) detachable warrant

abtrennen

(com) to detach

– to separate

– to sever

(Fin) to float *(or* spin) off *(eg, as a separate company)*

Abtretung *f* **und Übergabe** *f* (WeR) assignment and delivery

Abtretung *f* **von Bezugsrechten** (Fin) letter of renunciation

Abtretung *f* **von Forderungen** (Fin) assignment of accounts receivable

abwägen gegen

(com) to balance against/with

– to weigh against

(ie, positive factors against negative factors)

abwählen

(com) to vote out of office *(eg, chairman)*

abwälzen

(com) to pass on to *(eg, cost, taxes)*

– to shift

abwarten (Bö, infml) to stay on the sidelines

Abwärtsbewegung *f*

(com) downward... movement/slide *(eg, of prices)*

Abwärtslimit *n* (Bö, US) circuit breaker

(eg, ein A. von 5 Punkten für die Eröffnungsphase)

Abwärtstrend *m*

(Fin) downside trend

– down market *(ie, in charting)*

Abwehrmaßnahmen *fpl* (com) insulating measures *(eg, against capital inflows)*

Abweichungsindikator *m* (Fin) divergence indicator

(ie, mißt Abweichung des ECU-Wertes vom ECU-Leitwert e-r Währung)

Abweichungsschwelle *f* (Fin) divergence threshold

(ie, 75% der maximal zulässigen Abweichung des ECU-Tageswertes vom ECU-Leitkurs; level at which central banks are expected to take corrective action; syn, Divergenzschwelle)

abwerfen

(Fin) to yield/return... a profit *(cf, einbringen)*

abwerten

(Fin) to depreciate

– to devalue

Abwertung *f*

(Fin) currency... depreciation /devaluation

(ie, Herabsetzung des Außenwerts e-r Währung; verbilligt Exporte und verteuert Importe; official reduction of the exchange rate; syn, Devalvation)

Abwertungssatz *m* (Fin) rate of currency devaluation

Abwesenheitsprotest *m* (WeR) protest for absence (of drawer) *(syn, Platzprotest)*

abwickeln
  (com) to handle *(eg, order, business)*
  – to process
  – to carry out
  – to deal with
  (Fin) to settle *(eg, transaction)*
  – to complete arrangements *(eg, for a loan)*
Abwicklung *f*
  (Bö) settlement
Abwicklungs-Anfangsvermögen *n*
  (Fin) net worth at beginning of winding-up
Abwicklungsbank *f* (Fin) liquidating bank
Abwicklungs-Endvermögen *n* (Fin) net worth at end of winding-up
Abwicklungstermin *m* (Bö) settlement date
abzahlen
  (Fin) to pay off
  – to pay by installments
Abzahlung *f* (com) payment of installments
Abzahlungsgeschäft *n*
  (com) installment ... contract/sale
  – (GB) hire purchase
  – (GB, infml) the never never
  (ie, sale of movable goods (a) which seller delivers to buyer and for which buyer pays in periodic payments; (b) which may be delivered in separate lots against payment by installment; (c) which may be the object of a continuing contract.
  Syn, Teilzahlungskauf, Ratenkauf, Abzahlungskauf.
  Note: German legal and commercial practice is different and should not be pressed into the conceptual framework, for instance, of the British Hire Purchase Act of 1965 or of comparable American arrangements.)
Abzahlungshypothek *f*
  (Fin) installment mortgage
  – (US) constant payment mortgage

(ie, Rückzahlung in gleichbleibenden Tilgungsraten; with equal redemptions: principal increasing and interest decreasing; opp, Tilgungs- bzw. Annuitätenhypothek, qv)
Abzahlungskredit *m* (Fin) installment credit
  (ie, Rückzahlung in gleichen Raten)
Abzahlungsperiode *f* (Fin) repayment period
Abzahlungswechsel *mpl* (Fin) installment bills of exchange
  (ie, drawn for each separate installment under an installment sale; do not confuse with ‚Ratenwechsel‘ which is a multimaturity bill)
abzeichnen (com) to initial *(eg, letter, memo)*
AbzG (Fin) = Gesetz betreffend die Abzahlungsgeschäfte
abziehen
  (com) to deduct
  – (infml) to knock off
  (com) to divert
  – to turn off
  – to siphon off *(eg, traffic from common carriers)*
abzinsen (Fin) to discount
Abzinsung *f*
  (Fin) discounting
  – discounting process
  (ie, Verfahren der Zinseszinsrechnung: Errechnung des Barwertes aus gegebenem Endbetrag mit Hilfe des Abzinsungsfaktors, qv; syn, Diskontierung; opp, Aufzinsung)
Abzinsungsfaktor *m*
  (Fin) discount factor $(1 + i)^{-n}$
  – conversion factor in compound discounting
  (syn, Diskontierungsfaktor)
Abzinsungspapier *n*
  (Fin) discounted paper
  (Fin) security sold at a discount
  (ie, unverzinsliche Schatzanweisungen des Bundes (= U-Schätze), Sparbriefe; Zinsen für die

7

*gesamte Laufdauer werden vom zu
zahlenden Preis abgezogen)*
Abzinsungstabelle *f* (Fin) discount
table
Abzugskapital *n* (Fin) capital items
deducted from total
*(ie, in determining the amount of
operating capital needed = bei Ermittlung des betriebsnotwendigen
Kapitals; scheinbar zinsloses
Fremdkapital)*
Abzugslimit *n* (Fin) withdrawal limit
(ie, of deposit accounts)
a dato (WeR) from the day of making
out *(eg, a bill of exchange)*
ad hoc-Ausschuß *m* (com) ad hoc
committee
Adressat *m* (com) addressee
Adressenliste *f*
(com) list of addresses
– mailing list
Adressierkarte *f* (com) address card
Adreßspediteur *m* (com) receiving
forwarding agent
AE (com) = Ausfuhrerklärung
Affidavit *n* (Fin) affidavit
*(ie, von e–r Bank abgegebene Er-
klärung zur Glaubhaftmachung e–s
Rechts über Herkunft, Besitz,
Eigentum e–s Wertpapiers)*
Affiliation *f*
(Fin) subsidiary bank *(ie, controlled by another large bank)*
Afrikanische Entwicklungsbank *f*
(Fin) African Development Bank,
AfDB
*(ie, 50 unabhängige afrikanische
Staaten und 23 nicht-afrikanische
Staaten; Sitz in Abidjan/Elfenbein-
küste)*
A-Geschäft *n* (Fin) installment credit
granted to consumer directly
(cf, Teilzahlungskredit)
aggregierte Börsenbewertung *f* (Bö)
equity market capitalization
aggressive Anlagepolitik *f* (Fin) aggressive investing policy
aggressiv expandieren (com) be set
on an aggressively expansionary
course

Agio *n*
(Fin) premium
*(ie, 1. Preisaufschlag auf den
Nennwert e–s Wertpapiers od den
Paritätskurs e–r Devise; 2. Differenz zwischen zwei Kursen od
zwischen dem Nennwert e–s Wertpapiers und s–m Kurswert; syn,
Aufgeld; opp, Disagio)*
Agioanleihe *f* (Fin) premium bond
*(ie, Emissionskurs liegt über Nenn-
wert; syn, Prämienanleihe; retired
at maturity date at an amount
above its par value; not permitted
in US, but frequent in Europe)*
Agio *n* **aus Aktienemission**
(Fin) premium on capital stock
– share premium
Agioerträge *mpl* (Fin) premiums received
Agiotage *f*
(Fin) agiotage
*(ie, business of dealing in foreign
exchange)*
(Fin, *rare*) agiotage
*(ie, speculative dealing in securi-
ties)*
Agioteur *m*
(Fin) agioteur
– foreign-exchange dealer
agiotieren
(Fin) to deal in foreign exchange
(Fin, *rare*) to deal speculatively in
securities
Agrarkredit *m*
(Fin) agricultural . . . credit/loan
– farm(ing) credit
AKA-Kredit *m*
(Fin) medium or long-term export
credit granted by AKA, qv *(cf,
Plafond A, B und C)*
Akkreditierung *f* (Fin) opening of a
letter of credit *(or* L/C*)*
Akkreditiv *n*
(Fin) letter of credit, L/C, clc
*(ie, Auftrag an e–e Bank, aus e–m
Guthaben des Auftraggebers e–m
Dritten e–n bestimmten Geldbetrag
auszuzahlen; meist gegen Übergabe
bestimmter Dokumente;*

= *instrument drawn by a bank known as the credit-issuing bank (Akkreditivbank), on behalf of its customer, known as the principal (who guarantees payment to the issuing bank), authorizing another bank at home or abroad, known as the credit-notifying or negotiating bank (and usually the payer bank), to make payments or accept drafts by a fourth party, known as the beneficiary; Akkreditive werden wie folgt eingeteilt (classifications are not mutually exclusive):*
1. Direction of shipment: export – import – domestic;
2. Security: documentary – clean;
3. Form of letter: straight – revolving;
4. Form of currency: dollar – sterling;
5. Cancellation: irrevocable–confirmed;
irrevocable–unconfirmed; revocable–unconfirmed;
vor allem im angelsächsischen Raum; Teilausnutzungen sind die Regel; frei übertragbar durch Indossament; Einlösungsstelle frei wählbar)

Akkreditivabrechnungskonto *n* (Fin) credit settlement account

Akkreditivanzeige *f* (Fin) notification of credit

Akkreditiv *n* **anzeigen** (Fin) to advise/notify . . . a letter of credit

Akkreditivauftraggeber *m*
(Fin) applicant
– (US) account party
(ie, credit is issued at the request and for the account of . . .; cf, eröffnende Bank und Begünstigter = issuer and beneficiary)

Akkreditivbank *f*
(Fin) credit-issuing/opening . . . bank
(ie, idR die Bank des Importeurs; syn, Eröffnungsbank)

Akkreditivbedingungen *fpl* (Fin) terms of a credit

Akkreditiv *n* **bestätigen** (Fin) to confirm a credit

Akkreditivbestätigung *f* (Fin) credit confirmation

Akkreditivbevorschußung *f*
(Fin) anticipatory/packing . . . credit
– advance against a documentary credit
(cf, hierzu 'Farbklauseln')

Akkreditiv *n* **brieflich eröffnen** (Fin) to open a credit by letter

Akkreditivdeckung *f* (Fin) credit cover

Akkreditivdokumente *npl* (com) commercial credit documents *(eg, bill of lading, packing list, warehouse receipt)*

Akkreditivermächtigung *f* (Fin) letter of authority

Akkreditiv *n* **eröffnen**
(Fin) to open
– to issue
– to establish . . . a credit

Akkreditiveröffnung *f*
(Fin) issue
– issuance
– opening . . . of a letter of credit

Akkreditivgeschäft *n* (Fin) documentary credit business

Akkreditiv *n* **hinauslegen** (Fin) = Akkreditiv eröffnen

Akkreditiv *n* **in Anspruch nehmen** (Fin) to draw on a letter of credit

Akkreditivklausel *f* (Fin) letter of credit clause

Akkreditiv *n* **mit aufgeschobener Zahlung** (Fin) deferred-payments credit

Akkreditivpartei *f* (Fin) party to a letter of credit

Akkreditivstellung *f* (Fin) opening a letter of credit

Akkreditiv *n* **telegraphisch eröffnen** (Fin) to open a credit by cable

Akkreditivverpflichtung *f* (Fin) liability under a letter of credit

Akkreditivwährungsdeckungskonto *n* (Fin) foreign currency credit cover account

Akkreditivwährung f (Fin) currency
of the credit
Akquisition f
(com) acquisition of a company
(cf, *Kauf von Anteilen, Kauf von
Wirtschaftsgütern; vor allem in der
Wendung M&A: mergers and acquisitions)*
Akte f (com) file *(ie, collection of
papers on one subject)*
Aktennotiz f (com) memo(randum)
Aktie f
(Fin) share *(ie, used in England
and Canada)*
– (GB) share
(Fin, US) stock
– share of stock
– share *(ie, much less commonly
used)*
(Fin) share/stock ... certificate
*(ie, als Mitgliedschaftsurkunde =
evidence of ownership)*
Aktie f **mittlerer Güte** (Fin) medium
grade stock
Aktien fpl **abrufen** (Fin) to call the
stock
Aktienabstempelung f (Fin) official
stamping of shares
*(eg, on capital reduction, change of
firm, reduction of bond interest)*
Aktien fpl **abstoßen** (Bö) to dump
shares
Aktienagio n (Fin) stock/share ...
premium
aktienähnliche Wertpapiere npl
(Fin) equity-related securities
Aktienanalyse f (Fin) equity research
*(ie, Prognose von Aktienkursen
durch Fundamentalanalyse und
Chartanalyse)*
Aktienarten fpl (Fin) classes/types of
shares
(ie,
1. nach Stückelung:
*a) Summen- od Nennwertaktien =
par value shares; cf, § 8 AktG;*
*b) Quoten- od nennwertlose Aktien
= no-par value shares;*
*c) Globalaktien = multiple share
certificates*

2. nach Eigentumsübertragung:
*a) Inhaberaktien = bearer shares;
cf, § 929 BGB;*
*b) Namensaktien = registered
shares;*
*c) vinkulierte Namensaktien = re-
gistered share not freely transferable; cf, § 68 AktG;*
3. Umfang der verbrieften Rechte:
*a) Stammaktien = common stock,
(GB) ordinary share;*
*b) Vorzugsaktien = preferred
stock, preference share*
*siehe auch: eigene Aktien, Vorrats-
aktien, Belegschaftsaktien; alte/
junge Aktien; Gratisaktien; Split-
Aktien)*
Aktienaufschlag m (Fin) = Aktienagio
Aktienausgabe f (Fin) issue of ...
shares/stock
Aktien fpl **ausgeben** (Fin) to issue ...
shares/stock
Aktienaustausch m (Fin) exchange
of ... shares/stock
Aktienbesitz m
(Fin) equity holding
Aktienbestand m
(Fin) shareholding
– stockholding
– stock portfolio
Aktienbeteiligung f (Fin) equity ...
interest/stake
Aktienbewertung f
(Fin) stock valuation
(Bö) stock market analysis
*(cf, Fundamentalanalyse, tech-
nische Analyse)*
Aktienbezugsrecht n
(Fin) stock purchase warrant
– (GB) stock right
– right
Aktienbezugsrechtsschein m (Fin)
equity warrant *(syn, Aktien-War-
rant)*
Aktienbezugsschein m (Fin) stock al-
lotment warrant
Aktienbörse f (Bö) stock ... ex-
change/market
(ie, organized market for the pur-

pose of centralized trading in securities)

Aktienbuch *n* (Fin) share/stock... register, § 67 AktG *(syn, Aktionärsbuch)*

Aktiendepot *n* (Fin) stock portfolio

Aktiendisagio *n* (Fin) stock/share... discount

Aktien *fpl* **einreichen** (Fin) to surrender share certificates

Aktien *fpl* **einziehen** (Fin) to call in shares

Aktieneinziehung *f*
(Fin) redemption of... shares/stock, § 237 AktG
(ie, Verfahren zur Herabsetzung des Grundkapitals)

Aktienemission *f*
(Fin) issue of... shares/stock
– equity... issue/offering
– equity launch
(ie, Erstbegebung von Aktien)

Aktienemissions-Agio *n* (Fin) stock-issue premium

Aktienemissions-Disagio *n* (Fin) stock-issue discount

Aktienemissions-Kosten *pl* (Fin) stock-issue cost

Aktienemissions-Kurs *m* (Fin) share/stock... offering price

Aktien *fpl* **emittieren** (Fin) to issue shares (or stock)

Aktienerwerb *m* (Fin) share acquisition

Aktienfinanzierung *f* (Fin) common stock financing
– equity... financing/funding
(Note: ‚equity financing' may include funds generated in the business = Selbstfinanzierung')

Aktienfonds *m*
(Fin) equity/stock... fund
– share-based investment fund
(opp, Rentenfonds = bond fund)

Aktienführer *m* (Bö) stock guide

Aktiengattung *f* (Fin) class of... shares/stock
(ie, Aktien mit gleichen Rechten; in der Praxis unterscheidet man häufig zwischen Stamm- und Vor-

zugsaktien; vgl aber Vorzugsaktien ohne Stimmrecht nach 139 ff Akt)

Aktiengeschäft *n*
(Bö) equity business
– dealings in equity

Aktiengesellschaft *f*
(com) stock corporation
– (GB) public limited company, PLC, plc
– (US) corporation
(ie, with limited liability and quoted shares; cf, AktG vom 6. 9. 1965 idF vom 29. 3. 1983)

Aktienhandel *m* (Bö) equity/stock... trading

Aktienhändler *m* (Fin) equity dealer

Aktienhausse *f*
(Bö) surge in equities

Aktien *fpl* **im Sammeldepot** (Fin) shares in collective deposit
(ie, bank serving as central depository for securites)

Aktienindex *m* (Bö) stock index
(ie, bildet Kursentwicklung des Aktienmarktes od einzelner Aktiengruppen: Dow Jones Industrial (USA), Financial Times Ordinary (GB), CAC General Index (Frankreich), Swiss Performance Index (Schweiz), Hang Seng Index (Hongkong), Deutscher Aktienindex, DAX seit 1. 10. 1988; syn, Kursindex)

Aktienindexanleihe *f*
(Bö, GB) bull-and-bear bond
– (infml) heaven-and-hell bond
(ie, Rückzahlungskurs ist nicht bei 100%, sondern an die Entwicklung e–s Aktienindex gekoppelt; hat meist e–n Deckel, d. h. Kursanstieg und -verlust sind auf e–n maximalen Prozentsatz begrenzt; Anleihe besteht in der Regel aus zwei Tranchen: bull bond und bear bond)

Aktienindex-Arbitrage *f* (Fin) stock index arbitrage
(ie, Differenzarbitrage durch Kauf von Aktien, Aktienindizes, Aktienindex-Terminkontrakte und gleichzeitigen Verkauf ähnlicher

Werte in e–m anderen Marktsegment)

Aktienindex-Optionskontrakt *m* (Bö, US) stock index option contract
(ie, puts and calls are traded on the Chicago Options Exchange (CBOE), the American Stock Exchange (AMEX), the Philadelphia Stock Exchange (PHLX), and the Pacific Stock Exchange (PSE); they are regulated by the Securities and Exchange Commission)

Aktienindex-Terminkontrakt *m* (Bö) stock index futures contract
(ie, based not on the prices of individual stocks, but on broad-based stock market averages (Aktienindizes); not settled by the delivery of stocks but by cash settlement; other features are leverage, liquidity, and commissions)

Aktieninhaber *m*
(Fin) shareholder
– stockholder
– equity . . . holder/shareholder

Aktieninvestmentfonds *m* (Fin) common stock fund

Aktienkaduzierung *f* (Fin) forfeiture of shares, § 64 AktG

Aktienkapital *n*
(Fin) share capital of a company
– capital stock
(ie, Nominalkapital der AG, das in Aktien zerlegt ist)

Aktienkauf *m*
(Fin) purchase of . . . shares/stock

Aktien *fpl* **konjunkturempfindlicher Unternehmen**
(Fin) cyclical stocks

Aktienkurs *m*
(Fin) share/stock/equity . . . price
– market price of share

Aktienkursindex *m* (Bö) = Aktienindex, qv

Aktienmarkt *m*
(Bö) equity
– stock
– share . . . market
(ie, Handel in Aktien, der sich idR an der Börse vollzieht)

Aktienmehrheit *f*
(Fin) controlling portion of common stock
– majority of stock

Aktien *fpl* **mit Konsortialbindung**
(Fin) shares under syndicate agreements

Aktiennotierung *f* (Bö) stock quotation

Aktienoption *f* (Fin) right to convert bonds into shares

Aktienpaket *n*
(Fin) block/parcel . . . of shares
– (GB) line/block . . . of shares
(ie, größerer Nominalbetrag von Aktien, der maßgeblichen Einfluß auf e–e Gesellschaft sichert)

Aktienplazierung *f* (Fin) equity placement

Aktienportefeuille *n* (Fin) equity/stock . . . portfolio
(syn, Aktiendepot, Aktienbestand)

Aktienrendite *f*
(Fin) equity return
– yield on shares
– stock yield

Aktienrückgabe *f* (Fin) surrender of shares

Aktienrückkauf *m*
(Fin) stock . . . buyback/repurchase

Aktiensparen *n* (Fin) equity saving

Aktienspekulation *f* (Bö) speculation in . . . shares/stock

Aktienspitzen *fpl* (Bö) fractional shares

Aktiensplit *m*
(Fin) stock splitup

Aktien *fpl* **splitten** (Fin) to split . . . shares/stock

Aktienstimmrecht *n* (Fin) stock voting right
(ie, durch Aktie verbrieftes Mitgliedschaftsrecht, §§ 12, 134 I AktG)

Aktienstreubesitz *m* (Fin) (widely) scattered shareholdings

Aktientausch *m*
(Fin) exchange of shares
– stock swap

*(ie, in acquisition or merger opera-
tion)*
(Bö) equity switching
Aktienübernahme *f*
(Fin) stock takeover
– share acquisition
Aktienübertragung *f*
(WeR) transfer of... shares/
stocks
Aktienumtausch *m* (Fin) exchange of
share certificates
(syn, Umtausch von Aktien)
Aktienurkunde *f* (WeR) stock/
share... certificate
Aktien-Warrant *m* (Fin) equity war-
rant
*(syn, Aktienbezugsrechtsschein,
qv)*
Aktien *fpl* **zeichnen** (Fin) to subscribe
to shares
Aktienzeichner *m*
(Fin) applicant for shares
– share applicant
Aktienzeichnung *f*
(Fin) application/subscription...
for shares
Aktienzertifikat *n* (WeR) = Aktienurkunde
Aktien *fpl* **zur Zeichnung auflegen**
(Fin) to invite subscription to
shares
Aktienzusammenlegung *f*
(Fin) share consolidation
– reverse stock split
*(ie, bei Herabsetzung des Grund-
kapitals)*
Aktienzuteilung *f* (Fin) stock/
share... allotment
Aktionäre *mpl* **abfinden** (Fin) to indemnify shareholders
Aktionärsbanken *fpl* (Fin) shareholding banks
Aktionärsbrief *m*
(com) shareholders' letter
– newsletter to shareholders
(eg, company stated in a...)
Aktionärsbuch *n* (com) = Aktienbuch, qv
Aktionärsdarlehen *n* (Fin) shareholder loan

Aktionärsgruppe *f* (com) shareholder
group
Aktionärspflege *f*
(com) shareholder/stockholder/in-
vestor... relations
Aktionärsrechte *npl* (com) sharehol-
ders/stockholders'... rights
*(ie, Teilnahme an der HV, Recht
auf Dividende, Bezugsrecht, Anteil
am Liquidationserlös)*
Aktionärsvereinigung *f* (com) association of shareholders
*(eg, Deutsche Schutzvereinigung
für Wertpapierbesitz e.V.)*
Aktionärsversammlung *f* (com)
stockholders' meeting
Aktionärsvertreter *mpl* (com) stockholder representatives
*(eg, in co-determination matters;
banks in general stockholder meet-
ings)*
Aktionär *m*
(Fin) shareholder
– stockholder
– equity holder
– equity shareholder
Aktiva *npl* **monetisieren** (Fin) to
monetize assets
aktiver Verrechnungssaldo *m* (Fin)
credit balance on inter-branch account, § 53 II 2 KWG
Aktivfinanzierung *f* (Fin) lending of
funds to third parties
*(ie, by banks or business enter-
prises)*
Aktivgeschäft *n* (Fin) lending business
Aktivhypotheken *fpl* (Fin) mortgage
lendings
Aktivitätskennzahl *f* (Fin) activity
ratio
Aktivkredit *m* (Fin) business lending
to outside parties
Aktiv-Management *n* (Fin) asset
management
*(ie, Umschichtung von Aktiva;
opp, liability managent)*
Aktivvermögen *n* (Fin) actual... net
worth/assets
Aktivzins *m* (Fin) interest charged

aktualisieren
  (com) to update *(eg, operating figures)*
  – to bring up to date
Aktualitätsverlust *m* (com) loss of up-to-dateness
Aktualität *f* (com) immediacy *(eg, data produced weekly for greater . . .)*
aktuelle Ertragslage *f* (Fin) current profitability
aktuell verfügbar
  (com) available on a current basis
  – currently available
Akzept *n*
  (WeR) acceptance
  (ie, Annahme durch „Querschreiben"; cf, Art. 21–29 WG; Akzeptarten: 1. Blankoakzept; 2. Teilakzept; 3. Avalakzept; 4. Vollakzept)
  (Fin) accepted bill *(ie, der angenommene Wechsel selbst)*
  (Fin) acceptance
  (ie, two kinds: trade acceptance and bankers acceptance = Warenwechsel und Bankakzept)
Akzept-Akkreditiv *n* (Fin) acceptance credit
  (ie, bei Vorlage der Dokumente: Akzeptierung des vom Exporteur auf die Bank gezogenen Wechsels)
Akzeptant *m* (WeR) acceptor
  (ie, primarily liable after acceptance, while drawer is secondarily liable; cf, UCC § 3-413; syn, Bezogener, Trassat = drawee)
Akzeptantenwechsel *m* (Fin) acceptor's bill
  (ie, Lieferantenkredit auf Wechselbasis; syn, Scheck-Wechsel-Verfahren, umgedrehter Wechsel, Umkehrwechsel)
Akzeptaustausch *m* (Fin) exchange of acceptances
  (ie, Austausch von selbstdiskontierten eigenen Akzepten zwischen Banken)
Akzepte *npl* **im Umlauf** (Fin) acceptances outstanding

Akzeptgebühr *f* (Fin) acceptance charge
Akzept *n* **gegen Dokumente** (com) acceptance against documents, D/A, d/a
  (ie, Importeur erhält Ware erst, nachdem der Exporteur e–e Tratte auf den Importeur od die Importeurbank akzeptiert hat)
akzeptieren
  (com) to accept
  – to approve of *(eg, plan, proposal, scheme)*
Akzeptkredit *m* (Fin) acceptance credit
  (ie, Bank akzeptiert einen vom Kreditnehmer auf sich gezogenen Wechsel und verpflichtet sich so zur Einlösung; clean credit facility for funding trade collections of acommodation finance; syn, Diskontkredit, Wechselkredit)
Akzeptleistung *f* (WeR) acceptance
Akzeptlinie *f* (Fin) acceptance line
  (ie, limit or ceiling of acceptance credit which a foreign bank allows a domestic bank for drafts of its customers)
Akzeptmeldung *f* (Fin) notification of acceptance
Akzeptprovision *f* (Fin) acceptance commission
Akzepttausch *m* (Fin) = Akzeptaustausch
Akzeptumlauf *m*
  (Fin) acceptances outstanding
  – acceptance commitments
Akzeptverbindlichkeiten *fpl* (Fin) acceptance . . . liabilities/commitments) *(syn, Wechselobligo)*
Akzeptverweigerung *f* (WeR) dishonor by nonacceptance
Akzeptvorlage *f* (WeR) presentation for acceptance
Alleinfinanzierung *f* (Fin) sole financing *(opp, joint financing)*
Alleinverkaufsrechte *npl*
  (com) sole and exclusive selling rights
  – exclusive franchise

Alleinvertreter *m*
(com) sole agent
– sole distributor
(ie, buys and sells in his own name and for his own account, seeking to make middleman's profit)

Alles-oder-Nichts-Klausel *f* (Fin) all-or-nothing clause

Allfinanz *f*
(Fin) one shop-shopping
(ie, möglichst umfassendes Angebot von Finanzdienstleistungen durch Kreditinstitute, Versicherungen, Nichtbanken; Möglichkeiten: Tochterunternehmen, Beteiligungen, Kooperationen)

allgemein (com) across-the-board
(eg, pay rises, price and wage controls)

allgemeine Bankgeschäfte *npl* (Fin) general banking operations

allgemeine Erhöhung *f* (com) across-the-board increase *(eg, prices, wages)*

Allgemeine Lieferbedingungen *fpl* (com) General Terms and Conditions of Delivery

allgemeiner Überblick *m* (com) broad/general . . . overview (of)

allgemeine Wirtschaftsdaten *pl* (com) general business statistics

Allonge *f*
(WeR) allonge
– rider
(ie, strip of paper annexed to a bill of exchange, on which to write indorsements for which there is no room left on the instrument itself)

al pari (Fin) at par *(ie, market price of security is equal to its face value)*

alte Aktie *m* (Fin) old share *(opp, junge Aktie, qv)*

alteingesessenes Unternehmen *n* (com) old-established business

Alternativ-Auftrag *m* (Bö) either-or order

Alternative *f*
(com) alternative
(ie, one or the other of two conditions or courses of action)

alternativer Kapitalmarkt *m* (Fin) gray capital market *(syn, grauer Kapitalmarkt)*

Alternativklausel *f* (Fin) *(obsolete for:)* Fakultativklausel, qv

Alternativkosten *pl* (Vw) opportunity costs *(cf, Opportunitätskosten)*

Alternativsanierung *f* (Fin) alternative reorganization
(ie, where members of a company may choose between voluntary pro-rata payments or reduction of par value of their shares)

Altersgruppe *f*
(com) age group

Altsparerwertpapiere *npl* (Fin) old savers' securities

amerikanische Option *f* (Bö) American option
(ie, kann während der gesamten Laufzeit ausgeübt werden; can be exercised on or before the fixed expiration date; opp, europäische Option, qv)

Amortisation *f*
(Fin) amortization
– repayment
(ie, gradual extinction of long-term debt according to an agreed plan)
(Fin) payback
– payoff
– payout *(ie, of investment projects)*

Amortisationsanleihe *f* (Fin) redemption/refunding . . . loan *(syn, Tilgungsanleihe)*

Amortisationsdauer *f* (Fin) = Amortisationszeit

Amortisationsfonds *m*
(Fin) amortization
– redemption
– sinking . . . fund *(syn, Tilgungsfonds)*

Amortisationshypothek *f* (Fin) = Tilgungshypothek, qv

Amortisationsmethode *f* (Fin) payback/payoff . . . analysis *(ie, used in evaluating investment projects)*

Amortisationsplan *m* (Fin) amortization/redemption . . . schedule

Amortisationsrechnung

Amortisationsrechnung *f* (Fin) payback (time) method
(ie, Verfahren der Investitionsrechnung = preinvestment analysis; syn, Kapitalrückflußrechnung)

Amortisationszeit *f*
(Fin) period of . . . amortization
. . . redemption
. . . repayment
(Fin) payback
– payoff
– payout . . . period *(ie, in der Investitionsrechnung = preinvestment analysis)*

amortisierbar
(Fin) amortizable
– repayable
– redeemable

amortisieren
(Fin) to amortize *(ie, to retire debt gradually and as planned)*
(Fin) to pay . . . back/off/out *(ie, said of investment projects)*

Amortisierung *f* (Fin) = Amortisation

amtlich bestellter Sachverständiger *m*
(com) officially appointed expert

amtliche Börsennotiz *f* (Bö) official quotation

amtlich eingeführte Aktie *f*
(Bö) listed share
– officially quoted share
– share admitted to official stock exchange dealings

amtliche Notierung *f* (Bö) official quotation

amtliche Notiz *f* (Bö) = amtliche Notierung

amtlicher Börsenmakler *m* (Bö) official stock exchange broker

amtlicher Börsenpreis *m* (Bö) official exchange quotation

amtlicher Devisenkurs *m*
(Fin) official foreign exchange quotation

amtlicher Handel *m* (Bö) official . . . dealings/trading
(ie, Börsensegment der zum amtlichen Handel zugelassenen Wertpapiere; syn, amtlicher Markt)

amtlicher Kurs *m*
(Bö) official rate of exchange
(Bö) official . . . price/quotation

amtlicher Kursmakler *m* (Bö) official broker

amtlicher Markt *m* (Bö) = amtlicher Handel, qv

amtlicher Wechselkurs *m* (Fin) official exchange rate

amtliches Kursblatt *n*
(Bö) official price list
– (GB) Official List

amtliche Wertpapierbörse *f* (Bö) official/recognized . . . stock exchange

amtlich nicht notierte Werte *mpl*
(Bö) unlisted securities

amtlich notiert (Bö) officially . . . listed/quoted

amtlich notierte Wertpapiere *npl*
(Bö) listed/on-board . . . securities

amtlich zugelassen (Bö) officially . . . listed/quoted

amtlich zugelassener Makler *m* (Bö) official broker

Analyst *m* (Fin) = Wertpapieranalytiker, qv

Anbieter *m*
(com) supplier
(com) bidder
– tenderer
(ie, connoting a formal buying approach)

an der Börse gehandelt (Bö) traded on the stock exchange

Anderdepot *n* (Fin) third-party security deposit
(ie, securities left to banks for safekeeping by lawyers, public accountants, and trust companies on behalf of their clients)

Anderkonten *npl* (Fin) client accounts

Anderkonto *n* (Fin) escrow/third-party . . . account
(ie, held in a bank by a trustee on behalf of third-party assets; Verfügung nur durch Treuhänder, nicht durch Person, für die das Konto geführt wird; nicht jedes Treuhandkonto ist ein Anderkonto)

Änderungen *fpl* **vorbehalten**
(com) subject to change without notice

Änderungsrate *f* (com) rate of change

Änderungsvorschlag *m* (com) proposal ... for modification/to modify

andienen
(Fin) to tender *(ie, documents)*

anfallen
(Fin) to accumulate *(eg, interest)*
– to accrue

Anfangsauszahlung *f* (Fin) initial investment

Anfangsbelastung *f* (Fin) initial debt service
(ie, including interest and repayment of principal)

Anfangsdividende *f* (Fin) initial dividend

Anfangsgewinne *mpl* (Bö) early gains

Anfangskapital *n*
(Fin) initial/starting ... capital
– start-up funding

Anfangskurs *m*
(Bö) first quotation
– opening price
(ie, for a security quoted in the variable market)

Anfangsnotierung *f* (Bö) = Anfangskurs

Anfangsrendite *f* (Fin) initial rate of return

Anfangsstadium *n* (com) initial stage

Anfangsverzinsung *f* (Fin) initial coupon

Anfangswert *m* (com) initial value

Anforderungen *fpl*
(com) requirements

Angaben *fpl*
(com) details
– particulars
– statement

Angabe *f* **von Ankaufs- und Verkaufskurs** (Bö) double-barrelled quotation

Angebot *n*
(com) offer
– quotation
– quote

– proposal *(ie, general terms)*
(com) bid
– tender *(ie, terms in contract awarding)*

Angebot *n* **einholen**
(com) to obtain an offer
– to send out requests for quotations

Angebot *n* **einreichen**
(com) to put out/submit ... a proposal

Angebot *n* **geht ein** (com) bid is received

Angebot *n* **ohne Festpreis** (com) subject bid

Angebotsabgabe *f* (com) tendering

Angebotsdruck *m*
(Bö) selling/sales ... pressure

Angebotsüberhang *m*
(Bö) sellers over
– surplus of selling orders

angemessener Marktpreis *m*
(com) fair market value
– actual cash value
(ie, reasonable cash price obtained in the open market)

angemessener Preis *m*
(com) fair
– reasonable
– appropriate
– bona fide ... price

angemessene Vergütung *f* (com) reasonable compensation

angemessene Verzinsung *f* (Fin) fair rate of return

angemessen reagieren (com) to respond adequately

angeschlossene Bank *f* (Fin) affiliated bank

angeschlossenes Unternehmen *n* (com) = angegliedertes Unternehmen

angespannte Finanzlage *f* (Fin) situation of strained resources

angespannte Liquiditätslage *f* (Fin) tight liquidity position

angesparte Eigenmittel *pl* (Fin) personal resources saved

angestrebte Kapitalverzinsung *f* (Fin) target rate of return

17

angestrebte Mindestverzinsung *f*
(Fin) required rate of return *(ie, in investment analysis)*

Angliederungsfinanzierung *f* (Fin) procurement of funds to finance a holding in, or the acquisition of, another company

Angstklausel *f* (WeR) no-recourse clause
(ie, Aussteller schließt Haftung für die Annahme aus; cf, Art 9 II 1 WG)

Angstverkäufe *mpl*
(Bö) panic selling

anhaltende Kurserholung *f* (Bö) sustained rally

Anhang *m*
(com) appendix

anheben
(com) to raise *(eg, prices)*
– to increase
– to lift
(Bö) to mark up

Anhörung *f*
(com) hearing
– consultation
(eg, there is no established system of informal consultation)

an Inhaber (WeR) payable to bearer

ankaufen
(Fin) to negotiate *(eg, a draft)*

Ankaufermächtigung *f*
(Fin) order to negotiate *(ie, Form des Negoziierungskredits)*

Ankaufskurs *m*
(Fin) buying rate *(ie, in the money market; opp, Abgabesatz = selling rate)*

Ankaufssatz *m*
(Bö) check price
(Bö) = Ankaufskurs

ankreuzen
(com) „please check in appropriate space"
– to mark

Anlage *f*
(com) enclosure *(ie, attached to a letter)*
– exhibit
(Fin) investment

Anlageberater *m*
(Fin) investment . . . adviser/consultant /counsellor

Anlageberatung *f* (Fin) investment counseling

Anlageberatungsgesellschaft *f* (Fin) investment management company

Anlageberatungsvertrag *m* (Fin) investment advisory agreement

anlagebereite Mittel *pl*
(Fin) idle balances (*or* funds) seeking investment

Anlagebereitschaft *f*
(Fin) readiness
– willingness
– propensity . . . to invest

Anlagebestand *m*
(Fin) investment portfolio
– inventory of securities *(eg, carried by banks)*

Anlagebetrag *m* (Fin) amount invested

Anlagebewertung *f*
(Fin) evaluation of securities
(Fin) investment . . . appraisal/ rating

Anlagechance *f* (Fin) investment . . . outlet/opportunity

Anlagedevisen *pl* (Fin, GB) investment currency

Anlagedispositionen *fpl* (Fin) investment decisions

Anlageergebnis *n* (Fin) investment performance

Anlageerträge *mpl* (Fin) investment income

Anlagefinanzierung *f* (Fin) investment financing

Anlageformen *fpl* (Fin) investment vehicles

Anlageinstrumente *npl* (Fin) investment vehicles *(syn, Anlageformen)*

Anlage *f* **in Wertpapieren** (Fin) paper investment *(opp, gold)*

Anlagekäufe *mpl* **des Publikums** (Fin) public investment buying

Anlagekäufe *mpl* (Fin) portfolio buying

Anlagekonto *n* **im Investmentgeschäft** (Fin) open account

Anlagekredit *m* (Fin) investment credit
(ie, zur Investition langfristig gebundenes Kapital = long-term borrowed capital for inancing production plant; syn, Investitionskredit)

Anlageland *n* (com) country of investment
(eg, klassisches... deutscher Firmen sind die USA)

Anlagemöglichkeiten *fpl*
(Fin) investment... outlets/opportunities
– outlet for funds

Anlagen *fpl*
(Fin) investments

Anlagendeckung *f*
(Fin) equity-to-fixed assets ratio
– ratio of equity capital to fixed assets

Anlagendeckungsgrad *m*
(Fin) fixed-assets-to-net-worth ratio
– (or) fixed assets + long-term debt to net worth ratio
(ie, horizontale Kapitalstruktur-Kennzahl, die Auskunft über strukturelle Liquidät, Kapitalkraft, Kreditwürdigkeit gibt)

Anlagenfinanzierung *f*
(Fin) plant and equipment financing
– investment financing
– provision of finance for renewed or expanded plant facilities

Anlagengeschäft *n* (com) industrial plant business
(ie, umfaßt e–e auf die individuellen Probleme des Abnehmers ausgerichtete Kombination von Produkten zu kompletten Anlagen; opp, Produktgeschäft, Systemgeschäft)

Anlagenpalette *f* (Fin) range of investment vehicles

Anlagenstreuung *f* (Fin) asset diversifiation

Anlagen *fpl* **umschichten** (Fin) to regroup investments

Anlagenumschichtung *f* (Fin) regrouping of investments

Anlagepapiere *npl* (Fin) investment securities
(ie, für langfristige Kapitalanlage geeignet; eg, festverzinsliche Wertpapiere)

Anlagepolitik *f* (Fin) investment management policy

Anlagepublikum *n*
(Fin) investing public
(Bö) buying public

Anlagerisiko *n* (Fin) investment risk

Anlagespezialist *m* (Fin) investment specialist

Anlagestrategie *f* (Fin) investment strategy
(cf, Portfolio Selection)

Anlagestreuung *f* (Fin) investment diversification

anlagesuchendes Publikum *n* (Fin) investing public

Anlageverwaltung *f* (Fin) investment management

Anlagevolumen *n* (Fin) volume of assets invested

Anlagewagnis *n*
(Fin) investment risk

Anlagewährung *f* (Fin) investment currency

Anlageziel *n* (Fin) investment goal

Anlaufphase *f* (com) start-up phase

Anlaufstelle *f* (com) contact point

anlegen (Fin) to invest

Anleger *m* (Fin) investor

Anlegerinteresse *n* (Fin) buying interest

Anlegerpublikum *n* (Fin) = Anlagepublikum

Anlegerrisiko *n* (Bö) investor's risk

Anlegerschutz *m* (Fin) investor protection

Anlehnungsmodell *n* (Fin) rescue model

Anleihe *f*
(Fin) loan
– (straight) bond
(ie, Aufnahme von Kredit gegen Schuldverschreibungen auf den Inhaber; Instrument der langfristigen

19

Kreditfinanzierung; lautet über Gesamtbetrag und wird in Teilschuldverschreibungen zerlegt und verbrieft; large-scale long-term borrowing on the capital market against the issue of fixed-interest bearer bonds)
(Fin) bond issue
– bonds

Anleiheablösung *f* (Fin) redemption of a loan

Anleiheagio *n*
(Fin) bond/loan . . . premium
– premium on bonds

Anleihe *f* **auflegen**
(Fin) to launch a bond offering
– to float/issue . . . a bond issue
– to float a loan
– to offer bonds for subscription

Anleihe *f* **aufnehmen** (Fin) to contract/raise/take up . . . a loan

Anleiheausstattung *f*
(Fin) terms of a loan
– bond features
(syn, Anleihebedingungen, Anleihekonditionen; siehe Übersicht)

Anleihe *f* **bedienen** (Fin) to service a loan

Anleihebedingungen *fpl* (Fin) loan terms

Anleihe *f* **begeben** (Fin) = Anleihe auflegen, qv

Anleihedienst *m* (Fin) loan debt service

Anleihedisagio *n*
(Fin) discount on bonds
– (GB) debenture discount

Anleiheemission *f* (Fin) bond/coupon . . . issue

Anleihe-Emissionsagio *n* (Fin) bond/loan . . . premium

Anleihe *f* **emittieren** (Fin) to float a bond issue

Anleiheerlös *m*
(Fin) bond yield
– loan proceeds
– avail
– (GB) debenture capital

Anleihefinanzierung *f* (Fin) bond financing

Anleihegeschäft *n* (Fin) bond issue operations

Anleihegläubiger *m* (Fin) bond . . . creditor/holder

Anleiheinhaber *m* (Fin) bondholder

Anleihekapital *n*
(Fin) bond/loan . . . capital
– bond principal

Anleihekonsortium *n* (Fin) bond/loan . . . syndicate

Anleihekonversion *f* (Fin) bond conversion

Anleihekosten *pl* (Fin) bond issue costs

Anleihekündigung *f* (Fin) call-in of a loan

Anleihekupon *m* (Fin) bond coupon

Anleihekurs *m* (Fin) bond price

Anleihekurs *m* **ohne Stückzinsen** (Fin) clean price

Anleihelaufzeit *f* (Fin) term of a loan

Anleihemantel *m* (Fin) bond certificate

Anleihemarkt *m* (Fin) bond market

Anleihe *f* **mit Endfälligkeit**
(Fin) bullet . . . loan/issue
– bullet maturity issue
(calls for no amortization; commonly used in the Euromarket)

Anleihe *f* **mit Optionsscheinen** (Fin) bond with warrants

Anleihe *f* **mit Umtauschrecht** (Fin) convertible bond

Anleihe *f* **mit variabler Verzinsung**
(Fin) floater
– floating rate note
(eg, minimum rate 7 per cent + ¼ pct over 6-months Libor)

Anleihemodalitäten *fpl* (Fin) = Anleiheausstattung

Anleihen *fpl* **der öffentlichen Hand** (Fin) public bonds

Anleihen *fpl* **ohne Zinssatz** (Fin) zero bonds *(ie, mostly much below par, medium term)*

Anleihe *f* **ohne Optionsscheine** (Fin) bond ex warrants

Anleihe *f* **ohne Wandelrecht** (Fin) straight bond

Anleihe *f* **ohne Zinseinschluß** (Fin) flat bond *(ie, accrued interest not included in the price)*

Anleihepolitik *f* (Fin) loan issue policy

Anleiheportefeuille *n* (Fin) bond portfolio

Anleiherendite *f* (Fin) bond/loan... yield

Anleiherückzahlung *f* (Fin) bond redemption

Anleiheschuld *f* (Fin) loan/bonded... debt

Anleiheschuldner *m* (Fin) loan debtor

Anleiheschuldverschreibung *f* (WeR) bond made out to order

Anleihestückelung *f* (Fin) bond denomination

Anleihe *f* **tilgen** (Fin) to redeem/repay... a loan

Anleihetilgung *f* (Fin) bond/loan... redemption

Anleihetilgungsfonds *m* (Fin) sinking fund

Anleihetilgungsplan *m* (Fin) bond redemption schedule

Anleiheübernahmekonsortium *n* (Fin) underwriting syndicate

Anleiheumlauf *m* (Fin) bonds outstanding

Anleiheumschuldung *f* (Fin) rescheduling of a loan – bond rescheduling

Anleihe *f* **unterbringen** (Fin) to place a loan

Anleiheunterbringung *f* (Fin) placing of a loan

Anleiheverbindlichkeiten *fpl* (Fin) bonded... debt/indebtedness – bonds (payable)

Anleiheverschuldung *f* (Fin) loan indebtendness

Anleihevertrag *m* (Fin) loan agreement

Anleiheverzinsung *f* (Fin) loan interest

Anleihezeichner *m* (Fin) loan subscriber

Anleihezeichnungskurs *m* (Fin) loan subscription price

Anleihezinssatz *m* (Fin) loan interest rate

Anleihezuteilung *f* (Fin) loan allotment

anmelden
(com) to apply for
(com) to check in *(eg, hotel, airport)*
(com) to enter for *(eg, an examination)*

Anmeldung *f*
(com) application

Annäherungskurs *m* (Bö) approximate price

Annahme *f*
(WeR) acceptance *(ie, promise to pay by the drawee of a bill of exchange; syn, Akzept, Akzeptleistung)*

Annahmefrist *f*
(com) time stated for acceptance

Annahme *f* **verweigern**
(WeR) to dishonor *(ie, refuse or fail to accept or pay a negotiable instrument at maturity)*

annehmbarer Preis *m*
(com) reasonable/acceptable... price

annehmen
(WeR) to accept *(ie, a bill of exchange)*

Annehmer *m* (WeR) acceptor *(syn, Akezptant; same as drawee = Bezogener od Trassat)*

Annuitätenanleihe *f*
(Fin) perpetual bond – annuity bond *(ie, bis zur Fälligkeit werden keine Zinsen gezahlt)*

Annuitätendarlehen *n* (Fin) annuity loan *(ie, repayable by annuities made up of interest plus repayment)*

Annuitätenhypothek *f*
(Fin) redemption mortgage – (US) level-payment mortgage *(ie, debtor repays in equal annual installments; syn, Tilgungshy-*

21

*pothek, Amortisationshypothek; cf,
Verkehrshypothek)*

Annuitätenmethode *f* (Fin) annuity
method
*(ie, Variante der Kapitalwert-
methode der dynamischen Investitionsrechnung = net present value
method)*

Annuitätenrechnung *f* (Fin) = Annuitätsmethode, qv

Annuitätsfaktor *m* (Fin) =
Wiedergewinnungsfaktor, qv

Annuitätsmethode *f* (Fin) annuity
method *(ie, of preinvestment
analysis)*

Annuität *f*
(Fin) annuity
*(ie, income payable at stated inter-
vals; syn, Zeitrente)*
(Fin) regular annual payment
*(ie, periodisch zu zahlende stets
gleichbleibende Rate auf e–e
Kapitalschuld; covering interest
and repayment of principal)*

annullierter Scheck *m* (Fin) canceled/
paid... check *(ie, perforated or
ink stamped)*

anonymer Aktienbesitz *m* (Fin) nominal holdings *(ie, through straw
men, often in preparation of a
takeover)*

anonymes Konto *n* (Fin) anonymous
bank account
*(ie, wird unter Code-Wort geführt;
keine Identitätsprüfung bei Eröffnung; in Österreich zulässig)*

anonymes Sparen *n* (Fin) anonymous
saving
*(ie, by holder of passbook un-
known to bank, not allowed in Germany, § 154 I AO)*

an Order
(WeR) to order

an Order ausstellen (WeR) to make
out to order

Anpassungsdarlehen *n*
(Fin) adjustment loan
– renegotiated loan

Anpassungsinvestition *f* (Fin)
rationalization investment *(ie, to

*bring plant in line with changed
conditions)*

anrechnen
(com) to credit against
– to set off
(com) to count against *(eg, a
quota)*

Anrechtsschein *m* (WeR) intermediate share certificate

anschaffen
(Fin) to provide cover
(Fin) to remit
(Fin) to procure *(ie, bill of ex-
change)*

Anschaffung *f*
(com) acquisition
(Fin) remittance
(Fin) provision of cover

Anschaffungsausgabe *f* (Fin) investment outlay *(ie, in preinvestment
analysis)*

Anschaffungsdarlehen *n* (Fin) personal loan
*(ie, Ratenkredit; Laufzeit 2-6
Jahre; bis zu 40.000 DM, bei ent-
sprechender Sicherheit bis zu
150,000 DM; medium-term installment credit extended to private individuals)*

Anschaffungskosten *pl*
(com)   purchase/acquisition...
cost

Anschaffungskosten *pl* **von Investi-
tionsobjekten**
(Fin) initial investment
– original... cash outlay/invest-
ment

Anschaffungskredit *m* (Fin) medium-
sized personal loan

Anschaffungswert *m*
(Fin) net cash outflow *(ie, in preinvestment analysis)*

Anschaffungswert-Methode *f*
(Fin) cost value method
– legal basis method
*(ie, method of evaluating perma-
nent investments)*

anschließen (com) to plug into *(eg,
town into new motor highway, dp
workstation into LAN)*

Anschlußaufträge *mpl*
   (Bö) follow-through ... orders/
   support
   – back-up support
Anschlußfinanzierung *f*
   (Fin) follow-up financing
   – ongoing finance
   (ie, notwendig bei fristeninkon-
   gruenter Finanzierung: Kapital-
   überlassungsdauer kürzer als die
   Kapitalbindungsdauer)
Anschlußflug *m* (com) connecting
   flight
Anschlußgeschäft *n*
   (com) follow-up contract
   (Bö) roll over deal
Anschlußkunde *m*
   (Fin) client
   (ie, company using the services of
   the factor: als Nachfrager des Fac-
   toring; syn, Klient)
Anschubfinanzierung *f* (Fin) knock-
   on financing
ansetzen
   (com) to estimate
   – (infml) to put at
Anspannungsgrad *m*
   (Fin) = Verschuldungsgrad *m*
Anspannungskoeffizient *m* (Fin) debt
   to total capital *(ie, balance sheet*
   ratio)

ansparen (com) to save up *(ie, by put-*
   ting aside money regularly and for
   a specific purpose)
Ansprechpartner *m* (com) contact
Anspruch *m*
   (com) claim
Anstieg *m*
   (com) increase
   – rise
   – (infml) uphill climb *(eg, in inter-*
   est rates is still in gear)
Anstoß *m* (com) initiative
   – impact
anstreben
   (com) to aim at *(eg, job, position,*
   goal)
   (com, fml) to aspire to *(eg, the job*
   of vice president marketing)
Anteil *m*
   (Fin) share
   (Fin) = Beteiligung
Anteil *m* **am Investmentfonds**
   (Fin) share
   – (GB) unit
Anteile *mpl* (Re) shares
   (ie, term covers shares, interests, or
   participations in: AG, OHG, KG,
   BGB-Gesellschaft and other forms
   of associations as well as all foreign
   corporations, partnerships or as-
   sociations)

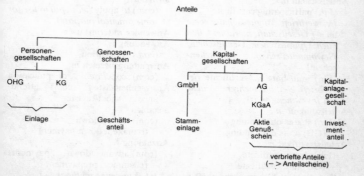

Quelle: Beyer/Bestmann: Finanzlexikon, 2. Aufl. München 1989, S. 21.

23

anteilige Finanzierung *f* (Fin) prorata financing

anteilige Zahlung *f* (Fin) prorata payment

anteilmäßige Zahlungen *fpl* (Fin) prorata payments

Anteilpapier *n* (Fin) equity security

Anteilsaktie *f* (Fin) = Quotenaktie

Anteilsbesitz *m*
(Fin) investment holdings
(Fin) share ownership

Anteilschein *m*
(Fin) interim certificate
(ie, issued to shareholders prior to issuance of share certificates, § 8 IV AktG)
(Fin) investment fund share
(Fin) certificate of an investment trust

Anteilseigner *m*
(Fin) shareholder
– stockholder
– equity holder
(Fin) shareholder of a GmbH
(Fin) shareholder *(ie, of investment fund)*
– (GB) unitholder

Anteilsinhaber *m* (Fin) = Anteilseigner

Anteilskurs *m* (Fin) unit price

Anteilsrechte *npl* (Fin) equity interests

Anteilsschein *m*
(Fin) participating certificate
(ie, verbrieft Mitgliedschaftsrechte an e–r Gesellschaft; hierunter fallen auch: Optionsschein, Genußschein, Gewinnanteilschein, Zwischenschein)
(Fin) unit/share ... certificate *(ie, verbrieft e–n od mehrere Anteile am Investmentfonds)*

Anteilsumlauf *m*
(Fin) shares outstanding
– (GB) units outstanding

Anteilszertifikat *n*
(Fin) share certificate
– (GB) unit certificate

antizipatives Sicherungsgeschäft *n*
(Fin) anticipatory hedge

Antrag *m* (com) application

Antrag *m* **ablehnen**
(com) to reject a request

Antrag *m* **auf Aktienzuteilung** (Fin) application for shares

Antrag *m* **auf Börseneinführung** (Bö) = Antrag auf Börsenzulassung

Antrag *m* **auf Börsenzulassung** (Bö) application for listing
– listing application

Antrag *m* **stellen**
(com) to make an application
– to apply for

Antragsteller *m*
(com) applicant

anweisen
(Fin) to remit *(eg, amount of money)*

Anweisender *m* (WeR) drawer *(ie, person issuing an order to pay or to deliver a thing)*

Anweisung *f*
(com) instruction
(WeR) order to pay a sum of money or to deliver a thing
(eg, Scheck, gezogener Wechsel, kaufmännische Anweisung; cf, §§ 783-792 BGB)

Anweisungsempfänger *m* (WeR) payee *(ie, person to whom or to whose order payment or delivery is to be made)*

anwenden
(com) to apply *(ie, to put to use for some practical purpose)*

Anwender *m* (com) user

Anwendung *f*
(com) application

Anwendungsbereich *m*
(com) scope/area ... of application

Anwesenheitsliste *f* (com) attendance ... sheet/register

anzahlen
(com) to pay down
– to make a down payment

Anzahlung *f*
(com) advance/down ... payment
– (customer) prepayment
(cf, Kundenanzahlung)
(Fin) cash deposit

Anzahlungen *fpl* **finanzieren** (Fin) to fund downpayments
Anzahlungsgarantie *f*
 (Fin) advance payment bond
 – advance guaranty
 – security bond for down payment
Anzeigetafel *f* (Bö) quotations board
Anziehen *n*
 (com, Bö) firming up
 – upturn *(eg, prices, interest rates)*
anziehen
 (Bö) to advance *(ie, prices)*
 – to firm
 – to move up
Apotheke *f*
 (com) drugstore
 – pharmacy
 – (GB) chemist's (shop)
Apotheker *m*
 (com) pharmacist
 – (GB) dispenser
arbeiten an
 (com) to work on
 – (infml) to bite on *(eg, a tricky problem to bite on)*
arbeitendes Kapital *n* (Fin) active capital *(ie, continuously employed in profit-making pursuits; opp, funds on the sideline)*
Arbeitgebervereinigung *f* (com) Employers' Federation
Arbeitsessen *n* (com) working... lunch/dinner
arbeitsfähige Mehrheit *f* (com) working majority
Arbeitsfortschritts-Ausweis *m* (com) work progress certificate
Arbeitsgemeinschaft *f* **der Deutschen Wertpapierbörsen** (Bö) Federation of German Stock Exchanges *(ie, formed in 1986)*
Arbeitsgruppe *f*
 (com) task... force/group
 – team
 – working... group/party
 (Pw) gang
Arbeitskreis *m* (com) working... group/party
arbeitslos
 (com) unemployed

– jobless
– out of work
– off the payroll
– (infml) sitting on the sidelines of business
Arbeitslosenquote *f* (com) unemployment/jobless... rate *(ie, ratio of jobless to total labor force)*
Arbeitslosenzahl *f*
 (com) jobless total
 – unemployment figure
 – number of people... out of work/unemployed
Arbeitslose *pl*
 (com) unemployed
 – jobless
 – persons out of work
Arbeitsloser *m*
 (com) jobless/unemployed... person
 – person out of work
Arbeitslosigkeit *f*
 (com) unemployment
 – joblessness
 (com) level of unemployment
 – number of people out of work
Arbeitslosigkeit *f* **bekämpfen** (com) to fight/combat... unemployment
Arbeitsmarkt *m* **verstopfen** (com, US) to clog the labor market *(ie, by minimum wage laws, shortages of skills, employment laws that penalizes firing and so deter hiring, etc)*
Arbeitspapier *n*
 (com) working paper
 – exposure draft
Arbeitsplatzbeschaffung *f* (com) job creation
Arbeitsplatz *m* **besetzen** (com) to fill a... job/vacancy
Arbeitsplatz *m* **verlieren** (com) to lose a job
Arbeitsplatzvernichtung *f*
 (com) job... shedding/destruction
 – abolition of jobs
Arbeitsplatzwechsel *m* (com) job... change/shift
Arbeitsrückstand *m* (com) backlog of work

25

Arbeitssitzung *f* (com) work session
Arbeitstag *m*
  (com) workday
  – (GB) working day
Arbeitstagung *f* (com) workshop
Arbeit *f* **suchen**
  (com) to look for a job/for work
  – to seek a job (*or* work)
Arbeitsunterlagen *fpl* (com) working
  papers
Arbeitsverfahren *n* (com) working
  method
Arbitrage *f* (Fin) arbitrage
  (*ie, Ausnutzung von Preis-, Kurs-
  od Zinsdifferenzen zu e-m bestimmten Zeitpunkt an verschiedenen Börsenplätzen; Güter: Effekten, Termingeld, Devisen, Edelmetalle usw; cf, Differenzarbitrage,
  Ausgleichsarbitrage als Unterfälle
  der Raumarbitrage; buying a
  specified item – whether securities,
  term money, foreign exchange, precious metals – or its equivalent in
  one market and simultaneously selling it in the same or other markets,
  for the differential or spread prevailing at least temporarily because
  of the conditions particular to each
  market*)
Arbitrage *f* **bei unternormalen Preis-
  od Kursdifferenzen** (Fin) back-
  spread
Arbitragehändler *m* (Fin) arbitrage
  dealer
Arbitrage-Interventionspunkte *mpl*
  (Fin) arbitrage support points
Arbitragepreistheorie *f* (Fin) arbitrage pricing theory, APT
  (*ie, Weiterentwicklung des Capital
  Asset Pricing Model*)
Arbitragerechnung *f* (Fin) arbitrage
  calculation
Arbitragetransaktionen *fpl* (Fin) arbitrage ...   dealings/operations
  /transactions)
Arbitrageur *m*
  (Fin) arbitrager
  – arbitrageur
  – (GB) shunter

Arbitragewerte *mpl* (Bö) arbitrage
  stocks
Arbitrage *f* **zwischen zwei Parallel-
  märkten**
  (Fin, GB) shunting
Architektengruppe *f* (com) architec-
  tural firm
Artikel *m*
  (com) article (*or* item) of goods
  – product
Ärztekammer *f*
  (com, US) State Medical Board of
  Registration
  – (GB) General Medical Council
Asiatische Entwicklungsbank *f* (Fin)
  Asian Development Bank, ADB
  (*ie, Sitz in Manila, Philippinen*)
Asset Swap *m* (Fin) asset swap
  (*ie, zur Steuerung von Aktiva;
  Grundform über e-n Zinsswap;
  Beispiel: Festsatzanleihe + Zinsswap = synthetischer Floater; cf,
  Liability Swap*)
astronomische Höhe *f* (com) sky-
  scraping levels (*eg, prices remain
  at ...*)
Atempause *f* (com) breathing space
Attentismus *m* (Bö) wait-and-see at-
  titude
Attest *n*
  (com) doctor's certificate
  – (GB) medical certificate
  (*ie, evidencing a person's temporary unfitness for work*)
attraktive Ausstattung *f* (Fin) attractive terms (*eg, of bond*)
atypischer stiller Gesellschafter *m*
  (com) nontypical silent partner (*ie,
  one who participates in the assets
  and capital of a business in addition
  to its profits and losses*)
atypische stille Gesellschaft *f* (com)
  nontypical silent partnership
  (*ie, der Stille bedingt sich vertraglich e-e dem Geschäftsinhaber
  gleichrangige Stellung aus, jedoch
  ohne dingliche Beteiligung am
  Gesellschaftsvermögen und ohne
  Haftung; neuerdings häufig auch
  Kombination GmbH & Still.*)

auf Abzahlung kaufen
(com) to buy on the installment plan
– (GB) to buy on hire purchase
aufaddieren
(com) to add up
– to sum up
– to foot up
– (infml) to tot up
auf Antrag
(com) upon application
– upon request
– upon the initiative (of)
aufarbeiten
(com) to work off (eg, arrears of correspondence)
auf Baisse spekulieren (Bö) to sell a bear
Aufbaudarlehen n (Fin) reconstruction loan
aufbauen
(com) to build up (eg, firm, reputation)
Aufbewahrungsgebühr f (Fin) safe deposit fee
aufbrauchen
(com) to use up
– to finish completely
aufbringen
(Fin) to raise (or put up) money
– (infml) to cough up
– (infml) to stump up (eg, an extra $50bn in finance)
auf dem Dienstweg (com) through formal channels
auf dem laufenden sein (com) be abreast of (eg, of current developments)
auf dem Submissionswege (com) by tender
auf den Markt bringen (com) to put on the market
auf den Markt kommen
(com) to come to market
– to come off the line
auf den neuesten Stand bringen
(com) to bring up to date
– to update
auf die Tagesordnung setzen (com) to put down on the agenda

aufdrängen (com) to pressure (customers) to take (eg, a certain product)
auf eigene Gefahr (com) at one's own risk (or peril)
auf eigene Kosten (com) at one's own charge
auf eigene Rechnung (com) on one's own account
auf Eis legen (com, infml) to put (a matter) on ice
auf erstes Anfordern (com) upon first demand
auffangen (com) to cushion the impact (eg, of cost increases)
Auffangkonsortium n (Fin) backing (or reconstruction) syndicate – support group
Auffanglinie f (Fin) back-up line (syn, Stützungsfazilität)
Auffassung f **vertreten** (com) to take the position (that...)
auffordern (com) to request (eg, to pay)
Aufforderungsschreiben n (com) letter of invitation
Aufforderung f **zur Einzahlung auf Aktien** (Fin) call on shares
auffrischen
(com) to brush up (eg, your English)
– (US) to brush up on
Aufgabe f
(com) mailing (eg, a letter)
– (GB) posting
(com) placing (eg, an order)
(com) task (ie, work imposed by a person in authority or by an employer or by circumstance)
Aufgabebescheinigung f (com) postal receipt
Aufgabemakler m (Bö) broker concluding a deal for his own account
Aufgabenstellung f (com) terms of reference
Aufgabeort m
(com) place of mailing
– (GB) place of posting
Aufgabeschein m (com) postal receipt

27

Aufgabestempel *m*
   (com) date stamp
   – postmark
Aufgabezeit *f* (com) time of dispatch
aufgeben
   (com) to mail *(eg, letter, parcel)*
   – (GB) to post
   (com) to place *(eg, order, advertisement)*
   (com) to close down
   – to discontinue
   – to give up . . . a business
aufgebläht (com) bloated *(eg, staff; welfare state)*
auf Gefahr des Empfängers (com) at receiver's risk
auf Gefahr des Käufers (com) at buyer's risk
aufgelassenes Bergwerk *n* (com) abandoned mine
aufgelaufene Dividende *f*
   (Fin) accrued/accumulated . . . dividend
   (ie, on preferred stock)
aufgelaufene Zinsen *mpl* (Fin) accrued interest *(syn, Stückzinsen, qv)*
Aufgeld *n*
   (com) extra charge
   – surcharge
   (Fin) = Agio, qv
aufgelegt (Fin) open *(or* issued) for subscription
aufgenommene Gelder *npl*
   (Fin) creditors' account *(ie, in bank balance sheet)*
   (Fin) borrowing by banks *(ie, to strengthen liquidity position; Zentralbankgeldaufnahme für bestimmte Zwecke; Laufzeiten bis zu 4 Jahren; syn, Nostroverpflichtungen)*
aufgenommene langfristige Darlehen *npl* (Fin) long-term borrowing *(ie, item on bank balance sheet)*
aufgenommene Mittel *pl* (Fin) borrowed funds
aufgerufene Wertpapiere
   (Fin) called-in securities
   (ie, in e–r Sammelliste veröffentlichte Aktien und Schuldverschreibungen, die als verlorengegangen oder gestohlen gemeldet wurden)
auf Geschäftskonto (com) on expense account
auf Geschäftskosten reisen (com) to travel at company's expense
aufgeschobene Dividende *f* (Fin) deferred dividend
aufgeschobene Rente *f* (Fin) deferred *(or* intercepted) annuity
aufgeschobene Zahlung *f* (Fin) deferred payment
auf Gewinnsteigerung spekulieren (Bö) to buy . . . earnings/growth
aufgliedern
   (com) to break down
   – to classify
   – to itemize
Aufgliederung *f*
   (com) breakdown
   – classification
   – itemization
Aufgliederung *f* **e–s Gesamtbetrages**
   (com) breakout
aufhängen
   (com) to put back the receiver
   – to hang up
Aufhänger *m*
   (com, infml) peg
   (ie, fact or reason used as pretext or support)
auf Hausse spekulieren
   (Bö) to bull
   – to go a bull
   (ie, speculate for a rise in prices)
aufheben
   (com) to close *(eg, meeting, debate)*
   – to end
   – to terminate
   (com) to unfix *(eg, SEC unfixed the brokerage commission in 1975)*
Aufhebung *f* **e–r Sitzung** (com) termination of a meeting
Aufhebung *f* **von Kreditkontrollen** (Fin) removal of credit controls
aufholen
   (Bö) to rally

auf Inhaber ausstellen (WeR) to make out to bearer

auf Inhaber lauten (WeR) made out to bearer

auf Jahresbasis umrechnen (com) to annualize

aufkaufen
(com) to buy up (ie, all the supplies of a commodity)
(com) to buy off/out/up (ie, a business to gain complete control)
– to acquire
– to take over

Aufkäufer m
(com) buyer
– purchaser
(com) speculative buyer

Aufkaufhandel m (com) buying-up trade

Aufklebeadresse f
(com) mailing label
– gummed address label

Aufkleber m
(com) sticker
– adhesive label

Aufklebezettel m (com) adhesive label

Aufkommen n **an Finanzierungsmitteln** (Fin) inflow of financial resources

aufkommen für
(com) to make good (eg, damage)
(com) to pay expenses
– to pay for

auf Kredit
(com) on credit
– (infml) on the cuff
– (GB, infml) on tick
– (GB, infml) on the slate (eg, put it on the slate)

auf Kredit bestellen
(com) to order on account (or credit)
– (GB, infml) to order on tick

auf Kredit kaufen (com) to buy on credit

auf Kredit verkaufen (com) to sell on credit terms

aufkündigen
(Fin) to call in (eg, a loan)

Auflage f
(com) edition (ie, of a book)
(com) circulation (ie, of a newspaper)

Auflagenhöhe f (com) circulation (ie, number of copies of each issue)

auf Lager
(com) in stock (or store)
– on hand

auf Lager haben (com) to have in stock

auflaufen (com) to accrue (eg, interest on bank account)

auflegen
(com) to put back the receiver
– to hang up
(Fin) to issue (ie, a bond issue)
– to float
– to launch
(Fin) to invite subscriptions
– to offer for subscription

Auflegung f
(Fin) issue
– floating
– launching

Auflegung f **zur öffentlichen Zeichnung** (Fin) invitation (or offer) for public subscription

Auflieferer m (com) sender

aufliefern
(com) to send
– to dispatch
– to consign

auflisten (com) to list

auflösen
(Fin) to close (ie, one's account with a bank)
(Fin) to unlock (ie, an investment)

Auflösung f (Fin) closing (ie, an account)

Aufmaßliste f (com) list of measurements

auf meine Rechnung, bitte!
(com, GB) Put it down, please
– Please book it to me
– Book it to my account

Aufnahme f
(Fin) raising (ie, funds, a loan)

Aufnahmeantrag m **stellen**
(com) to apply for admission

aufnahmebereiter Markt *m* (com) receptive market

Aufnahme *f* **der Geschäftstätigkeit** (com) commencement of business operations

Aufnahme *f* **e–s Protokolls** (com) taking of minutes

aufnahmefähiger Markt *m*
(Bö) broad/ready ... market

Aufnahmefähigkeit *f*
(Bö)　　absorbing/absorptive ... capacity
– market receptiveness

Aufnahmegebühr *f*
(com) admission fee *(ie, general term)*
(com) initiation fee
– (GB) entrance fee
(ie, paid on joining a club)

Aufnahmegesuch *n* (com) application for admission

Aufnahme *f* **in die Kursnotiz** (Bö) listing

Aufnahme *f* **langfristigen Fremdkapitals** (Fin) long-term borrowing

Aufnahme *f* **von Fremdkapital** (Fin) borrowing

Aufnahme *f* **von Fremdmitteln** (Fin) borrowing *(or* raising) external funds

Aufnahme *f* **von Gütern** (com) inland collection *(ie, from exporter)*

aufnehmen
(Fin) to borrow
– to raise
– to take up *(ie, money, funds, loan)*
(Fin) to accept
– to take up *(ie, documents)*

aufnehmende Bank *f* (Fin) borrowing bank

Auf- od Abschlag *m* **bei Aufträgen auf Bruchschluß**
(Bö) trading difference

Aufpreis *m*
(com) extra charge
– additional price

Aufpreis *m* **für Kassaware** (Bö) backwardation *(eg, auf den Metallmärkten)*

auf Probe
(com) on approval

auf Pump (com, infml) on tick

Aufruf *m*
(Bö) call

aufrufen
(Fin) to call up/in *(ie, for redemption)*

Aufschieben *n*
(com) putting off
– postponement
– delay
– deferment

aufschieben
(com) to put off *(or* back) *(till/until)* *(eg, decision, appointment, talks until year-end)*
– to postpone *(until/to)*
– to delay *(doing sth)*
– to defer

Aufschlag *m* (com) extra charge
(com) premium
(com) recargo
(Fin) load
(ie, fee charged by open-ended investment company with purchase of new shares)
(Bö) markup

aufschlagen (com) to mark up *(ie, prices)*

Aufschlag *m* **für Bearbeitung** (com) service charge

Aufschlag *m* **für vorzeitige Tilgung**
(Fin) prepayment penalty
– (GB) redemption fee
(ie, fee charged for paying off a mortgage before maturity)

Aufschließungskosten *pl*
(com) development cost

Aufschließungsmaßnahmen *fpl* (com) land improvements

aufschlüsseln
(com) to break down
– to apportion
– to subdivide
– to classify
– to subclassify

Aufschlüsselung *f*
(com) breaking down
– apportionment

- allocation
- subdivision
- classification
- subclassification

aufschreiben (com) to write (*or* put) down

Aufschrift *f*
(com) name (*or* sign) of business
(com) address
- label *(ie, in postal service)*
(com) inscription

Aufschub *m*
(com) delay
- deferment
- extension

Aufschubfrist *f* (Fin) time limit for payment

Aufschub *m* **gewähren** (com) to grant a delay (*or* respite)

aufschwänzen (Bö) to corner *(syn, schwänzen)*

auf Schwung bringen
(com, infml) to bring up to snuff *(eg, sales staff, field force)*

Aufschwung *m* **der Aktienmärkte** (Bö) strong performance of the stock market

aufsetzen
(com) to draw up *(eg, letter, minutes, contract, advertisement)*

auf Sicht
(WeR) at sight
- on demand *(ie, subject to payment upon presentation and demand)*

Aufsichtsrat *m* (com) supervisory board
(ie, neben Vorstand und HV das dritte Organ der AG; bei GmbH fakultativ;
Note: This is the Central European version of the ,board of directors'. It is not a component of a two-tier management system, but plays essentially the same advisory role as its American counterpart. Top managers cannot sit on the board)

Aufsichtsratsmandat *n* (com) supervisory board seat

Aufsichtsratsmitglied *n*
(com) supervisory board member
- member of supervisory board
(ie, may be equated with the non-executive directors on an English board of directors)

Aufsichtsratsvergütung *f*
(com) supervisory board fee
- payment to members of supervisory board

aufstellen
(com) to draw up
- to prepare *(eg, statement, balance sheet)*

Aufstellung *f*
(com) list
- breakdown
- schedule

Aufstellungszeichnung *f* (com) installation drawing

aufstocken
(com) to increase
(eg, credit by DM 10bn, reserves, liquid funds)
- to top up *(eg, pension)*

Aufstockung *f* **des Grundkapitals** (Fin) increase of capital stock

Aufstockungsaktie *f* (Fin) bonus share

aufsuchen (com) to call on *(eg, a customer)*

aufsummieren
(com) to add up
- to sump up
- (infml) to tot up

Aufsummierung *f*
(com) adding up
- summing up

auftabellierbar (com) tabulable

auftabellieren
(com) to tabulate
- to put in tabular form
- to tabularize
- to formulate tabularly

Auftabellierung *f* (com) tabulation

aufteilen
(com) to break up
- to split up
- to apportion
- to allocate

Aufteilung *f*
  (com) allocation
  – apportionment
  – breakup
  (com) division

auf Termin kaufen (Bö) to purchase forward

Auftrag *m*
  (com) order
  – purchase order
  – sales order (for)
  (com) job

Auftrag *m* **annehmen** (com) to accept an order

Auftrag *m* **ausführen**
  (com) to carry out
  – to complete
  – to execute
  – to fill . . . an order

Auftrag *m* **bearbeiten** (com) to process an order

Aufträge *mpl* **ablehnen** (com) to turn away business

Aufträge *mpl* **abwickeln**
  (com) to transact business
  (com) to fill
  – to handle
  – to process . . . orders

Aufträge *mpl* **beschaffen**
  (com) to attract/solicit . . . new business
  – to canvass
  – to obtain
  – to secure . . . new orders

Aufträge *mpl* **hereinholen** (com) = Aufträge beschaffen

Aufträge *mpl* **hereinnehmen** (com) to take on business

Auftrag *m* **erhalten**
  (com) to obtain
  – to secure . . . an order
  (com) to win a contract (*ie, esp. in construction and systems engineering*)

Auftrag *m* **erteilen**
  (com) to place an order (for)
  – to award a contract

Aufträge *mpl* **weitervergeben**
  (com) to job out
  – to farm out contracts

Aufträge *mpl* **zu regulärem Festpreis**
  (com, US) straight-fixed-price contracts

Aufträge *mpl* **zurückhalten** (com) to cut back on orders

Auftraggeber *m*
  (com) customer
  – client
  (Fin) principal

Auftrag *m* **hereinholen** (com) to secure an order

Auftrag *m* **hereinnehmen** (com) to accept an order

Auftrag *m* **mit interessewahrender Ausführung** (Bö) not-held order

Auftragsabwicklung *f*
  (com) order filling
  – order handling
  – order processing

Auftragsänderung *f* (com) change order

Auftragsausführung *f* (com) job execution

Auftragsbearbeitung *f* (com) sales order processing

Auftragsbeschaffung *f* (com) order getting

Auftragsbestand *m*
  (com) backlog/level/volume . . . of orders
  – backlog order books (*eg, look relatively healthy*)
  – state of order book
  – orders on hand
  – unfilled orders
  – orders on the book
  – order book

Auftragsbestätigung *f*
  (com) acceptance/acknowledgment . . . of order
  (*ie, sent by seller to customer*)
  (com) confirmation of order (*ie, sent by buyer to vendor*)

Auftragsbewegung *f* (com) statement of changes in order backlog

auftragsbezogen produzieren (com) to make (*or* produce) to order

Auftragsbuch *n* (com) order book

Auftragsbuchführung *f* (com) order filing department

Auftragseingang m
 (com) booking of new orders
 – incoming business (or orders)
 – inflow of orders
 – intake of new orders
 – new orders
 – order bookings (or flow)
 – orders received (or taken)
 – rate of new orders (eg, started to show slight improvement)
Auftragseingang m **aus dem Ausland**
 (com) foreign bookings
Auftragserteilung f
 (com) placing an order
 – placing of order
Auftragsforschung f
 (com) committed
 – contract
 – outside
 – sponsored . . . research
auftragsgemäß (com) as per order
Auftragsgeschäft n (Fin) commission business
Auftragskartei f (com) order file (ie, comprising customer and production orders)
Auftragskennzeichen n (com) job order code
Auftragslage f (com) orders position
Auftragsloch n (com) order gap (ie, lack of orders over a period of time)
Auftragsmangel m (com) lack (or dearth) of orders
Auftragsmeldung f (com) order note
Auftragsnummer f (Fin) trade No.
Auftragspapiere npl (Fin) documents accepted for collection
Auftragspolster n
 (com) cushion of existing orders
 – comfortable backlog of orders
 – full order books
Auftragsreserven fpl (com) order backlog
Auftragsrückgang m
 (com) drop in orders
 – drop-off in orders
 – falling-off of orders
 – order decline (eg, in capital goods)

Auftragsrückstand m (com) unfilled orders
Auftragsschwemme f
 (com) boom in orders
 – (infml) deluge of orders
Auftragsstornierung f (com) cancellation of order
Auftrag m **stornieren** (com) to cancel an order
Auftragsüberwachung f (com) order control
Auftragsvergabe f
 (com) contract award process
 (com) placing of orders
Auftragswert m (com) contract value
Auftrag m **vergeben**
 (com) to give (or place) an order (for)
 (com) to award (or let out) a contract
 – to accept a bid (or tender)
Auftrag m **zu Festpreisen** (com) fixed-price contract (ie, no escalator clause)
Auftrag m **zu regulärem Festpreis** (com) straight fixed-price contract
Auftrag m **zur sofortigen Ausführung** (Bö) immediate-or-cancel order
 – carry out-or-cancel order
Auftriebskräfte fpl (com) buoyant/propellant . . . forces
auf unbestimmte Zeit vertagen (com) to adjourn indefinitely
auf Veranlassung von (com) at the instance of
Aufwand m
 (com) cost
 – expense
 – expenditure
 – outlay
 (com) effort(s)
Aufwandsentschädigung f
 (com) expense allowance
 – representation allowance
 (com) reimbursement of expenses
Aufwandszinsen mpl (Fin) interest charges (or expenses)
Aufwärtsentwicklung f
 (com) rising (or upward) trend
 – rising tendency

Aufwärtstrend

   – uphill trend
   – upswing

Aufwärtstrend *m*
   (com) = Aufwärtsentwicklung
   (Fin) upside trend *(ie, im Aktienkursdiagramm)*

aufwenden
   (com) to spend
   – to expend *(eg, money on)*

aufwendig
   (com) expensive
   – entailing great expense
   – costly

Aufwendungen *mpl* **aus Kursdifferenzen**
   (Fin) expenses from exchange rate differences

Aufwendungen *mpl* **für die Eigenkapitalbeschaffung**
   (Fin) commissions and expense on capital

Aufwendungsersatz *m* (com) repayment of expenses, § 87d HGB

aufwerten
   (com) to upgrade

Aufwuchs- und Fanggründe *pl* (com) maturing and fishing grounds

aufzehren
   (com) to use up
   – to clean out *(eg, savings)*

aufzeichnen
   (com) to note
   – to put down
   – to record

Aufzeichnungen *fpl*
   (com) notes

auf Ziel kaufen (com) to buy on credit

aufzinsen
   (Fin) to accumulate
   – to compound *(opp, abzinsen = to discount)*
   (Fin) to add unaccrued interest

Aufzinsung *f*
   (Fin) accumulation
   – act of compounding
   (ie, Ermittlung des Endkapitals aus e–m Anfangskapital auf der Grundlage e–s bekannten Anlagezeitraums und e–s bestimmten Zinsfußes; periodic addition of interest to principal)

Aufzinsungsfaktor *m*
   (Fin) accumulation factor
   – compound amount of 1
   (ie, formula $(1 + r)^n$ applied to a principal amount bearing interest at r rate for the purpose of determining its total at the end of n periods; opp, Abzinsungsfaktor = discount factor)

Aufzinsungspapier *n* (Fin) accrued-interest paper

Aufzinsungspapiere *npl* (Fin) securities sold at a premium

Augenblicksverzinsung *f* (Fin) continuous convertible interest

Auktion *f*
   (com) sale at auction
   – (GB) sale by auction

Auktionator *m* (com) auctioneer

Auktionssystem *n* (com) system of establishing prices by auction

ausarbeiten
   (com) to prepare
   – to work out

Ausarbeitung *f*
   (com) draft
   – preparation
   (com) paper
   – memorandum
   – memo

ausbaden
   (com, infml) be left holding the bag *(or baby)*

Ausbaugewerbe *n* (com) fitting-out trade *(eg, plumbing, painting, etc.)*

Ausbesserungen *fpl* (com) maintenance and repair work

Ausbeute *f*
   (Fin) distributable profit *(ie, of a mining company)*

ausbieten (com) to put up for sale *(by auction)*

Ausbietung *f* (com) putting up for sale by auction

ausbuchen
   (com) to debit
   – to take out of the books
   – to enter a debit against *(eg,*

bank debited my account with DM50)

Ausbuchung *f*
(Fin) balancing

aus dem Markt nehmen
(Fin) to take out of the market
– to soak up

aus der Notierung nehmen (Bö) to suspend a quotation

Ausfall *m*
(Fin) financial loss
– loss
– deficiency
(eg, from default in payment, of receivables, sales revenue)

Ausfälle *mpl*
(Fin) loan losses

Ausfallmuster *n*
(com) reference pattern *(syn, Referenzmuster)*

Ausfallquote *f*
(Fin) loan chargeoff ratio
– default rate

Ausfallrisiko *n*
(Fin) risk of... default/nonpayment
– non-payment risk
– delinquency risk
(ie, relating to receivables)
(Fin) loan loss risk

Ausfertigung *f*
(com) copy *(ie, of official document)*
(com) counterpart *(eg, of bill of lading)*

Ausfertigungsgebühr *f*
(com) issue fee
(com) charge for making out *(eg, duplicate, copy)*

Ausfertigungstag *m* (com) day of issue

Ausfischung *f* (com) devastation of fishery resources

Ausflaggen *n* (com) sailing under a foreign flag

Ausfolgungsprotest *m* (WeR) protest for non-delivery *(ie, of bill of exchange)*

ausführen
(com) to carry out *(eg, an order)*

– to execute
– to fill

Ausführer *m* (com) exporter
(ie, wer Waren nach fremden Wirtschaftsgebieten verbringt od verbringen läßt; Spediteur od Frachtführer ist nicht A.; cf, § 1 1 AWV)

Ausfuhrkommissionär *m* (com) export commission agent

Ausfuhrkredit *m* (Fin) export credit

Ausfuhrkreditversicherung *f* (Fin) export credit insurance
(ie, Hermes in Deutschland, ECGD in GB, Export-Import-Bank und Foreign Credit Insurance Association in USA; syn, Exportkreditversicherung)

ausführlich beschreiben
(com) to describe in full detail
– to detail

Ausfuhrtag *m* (com) day of exportation

Ausführungsanzeige *f* (Bö) contract note

Ausführungsgrenzen *fpl* (com) scope of tender

Ausführung *f*
(com) carrying out *(eg, of orders)*
– execution
(com) model
(com) quality

ausfüllen
(com) to fill in
– to fill out *(ie, a form)*
– (GB) to fill in
– (GB, *nonstandard*) to fill up

Ausgabe *f*
(com) outlay
– expense
– expenditure
(com) copy, number *(eg, of magazine)*
(Fin) issue *(or* issuance*) (eg, shares)*

Ausgabeaufgeld *n* (Fin) offering premium *(ie, excess of issue price over par value)*

Ausgabebedingungen *fpl* (Fin) terms of issue

Ausgabebetrag *m* (Fin) amount for which shares are issued

Ausgabeermächtigung *f*
(Fin) spending authority

Ausgabegrenze *f*
(Fin) spending target

Ausgabekurs *m*
(Fin) issue price
– initial offering price *(syn, Emissionskurs)*

Ausgaben *fpl*
(com) expenditures
(ie, Zahlungsvorgänge und das Entstehen von Verbindlichkeiten (und Forderungen); nicht zu verwechseln mit Aufwendungen und Auszahlungen, qv
(Fin) outflows *(ie, in preinvestment analysis)*

Ausgaben *fpl* **decken** (com) to cover expenses

Ausgaben *fpl* **einschränken**
(com) to curtail
– to cut
– to limit . . . expenditures

Ausgaben *fpl* **erhöhen** (Fin) to step up spending

Ausgabe *f* **neuer Aktien** (Fin) issue of new shares

Ausgaben *fpl* **kürzen**
(com) to cut spending
– to make cuts in spending
– (infml) to put a lid on spending
– (infml) to clamp down on spending

Ausgabenplan *m* (Fin) outgoing payments budget *(ie, part of overall financial budget)*

Ausgaben *fpl* **reduzieren**
(com) to cut spending
– (infml) to tighten purse strings

Ausgabepreis *m* (Fin) issue price *(ie, of investment fund share)*

Ausgabeschalter *m* (com) delivery counter

Ausgabe *f* **von Gratisaktien** (Fin) bonus *(or* scrip) issue, qv

Ausgabewert *m* (Fin) issue price

Ausgänge *mpl* (Fin) outgoings

Ausgangsfinanzierung *f* (Fin) initial finance

Ausgangsfracht *f*
(com) freight out
– (GB) carriage outward

Ausgangskapital *n* (Fin) initial capital

ausgeben
(com) to spend
– to disburse
– to expend
– to lay out
– to pay out
(Fin) to issue *(eg, shares, banknotes)*

ausgebucht
(com) booked up *(eg, for eight weeks ahead)*

ausgedient
(com) worn out
(com, infml, GB) clapped out *(eg, equipment, vehicle)*

ausgegebene Aktien *fpl* (Fin) issued shares

ausgegebenes Aktienkapital *n* (Fin) capital stock issued

ausgehen (com) to eat out in restaurants

ausgehende Post *f* (com) outgoing mail

ausgelegte Kredite *mpl* (Fin) loans extended *(or* granted)

ausgereift
(com) sophisticated
– fully operational
– mature *(eg, product)*

ausgeschlossener Aktionär *m* (com) expelled shareholder

ausgeschüttete Dividende *f* (Fin) declared dividend

ausgeschütteter Gewinn *m* (Fin) distributed profit

ausgezahlter Betrag *m* (Fin) amount paid out *(ie, to borrower)*

Ausgleich *m*
(com) balance
– compensation
– adjustment
– equalization
– settlement
– squaring

Ausgleich *m* **durch Kauf/Verkauf**
(Bö) evening up
ausgleichen
(com) to make up the difference
(com) to balance *(eg, an account)*
– to compensate *(eg, for a loss)*
– to equalize *(eg, incomes)*
– to settle *(eg, an account, claim)*
– to square *(eg, a debt)*
– to offset *(or* smooth out) *(eg, cyclical fluctuations)*
– to level out *(eg, differences)*
Ausgleichsarbitrage *f* (AuW) foreign-exchange arbitrage seeking the lowest rates to pay off a claim
Ausgleichsdividende *f* (Fin) equalizing dividend
Ausgleichsfaktor *m* (com) compensatory factor
Ausgleichsfonds *m*
(Fin) equalizing fund
(ie, Ausgleichskasse bei Konzernen und sonstigen Unternehmenszusammenschlüssen, um Gewinne und Verluste zu regulieren, die durch die Konzernpolitik bei einzelnen Unternehmenseinheiten entstehen)
Ausgleichskalkulation *f* (com) compensatory pricing
(ie, Grundsatz der Preislinienpolitik; einzelne Produkte od Produktgruppen werden mit unterschiedlich hohen Kalkulationsaufschlägen belegt; syn, Mischkalkulation, Kompensationskalkulation)
Ausgleichsleistung *f*
(Fin) compensating payment
Ausgleichszahlung *f*
(Fin) deficiency/equalization ... payment
ausgliedern
(com) to spin off *(ie, part of a company)*
(Fin) to divest
– to sell off
– to shed
– to unload
(ie, security holdings, foreign assets, subsidiaries)

ausgründen (com, GB) to hive off
(ie, to separate parts of a company and start a new firm)
aushandeln (com) to negotiate
aushändigen
(com) to hand over
(com) to deliver
Aushilfslöhne *mpl* (com) part-time salaries
auskehren (Fin) to pay out
Auskunft *f* (com) directory assistance
(ie, in telephone traffic)
Auskunftei *f*
(com) commercial agency
– *(rare)* mercantile agency
– (GB) credit ... agency/bureau
– (GB) credit reporting agency
(ie, erteilt Auskünfte insbesondere über Kreditwürdigkeit, the financial standing of persons)
Auskunftspflicht *f*
(com) duty to disclose information
(ie, in various contexts; eg, by employers, by taxpayers as laid down in §§ 93ff AO, for statistical purposes, in competition law, in foreign trade law)
Auskunftsschein *m* (com) information slip *(eg, supplied by commercial agencies)*
Ausladebahnhof *m* (com) unloading railroad station
ausladen
(com) to unload
– to discharge
Auslagen *fpl*
(com) expenses
– outlays
Auslagenersatz *m* (com) reimbursement of expenses
(ie, under civil and commercial law, under civil procedure provisions, and under wages tax law)
auslagern
(com) to take out of stock and transfer to another place
Auslagetisch *m* (com) display counter
Ausländerdepot *n* (Fin) non-resident securities account

Ausländerguthaben *npl* (Fin) external assets

Ausländerkonten *npl* (Fin) non-resident accounts *(ie, with German banks, held by natural or legal persons domiciled abroad)*

Ausländerkonvertibilität *f* (Fin) external (*or* non-resident) convertibility

ausländische Anleihe *f*
(Fin) foreign bond
– external loan
(ie, loan raised by a foreigner in Germany; see also: Auslandsanleihe)

ausländische Direktinvestitionen *fpl*
(Fin) foreign direct investment
– direct outward investment
(ie, management control resides in the investor lender; lender is often the parent corporation and the borrower its foreign subsidiary or affiliate, both being part of a multinational or transnational corporation)

ausländische DM-Anleihe *f* (Fin) international DM bond

ausländische Emittenten *mpl* (Bö) foreign issuers

ausländische Fluggesellschaft *f*
(com) foreign airline
– (US) foreign carrier

ausländische Konkurrenz *f* (com) foreign rivals (*or* competitors)

ausländische Märkte *mpl* **erobern** (com) to conquer (*or* penetrate) foreign markets

ausländische Märkte *mpl* (com) foreign markets

ausländischer Anteilseigner *m* (Fin) non-resident shareholder

ausländischer Emittent *m* (Fin) non-resident issuer

ausländische Rentenwerte *mpl* (Fin) foreign bonds

ausländisches Fabrikat *n* (com) foreign product

ausländisches Stammhaus *n*
(com) foreign headquarters

ausländische Tochtergesellschaft *f*
(com) foreign subsidiary

(ie, a corporation abroad in which a domestic company holds at least a material interest)

ausländische Währung *f* (Fin) foreign currency

Auslandsabsatz *m* (com) export (*or* external) sales

Auslandsabteilung *f*
(com) foreign operations department
(Fin) international department *(of a bank)*

Auslandsakkreditiv *n* (Fin) credit opened in a foreign country

Auslandsakzept *n* (Fin) foreign acceptance *(ie, draft accepted by foreign buyer)*

Auslandsanlage *f* (Fin) foreign investment

Auslandsanleihe *f*
(Fin) external loan
– foreign bond
(ie, im Inland aufgelegte Anleihe ausländischer Emittenten; issued abroad by a domestic debtor in foreign or domestic currency or loan issued by a foreigner in Germany, the latter also being termed ‚ausländische Anleihe')

Auslandsarbitrage *f* (Fin) outward arbitrage

Auslandsausleihungen *fpl* (Fin) cross-border lending

Auslandsbank *f* (Fin) foreign bank *(ie, one mainly operating abroad)*

Auslandsbeteiligung *f*
(Fin) foreign participations (*or* shareholdings)
(Fin) associated company abroad

Auslandsbezug *m* (com) purchase from foreign suppliers

Auslandsbonds *pl* (Fin) external bonds *(ie, German fixed-interest bonds in foreign currency)*

Auslandsbrief *m* (com) letter sent abroad

Auslandsdebitoren *pl* (Fin) foreign receivables (*or* debtors)

Auslandseinlage *f* (Fin) non-resident deposit

Auslandsemission f (Fin) foreign issue

Auslandsfactoring n (Fin) international (or multinational) factoring

Auslandsfiliale f
(com) foreign branch
– branch abroad
– overseas branch

Auslandsfiliale f **eröffnen** (com) to establish a foreign branch (or a branch abroad)

Auslandsflug m (com) nondomestic flight

Auslandsfracht f (com) cargo/freight . . . sent abroad

Auslandsgelder npl (Fin) foreign funds

Auslandsgeschäft n
(com) international business
(Fin) provision of international banking services
(Fin) external transactions
(ie, in securities, made either abroad or between resident and non-resident, § 24 KVStG)

Auslandsgespräch n (com) international call

Auslandsguthaben npl
(Fin) funds (or balances) abroad
(Fin) non-resident deposits

Auslandskäufe mpl (Bö) foreign buying

Auslandskontakte mpl (com) contacts abroad (or in foreign countries)

Auslandskonto n
(Fin) foreign account (ie, account held at a bank abroad)

Auslandskorrespondent m
(com) clerk handling foreign correspondence
(Fin) foreign correspondent (bank)

Auslandskorrespondenz f (com) foreign correspondence

Auslandskredit m
(Fin) foreign lending
– loan extended to foreigner
(Fin) foreign borrowing (or loan) (ie, loan obtained from abroad)

Auslandskreditgeschäft n (Fin) international lending business

Auslandsmesse f (com) foreign trade fair

Auslandsniederlassung f (com) foreign branch
(ie, set up by residents in foreign countries to establish permanent business relations)

Auslandsobligo n (Fin) total lendings to foreigners

Auslandspostanweisung f (Fin) international money order

Auslandsrepräsentanz f (Fin) representative office abroad

Auslandsscheck m (Fin) foreign check

Auslandsschulden fpl
(Fin) foreign liabilities
– external liabilities

Auslandssendung f (com) postal consignment sent abroad or received from abroad

Auslandsstatus m (Fin) foreign assets and liabilities (or position)

Auslandsstützpunkt m (com) foreign . . . branch/subsidiary

Auslandstochter f (com) foreign/overseas . . . subsidiary

Auslandsumsatz m
(com) international sales
– export turnover

Auslandsverkäufe mpl (Bö) foreign selling

Auslandswährung f (Fin) foreign currency

Auslandswechsel m (Fin) external (or foreign) bill (ie, drawn by a bank on a foreign correspondent bank)

Auslandswerte mpl (Bö) foreigners

Auslandszahlung f
(Fin) foreign payment
(Fin) payment from abroad

Auslastungsfaktor m (com) = Auslastung, qv

Auslaufen n
(com) phase-out (eg, programs, projects)

auslaufen
(com) to run out

– to discontinue
– to phase out
auslaufender Brief *m* (com) outgoing letter
auslaufen lassen (com) to taper off *(eg, subsidies)*
Auslaufmonat *m* (Bö) expiration month
Auslauftag *m* (Fin) expiration date *(ie, bei Devisenoptionen)*
Auslegungsregeln *fpl* (com, Re) rules of interpretation (*or* construction)
ausleihen (Fin) to lend
Ausleiher *m* (Fin) lender
Ausleihquote *f* (Fin) lendings ratio
Ausleihungen *fpl*
(Fin) (total) lendings
– total amount loaned
– asset exposure *(of a bank)*
Ausleihungen *fpl* **des Finanzvermögens**
(Fin) long-term financial investments
Ausleihungen *fpl* **mit e-r Laufzeit von mindestens 4 Jahren** (Fin) loans for a term of at least 4 years
ausliefern (com) to deliver
Auslieferung *f* (com) delivery *(eg, of goods, securities)*
Auslieferungsanspruch *m* (com) right/claim . . . to delivery
Auslieferungsauftrag *m* (com) delivery order
Auslieferungsprovision *f* (com) delivery commission
(ie, payable to commission agent when transaction, that is, receipt, storage, and delivery, has been carried out, § 396 HGB)
Auslieferungsversprechen *n* (com) promise to deliver
Auslobungstarife *mpl* (com) exceptional rates in railroad transport for delivery of minimum quantities
auslosbar
(Fin) redeemable by drawings
– drawable
auslösender Faktor *m* (com) initiating source *(eg, of excess demand and a soaring price level)*

auslösen
(com) to set off
– to spark off
– to trigger off
– to ignite
Auslosungsanleihe *f*
(Fin) lottery . . . loan/bonds
– bonds issued by public authorities and redeemable by drawings
Auslosungsanzeige *f* (Fin) notice of drawing
Auslosungskurs *m* (Fin) drawing price
Auslosungstermin *m* (Fin) drawing date
ausmachender Betrag *m* (Fin) actual amount
(ie, market price + interest for fixed-interest securities; market price for variable-interest securities)
ausmustern
(com) to sort out and discard *(eg, models, vehicles)*
(com) to produce new designs or patterns
Ausmusterung *f*
(com) sorting out and discarding
(com) production of new designs or patterns
Ausnahmetarife *mpl* (com) low freight rates in railroad or commercial long-distance transport, granted for economic or social reasons
auspacken
(com) to unpack
Auspendler *m*
(com) commuter
auspreisen (com) to price *(ie, to put price tags on articles)*
ausrechnen
(com) to calculate
– to work out *(eg, a sum)*
– (US) to figure out
Ausrechnung *f*
(com) worked-out figures
(com) calculation
ausreichen (Fin) to extend *(eg, a loan)*

ausreichendes Kapital *n*
(Fin) sufficient capital
– capital adequacy

ausreichend finanziert (Fin) adequately funded

ausrüsten mit
(com) to equip with
– to fit out/up

ausrüsten
(com) to equip
– to outfit

Ausrüster *m*
(com) outfitter
(com) managing owner *(of a ship)*

Ausrüstungsgegenstand *m* (com) piece of equipment

Ausrüstungsgüter *npl* (com) machinery and equipment

Ausrüstungsindustrie *f* (com) supplies industry *(eg, in making aircraft)*

Ausrüstungsvermietung *f* (Fin) equipment leasing

Ausrüstung *f*
(com) equipment
– plant

aussagefähig (com) meaningful

ausschalten
(com, infml) to cut out *(eg, go-between, financial institutions)*

Ausscheiden *n*
(com) retirement *(eg, of a partner)*
– withdrawal

ausscheiden
(com) to eliminate
– to exclude
– to remove
(com) to retire
– to withdraw
– to leave

ausscheidend (com) outgoing *(eg, chairman)*

ausscheidender Gesellschafter *m* (com) retiring *(or* withdrawing*)* partner

Ausscheidungsrate *f* (Fin) cut-off point *(or* rate*)* *(ie, in preinvestment analysis)*

ausscheren (com) to pull out *(ie, of business, sector, industry)*

ausschiffen
(com) to land
– to discharge
– to unload

ausschlachten
(com) to cannibalize
– to disassemble
(ie, to use a broken or retired machine or plant for the repair of another)

Ausschlachten *n* **von Unternehmen** (com, infml) asset stripping

ausschlaggebende Interessen *npl* (com) overriding interests

ausschließen
(com) to exclude
– (infml) to boot off *(eg, company booted off the stock exchange)*

ausschließen von
(com) to bar from *(eg, practising)*
– to exclude from

ausschließlich
(com) exclusive of

ausschöpfen
(com) to exhaust
– to utilize *(eg, a loan)*

ausschreiben
(com) to invite tenders
– to put out/up . . . for tender
– to advertise for bids

Ausschreibung *f*
(com) invitation to bid *(or* tender*)*
– request for bids
(ie, published notice that competitive bids are requested; syn, Submission)

Ausschreibung *f* **e–r Emission** (Fin) offer for sale by competitive bidding

Ausschreibung *f* **im Tenderverfahren** (Bö) offer for sale by tender *(ie, relating to new issues of equities)*

Ausschreibungsbedingungen *fpl*
(com) terms/conditions . . . of tender
– bidding requirements

Ausschreibungsfrist *f* (com) bidding period

Ausschreibungsgarantie *f* (com) bid bond

Ausschreibungskonsortium

Ausschreibungskonsortium *n* (com)
bidding syndicate

Ausschreibungsunterlagen *fpl* (com)
tender documents (*or* specifications)

Ausschreibungsverfahren *n*
(com) bid . . . process/procedure
– tendering procedure

Ausschreibungswettbewerb *m* (com)
competitive bidding on a tender
basis

Ausschuß *m*
(com) committee

Ausschuß *m* **einsetzen** (com) to set up
a committee

Ausschuß *m* **für Umweltfragen** (com)
environmental committee

Ausschuß *m* **für wirtschaftliche
Zusammenarbeit** (com) committee
on economic cooperation

Ausschuß *m* **für Wirtschaft** (com)
committee on economic affairs

Ausschuß *m* **leiten** (com) to run a
committee

Ausschußmitglied *n* (com) committee
member

Ausschußsitzung *f* (com) committee
meeting

Ausschußvorsitzender *m* (com) committee chairman

Ausschußware *f* (com) defective (*or*
substandard) goods

ausschüttbarer Gewinn *m* (Fin) distributable profit

ausschütten (Fin) to distribute (*ie, dividends*)

Ausschüttung *f* **erhöhen** (Fin) to raise
(dividend) distribution

ausschüttungsfähiger Gewinn *m*
(Fin) net earnings available for distribution (*or* payout)
– distributable profit

Ausschüttungspolitik *f* (Fin) dividend
policy

Ausschüttungssatz *m* (Fin) (dividend) payout rate

Ausschüttungstermin *m* (Fin) profit
distribution date

Ausschüttung *f*
(Fin) distribution of dividends

– dividend outpayment (*or*
payout)

Außendienst *m*
(com) field service
– customer engineering

Außendienstmitarbeiter *mpl*
(com) outdoor staff

Außendiensttechniker *m*
(com) customer engineer
– field service technician

Außenfinanzbedarf *m* (Fin) external
finance requirements

Außenfinanzierung *f*
(Fin) debt financing
– external financing
– financing out of outside funds
– outside financing
(*eg, there is a limit to the amount of
money that can be raised from outside sources; cf, Übersicht S. 43;
syn, exogene Finanzierung, Marktfinanzierung*)

Außenhandelsabteilung *f* (com) foreign trade department (*eg, in
banks*)

Außenhandelsbank *f* (Fin) foreign
trade bank

Außenhandelsfinanzierung *f* (Fin)
foreign trade financing

Außenmontage *f* (com) field assembly

außenstehende Anteilseigner *mpl*
(Fin) outside shareholders

Außenstelle *f* (com) field/satellite . . .
office

Außenverpackung *f* (com) packing
(*eg, in Kisten, Kartons; opp, Innen-
verpackung = packaging*)

Außenvertreter *m* (com) field representative

Außenwert *m* **e–r Währung**
(Fin) external value of a currency
(Fin) trade-weighted exchange
rate
– trade weighting (*eg, improved
from 90 to 90.2*)

außer Betrieb
(com) inoperative
– out of . . . action/commission/
operation /work

Außerbetriebnahme *f*
  (com) taking out of operation (*or*
  service)
  – decommissioning

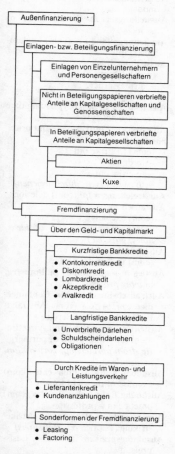

außer Betrieb nehmen
  (com) to take out of operation (*or*
  service)
  – to decommission
außerbörslicher Handel *m* (Bö) off
  board (*or* off the floor) trading
  *(ie, vorbörslich od nachbörslich;
  Handel von Bank zu Bank, tele-
  fonisch oder per Telex; Papiere
  sind nicht in den amtlichen Handel
  oder in den Freiverkehr einbezogen)*
außerbörslicher Kurs *m* (Bö) off-the-
  board price
außerbörslich handeln (Bö) to trade
  off the floor
äußere Umstände *mpl* (com) external
  facts *(eg, are controlling)*
außergewöhnlicher   Preisnachlaß *m*
  (com) abnormal discount
Außerkurssetzung *f* (Bö) suspension
  of a quotation
außerplanmäßige Ausgaben *fpl*
  (Fin) unbudgeted expenditure
  – extra-budgetary outlay
außerplanmäßige Tilgung *f* (Fin) off-
  schedule redemption
äußerster Kurs *m* (Bö) ceiling price
äußerster Preis *m*
  (com) lowest
  – bottom
  – knock-down
  – rock-bottom . . . price
aussetzen
  (Bö) to suspend *(eg, quotation of
  shares)*
Aussetzen *n* **der Notierung** (Bö) trading halt
Aussetzung *f* **von Kursnotizen** (Bö)
  suspension of price quotations
aussortieren (com) to sort out
Aussortierung *f* (com) sorting out
ausstatten
  (Fin) to lay down the terms *(eg, of
  a loan issue)*
  (Fin) to provide funds
  – to fund
ausstatten mit (com) to invest with
  *(eg, umfassender Vollmacht =
  broad authority)*

Quelle: Dichtl/Issing, Vahlens Großes Wirtschaftslexikon, München
1987, Bd. 1, 143.

Ausstattung *f*
(Fin) terms of issue
(Fin) provision of funds
– funding
(Fin) structure *(ie, of a bond issue; eg, 25-year domestic sterling bond, including amount, price, coupon, maturity, register or bearer, placement and underwriting group)*

Ausstattungsmerkmale *npl* (Fin) structure *(or* terms) *(ie, of a bond issue)*

ausstehende Forderung *f*
(Fin) debt outstanding

ausstehender Betrag *m* (com) amount outstanding

ausstehende Wechselforderungen *fpl* (Fin) bills receivable, B/R

ausstellen
(com) to draw up *(eg, contract, document)*
– to make out *(eg, bill, invoice)*
– to write out *(eg, check, receipt)*

ausstellende Behörde *f* (com) issuing body

ausstellende Dienststelle *f* (com) issuing office

Aussteller *m*
(WeR) drawer
(ie, the maker of a check or draft)
– (Solawechsel:) maker

Aussteller *m* **e–s Gefälligkeitsakzepts**
(WeR) accommodation maker *(or* party)

Ausstellung *f*
(com) fair
– exhibition
– show
– exposition

Ausstellungsdatum *n* (com) date of issue

Ausstellungsfläche *f* (com) exhibition space

Ausstellungsgegenstände *mpl* (com) equipment for shows and exhibits

Ausstellungsgelände *n* (com) exhibition *(or* fair) grounds

Ausstellungsgut *n* (com) exhibits *(ie, exported or imported for use at trade fairs)*

Ausstellungsjahr *n* (com) year of issue

Ausstellungskosten *pl* (com) expenses arising in connection with exhibition at, and visits to, trade fairs

Ausstellungsmodell *n* (com) display model

Ausstellungsort *m* (WeR) place of issue

Ausstellungsstand *m* (com) exhibition stand

Ausstellungsstück *n*
(com) exhibit
– display article
– showpiece

Ausstellungstag *m* (com) issuing date *(eg, of a policy)*

Ausstiegskurs *m* (Bö) take-out price

ausstreichen
(com) to strike out
– to delete
– to cross out
– to cancel *(syn, durchstreichen)*

Ausstreichungen *fpl* (com) deletions

Austausch *m*
(com) exchange
(com) interchange *(eg, of ideas, notes, gifts, etc)*

Austauschbeziehung *f*
(com) trade relationship

Austieg *m* (com, infml) pull-out *(eg, of a big project)*

Australisch-Europäischer Containerdienst *m, AECS* (com) Australia-Europe Container Service

Austritt *m* (com) voluntary retirement *(or* withdrawal) of partner *(ie, from partnership, corporation, association)*

Ausübung *f* **des Stimmrechts** (com) exercise of the right to vote

Ausübung *f* **e–s freien Berufes** (com) practice of a profession

Ausübungskurs (Bö) exercise/strike/striking ... price *(cf, Basispreis)*

Ausübungspreis *m* (Bö) = Basispreis, qv

Ausübungstag *m* (Bö) exercise date *(ie, of an option; syn, Erklärungstag)*

Ausverkauf m
(com) clean-up sale
– close-out sale
– closeout
– sellout
– clearance sale
– cleanout of inventories of unsold goods
*(ie, § 8 UWG kennt nur noch den
Räumungsverkauf)*
ausverkaufen (com) to sell out
ausverkauft
(com) out of stock
– sold out
Ausverkaufware f
(com) clearance items
– (GB, infml) bunches *(ie, at clo-
thing shops)*
Auswahl f
(com) range of goods *(or* products)
– assortment
Auswahlsendung f (com) „on approval" consignment
Auswärtsvergabe f (com) farming out
(ie, of contracts)
Ausweichkurs m (Bö) fictitious security price *(syn, Scheinkurs)*
Ausweis m
(com) identity card
(Fin) bank return
ausweisen
(com) to prove one's identity
Ausweismethode f (Fin) recording
method
Ausweispapier n (WeR) identification document *(ie, simple instrument evidencing title to ownership;
eg, credit card, cloakroom ticket)*
Ausweispflicht f
(com) duty *(or* obligation) to publish *(or* disclose) certain information
auswerten
(com) to appraise
– to evaluate
Auswertung f
(com) evaluation
– appraisal *(ie, to determine the
value of sth)*
– analysis

auszahlen
(com) to disburse
– to pay out
(Fin) to pay off *(eg, a partner)*
Auszahlung f (Fin) amount paid out
(ie, nur Abgang liquider Mittel)
Auszahlungsanweisung f (Fin) payment order
Auszahlungsbetrag m (Fin) net loan
proceeds
Auszahlungsbewilligung f (Fin) payment authorization
Auszahlungsdisagio n (Fin) loan discount
(syn, Damnum, qv)
Auszahlungsermächtigung f (Fin) authority to pay
Auszahlungskredit m (Fin) deferred
payment credit
(ie, Sonderform des Akkreditivs)
Auszahlungskurs m (Fin) payout
ratio *(ie, loan amount less discount)*
Auszahlungsreihe f (Fin) (stream of)
cash outflows *(ie, in preinvestment
analysis)*
Auszahlungsstelle f (Fin) paying
agency
Auszahlungsströme mpl (Fin) cash
outflows *(ie, in der Investitionsrechnung = in preinvestment
analysis)*
Auszahlungsüberschuß m (Fin) net
outpayments
Auszahlungsvolumen n (Fin) volume
of loans granted
Auszahlungswert m (Fin) net loan
proceeds
auszeichnen
(com) to price
– to mark with prices
(ie, to put price tags on articles)
Auszeichnung f
(com) price marking
– marking with price tags
(com) price ... mark/tag
Auszeichnungspflicht f (com) legal
duty to price goods displayed
Auszug m
(com) statement of account

Autoaktien *fpl* (Bö) automobile shares

Autobranche *f* (com) motor industry (*or* sector)

Autofähre *f* (com) car ferry

Autohändler *m*
(com) car dealer
– (US) auto ... dealer/distributor

Autohersteller *m*
(com) car ... manufacturer/maker
– auto maker

Automat *m*
(com) vending machine
– (GB) slot machine

Automatenverkauf *m* (com) sale by automatic vendors

automatische Scheckbearbeitung *f* (Fin) automatic check handling

automatische Schreibmaschine *f* (com) automatic typewriter

automatisches Quotierungssystem *n* (Bö) automatic quotations system (*ie, provides up-to-the-minute bid and asked quotations; eg, NASDAQ*)

automatisierter Überweisungsverkehr *m* (Fin) automatic transfer service

Auto *n* **mieten** (com) to rent (*or* hire) a car

Automobilindustrie *f*
(com) automobile industry
– automotive industry
– (infml) auto industry
– (GB) motor industry
(*ie, generally applied to all companies and activities involved in the manufacture of motor vehicles, including most components, such as engines and bodies, but excluding tires, batteries, and fuel; commercial vehicles, such as trucks and buses, though important, are secondary*)

Automobilwerte *mpl*
(Bö) automotive stock
– motors

Autorenexemplar *n* (com) author's/complimentary/courtesy ... copy

Autorenhonorar *n* (com) (author's) royalty (*ie, percentage of retail price of each copy sold*)

autorisierte Übersetzung *f* (com) authorized translation

Autorisierung *f* (com) authorization

Autorität *f*
(com) authority (*ie, authoritative power*)
(com) authority
– expert (*ie, in a special field*)

Autoschalter *m* (Fin) drive-in window

Autoverleih *m* (com) car rental service (*syn, Autovermietung*)

Autovermietung *f* (com) = Autoverleih

Aval *m* (Fin) cf, Avalkredit

Avalakzept *n*
(Fin) collateral (*or* guaranteed) acceptance by bank

Avale *mpl* (Fin) guaranteed bills outstanding

avalieren (Fin) to guarantee (*ie, a bill of exchange*)

avalierter Wechsel *m* (Fin) backed/guaranteed ... bill of exchange

Avalist *m* (Fin) guarantor of bill of exchange

Avalkredit *m*
(Fin) credit by way of bank guaranty (*ie, Kredit in Form von Bürgschaft, Garantie und sonstigen Gewährleistungen; cf, § 1 I 2 Nr. 8 KWG; Kreditinstitut übernimmt Dritten gegenüber die Haftung für den Kunden bei nicht ordnungsgemäßer Vertragserfüllung; Aval ist e–e Art Ausfallhaftung; Unterbegriffe: Prozeßaval, Steueraval, Zollaval, Frachtstundungsaval*)

Avalobligo *n* (Fin) guaranty commitments

Aval *m od n*
(Fin) guaranty
– (GB) guarentee
(*ie, irrevocable bank guaranty for a bill of exchange*)

Avalprovision *f* (Fin) commission on guaranty

avisieren
(com) to inform *(eg, that consignment is under way)*
– to advise
– to notify
avisierende Bank *f* (Fin) advising
bank
(ie, under a letter of credit)

Avisierung *f*
(com) advice
– notification
Avis *m od n*
(com) advice
– notice
– notification
a vista (WeR) (payable) at sight

B

Baco-Schiff *n*
(com) barge-container ship
(cf, Containerschiff)
baden gehen (com, infml) to take a
bath
Bagatellausgaben *fpl* (com) minor
disbursements
Bagatellbetrag *m*
(com) trifle
– trifling amount
bagatellisieren (com) to play down
(opp, to play up = hochspielen)
Bagatellschaden *m*
(com) trivial *(or petty)* damage
Bahn *f*
(com) railroad
– (GB) railway
Bahnaktien *fpl*
(Fin) railroad shares *(or stocks)*
– railroads
– rails
bahnamtlich (com) in accordance
with railroad rules and regulations
bahnamtliche Bestimmungen *fpl*
(com) rules and regulations issued
by railroad authorities
bahnamtlicher Rollfuhrdienst *m*
(com) contract carrier
*(ie, authorized by and acting on be-
half of the Federal Railways)*
Bahnanschluß *m*
(com) rail connection
– (GB *also:* connexion)
Bahnanschlußgleis *n*
(com) railroad siding
– private siding
Bahnbeamter *m* (com) railroad official

Bahnbeförderung *f* (com) carriage
(or transport) by rail
Bahnbehörde *f* (com) railroad authorities
bahnbrechend
(com) pioneering
– epoch-making
– (infml) trail-blazing
*(eg, discoveries, inventions, inno-
vations)*
Bahnfracht *f*
(com) railroad freight
– rail freight
(com) rail charges
(com) rail carriage
Bahnfrachtbrief *m*
(com, US) railroad bill of lading
– railroad waybill
– freight bill
– (com, GB) (railway) consignment note
– letter of consignment
*(ie, the German document is
neither transferable nor negotiable:
it is a mere instrument of evidence
= Beweisurkunde)*
Bahnfrachtgeschäft *n* (com) rail
transport *(or carriage)*
Bahnfrachtsätze *mpl* (com) railroad
rates
Bahnfrachtverkehr *m* (com) railroad
freight traffic
bahnfrei
(com) free on board (railroad station)
– (GB) free on rail, FOR, f. o. r.
(com, GB) carriage paid
(ie, charges for delivery prepaid)

Bahnhofstarif

Bahnhofstarif *m*
(com) tariff rates for railroad transport between loading station and unloading station
bahnlagernde Sendung *f* (com) consignment to be called for at railroad station
Bahnlieferung *f*
(com) transport by rail
– (GB) carriage by rail
bahnmäßig verpackt
(com) packed for rail shipment
– (GB) packed for carriage by rail
Bahnpost *f* (com) railroad mail service
Bahnpostamt *n* (com) station post office
bahnpostlagernd (com) to be called for at station office
Bahnspediteur *m*
(com) railroad agent
– (GB) railway carrier
– cartage contractor
Bahntransport *m*
(com) rail(road) transport
– transportation by rail
– (GB) railway transport
Bahnverkehr *m* (com) railroad traffic
Bahnversand *m* (com) forwarding by rail
Bahnzustellung *f* (com) railroad delivery
Baisse *f*
(Fin) downturn phase
(Bö) slump at the stock market
– falling prices
– sharp drop
(ie, Sinken der Börsenkurse; opp, Hausse)
Baisseangebot *n* (Bö) short offer
Baissebewegung *f* (Bö) bearish/downward ... movement
Baisse-Engagement *n*
(Bö) engagement to sell short
– short account
– short interest
– short position
Baissegeschäft *n*
(Bö) bear transaction
– short selling

Baissemanöver *n*
(Bö, US) bear ... raid/tack
– (GB) bear campaign
Baissemarkt *m* (Bö) bear/bearish ... market
(opp, bull market)
Baissepartei *f*
(Bö) short side
Baisseposition *f*
(Bö) bear account
– short position
– short account position
Baissesignal *n* (Bö) bearish signal formation
(ie, in der Point & Figure-Analyse)
Baissespekulant *m*
(Bö) bear
– speculator for a fall in prices
– (infml) banger
Baissespekulation *f*
(Bö) bear operation (*or* speculation *or* transaction)
– speculation for a fall in prices
– going short
Baissestimmung *f*
(Bö) bearish tone of the market
– bearishness
– bearish tendency
Baissetendenz *f*
(Bö) = Baissestimmung
Baissetermingeschäft *n* (Bö) trading on the short side
Baisseverkauf *m*
(Bö) bear/short ... sale
(syn, Leerverkauf, Verkauf auf Baisse)
Baisseverkäufer *m* (Bö) short seller
Baissier *m* (Bö) bear
(ie, believes that prices will decline and sells on that expectation; is also a short seller, qv; opp, Haussier = bull)
Baissiergruppe *f* (Bö) bear clique
(who team up to depress prices by short selling)
Balken-Charts *npl* (Fin) bar charts
(ie, in der Chartanalyse: tägliche, wöchentliche od monatliche Höchst- und Tiefstkurse werden fortlaufend in einem senkrechten

48

Strich aufgezeichnet; cf, Linien-charts, Point & Figure Charts)

Balkencodeleser m (com) bar code scanner
(syn, Strichcodeleser)

Ballungsgebiet n
(com) congested urban area

Bandbreite f
(Fin) currency band
– exchange margins
– support points
– margin (*or* range) of fluctuations
– official spread
(ie, Ausmaß der möglichen Schwankungsbreite des Wechselkurses um e–e offiziell festgelegte Parität (od den Leitkurs) in e–m System grundsätzlich fester Wechselkurse; eg, im EWS beträgt sie ± 2,25%; margin of 2¼% on either side of nominal rates)

Bank f
(Fin) bank
– banker
– banking establishment (*or* house)

Bankabrufverfahren n (Fin) automatic debit transfer system
(eg, taxpayer authorizes his bank by standing order = ‚Dauerauftrag' to make payment to the revenue receiving office = ‚Finanzkasse' when this calls for it)

Bankadresse f
(com) bank address
(Fin) bank name (*eg, on a bill of exchange)*

Bankagent m (Fin) bank representative

Bankagio n (Fin) share (*or* bond) premium charged by banks

bankähnliche Institute npl
(Fin) near banks (*syn, Quasibanken, Fastbanken)*

Bankakkreditiv n
(Fin) clean credit *(ie, based on the terms „documents against payment")*
(Fin) instruction by a bank to

another bank to pay out a specified amount in cash to a third party

Bankaktien fpl
(Fin) bank . . . shares/stock
– banks

Bankaktiengesellschaft f
(Fin) joint-stock bank
– banking corporation

Bankakzept n
(Fin) banker's acceptance
– (GB) bank bill
(ie, bill accepted by a bank, more easily resold)

Bank-an-Bank Beteiligung f (Fin) interbank holding

Bank-an-Bank-Kredit m (Fin) interbank lending (*or* loan)

Bank-an-Bank-Kredite mpl (Fin) bank-to-bank lending

Bankangestellter m
(com) bank . . . clerk/employee
– bank . . . officer/official

Bankanleihen fpl (Fin) bank bonds
(ie, issued by banks for refinance purposes, esp. by real estate credit institutions, rarely by credit banks)

Bank f **anweisen** (Fin) to instruct a bank

Bankanweisung f (Fin) order to a bank to transfer title to a fungible thing, mostly money, to a third party *(eg, check, letter of credit)*

Bankarchiv n (Fin) bank's archives
(ie, today replaced by the ‚economics department' of a bank)

Bank-auf-Banken-Ziehung f (Fin) bank order check

Bankauftrag m
(Fin) instruction to a bank
– bank order

Bankauskunft f
(Fin) information supplied by bank
– bank reference

Bankausweis m (Fin) bank return

Bankauszug m (Fin) bank statement

Bankautomat m (Fin) automated teller machine, ATM
(syn, multifunktionaler Bankautomat)

Bankautomation *f* (Fin) automation
of banking services
Bankaval *n* (Fin) bank guaranty
Bankavis *n*
(com) bank advice *(ie, confirming
letter of credit to exporter)*
(Fin) LZB credit advice *(ie, sent to
the receiving LZB)*
Bankbeamter *m* (com) bank official
(ie, term obsolescent)
Bank-bei-Bank-Einlage *f* (Fin) inter-
bank deposit
Bankbestände *mpl* (Fin) banks' hold-
ings
Bankbeteiligung *f*
(Fin) banking interest
– interest/holding/stake ... in a
bank
(Fin) affiliated bank
Bankbetrieb *m*
(Fin) bank *(ie, handling all bank
operations from inception to com-
pletion; includes savings banks)*
(Fin) bank(ing) operations
Bankbevollmächtigter *m* (Fin) bank's
authorized agent
Bankbote *m* (Fin) bank messenger
Bankbürgschaft *f* (Fin) bank
guaranty
Bankdarlehen *n* (Fin) bank loan
Bankdeckung *f*
(Fin) cover provided by bank
Bankdepositen *pl* (Fin) bank deposits
Bankdepot *n* (Fin) safe custody (at a
bank)
Bankdienstleistungen *fpl* (Fin) bank-
ing services
Bankdirektor *m* (Fin) bank manager
*(ie, esp. board members of joint-
stock banks = ,Aktienbanken'; title
is not protected and need not be en-
tered in the commercial register)*
Bankdiskont *m*
(Fin) bank discount rate
(Fin) discount rate *(ie, charged by
central bank)*
Bankeigenschaft *f* (Fin) bank status
Bank *f* **einschalten** (Fin) to interpose
a bank *(eg, between seller and
buyer)*

Bankeinzug *m*
(Fin) payment by automatic debit
transfer
Bankeinzugsverfahren *n* (Fin) auto-
matic debit transfer system
Bankenabrechnungsstelle *f* (Fin)
bankers' clearing house
Bankenaufsicht *f* (Fin) bank supervi-
sion *(ie, organized under public
and private law)*
Bankenaufsichtsbehörde *f*
(Fin) banking supervisory au-
thority
– (US) bank regulatory agency
*(ie, Bundesaufsichtsamt für das
Kreditwesen; selbstständige Bun-
desoberbehörde im Geschäftsbe-
reich des Bundesministers der
Finanzen; unterstützt durch
Deutsche Bundesbank)*
Bankenbonifikation *f* (Fin) agency
commission *(ie, between banks)*
Banken-Clearing *n*
(Fin) clearing
– settling inter-bank transactions
Bankendekonzentration *f* (Fin) de-
concentration of banks
Bankeneinlage *f* (Fin) bank deposit
Bankenfilialsystem *n* (Fin) multiple
branch *(or* office) banking
bankenfinanziert (Fin) bank-financed
Bankenfreizonen *fpl*
(Fin) International Banking
Facilities, IBFs
*(ie, von ihnen aus können Kreditin-
stitute Finanzgeschäfte mit dem
Ausland unabhängig von der
jeweils benutzten Währung aufgrund der Befreiung von staat-
lichen Vorschriften zu niedrigeren
Kosten und unter günstigeren
Rahmenbedingungen als sonst im
Inland tätigen; in den USA seit dem
1. 12. 1981; the concept behind
IBFS is to create a species of „free
trade zone for international
money", primarily Eurodollars;
syn, Finanzfreihäfen)*
Bankengeldmarkt *m* (Fin) interbank
money market

Bankengruppe *f*
(Fin) group of banks
– banking group
Bankenkonsortium *n*
(Fin) banking consortium
– consortium of banks
– banking syndicate
– syndicate
– bank group (*or* group of banks)
– underwriting group
(*ie, Gelegenheitsgesellschaft zur
Durchführung von Einzelgeschäften
auf gemeinsame Rechnung;
zwei Grundtypen: (1) Effektenkonsortien,
Gründungskonsortien,
Emissions- od Begebungskonsortien,
Plazierungs- od Übernahmekonsortien,
Börseneinführungskonsortien,
Kursstützungs-,
Kursregulierungs- od Investitionskonsortien
und Schutzkonsortien;
(2) Geld- und Kreditleihekonsortien:
Kreditkonsortien,
Sanierungskonsortien und Garantiekonsortien*)
Bankenkonzentration *f* (Fin) concentration
of banks
Bankenliquidität *f* (Fin) liquidity of
the banking system
(*ie, Ausdruck für die Liquidität des
gesamten Bankensystems; cf,
Bankliquidität*)
Bankenmarkt *m* (Fin) interbank
market
Bankenmoratorium *n* (Fin)
moratorium by banks
Bankennumerierung *f* (Fin) system of
bank routing numbers
Bankenpublikum *n* (Bö) bank traders
Bankenstatistik *f* (Fin) banking statistics
Bankenstimmrecht *n*
(Fin) right of banks to vote proxies
– bank's right to vote deposited
shares at a general meeting (*syn,
Depotstimmrecht*)
Bankensystem *n* (Fin) banking
system
Banken-Überweisungsverkehr *m*
(Fin) bank transfer system

Banker *m* (Fin, infml) banker
Bankerträge *mpl* (Fin) bank's earnings
Bankfach *n*
(Fin) banking business
(Fin) bank safe
Bankfachmann *m* (Fin) banking ...
specialist/professional
bankfähiger Wechsel *m* (Fin) bankable
bill (of exchange)
bankfähiges Papier *n* (Fin) paper
eligible for discount
Bankfazilitäten *fpl*
(Fin) bank facilities
– credit facilities (at a bank)
Bankfeiertage *mpl* (Fin) bank holidays
(*ie, in Germany all Saturdays*)
Bankfiliale *f*
(Fin) branch bank
– bank opening
Bankfinanzierung *f* (Fin) financing
through a bank
Bankfusion *f* (Fin) bank merger (*or*
consolidation)
Bankgarantie *f* (Fin) bank guaranty
Bankgarantiefonds *m* (Fin) bank
guaranty fund
Bankgebühren *fpl* (Fin) bank charges
Bankgeheimnis *n* (Fin) banking secrecy
Bankgelder *npl*
(Fin) bank moneys
– deposits of banks
bankgeschäftlicher Betrieb *m* (Fin)
banking operation
Bankgeschäft *n*
(Fin) banking
– banking activity
– banking business
– banking operations
– banking transactions
(*ie, nach § 1 KWG:*
1. Einlagengeschäft
2. Kreditgeschäft
3. Diskontgeschäft
4. Effektenkommissionsgeschäft
5. Depotgeschäft
6. Investmentgeschäft
7. Darlehenserwerbsgeschäft
8. Garantiegeschäft)

9. *Girogeschäft sowie neue Ge-*
schäftsarten)

Bankgewerbe *n* (Fin) banking industry, § 1 HGB

bankgiriert (Fin) bank indorsed

bankgirierter Warenwechsel *m* (Fin)
banker's trade acceptance
(ie, bill resulting from a trade trans-
action, discounted by the bank and
bearing bank's indorsement; redis-
countable)

Bankgiro *n*
(Fin) noncash clearing under Giro
system
– Bank Giro
(Fin) bank indorsement

Bankgläubiger *m* (Fin) bank creditor

Bankguthaben *n*
(Fin) bank . . . balance/deposit
– balance in bank

Bankhaus *n* (Fin) banking firm (*or*
house)

Bank-Holding *f* (Fin) bank holding
(company)

Bankier *m*
(Fin) banker *(ie, the KWG amend-*
ment of 1976 prohibits the legal
form of sole proprietorship in
licensing new credit institutions,
§ 2a KWG)
(Fin) *(loosely also:)* any top executive in the banking business

Bankierbonifikation *f* (Fin) banker's
commission *(ie, for taking over*
part of a securities issue from an
underwriting group)

Bankindossament *n* (Fin) bank stamp
(ie, on bill of exchange)

Bankinstitut *n*
(Fin) bank
– banking establishment (*or* institution)

Bankkalkulation *f* (Fin) bank's cost
and revenue accounting

Bankkapital *n* (Fin) bank capital *(ie,*
own funds + outside capital)

Bankkassierer *m* (Fin) bank teller

Bankkaufmann *m* (Fin) bank employee *(with a 3-year training*
period)

Bankkonditionen *fpl* (Fin) credit conditions of a bank

Bankkonsortium *n* (Fin) = Bankenkonsortium, qv

Bankkonto *n* (Fin) bank account

Bankkonto *n* **eröffnen**
(com) to open a bank account
– to open an account with a bank

Bankkonto *n* **haben**
(com) to carry (*or* have) an account (with)
– to bank with *(eg, Where do you*
bank?)

Bankkontokorrent *n* (Fin) current account with a bank

Bankkonto *n* **sperren** (Fin) to block a
bank account

Bankkonto *n* **überziehen** (Fin) to
overdraw a bank account

Bankkontrolle *f* (Fin) bank audit

Bankkonzern *m*
(Fin) group of banks
– banking group

Bankkonzerngeschäfte *npl* (Fin)
group banking

Bankkrach *m* (Fin) bank crash

Bankkredit *m*
(Fin) bank loan
– (GB) overdraft *(ie, universal*
British term for a bank loan)

Bankkredite *mpl* (Fin) bank lending

Bankkreise *mpl*
(Fin) banking . . . quarters/circles
– the banking community

Bankkunde *m* (Fin) bank customer

Bankkundschaft *f*
(Fin) bank's . . . customers/clientele

Bankleistungen *fpl* (Fin) banking services

Bankleitzahl *f*
(Fin) transit number
– routing symbol
– (GB) bank code no.

Bankleitzahlsystem *n* (Fin) system of
bank routing numbers

Bankliquidität *f* (Fin) bank liquidity
(ie, Zahlungsfähigkeit e–s Bankbe-
triebes; cf, Bankenliquidität)

Banklombardgeschäft *n* (Fin) collateral loan business

Bankmarketing n (Fin) bank marketing *(ie, marktorientierte Führungs- und Handlungskonzeption von Kreditinstituten)*

bankmäßige Zahlung f (Fin) bank payment *(ie, by means of check, remittance, or debit transfer; opp, cash payment)*

Bank f **mit mehreren Zweigstellen** (Fin) multiple-office bank

Bank-Namensschuldverschreibung f (Fin) registered bank bond

Banknebenstelle f (Fin) secondary bank place

Banknote f
(com, infml) bill
– (esp GB) note

Banknotenbündel n
(Fin) bankroll
– wad of notes
– (GB) sheaf of notes

Bankobligationen fpl (Fin) bank bonds *(ie, issued by banks for refinance purposes, esp. by real estate credit institutions, but rarely by credit banks)*

Bankpapiere npl (Fin) securities issued by a bank

Bankplatz m
(Fin) bank place *(ie, where a LZB establishment is domiciled)*
– banking center

Bankpraxis f (Fin) banking practice

Bankprovision f (Fin) banking commission

Bankpublizität f (Fin) banks' disclosure requirements

Bankquittungen fpl
(Fin) bank receipts *(ie, mainly used in borrowed-funds trading)*
(Fin) receipts made out by branded-article dealers and sent to banks for collection

Bankrate f (Fin) = Diskontsatz

Bankrechnen n (Fin) mathematics of banking

Bankrecht n (Fin) banking law

Bankreferenz f (Fin) banker's reference

Bankregel f (Fin) Golden Bank Rule *(ie, liquidity rule of credit institutions, requires sufficient availability of funds at any time)*

Bankrembours m (Fin) bank documentary credit

Bankreserve f (Fin) bank reserve *(ie, Bar- und Mindestreserve)*

Bankrevision f (Fin) banking audit

Bankrott m (com) bankruptcy
– (infml) bust *(cf, to go bust)*

bankrott
(com) bankrupt
– (infml) bust
– (sl) broke *(cf, zahlungsunfähig)*
– flat/stony . . . broke

bankrott machen
(com) to go bankrupt *(or* into bankruptcy)
– (infml) to go broke
– (infml) to go bust
– (infml) to go to the wall
– (sl) to take a bath
– (sl) to lose one's shirt
– (sl) to go belly up
– (GB, sl) to put up the shutters

Banksafe m od n (Fin) bank safe

Banksaldenbestätigung f (Fin) confirmation of bank balance

Banksaldo m
(Fin) balance of a bank account
– bank balance

Banksatz m (Fin) = Diskontsatz

Bankschalter m (Fin) bank counter

Bankscheck m
(Fin) bank check *(ie, drawn on a bank)*
(Fin) banker's draft, B.D.
(ie, bill or check drawn by a bank on another bank)

Bankschließfach n (Fin) bank safe deposit box

Bankschuldner m (Fin) bank's debtor

Bankschuldschein m (Fin) borrower's note issued by bank

Bankschuldverschreibung f (Fin) bank bond

Banksicherheit f (Fin) security provided by bank

Banksparbrief m (Fin) bank savings bond

Banksparen n (Fin) bank savings scheme

Bankspesen pl (Fin) bank(ing) charges

Bankstatistik f (Fin) banking statistics

bankstatistische Gesamtrechnung f (Fin) overall monetary survey

Bankstatus m (Fin) bank statement

Bankstellen fpl (Fin) banks including their branch establishments and offices

banktechnische Abläufe mpl (Fin) banking procedures (or operations)

Banktransaktion f (Fin) banking operation (or transaction)

Banktresor m (Fin) bank vault

Banküberweisung f
(Fin) bank transfer
– bank credit transfer
– banker's order
– bank remittance

Banküberziehungskredit m (Fin) bank overdraft facilities

banküblich (Fin) customary in banking

Bankumsätze mpl (Fin) bank turnovers

Bank- und Börsenverkehr m (Fin) bank and stock exchange operations (or transactions)

Bankusancen pl
(Fin) banking customs
– bank usages

Bankverbindung f
(Fin) banking connection
– bank affiliation

Bankverkehr m
(Fin) banking business
(Fin) interbank operations
– interbank dealings

Bankwechsel m
(Fin) bank acceptance
– bank . . . bill/draft
– banker's bill

Bankwerte mpl
(Bö) bank . . . shares/stock
– banks

Bankwesen n (Fin) banking

Bankwirtschaft f (Fin) banking industry

Bankziehungen fpl (Fin) bank's own drafts on customers or on other banks

Bankzinsen mpl (Fin) bank interest

Bank-zu-Bank-Ausleihungen fpl (Fin) interbank lendings

Bank-zu-Bank-Einlagen fpl (Fin) interbank deposits

Bank-zu-Bank-Fazilitäten fpl (Fin) interbank credit lines

Bank-zu-Bank-Geschäfte npl (Fin) interbank transactions

Bank-zu-Bank-Kredit m (Fin) interbank credit

Bankzusammenbruch m (Fin) bank failure (or collapse)

Banngut n (com, Re) contraband goods

Bannware f (com, Re) = Banngut

bar
(com) in cash
– cash down
(ie, by money payment or by check)

Barabfindung f
(Fin) money compensation, § 320 V AktG

Barabfindungsangebot n (Fin) cash tender (opp, paper tender)

Barabhebung f (Fin) cash withdrawal

Barablösung f
(Fin) cash repayment
– cash settlement

Barabstimmung f (com) register cash balance
(ie, in retailing)

Barabzug m (com) cash deduction

Barakkreditiv n (Fin) clean credit
(syn, glattes/offenes /einfaches . . . A.)

Barangebot n (Fin) cash offer

Barausgaben fpl (Fin) cash expenditure (or outlay)

Barausgänge mpl (com) cash outgoings

Barauslagen fpl
(com) cash outlays
– out-of-pocket costs (or expense)

Barausschüttung *f*
(Fin) cash distribution
– cash dividend
Barauszahlung *f* (Fin) cash payment
Barbetrag *m* (com) cash amount
bar bezahlen
(com) to pay cash down
– (sl) to pay spot cash
– (US, sl) to pay on the barrel head
– (GB, sl) to pay on the nail
Bar-Chart-Analyse *f* (Fin) bar chart analysis
Barcode *m* (com) bar code *(syn, Strichcode)*
Barcodeaufkleber *m* (com) bar code sticker
(ie, maschinell lesbar)
Bardividende *f*
(Fin) cash dividend
– cash distribution
– cash payout
(opp, Sachdividende = dividend in kind)
Bareboatcharter *f*
(com) bareboat charter
– bare-pole/bare-hull/demise . . . charter
(ie, charterer bears all the cost and responsibility + insurance)
Bareinforderung *f* (Fin) cash call
Bareingänge *mpl* (com) cash receipts
Bareinkauf *m* (com) cash buying *(or* purchase)
Bareinlage *f*
(Fin) contribution in cash
– cash contribution *(opp, Sacheinlage = contribution in kind or noncash contribution)*
Bareinnahmen *fpl*
(com) cash receipts
– takings
(esp in retailing)
Bareinschuß *m* (Bö) cash margin *(ie, cash put up by a client in part payment of the purchase of a stock under a forward contract = Termingeschäft)*
Bareinschußpflicht *f* (Bö) cash margin requirement

Bareinzahlung *f*
(com) inpayment
(Fin) cash deposit
Barentnahme *f*
(com) cash withdrawal
– cash drawings
Barerlös *m*
(com) net proceeds
– proceeds in cash
Barerstattung *f* (com) cash refund
Barforderung *f* (com) money claim
Barfreimachung *f* (com) bulk franking (of mail)
Bargeld *n*
(com) cash *(ie, money in notes and coin)*
(com, infml) hard cash
– (GB) ready cash *(ie, coll: ready)*
– (esp US, infml) cash on the barrelhead /on the nail
Bargeldausgaben *fpl* (Fin) outgoing cash payments
Bargeldautomat *m*
(Fin) = Geldautomat
Bargeldbestand *m*
(Fin) cash in hand
– cash holding
Bargeldeinnahmen *fpl* (Fin) incoming cash receipts
Bargeldknappheit *f*
(Fin) cash shortage
– cash squeeze
bargeldlos
(Fin) cashless
– noncash
(ie, payment by check or bank transfer)
bargeldloser Einkauf *m* (com) cashless shopping
bargeldloser Zahlungsverkehr *m*
(Fin) cashless/noncash . . . money transfer
– (GB) bank giro credit system
bargeldlose Zahlung *f* (Fin) cashless *(or* noncash) payment
Bargeldzahlung *f* (Fin) cash payment
Bargeschäft *n* (com) cash sale *(or* transaction)
Barkauf *m* (com) cash sale *(ie, payment being made in full on receipt*

Barkredit

*of goods; opp, Kreditkauf = sale
on credit)*

Barkredit *m*
  (Fin) cash advance (*or* credit)
  (Fin) clean credit, C/C

Barkunde *m* (com) cash customer

Barliquidität *f* **der Kreditinstitute**
  (Fin) available cash *(ie, ratio of
cash in hand and central bank
balances to total liabilities less savings deposits)*

Barliquidität *f*
  (Fin) liquid cash resources
  – available cash
  – cash position

Barmittel *pl*
  (Fin) cash
  – liquid funds
  (infml) ready money

Barpreis *m* (com) cash price

Barrabatt *m* (com) cash discount

Barregulierung *f* (Fin) cash settlement

Barrengold *n* (Fin) gold bullion

Barrensilber *n* (Fin) silver bullion

Barrentabilität *f* (Fin) cash return

Barreserve *f*
  (Fin) bank's cash/legal . . . reserve
  – vault . . . cash/money
  *(ie, Kassenbestand, Guthaben bei
der Bundesbank und Postgiroguthaben: bank notes, deposits with
central bank, and postal giro accounts)*

Barsaldo *m* (Fin) cash balance

Barscheck *m*
  (Fin) cashable check
  – open check

Barsicherheit *f* (Fin) cash deposit

Barter *m* (com, AuW) = klassischer
Barter, qv

Bartergeschäft *n* (com) barter transaction

Barübernahmeangebot *n*
  (com) all cash tender offer
  – all paper offer

Barüberschuß *m* (Fin) cash surplus

Barüberweisung *f* (Fin) cash remittance (*or* transfer)

Barumsatz *m* (com) net cash

Barumsätze *mpl* (com) cash transactions

Barvergütung *f* (com) compensation
in cash

Barverkauf *m* (com) cash sale

Barverkehr *m* (com) trading on cash
terms

Barvermögen *n* (Fin) liquid funds *(ie,
cash in hand, bank and postal
check balances, checks, discountable bills)*

Barvorschuß *m* (Fin) cash advance

Barwert *m* (Fin) present . . . value/
worth
  *(ie, Wert e–s od mehrerer künftiger
Kapitalbeträge im Bezugszeitpunkt; current worth of a certain
sum of money due on a specified
future date after taking interest into
consideration; syn, Gegenwartswert)*
  (Fin) cash value *(eg, of lease that
has seven years to run)*

Barwert *m* **der Rückflüsse** (Fin) present value of net cash inflows *(ie,
in preinvestment analysis)*

Barwertfaktor *m* (Fin) present-value
factor

bar zahlen (com) to pay in cash

Barzahlung *f*
  (com) cash payment
  – (infml) cash down
  – (infml) hard cash

Barzahlung *f* **bei Lieferung** (com)
cash on delivery, COD
  *(ie, Kaufpreis zahlbar bei Über-
gabe der Ware)*

Barzahlungsgeschäft *n* (com) cash
transaction

Barzahlungsnachlaß *m* (com) cash
discount *(syn, Skonto)*

Barzahlungspreis *m* (com) cash price
(opp, Teilzahlungspreis)

Barzahlungsrabatt *m* (com) cash discount *(or* rebate)

Barzahlungsverkehr *m* (Fin) cash
payments (*or* transactions)

Barzahlung *f* **vor Lieferung** (com)
cash before delivery

Barzeichner *m* (Fin) cash subscriber

Baubeteiligte

Barzufluß *m* (Fin) cash inflow
Basis *f*
(Bö) basis
*(ie, in commodity jargon: differ-
ence between a futures price and
some other price; the money market would talk about 'spread' rather
than than 'basis')*
Basiseinstandspreis *m* (com) base
cost
Basiskurs *m* (Bö) initial price
Basislaufzeit *f*
(com) effective base period
Basismenge *f* (Bö) underlying commodity
Basisobjekt *n* (Fin) underlying instrument *(ie, von Terminkontrakten)*
Basispreis *m*
(Bö) exercise/strike/striking . . .
price
*(ie, Preis, zu dem der Käufer e–r
Kaufoption das Recht erhält, innerhalb der Optionsfrist – option
period – das Wertpapier zu kaufen;
syn, Optionspreis, Aus-
übungspreis)*
Basispreis *m* **e–r Kaufoption** (Fin)
call exercise price
Basispreis-Schrittweiten *fpl* (Fin)
strikes
Basispunkt *m* (Fin) basis point
*(ie, 0,01 der Rendite e–r Investi-
tion; 100 basis points = 1; eg,
prices firmed by as much as 50
basis points)*
Basispunktsystem *n* (com) basing
point system *(ie, for computation
of freight charges)*
Basisqualität *f* (Bö, US) basis grade
*(ie, in commodity futures contracts;
without premium or discount)*
Basisstichtag *m* (com) base reference
date
Basisswap *m* (Fin) basic swap
*(ie, gleich dem klassischen Zins-
swap, mit der Ausnahme, daß statt
zwischen festem und variablem
zwischen verschiedenen Arten des
variablen Zinssatzes getauscht
wird)*

Basiswert *m* (Fin) underlying . . . in-
strument/security
*(ie, security for which an option
contract is written)*
Basiszins *m* (Fin) base interest rate
Basler Ausschuß *m* (Fin) Basle Committee
*(ie, where supervisors from the
Grouo-of-Ten countries meet
under the auspices of the BIS =
Bank for International Settlement)*
Basler Konkordat *n* (Fin) Basle Con-
cordat
*(ie, the international bank super-
visors' set of guiding principles;
ausländische Stellen von Geschäftsbanken sollen von den beteiligten
Notenbanken überwacht werden)*
Bauabnahme *f*
*(com) acceptance of building work
by owner*
Bauabrechnung *f* (com) work mea-
surement and billing
Bauabschnitt *m*
(com) phase of construction
(com) section of construction
Bauaktien *fpl* (Bö) building shares
Bauantrag *m* (com) application for
building license
Bauarbeit *f* (com) construction work
Bauarbeitsgemeinschaft *f* (com) construction consortium
Bauartgenehmigung *f* (com) type approval
Bauaufsicht *f* (com) supervision of
construction work
Bauaufträge *mpl*
(com) construction orders
Bauaufwand *m*
(com) cost of construction
– building cost
Bau *m* **ausführen** (com) to carry out
(*or* complete) a building (*or* construction) project
Bauausschreibung *f* (com) invitation
to tender for construction work
Baubeginn *m* (com) start of building
(*or* construction) work
Baubeteiligte *mpl* (com) parties to a
construction project

Bauchlandung

Bauchlandung *f* (Fin, sl) belly flop
Baudarlehen *n* (Fin) building loan
bäuerlicher Familienbetrieb *m* (com) family farm
Bauernverband *m* (com) farmers' association
Bauerwartungsland *n*
(com) prospective building land
– land earmarked for development
Baufinanzierung *f*
(Fin) financing of building projects
– construction finance
Baufinanzierungsmittel *pl* (Fin) construction finance
Baufirma *f*
(com) firm of builders (*or* constructors)
– construction company
Bauführer *m* (com) construction site supervisor
Baugebiet *n*
(com) building area
Baugelände *n* (com) building site
Baugeld *n* (Fin) building loans
Baugeldhypothek *f* (Fin) building mortgage
Baugeldkredit *m* (Fin) intermediate building credit
Baugewerbe *n*
(com) construction industry
– (GB) building trade
(*ie, excluding building materials industry and trade*)
Baugrundstück *n*
(com) building lot (*or* plot)
– home site
Bauhandwerk *n* (com) building trade
Bauhandwerker *m* (com) construction worker
Bauhauptgewerbe *n* (com) construction industry
Bauherr *m* (com) owner of a building
(*ie, in the planning stage, under construction, and upon completion*)
Bauhilfsgewerbe *n* (com) construction-related trade
Bauhypothek *f* (Fin) building mortgage

Bauindustrie *f* (com) building (*or* construction) industry
Baukosten *pl* (com) building (*or* construction) cost
Baukostenvoranschlag *m*
(com) building estimate
– estimate of construction cost
Baukostenzuschüsse *mpl* (com) building subsidies
Baukostenzuschuß *m* (com) tenant's contribution to building cost
Bauland *n*
(com) building (*or* developed) land
Baulanderschließung *f*
(com) development of real estate
– property development
Bauleistungen *fpl* (com) construction work performed
Bauleitplan *m* (com) general plan for the development of local real estate
Baumaschinen-Hersteller *m* (com) construction machinery producer
Baumaterial *n* (com) building (*or* construction) materials
Baumateriallieferant *m*
(com) building supply firm
– (GB) builder's merchant
Baumaßnahmen *fpl* (com) construction work
Baumwollbörse *f* (Bö) cotton exchange
Baumwollterminbörse *f*
(Bö) forward cotton exchange
– cotton futures market
– trading in cotton futures
Baumwolltermingeschäfte *npl* (Bö) cotton futures
Baunebengewerbe *n* (com) construction-related trade
Bauobjekt *n* (com) construction project
Bauplanung *f* (com) planning of construction work
Bauplatz *m*
(com) building lot (*or* plot)
(com) building (*or* construction) site (*ie, after starting work; syn, Baustelle*)

58

Baupreise *mpl* (com) building prices

Bauprogramm *n* (com) construction schedule (*or* program)

Bauprojekt *n* (com) construction project

Baureederei *f* (com) joint ship building

baureife Grundstücke *npl* (com) land ready for building

Bausachverständiger *m*
(com) building expert
– quantity surveyor

Bauschäden *mpl* (com) structural damage

Bausektor *m* (com) building sector

Bausparbeitrag *m*
(Fin) saver's payment to savings and loan association (or GB: to building society)

Bauspardarlehen *n* (Fin) loan from savings and loan association (*ie, paid out when savings quota (= Mindestsparguthaben) is reached*)

Bausparen *n* (Fin) saving through a savings and loan association

Bausparer *m*
(Fin) member of a savings and loan association
– (GB) person saving through a building society

Bausparguthaben *n* (Fin) balance on savings account with a savings and loan association (or GB: a building society)

Bausparkasse *f*
(Fin) building and loan association
(Fin, US) savings and loan association
– (GB) building society

Bausparprämie *f* (Fin) government premium allowed to savers in savings and loan association

Bausparsumme *f* (Fin) target amount of savings (*ie, which qualifies for a building loan under a ,Bausparvertrag‘*)

Bausparvertrag *m* (Fin) agreement under which a loan is granted by a savings and loan association (*ie, for the purchase, construction, or*

improvement of residential properties)

Baustelle *f*
(com) building site
– construction site
– job site

Baustoffe *mpl* (com) building (*or* construction) materials

Baustoffhandlung *f*
(com) building supply firm
– (GB) builder's merchant

Baustoffindustrie *f* (com) building (*or* construction) materials industry

Bausumme *f* (com) total construction cost

Bauträger-Gesellschaft *f* (com) real estate developing company (*ie, one that subdivides land into sites, builds houses and sells them*)

Bauträger *m*
(com) property developer
– company building and selling completed residential properties

Bauüberhang *m* (com) volume of unfinished building projects

Bau- und Prüfvorschriften *fpl* (com) specifications for construction and testing

Bauunternehmer *m*
(com) building contractor
– construction firm

Bauvergabe *f* (com) award of construction contract

Bau *m* **vergeben** (com) to award (*or* let) a building contract

Bauvorhaben *n* (com) construction project

Bauwert *m* (com) construction cost of a building (*ie, taken as a basis for determining the lending value = ,Beleihungswert‘ of a plot of land*)

Bauwerte *mpl* (Bö) buildings

Bauwirtschaft *f*
(com) building/construction . . . industry
– (GB) building trade

Bauzeit *f* (com) construction period

Bauzinsen *mpl* (com) interest for building finance

Bauzwischenkredit *m* (Fin) intermediate building credit *(ie, replaced by a mortgage credit upon completion of the building)*

b.a.w. (Fin) = bis auf weiteres

Beamter *m*
(com) public official *(ie, for life)*
– (GB) civil servant
(ie, not only administrative personnel in direct government service, but also school teachers, university staff, police, part of armed forces, clergy, judiciary, senior employees in the Post Office and railways)

beanstanden
(com) to complain about
– to reject *(eg, defective goods)*

Beanstandung *f*
(com) complaint (about)
– objection (to)

beantragen
(com) to apply for
– to make an application for

Beantwortung *f*
(com) answer
– reply

bearbeiten
(com) to deal with
– handle
– to process *(eg, incoming mail)*

bearbeitende Industrie *f* (com) manufacturing *(or* processing) industry

Bearbeiter *m* (com) person in charge of (sth)

Bearbeitung *f*
(com) handling
– processing *(eg, incoming mail)*

Bearbeitungsaufschlag *m* (com) service charge

Bearbeitungsfehler *m* (com) processing error

Bearbeitungsgebühr *f*
(com) service charge
– handling/processing . . . fee
(Fin) management . . . charge/fee
– bank service charge

Bearbeitungskosten *pl*
(com) handling cost

Bearbeitungsprovision *f* (Fin) handling fee *(ie, charged by credit granting bank)*

Bearbeitungsstempel *m* (com) date *(or* receipt) stamp

Bearbeitungsvorgang *m*
(com) processing operation

beauftragen
(com) to charge with
– to put in charge with
– to instruct

beauftragte Bank *f* (Fin) paying bank

Beauftragter *m*
(com) agent
– representative

bebauen
(com) to build upon
– to develop *(ie, to build on land)*

bebaute Fläche *f* (com) improved/ built-up . . . area

bebaute Grundstücke *npl*
(com) developed real estate

bebautes Gelände *n* (com) built-up area

Bebauungsgebiet *n* (com) building *(or* development) area

Bebauungskosten *pl*
(com) building costs
– cost of buildings

Bebauungsplan *m* (com) building *(or* development) plan
(ie, for the area in which land is located, § 69 III BewG; zweite und rechtsverbindliche Stufe der Bauleitplanung, qv)

Bedarf *m*
(com) demand *(an: for)*
– need (for)
– requirements (of)

Bedarf *m* **an liquiden Mitteln** (Fin) cash requirements

Bedarf *m* **decken**
(com) to meet
– to satisfy
– to supply . . . demand *(or* needs *or* requirements)

Bedarf *m* **neu ausschreiben** (com) to rebid a requirement

Bedarfsdeckung *f*
(com) satisfaction of requirements
– supply of needs

Bedarfsgüter *npl*
(com) consumer goods

Bedarfs-Kreditlinie *f*
(Fin) demand line of credit
– swing line
(ie, customer may borrow on a daily or on an on-demand basis)
Bedarfsspanne *f*
(Fin) net expense ratio *(ie, of banks)*
– cover-requiring margin
– required margin
Bedarfsspannenrechnung *f* (Fin) calculation of net expense ratio
Bedenkfrist *f*
(WeR) time allowed for re-presentation *(of a bill of exchange, Art. 24 WG)*
bedienen
(Fin) to service *(eg, a loan)*
Bedienung *f* **e–s Kredits** (Fin) debt service
bedingte Fälligkeit *f* (Fin) contingent payment
bedingte Kapitalerhöhung *f* (Fin) conditional increase of capital stock, §§ 192 ff AktG
(ie, kann drei Zwecke haben: (1) Sicherung der Ansprüche auf Aktien, die sich aus Umtausch- und Bezugsrechten der Inhaber von Wandelschuldverschreibungen ergeben; (2) Vorbereitung von Fusionen; (3) Schaffung von Bezugsrechten für Arbeitnehmer der Gesellschaft)
bedingt erhöhen (Fin) to increase subject to a contingency
bedingtes Fremdkapital *n* (Fin) contingent assets
bedingtes Indossament *n* (WeR) conditional indorsement
bedingtes Kapital *n* (Fin) authorized but unissued capital
bedingte Wertpapiere *npl* (Fin) conditional securities *(ie, stock subscription rights, warrants, convertible debt, convertible preferred stock, and stock options, qv)*
Bedingtlieferung *f* (com) sale qualified by right of return *(ie, esp. in book selling)*

Bedingungen *fpl* (com) terms and conditions
bedungene Einlage *f* (Fin) stipulated capital contribution
beeidigter Dolmetscher *m* (com) sworn interpreter
beeinträchtigen
(com) to abridge
– to encroach upon
– to impair
– to interfere (upon/on)
– to interfere with *(eg, a right)*
Beeinträchtigung *f*
(com) encroachment (on)
– infringement (of)
– interference (with)
Befähigungsnachweis *m*
(com) proof of ability *(or competence)*
– evidence of formal qualifications
befördern
(com) to transport
– to carry
– to forward
– to convey
– to ship *(eg, goods)*
Beförderung *f* **auf dem Landwege** (com) land transport
Beförderung *f* **auf dem Luftwege** (com) air transport
Beförderung *f* **im Straßenverkehr** (com) road haulage
Beförderung *f* **im Transitverkehr** (com) transport in transit
Beförderung *f* **per Bahn** (com) rail transport
Beförderung *f* **per Schiff** (com) waterborne transport
Beförderungsangebot *n* (com) offer of transportation
Beförderungsart *f* (com) mode of transport
Beförderungsbedingungen *fpl* (com) conditions of transport
Beförderungseinheit *f* (com) transport unit
Beförderungsentgelte *npl* (com) transport charges *(or rates)*
Beförderungsgut *n* (com) cargo

Beförderungsleistung

Beförderungsleistung *f*
(com) volume of traffic
Beförderungsmittel *npl*
(com) means of transportation
– transport facilities
Beförderungsrisiko *n* (com) risk of transport
Beförderungstarif *m* (com) scale of transport charges
Beförderungsunternehmen *n*
(com) transport company
– private carrier
Beförderungsvorschriften *fpl* (com) forwarding instructions
Beförderungswege *mpl*
(com) transport routes
Beförderung *f* **von Stückgut** (com) transport of general cargo
Beförderung *f*
(com, US) transportation
– (GB) transport
– carriage
– conveyance
– freighting
– shipment
– haulage
befrachten
(com) to load
(ie, on board a ship)
– to freight *(eg, ship is freighted with ...)*
– to affreight
(com) to forward freight
(ie, up to ship's berth, putting it at disposal of ocean carrier)
Befrachter *m*
(com) inland waterway forwarding agent
(com) freighter
– shipper *(ie, for whom freight is transported, contracts with ocean carrier)*
Befrachtung *f* (com) freighting
Befrachtungsmakler *m* (com) chartering broker
befreien
(com) to discharge
– to dispense
– to exempt
– to exonerate

– to free
– to relieve
(Fin) to discharge *(eg, of debt)*
befreien von (com) to exempt from
befristen
(com) to place
– to set
– to fix ... a deadline (on)
– to put a time limit on
befristet
(com) limited in time
– having a time limit *(or cutoff date)*
– with a limited time *(eg, for acceptance of an offer)*
befristete Einlagen *fpl* (Fin) time deposits *(eg, at no less than 30 days' notice)*
befristete Guthaben *npl* (Fin) time balances
befristeter Kredit *m* (Fin) time loan
befristetes Angebot *n* (com) offer open for a specified time
befristetes Darlehen *n* (Fin) loan with fixed date for repayment
befristete Verbindlichkeiten *fpl* (Fin) term liabilities
Befristung *f* (com) setting a time limit *(or deadline)*
Befugnis *f*
(com) authority
– competence
– power(s)
Befugnisse *fpl* **überschreiten** (com) to exceed authority *(or powers)*
Befugnisse *fpl* **übertragen** (com) to delegate authority *(or powers)*
befugt
(com) authorized
– competent
– empowered
begebbar
(WeR) negotiable *(ie, referring to ‚Inhaber- und Orderpapiere‘ = bearer and order instruments; transfer by indorsement and delivery)*
(WeR) transferable
– assignable
(ie, referring to ‚Rekta-/Namens-

62

papiere' = registered or nonnegotiable instruments; transfer by assignment)

begebbare Schuldverschreibung *f* (WeR) negotiable bond

begebbare Wertpapiere *npl*
(WeR) negotiable instruments
(WeR) transferable (*or* assignable) instruments
(ie, verbriefen od verkörpern Ansprüche aus kurzfristigen Krediten)

Begebbarkeit *f* (WeR) negotiability
(ie, restricted to order and bearer papers)

begeben
(WeR) to negotiate *(ie, to hand over 1. Inhaberpapiere, by indorsement and delivery, Indossament und Übergabe; 2. Orderpapiere, by mere delivery, bloße Übergabe; see also ‚Einwendungsausschluß')*
(Fin) to issue *(eg, bond issue)*
– to float
– to launch
(Fin) to sell *(eg, a loan)*
(Fin) to negotiate *(eg, at the stock exchange)*

Begebung *f*
(WeR) negotiation
(Fin) issue *(ie, of shares and other securities)*

Begebung *f* **e–r Anleihe**
(Fin) issue
– flotation
– launching ... of a loan (*or* bonds)

Begebung *f* **e-s Wechsels** (WeR) negotiation of a bill of exchange

Begebungsfähigkeit *f* (Fin) negotiability

Begebungskonsortium *n*
(Fin) issuing group (*or* syndicate)
– selling group

Begebungskosten *pl* (Fin) issue costs

Begebungskurs *m*
(Fin) issue
– subscription
– coming-out ... price
(syn, Emissionskurs, Zeichnungskurs)

Begebung *f* **von Aktien** (Fin) issue of shares (*or* stock)

Begebung *f* **von Auslandsanleihen** (Fin) issue of foreign bonds

beglaubigte Kopie *f* (com) certified copy

beglaubigte Übersetzung *f* (com) certified translation

begleichen
(com) to pay *(eg, a debt)*
– to defray *(eg, cost, expenses)*
– to discharge *(eg, a debt)*
– to settle *(eg, bill or money claimed)*
– to square *(eg, an account)*

Begleichung *f*
(com) payment
– discharge
– settlement

Begleichungstermin *m* (Fin) settlement date

Begleitblatt *n* (com) advice note

Begleitdokumente *npl* (com) accompanying documents

Begleitmaterial *n* (com) backing-up material
(ie, as an accompaniment of a language course)

Begleitpapier *n* (com) accompanying document

Begleitschreiben *n*
(com) accompanying/covering ... letter
– letter of transmittal

Begleitzettel *m* (com) compliment slip

begrenzte Ausschreibung *f* (com) preclusive specification *(ie, für e–e begrenzte Zahl von Bietern)*

begrenzter Markt *m*
(com, Bö) narrow
– thin
– tight ... market

begründete Vermutung (com) educated guess
(ie, based on some knowledge of fact)

begünstigen
(com) to favor
– to foster

Begünstigung

   – to support
   – to promote

Begünstigung *f*
   (com) support
   – preferential treatment

begutachten
   (com, Re) to give an expert opinion
   (com) to appraise
   – to assess
   – to evaluate

Begutachtung *f*
   (com, Re) appraisal
   – valuation
   – expert valuation

behaftet (com) surrounded *(eg, forecasts are surrounded by a number of uncertainties)*

behandeln
   (com) to address oneself to *(eg, task, problem, business in hand)*
   – to deal with
   – to approach
   – to tackle
   – to treat

Beharrungstendenz *f* (Bö) tendency to inertia

behaupten
   (com) to allege *(ie, facts, without proof)*
   – to assert *(ie, forcefully; eg, a right)*
   – to claim *(ie, in the face of opposition)*
   – to contend *(ie, say with strength)*
   – to maintain *(ie, to argue for an opinion)*

behauptet (Bö) steady

Behauptung *f*
   (com) allegation
   – assertion
   – claim
   – contention

Behauptung *f* **aufstellen** (com) = behaupten

Behauptung *f* **beweisen** (com) to prove an assertion (*or* contention)

Behauptung *f* **ohne Grundlage**
   (com) unfounded assertion
   – assertion without substance

Behauptung *f* **zurückweisen** (com) to reject an allegation

beherrschende Gesellschaft *f* (com) controlling company

beherrschender Einfluß *m*
   (com) control
   – dominating influence

beherrschendes Unternehmen *n* (com) controlling/dominant . . . enterprise

beherrschte Gesellschaft *f* (com) controlled company

beherrschtes Unternehmen *n* (com) controlled enterprise

bei Eröffnung (Bö) at the opening

bei Fälligkeit
   (Fin) at maturity
   – when due

bei Sicht
   (WeR) at sight
   – on demand
   – on/upon presentation
   (ie, subject to payment upon presentation and demand)

Beistandskredit *m* (Fin) standby credit

Beitrag *m*
   (Fin) financial contribution
   – subscription

Beiträge *mpl* **an Bausparkassen**
   (Fin) periodic savings deposits with a savings or loan association
   – payments made to a savings and loan association

Beiträge *mpl* **zu Berufsverbänden** (com) membership dues paid to trade or professional organizations

Beiträge *mpl* **zur Berufsgenossenschaft** (com) workmen's compensation contributions

Beitragseinnahmen *fpl* (com) contribution receipts

Beitragspflichtiger *m*
   (com) person liable to contribute (*or* to pay contributions)

Beitragssatz *m*
   (com) membership fee

beitreiben
   (Fin) to collect

Beitreibung *f*
(com) collection of money due

Beitreibungskosten *pl* (Fin) collection expenses

Beitreibungsverfahren *n*
(Fin) recovery proceedings
(Fin) collection procedure

Beitreibung *f* **von Außenständen**
(Fin) recovery of accounts receivable

bei Versand (com) on shipment

bei Vorlage
(WeR) on presentation
(WeR) at sight
– on demand

bekanntgeben (com) announce
– to disclose
– to publish
– to break out *(eg, detailed results)*

bekanntmachen
(com) to announce
– to make public
– to disclose

Bekanntmachung *f*
(com) announcement
(eg, in newspapers, circular letters, etc.)

Bekanntmachung *f* **der Börsenorgane**
(Bö) notification by stock exchange authorities

Bekanntmachung *f* **der Firmenänderung** (com) notification of change of corporate *(or* firm) name

Bekleidungsindustrie *f*
(com) apparel/garment ... industry
– (US, infml) needle industry

bekräftigen
(com) to affirm
– to confirm

Beladen *n* **e–s Containers** (com, US) vanning

Beladung *f*
(com) loading
(com) load
– cargo

Beladungsgrenze *f*
(com) load limit
– maximum load

belasten
(com) to charge against
(eg, charge consignment against my account)

belastete Ware *f* (com) taxed product

Belastung *f*
(com) burden *(eg, interest, taxes)*
– load

belaufen auf, sich
(com) to amount to
– to add up to
– to come to
– to run at
– stand at

beleben
(com) to revive
– to stimulate
– to reinvigorate
– to revitalize

Belebung *f* **der Nachfrage**
(com) recovery of demand
– upturn in demand

Belebung *f* **des Auftragseingangs**
(com) picking up of orders

Belegabriß *m* (com) stub *(ie, in garment retailing)*

Belegabschnitt *m*
(com) check voucher
– stub
– (GB) counterfoil

Belegaufbereitung *f* (Fin) voucher processing

Belegbearbeitung *f* (com) document handling

Belegblock *m* (com) pad of forms

belegen
(com) to prove

Belegexemplar *n* (com) author's *(or* courtesy) copy

beleggebundener Einzugsverkehr *m*
(Fin) paper-based collections

beleggebundene Zahlung *f* (Fin) paper-based transfer

beleghaft erteilter Überweisungsauftrag *m*
(Fin) paper-based credit transfer order

belegloser Überweisungsverkehr *m*
(Fin) electronic funds transfer, EFT, eft

belegloser Zahlungsverkehr
(Fin) electronic funds transfer, EFT, eft

belegloses Scheckeinzugverfahren *n*
(Fin) = belegloses Scheckinkasso

belegloses Scheckinkasso *n*
(Fin) check truncation procedure
– truncation

beleglose Zahlung *f* (Fin) paperless transfer

Belegsatz *m* (com) form set

Belegschaftsaktien *fpl*
(Fin) employee ... shares/stocks
– shares offered and sold to employees
– (infml) buckshee shares *(eg, employees get further... on a 1 : 1 basis)*

beleihbar (Fin) eligible (*or* suitable) as collateral

beleihbare Effekten *pl* (Fin) securities eligible as collateral

beleihen
(Fin) to lend against (collateral security)

Beleihung *f* (Fin) lending against collateral security

beleihungsfähiges Objekt *n* (Fin) property eligible as security

beleihungsfähig
(Fin) eligible to serve as a collateral
– suitable as collateral

Beleihungsgrenze *f*
(Fin) lending ceiling (*or* limit)
– marginal loan value
(ie, in respect of collateral security; syn, Beleihungssatz)

Beleihungsgrundsätze *mpl* (Fin) lending principles

Beleihungskredit *m* (Fin) advance on collateral

Beleihungsobjekt *n* (Fin) real estate used as collateral

Beleihungsquote *f*
(Fin) loan-to-value ratio
– loan percentage *(syn, Beleihungsrate)*

Beleihungsrate *f* (Fin) = Beleihungsquote

beleihungsreifes Bauobjekt *n* (Fin) construction project qualifying for mortgage loans

Beleihungssatz *m* (Fin) = Beleihungsgrenze

Beleihungssätze *mpl* (Fin) initial margins
(ie, als Mindestdeckung e–s Effektenkredits)

Beleihungswert *m*
(Fin) value of collateral
(ie, highest amount a lender can safely lend on property, life insurance, etc; based on cash value)

Beleihung *f* **von Versicherungspolicen**
(Fin) loans and advances on insurance policies

Belieferung *f* (com) supply *(ie, transport between producer and customer)*

beliehene Wertpapiere *npl* (Fin) collateral securities

bemessen
(com) to assess
– to determine

Bemessung *f*
(com) assessment
– determination

Bemessungsgrundlage *f*
(com) basis of proration

Bemessungsmaßstab *m* (com) standard of assessment

bemustern
(com) to attach samples to an offer
(com) to sample
(ie, drawing samples to determine the average quality of staple goods)

benachrichtigen
(com) to advise
– to inform
– to give notice

Benachrichtigung *f*
(com) advice
– information
– notice

Benachrichtigungsadresse *f* (com) notify party

Benachrichtigungspflicht *f*
(WeR) duty (of holder) to notify certain obligors, Art. 45 WG

Benachrichtigungsschreiben n (com) letter of advice

Benutzerkosten pl (com) user cost

bequeme Finanzierung f (Fin) easy financing facilities

beraten
(com) to advise
(com) to consult *(eg, with fellow workers)*
– to confer (with)

beratende Funktion f (com) advisory... function/capacity

beratender Ausschuß m (com) consultative committee

beratendes Gremium n (com) advisory body

Berater m
(com) consultant
– adviser
– counselor

Beratervertrag m
(com) consultancy agreement
– advisory contract

Beratung f
(com) advice
(com) consulting
– consultation
– counseling
(com) consultancy

Beratungsfirma f
(com) consulting firm
– consultancy
– consultants

Beratungsgebühr f (com) consultancy fee

Beratungsgegenstand m
(com) item on the agenda
– subject of discussion

Beratungsgesellschaft f (com) consulting company

Beratungsingenieur m (com) consulting engineer

Beratungskosten pl (com) consulting expenses

Beratungsservice m (com) consulting service

Beratungsstelle f (com) consulting agency

Beratungstätigkeit f (com) consulting/advisory... activity

Beratungsunternehmen n (com) consulting firm

Beratungsvertrag m (com) advisory (*or* consultancy) contract

berechenbare Zeit f (com) billable time *(eg, of free professionals)*

Berechenbarkeit f (com) computability

berechnen
(com) to calculate
– to compute *(eg, taxes on the amount of royalties)*
– to work out *(eg, prices, costs)*
(com) to bill
– to charge
– to invoice
(com) to estimate *(eg, in cost calculation)*

Berechnung f
(com) calculation
(com) estimate
(com) billing
– invoicing

Berechnungsart f (com) method of calculation

Berechnungsformel f (com) computational formula

Berechnungsgrundlage f (com) basis of... computation/calculation

Berechnungsmethode f (com) method of calculation

Berechnungsschema n (com) = Berechnungsformel

Berechnungsschlüssel m (com) = Berechnungsformel

Berechnungszeitraum m (com) period of computation

Bereich m
(com) area
– domain
– range
– scope
– sector
– sphere

Bereichskapital n (Fin) equity capital allocated to a group (*or* division)

bereichsspezifisch (com) area specific *(eg, secretary)*

bereinigen
(com) to adjust

67

– to correct
– to settle
– to straighten out
– to clarify *(eg an issue)*
– (infml) to clean up
Bereinigung *f*
(com) adjustment
– correction
– settlement
bereitgestellte Investitionsmittel *pl*
(Fin) capital appropriation
– funds available for capital spending
Bereitschaftszusage *f* (Fin) credit commitment
bereitstellen
(com) to furnish
– to make available
– to make ready for use
– to provide
– to supply
(Fin) to allocate
– to appropriate
– to earmark
Bereitstellung *f*
(com) provision
– supply
(Fin) allocation
– appropriation
– earmarking
Bereitstellungsfonds *m*
(Fin) earmarked fund
Bereitstellungsgebühr *f*
(Fin) standby fee
Bereitstellungskonto *n*
(Fin) credit account open to drawings
Bereitstellungskredit *m* (Fin) commitment credit
Bereitstellungsplafond *m* (Fin) commitment ceiling
Bereitstellungsprovision *f*
(Fin) loan commitment fee
(ie, now ‚Kreditprovision‘)
Bereitstellungszins *m* (Fin) commitment interest
Bergbau *m*
(com) mining
(com) mining industry

bergbautreibende Vereinigung *f*
(com) mining association
Bergegeld *n* (com) salvage money
Bergelohn *m* (com) = Bergegeld
Bergelohnforderung *f* (com) salvage claim
Bergewert *m*
(com) salvage value
– residual value
Bergungsgesellschaft *f* (com) salvage company
Bergungskosten *pl* (com, SeeV) salvage charges
Bergwerksaktie *f* (Fin) mining share
Bergwerksanteil *m* (WeR) registered mining share (= Kux)
(ie, = Rektapapier, no par value, subject to contributions by members)
Bergwerksgesellschaft *f* (com) mining company
Bericht *m* (com) report
Bericht *m* **ausarbeiten**
(com) to draw up (*or* prepare) a report
berichten (com) to report
Bericht *m* **e–r Auskunftei**
(com) mercantile report
– status report
Berichterstattung *f*
(com) reporting
– coverage
Berichterstellung *f*
(com) report preparation
berichtigen
(com) to correct
– to put right
– to rectify
– to straighten out *(eg, mistakes in a bill)*
berichtigter Bruttoauftragseingang *m*
(com) adjusted gross sales
berichtigter Bruttoumsatz *m* (com) adjusted gross income
Berichtigung *f*
(com) adjustment
– correction
– rectification
Berichtigung *f* **des Aktienkapitals**
(Fin) adjustment of capital stock

Berichtigungsaktien *fpl* (Fin) bonus/ scrip ... shares *(ie, equivalent to a capital increase out of retained earnings = zu Lasten der offenen Rücklagen, §§ 207ff AktG; syn, Gratisaktien, Zusatzaktien)*

Berichtsdaten *pl* (com) reporting data

Berichtsformular *n* (com) report form

Berichtsgrundlage *f* (com) terms of reference

Berichtsjahr *n* (com) year under review

Berichtsperiode *f* (com) period under review

Berichtsvorlage *f* (com) presentation of a report

Berichtswesen *n* (com) reporting

Berichtszeit *f*
(com) reporting period
– period under review

Berichtszeitpunkt *m* (com) key *(or* reporting) date

Berichtszeitraum *m*
(com) reporting period
– period under review

Bericht *m* **über die wichtigsten Ereignisse** (com) highlight report

Bericht *m* **über Umsatzverlust** (com) lost revenue report

Bericht *m* **vorlegen**
(com) to present *(or* submit) a report
– to issue a report (to)

berücksichtigen
(com) to allow for
– to make allowance for
– to take into ... account/consideration

Beruf *m* **ausüben** (com) to practice an occupation or profession

berufen (com) to appoint *(eg, to an office)*

Berufsauffassung *f* (com) professional standard

Berufsexamen *n* (com) professional examination

Berufsgeheimnis *n* (com) professional secrecy *(or* discretion)

Berufshandel *m*
(Bö) professional (securities) dealing
– professional trading

Berufskammer *f* (com) professional organization *(ie, semi-autonomous corporations under public law)*

Berufskodex *m* (com) code of professional guidelines

berufsmäßige Spekulation *f*
(Bö) professional speculation
– professional stock exchange operations

Berufsorganisation *f* (com) professional *(or* trade) association

berufsständische Vertretung *f* (com) professional representation

Berufsverband *m* (com) professional association

Berufsvereinigung *f*
(com) trade association
– professional body

Berufsvertretung *f* (com) representation of professional group

beschädigte Sendung *f* (com) defective consignment

beschädigte Waren *fpl*
(com) damaged goods

beschaffen
(com) to procure
– to furnish
– to supply

Beschaffenheit *f* (com) quality

Beschaffenheitsangabe *f* (com) quality description

Beschaffenheitssicherung *f* (com) quality protection *(ie, of merchandise)*

Beschaffenheitszeugnis *n* (com) certificate of inspection

Beschaffung *f* **neuen Fremdkapitals** (Fin) provision of fresh outside finance

Beschaffungskredit *m* (Fin) buyer credit

Beschäftigung *f* **suchen** (com) to look for *(or* seek) employment

bescheinigen (com) to certify
(eg, This is to certify that ... = Hiermit wird bescheinigt, daß ...)

69

bescheinigende Stelle *f* (com) certifying body

Bescheinigung *f*
  (com) certificate
  – „to whom(soever) it may concern"

Bescheinigung *f* **ausstellen** (com) to make out a certificate

Bescheinigung *f* **beibringen** (com) to submit (*or* furnish) a certificate

beschließen
  (com) to adopt/pass... a resolution
  (Fin) to declare (*eg, a dividend*)

beschlußfähige Anzahl *f* (com) quorum
  (*ie, taken from the phrase: „numerus membrorum quorum praesentia necesse est'*)

beschlußfähige Versammlung *f* (com) quorate meeting

Beschlußfähigkeit *f* (com) presence of a quorum

beschlußfähig sein (com) to form a quorum

beschlußfähig (com) constituting a quorum

Beschluß *m* **fassen** (com) to adopt/pass... a resolution

Beschlußfassung *f* (com) adoption (*or* passing) of a resolution

Beschluß *m* **mit einfacher Mehrheit** (com) resolution by simple majority

beschlußreif (com) ready to be voted on

Beschluß *m* **über Dividendenausschüttung** (Fin) declaration of dividend

Beschlußunfähigkeit *f* (com) absence of quorum

beschneiden
  (com) to cut back on
  – to pare (down)
  – to trim
  – to clamp a lid on (*eg, spending*)

beschränkter Handel *m* (Bö) restricted trading

beschränkter Markt *m* (com) restricted market

beschränktes Giro *n* (WeR) qualified indorsement

beschränkte Zuteilung *f* (Fin) limited allotment

Beschränkungen *fpl* **auferlegen** (com) to impose restrictions

Beschränkungen *fpl* **aufheben** (com) to lift (*or* remove) restrictions

Beschränkungen *fpl* **verschärfen** (com) to intensify restrictions

Beschränkung *f*
  (com) restriction

beschreiben
  (com) to describe
  – to specify

Beschreibung *f*
  (com) description
  – account
  – report
  – specification

beschriften (com) to inscribe

Beschriftung *f*
  (com) inscription
  – marking

Beschriftungsschild *n*
  (com) placard
  – placard strip
  – name plate (*ie, of a machine*)

Beschwerdebrief *m* (com) letter of complaint

Beschwerden *fpl* **nachgehen** (com) to monitor complaints

besetzt
  (com, US) busy (*eg, sorry, the number is busy, please try again*)
  – (GB) engaged (*ie, telephone line*)

Besetztzeichen *n*
  (com) busy signal
  – (GB) engaged tone

besichern
  (Fin) to collateralize
  – to supply security for a loan

besichertes Darlehen *n*
  (Fin) secured/collateralized... loan
  – asset-backed loan
  – loan against collateral
  (*ie, beyond the general credit of the borrower*)

Besicherung *f*
(Fin) provision of collateral
– collateralization

besichtigen
(com) to examine
– to inspect

Besichtigung *f*
(com) tour of a plant (= Betriebs-besichtigung)
(com) drawing samples *(ie, to determine the average quality of goods)*

Besitz *m*
(com) property (= im wirtschaft-lichen Sinne)
(Fin) holding *(ie, of shares and stock = Wertpapierbesitz)*

besitzen
(com) to own

Besitzer *m*
(com) owner
– proprietor

Besitzstand *m*
(com) vested/acquired . . . rights *(syn, wohlerworbene Rechte, qv)*

Besitzstandswahrung *f*
(Fin, US) grandfathering

Besitzteile *mpl* (com) assets = Aktiva

besprechen
(com) to discuss
(com) to review *(eg, a book)*

Besprechung *f*
(com) discussion
– meeting
(com) book review

Besprechungsexemplar *n* (com) review copy

Besserungsschein *m*
(Fin) income adjustment bond
– (GB) debtor warrant bond
(ie, Variante des Schulderlasses, qv; Vergleichsschuldner hat die Möglichkeit, über die Vergleichs-quote hinaus weitere Zahlungen zu leisten, wenn sich s–e wirtschaft-liche Lage wieder bessert; B. ver-brieft das Zahlungsversprechen; in der Ausgestaltung [Quote, Dauer, Rang, Kriterien] besteht völlige Freiheit)

Bestand *m*
(Fin) bank's asset portfolio

Bestand *m* **an Aufträgen mit Rück-gaberecht** (com) backlog of orders subject to cancellation

Bestand *m* **an festen Aufträgen** (com) backlog of final orders

Bestände *mpl* **an Handelswaren** (com) merchandise inventory

Bestände *mpl* **an Waren** (com) stocks of goods on hand

Bestandsänderungen *fpl* (com) change of inventories

Bestandshaltekosten *pl* (Fin) cost of carry
(ie, Nettokosten im Futures-Ge-schäft, die sich aus der Finan-zierung e–r Kassaposition ergeben)

bestätigende Bank *f* (Fin) confirming bank

bestätigen
(com) to acknowledge *(eg, receipt of a letter)*
(com) to confirm *(eg, what I told you over the phone)*

bestätigter Scheck *m* (Fin) certified check *(ie, see § 23 BBankG)*

bestätigtes Akkreditiv *n* (Fin) con-firmed letter of credit

bestätigtes unwiderrufliches Akkredi-tiv *n* (Fin) confirmed irrevocable letter of credit

Bestätigungsprovision *f* (Fin) con-firming commission

Bestätigungsschreiben *n*
(com) letter of acknowledgment
– letter of confirmation *(ie, see distinction made under ‚bestätigen')*

Bestätigung *f*
(com) acknowledgment
– confirmation

Bestbietender *m* (com) highest bidder

bestechen
(com) to bribe
– to buy off
– (GB, *also*) to buy over
– (infml) to grease
– (sl) oil somebody's palm

bestechen lassen, sich (com) to take bribes

Bestechung

Bestechung *f* (com) bribery
(ie, pratice of giving or taking bribes)
Bestechungsaffäre *f* (com) bribery affair
Bestechungsgeld *n*
(com) bribe money
– (corporate) payoff
– improper payments
– (sl) boodle *(cf, Schmiergeld)*
Bestechungsskandal *m* (com) bribery scandal
Besteckindustrie *f* (com) cutlery industry
Bestellbuch *n* (com) order book
Bestelleingang *m*
(com) booking of new orders
– incoming business *(or orders)*
– inflow of orders
– intake of new orders
– new orders
– order bookings
– orders received
– rate of new orders *(eg, started to show slight improvement)*
bestellen
(com) to order
– to place/give ... an order for
Bestellerkredit *m*
(Fin) buyer credit
(ie, granted to the foreign buyer by a bank in the exporting country; paid out direct to supplier)
Bestelliste *f* (com) list of orders
Bestellkarte *f* (com) return order card
(ie, in mail order business)
Bestellmuster *n* (com) sample of goods which are made after receipt of orders *(eg, textiles, wallpaper)*
Bestellnummer *f* (com) purchase order number
Bestellpraxis *f* (com) system of appointment *(eg, physicians, hairdressers)*
Bestellschein *m* (com) order note
(ie, either contract offer binding customer for some time, or acceptance of contract)
bestellt
(com) on order

– ordered
– booked
(com) having an appointment *(eg, to see ...*
Bestelltätigkeit *f* (com) booking *(or placing) orders*
Bestellung *f*
(com) *(auf/über)* order (for)
– purchase order
– customer order
– sales order
Bestellung *f* **annehmen** (com) to accept an order
Bestellung *f* **aufgeben**
(com) to order
– to place *(or give)* an order for
Bestellung *f* **ausführen**
(com) to carry out
– to complete
– to execute
– to fill ... an order
Bestellungen *fpl* **einschränken** (com) to slash orders
Bestellung *f* **e-r Sicherheit**
(Fin) collateralization
– provision of security *(ie, for a loan)*
Bestellungsannahme *f*
(com) acceptance/acknowledgement ... of order
(syn, Auftragsbestätigung)
Bestellungsstatistik *f* (com) order statistics
Bestellung *f* **stornieren** (com) to cancel an order
Bestellwert *m* (com) order *(or contract) value*
bestens
(Bö) at best
– at market
(ie, order to buy or sell at the best available price; syn, billigst)
„**bestens**" **absetzen** (Fin) to sell on „best efforts basis" *(ie, securities through banks)*
bestens-Auftrag *m*
(Bö) discretionary order
– market order
– order at the market
– order to buy at best

(ie, to be executed at the best obtainable price)

„bestens" kaufen (Bö) to buy irrespective of price

bester Preis *m*
(com) best/lowest/rockbottom... price
(ie, in Angeboten; as an offer term)

bestimmen (com) to determine

bestimmte Geldsumme *f* (WeR) sum certain in money

Bestimmung *f*
(com) use for which an article is intended

Bestimmungen *fpl* **für den Aktienhandel** (Bö) trading rules

Bestimmungsbahnhof *m* (com) station of destination

Bestimmungsfaktor *m*
(com) determining factor

Bestimmungsflughafen *m* (com) airport of destination

bestimmungsgemäßer Gebrauch *m*
(com) intended (*or* contractual) use

bestimmungsgemäß
(com) in accordance with the intended (*or* appointed) use

Bestimmungshafen *m* (com) port of destination

Bestimmungsland *n* (com) country of destination

Bestimmungsort *m*
(com) place of destination
– final destination

Bestimmungsort-Konnossement *n*
(com) destination bill of lading
(ie, issued at the destination, not at place of shipment)

Bestkauf *m* (com) purchase at lowest price

bestmöglich absetzen (Fin) to sell on „best efforts basis" *(ie, securities through banks)*

Bestpreis *m* (com) best/highest... price

Bestreiten *n*
(com) defrayal *(ie, of expenses)*

bestreiten
(com) to pay *(eg, expenses)*
– to defray
(com) to challenge
– to dispute
– to contest

Betafaktor *m* (Fin) beta factor
(ie, Quotient aus der Kovarianz der Marktrenditen zu den Aktienrenditen und der Varianz der Marktrenditen; für die meisten Aktien etwa gleich 1; shows the likely price trend for a given market movement and whether the stock is apt to under or over-react)

Betakoeffizient *m* (Fin) beta coefficient, ß factor
– beta weight
(ie, mißt die Volatilität der Aktie = Steigung der Regressionsgeraden eines Wertpapiers: Kovarianz/Varianz; oder: Relation zwischen Rendite des Marktportefeuilles und Rendite einer Aktie; oder: factor used to describe the volatility of movements in the price of a particular investment, that is, percentage movement against time; Maß für Marktrisiko)

beteiligen (Fin) to give an interest (*or* share) (in)

beteiligen, sich
(com) to participate
– to take part *(eg, in a project)*
(Fin) to acquire an interest (in)
– to take an equity stake

Beteiligung *f*
(com) interest
– holding
– stake
– participation
– participating interest (*or* share)
(Fin) equity holding (*or* stake)
– industrial holding
– share of equity capital
(Fin) investment

Beteiligung *f* **am Gewinn**
(Fin) profit share

Beteiligung *f* **an börsennotiertem Unternehmen** (Fin) quoted (*or* listed) investment

Beteiligungen

Beteiligungen *fpl*
(Fin) investments in subsidiaries and affiliated companies
– shareholdings in outside companies

Beteiligungen *fpl* **an nicht konsolidierten Tochtergesellschaften**
(Fin) unconsolidated investments

Beteiligungen *fpl* **zum Buchwert** (Fin) investments at amortized cost

Beteiligung *f* **erwerben**
(com) to acquire an interest
– to acquire an equity investment *(eg, in a foreign corporation)*

Beteiligungsbereich *m* (Fin) equity investment field

Beteiligungsbesitz *m* (Fin) shareholding

Beteiligungscharakter *m* (Fin) equity feature *(eg, of a loan)*

Beteiligungsdarlehen *n* (Fin) loan taken up to finance a participation

Beteiligungserträge *mpl*
(Fin) direct investment income
– investment earnings

Beteiligungserwerb *m*
(Fin) acquisition of participations
– investment acquisition

Beteiligungsfinanzierung *f* (Fin) participatory financing
(ie, supply of share capital by all existing or new members of a company; takes the form of contributions, shares, mining shares, drilling interests, etc.)

Beteiligungsfonds *m* (Fin) equity fund

Beteiligungsgeschäft *n* (Fin) participation transaction *(ie, carried out to secure control or major influence)*

Beteiligungsgesellschaft *f*
(com) associated company *(ie, often restricted to an interest of not more than 50%)*
(com) holding company
(Fin) = Kapitalbeteiligungsgesellschaft, qv

Beteiligungsgewinn *m* (Fin) investment earnings

Beteiligungsinvestition *f*
(Fin) direct investment
(Fin) portfolio investment

Beteiligungskapital *n*
(Fin) equity capital
(Fin) direct-investment capital

Beteiligungskäufe *mpl* (Fin) acquisition of shareholdings

Beteiligungskonzern *m* (com) controlled corporate group

Beteiligungspapier *n* (WeR) equity security

Beteiligungsquote *f*
(Fin) participation quota
– amount of holding

Beteiligungsrechte *npl* (Fin) equities

Beteiligungsveräußerung *f* (Fin) sale of participation

Beteiligungswert *m*
(Fin) book value of investment *(ie, in subsidiaries and associated companies)*

Betongold *n* (com, infml) assets in the form of commercial or residential buildings

Betrag *m* **abbuchen**
(com) to debit an amount
– to charge (amount) to an account

Betrag *m* **abheben** (Fin) to withdraw an amount (from)

Betrag *m* **abzweigen** (com) to set aside *(or* earmark) an amount

Betrag *m* **anrechnen** (com) to credit an amount

Betrag *m* **auszahlen** (com) to pay out an amount

betragen
(com) to amount to
– to add up to
– to come to
– to run at
– to come out *(eg, total comes out to DM10,000; figures come out at 96,978)*
– to work out at *(eg, the project works out at DM5bn = kommt auf . . .)*

Betrag *m* **überweisen** (Fin) to remit an amount *(ie, through a bank)*

betrauen mit (com) to put in charge of

Betreuungsgebühr *f* (com) attendance fee

Betrieb *m*
(com) business enterprise
– enterprise
– firm
– undertaking
– company *(see: Unternehmen)*

Betrieb *m* **der Urproduktion** (com) extractive *(or* natural resource) enterprise

betriebliche Finanzwirtschaft *f*
(Fin) business *(or* corporate) finance

Betriebsablauf *m*
(com) sequence of operations

Betriebsaufgabe *f* (com) termination of a business

Betriebsaufnahme *f*
(com) starting business
(com) commissioning
– putting on stream
– taking into operation *(eg, a plant)*

Betriebsbedingungen *fpl* (com) operating conditions

Betriebsbegehung *f*
(com) plant inspection
– touring the plant

Betriebsberater *m* (com) management consultant
(cf, Unternehmensberater)

Betriebsberatung *f* (com) management consulting

betriebsblind
(com) blunted by habit
– blind to organizational deficiencies

Betriebsblindheit *f* (com) habitual blindness to organizational deficiencies

Betriebsdaten *pl*
(com) operational . . . data/information

Betriebseinschränkung *f* (com) cutting back of operations

Betriebserfahrung *f* (com) operational experience

Betriebserfordernisse *npl* (com) operational requirements

Betriebsergebnisquote *f* (Fin) profit ratio

Betriebseröffnung *f* (com, StR) opening of a business, § 137 AO

Betriebsfähigkeit *f*
(com) operating condition
– working order

betriebsfähig (com) in working order

Betriebsfläche *f* (com) plant area

Betriebsgebäude *n*
(com) factory building
(com) company building

Betriebsgefahr *f* (com) operational hazard *(or* risk)

Betriebsgeheimnis *n*
(com) business
– trade
– industrial . . . secret

Betriebsgesellschaft *f* (com) operating company *(or* unit)

Betriebshandelsspanne *f*
(com) gross (merchandise) margin
– operating margin

Betriebsinhaber *m* (com) owner *(or* proprietor) of a business

Betriebsjahr *n*
(com) operating year
– working year

Betriebskapital *n*
(com) working capital
(Fin) current operating capital
(ie, in commercial language equal to ,Umlaufvermögen' = current assets) (Note: Do not confound with ,working capital' or ,net working capital' which, being a liquidity ratio, is defined as ,current assets minus current liabilities'. The term ,working capital' is either used as a loan word or translated as ,Liquiditätskoeffizient'.)

Betriebsmittel *npl*
(Fin) operating/working . . . funds

Betriebsmittelbedarf *m*
(Fin) working fund requirements

Betriebsmittelkredit *m* (Fin) short-term operating credit
(ie, to cover temporary finance re-

Betriebsmittelrücklage

quirements; opp, long-term investment credit)

Betriebsmittelrücklage *f* (Fin) operating cash reserve

Betriebsrentabilität *f* (Fin) rate of operating return
(ie, Betriebsgewinn zu betriebsnotwendigem Kapital: operating income to necessary operating capital)

Betriebsrisiko *n*
(com) business risk

Betriebsschluß *m* (com) closing hours

Betriebsschwund *m* (com) shrinking number of enterprises

Betriebs- und Geschäftsgeheimnis *n*
(com) business secrecy *(ie, term used in labor law)*

Betriebsunterlagen *fpl* (com) operational data

Betriebsvermögensvergleich *m* (Fin) balance-sheet comparison

betriebswirtschaftliche Gesichtspunkte *mpl*
(com) commercial grounds *(eg, to take decisions on...)*

Betriebswirtschaftslehre *f*
(com) „business and management economics"
– science of business management
– business studies
(ie, if taking place at university level; eg, to earn a degree in...)

Betriebszweig *m* (com) branch of business

bevollmächtigen
(com) to authorize
– to empower
(Re) to grant power of attorney

Bevollmächtigter *m*
(com) authorized person
– proxy
(ie, authorized to act at a meeting of stockholders)

bevollmächtigt
(com) authorized
– empowered

bevorraten
(com) to stockpile
– to stock up

Bevorratung *f*
(com) stockpiling
– building up of stocks

bevorschussen (Fin) to advance money

Bevorschussung *f* (Fin) advancement of funds

bevorstehend
(com) forthcoming
– upcoming *(eg, negotiations)*
– approaching
– nearing

bevorzugte Behandlung *f* (com) preferential treatment

Bevorzugung *f* (com) preferential treatment

Bewässerungsprojekt *n* (com) irrigation scheme

Bewegungsbilanz *f*
(Fin) flow statement
– flow of funds analysis
– statement of application of funds
– statement of sources and application of funds
– statement of changes in financial position
– sources-and-uses statement
(ie, Variante der Kapitalflußrechnung, qv)

Beweisurkunde *f* (WeR) instrument of evidence *(eg, Frachtbrief)*

bewerten
(com) to appraise
– to assess
– to evaluate
– to value
(com) to cost *(eg, costed input = bewerteter Input)*

Bewertung *f*
(com) appraisal
– evaluation
– valuation

Bewertung *f* **nicht notierter Aktien** (Fin) valuation of unlisted *(or unquoted)* shares

Bewertungsgebühr *f* (com) appraisal fee

Bewertungsgrößen *fpl* (com) factors of evaluation

Bewertungsgrundlage *f*
(com) basis of . . . valuation/value
– valuation basis

Bewertungsstichtag *m*
(Fin) date of valuation

Bewertungsunterlagen *fpl* (com) valuation data

Bewirtungskosten *pl* (com) entertainment expenses

bezahlen (com) to pay for

Bezahlt-Kurs *m* (Bö) price agreed upon

bezahlt machen, sich (com, infml) to pay for itself

bezahlt und Geld
(Bö) buyers ahead
– dealt and bid

Bezahlung *f* (com) payment

bezeichnen
(com) to mark

Bezeichnung *f*
(com) designation

beziehen
(com) to buy
– to purchase

Beziehungskauf *m* (com) direct purchase *(ie, bypassing the retailing trade)*

bezogene Bank *f*
(Fin) bank drawn upon *(or as drawee)*
– drawee bank

Bezogener *m* (WeR) drawee *(cf, Akzeptant)*

Bezug *m*
(com) subscription *(ie, of regular publications, such as newspapers, periodicals)*

Bezugnahme *f* (com) reference

Bezug *m* **neuer Aktien** (Fin) allocation of new shares

Bezugrechtserlös *m* (Fin) rights proceeds

Bezugsaktien *fpl* (Fin) preemptive shares
(ie, resulting from a conditional capital increase, §§ 192 ff AktG)

Bezugsangebot *n*
(Fin) rights offer
– offer of new shares

Bezugsaufforderung *f* (Fin) request to exercise option right

Bezugsbasis *f*
(com) benchmark *(or reference)* figures
– base year *(eg, Bezugsbasis ist das Jahr 1953: 1953 is the base year)*

Bezugsbedingungen *fpl*
(com) terms and conditions of sale
(Fin) terms of subscription

bezugsberechtigt (Fin) entitled to subscribe

Bezugsberechtigter *m*
(Fin) allottee *(ie, person entitled to new shares)*

Bezugsbescheinigung *f* (Fin) allotment certificate

bezugsfertiges Gebäude *n* (com) building ready for use

Bezugsfrist *f* (Fin) time limit for subscription

Bezugsgenossenschaft *f* (com) agricultural purchasing cooperative

Bezugsgröße *f*
(com) reference value

Bezugskurs *m* (Fin) stock subscription price *(ie, mostly in percent of par value)*

Bezugsobligationen *fpl* (Fin) bonds with stock subscription rights

Bezugsoption *f*
(Bö) call
– call option
– option to buy new shares *(or stock)*

Bezugspflicht *f* (com) obligation to buy

Bezugspreis *m*
(com) price of delivery
(Fin) subscription price

Bezugsquelle *f* (com) supply source

Bezugsquellenverzeichnis *n* (com) trade directory *(or register)*

Bezugsrecht *n*
(Fin) subscription right
– stock right
Also:
– right

Bezugsrecht auf neue Aktien

– preemptive/preemption . . . right
– stock purchase warrant

Bezugsrecht *n* **auf neue Aktien**
(Fin) option on new stock
– stock option
– stock subscription right

Bezugsrecht *n* **ausüben**
(Fin) to exercise (*or* take up) an option

Bezugsrechte *npl* **auf Dividenden-werte** (Fin) subscription rights to dividend-bearing securities, § 19 III KVStG

Bezugsrechtsabschlag *m* (Fin) subscription ex rights

Bezugsrechtsangebot *n*
(Fin) rights offering
– acceptance letter

Bezugsrechtsankündigung *f* (Fin) announcement of rights issue

Bezugsrechtsausgabe *f* (Fin) rights issue

Bezugsrechtsausschluß *m* (Fin) cancellation of pre-emption right on issues of new shares

Bezugsrechtsausübung *f* (Fin) exercise of subscription rights

Bezugsrechtsemission *f*
(Fin) rights issue
– capitalization issue

Bezugsrechtshandel *m*
(Bö) trading in subscription rights
– rights trading

Bezugsrechtskurs *m* (Fin) subscription price

Bezugsrechtsobligation *f* (Fin) option bond

Bezugsrechtsschein *m*
(Fin) subscription warrant
– stock purchase warrant

Bezugsrechtsstichtag *m* (Fin) record date

Bezugsstelle *f* (Fin) subscription agent

Bezugstermin *m*
(com) date fixed for moving into a building
(Fin) date of delivery (*ie, of shares*)

Bezugsverhältnis *n* (Fin) exchange (*or* subscription) ratio

Bezugswert *m*
(com) reference value
(Fin) security carrying subscription rights

Bezugszeitpunkt *m* (Fin) initial date (*eg, in preinvestment analysis*)

Bieten *n* (com) bidding (*ie, at an auction*)

bieten
(com) to bid
– to make (*or* submit) a bid
– to offer

Bieter *m* (com) bidder
(*eg, company, individual, or group making an offer to control another company*)

Bilanzkurs *m*
(Fin) balance sheet rate
(Bö) value of a corporate share
(*ie, ratio of reported equity to stated capital = ausgewiesenes Eigenkapital zu Grundkapital*)

Bilanzpressekonferenz *f* (com) press conference on financial statements

Bilanz *f* **ziehen** (com) to strike a balance

billig
(com) cheap (*ie, auch „billig"!*)
– *inexpensive*
– *low-priced*

billige Produkte *npl* (com) low-priced products

Billigfluglinie *f* (com) cut-rate line (*eg, offering no-frills flights*)

Billigflugpreise *mpl* (com) cut-price fares (*ie, of airlines*)

Billigimporte *mpl* (com) cut-price imports

Billigkredit *m* (Fin) cheap loan

billigst
(Bö) at best
– at market

billigst-Auftrag *m* (Bö) buy order at market

billigstens kaufen (Bö) to buy at the lowest price

billigster Anbieter *m* (com) lowest bidder

Billigst-Gebot n (com) lowest bid *(ie, bid with no indication of price = ‚Gebot ohne Angabe e–s Bietungskurses')*

Billigst-Order f (Bö) order to buy at the lowest possible price

Billigtarif m
(com) cheap fare
– cut-price fare *(eg, of airlines)*

bindendes Angebot n (com) = verbindliches Angebot, qv

Bindungsfalle f (Fin) commitment trap

Bindung f **von Geldmitteln** (Fin) appropriation *(or* earmarking) of funds

Binnengroßhandel m (com) domestic wholesaling

Binnenhafen m (com) inland port

Binnenkonnossement n (com) inland waterway bill of lading

Binnenmarkt m
(com) domestic market
– home market

Binnenschiffahrt f (com) inland waterway transportation *(ie, gewerbliche Beförderung von Personen und Gütern auf Binnengewässern)*

Binnenschiffahrtunternehmen n (com) inland waterway carrier

Binnenschiffahrtverkehr m (com) inland waterway traffic *(or* transportation)

Binnenschiffer m (com) inland waterway operator

Binnentarif m
(com) inland rate
(com) domestic tariff

Binnenverkehr m (com) internal traffic

Binnenwasserstraßen fpl (com) inland waterways

bis auf weiteres (com) until further notice

bitte wenden
(com) over
– more
– (GB) p.t.o.
(= please turn over)

Blankett n
(com) document signed in blank
(WeR) blank form

Blankoabtretung f
(Fin) blank transfer
(ie, assignment or transfer of stock in blank)

Blankoakzept n
(WeR) acceptance in blank
– blank acceptance

blanko akzeptieren (WeR) to accept in blank

Blankoannahme f
(WeR) acceptance in blank
– blank acceptance

Blankoauftrag m (com) blank order

blanko ausstellen (com) to make out in blank

Blankoformular n (com) blank form

Blankogeschäft n (Bö) uncovered transaction

blanko girieren (WeR) to indorse in blank

Blankoindossament n
(WeR) blank *(or* general) indorsement
– indorsement in blank *(opp, Vollindossament)*

blanko indossiert (WeR) blank indorsed

Blankokredit m
(Fin) blank credit
– clean credit
– open (book) account
(ie, unsecured loan; wird gewährt, ohne daß der Kreditnehmer Sicherheiten zu stellen braucht)

Blankoofferte f (com) offer in blank

Blankopapiere npl (WeR) blank instruments *(ie, not yet bearing the name of the beneficiary or other essential details)*

Blankoquittung f (com) blank receipt

Blankoscheck m (Fin) blank check

Blankoübertragung f (WeR) transfer in blank

Blankounterschrift f (com) blank signature

Blankoverkauf m (Bö) short sale *(syn, Leerverkauf, qv)*

blanko verkaufen (Bö) to sell short
Blankoverkäufer m (Bö) short seller
Blankowechsel m (WeR) blank bill
Blankstahl m (com) bright steel
Blaupausen-Export m (com) export of patents, licenses, engineering documentations, etc.
blind buchen (com) to book blind *(eg, from single advertisement)*
Blindschreiben n (com) touch typing
blindschreiben (com) to touch type *(ie, nach dem 10-Finger-System; cf, Ein-Finger- Suchsystem)*
Blitzprogramm n (com) crash programm
blitzschnelle Entscheidung f (com) split second decision
Blockfloaten n
(Fin) block floating
– common/joint … float
(ie, wurde 1979 in das Europäische Währungssystem übergeleitet)
Blockhandel m (Bö) block trading *(syn, Pakethandel, qv)*
Blockposten m (Fin) block *(eg, of shares or bonds)*
bloße Übergabe f (WeR) mere delivery
(ie, von Inhaberpapieren nach § 929 BGB = of bearer instruments)
BLZ-System n (Fin) = Bankleitzahlsystem, qv
Board-System n (com, US, GB) board system *(ie, Form der Unternehmensleitung; der board of directors ist gleichzeitig Geschäftsführungs- und Kontrollorgan; er vereinigt in sich die Funktionen des Vorstands und des Aufsichtsrats der AG; it is a single-tier system of management = einstufiges Leitungssystem)*
Bodenbonitierung f (com) appraisal of farm land
Bodenkredit m (Fin) mortgage *(or land-secured)* credit
Bodenkreditinstitut n
(Fin) real estate credit institution
– land mortgage bank

Bodenmannschaft f (com) ground crew *(opp, air crew)*
Bodenpreis m (com) land price
Bodensatz m
(Fin) deposit base
– permanent average balances
Bodensatz m **eigener Akzepte** (Fin) working inventory
Bodenschätzung f (com) appraisal of farm land
Bodenspekulation f (com) speculation in real estate
Bodentransport m (com) surface transport *(opp, air transport)*
Bogen m
(com) sheet of paper
(Fin) coupon sheet
(ie, sheet mostly made up of 20 dividend or interest coupons; syn, Kuponbogen)
Bogenerneuerung f (Fin) renewal of coupon sheets
Bona-Fide-Klausel f (Fin) bona fide clause *(ie, part of a commercial letter of credit)*
Bond-Analyse f (Fin) fixed interest research
Bondmarkt m
(Fin) bond market
– fixed-interest market
(ie, principal markets for bonds are the over-the-counter markets; syn, Rentenmarkt)
Bond Ratings pl (Fin) = Ratings, qv
Bonds pl (Fin) bonds *(syn, Schuldverschreibungen)*
Bonifikation f
(com) bonus
– premium
(ie, paid to agents in wholesaling or in the insurance industry)
(Fin) agency commission *(ie, between banks)*
– banker's /selling … commission
Bonitätseinstufung f (Bö) = Ratings, qv
Bonitätsprüfung f
(Fin) credit investigation *(or review) (ie, relating to capacity, capital, conditions)*

Bonität f
(com) credit standing
– credit worthiness
– financial standing
Bonus m
(com) bonus
– premium
Bordbescheinigung f (com) mate's receipt

Bordkarte f (com) boarding . . . card/
pass
Bordkonnossement n
(com) on board bill of lading
– on board B/L
– ocean bill of lading
– shipped bill of lading

Börse f
(Bö) exchange (ie, für Wertpapiere und Waren:
stock exchange and commodity exchange)
– market
(Bö) = Wertpapierbörse od Effektenbörse
I. Die acht deutschen Börsen haben folgende
Segmente (stock exchange tiers):
1. Amtlicher Handel = official market =
Primärmarkt;
a) Handel zu fortlaufenden Kursen;
b) Handel nur zu Einheitskursen;
2. Geregelter Markt od zweiter Markt (ie,
neues Zwischensegment; entsprechend
den europäischen Börsenrichtlinien seit
Mai 1987)
3. Freiverkehr = over-the-counter markets
a) geregelter Freiverkehr = regulated
free market
(ie, nichtamtliches Börsensegment;
meist nur Nebenmarkt; von Kreditinstituten als Sekundärmarkt benutzt für
mittelfristige Inhaberschuld-
verschreibungen, um Zulassungsko-
sten zu sparen;
b) ungeregelter Freiverkehr = unre-
gulatet free market or off-board/off-
floor trading
(ie, häufig mit Telefonverkehr verwechselt; Handel findet wie beim
geregelten Freiverkehr an der Börse
statt; unterstes Börsensegment).
II. In Great Britain there are three tiers now:
1. the main (established) market;
2. the USM: Unlisted Securities Market, set
up in November 1980 by the Stock Exchange Council, as a forum for dealing in
the shares of companies too young or too
small to go public on the extablished stock
market;

3. the Third Market, introduced in January
1987, as a new forum for dealing in the
shares of companies too young and too
small, even to be quoted on the USM; in
order to enter a company must: (a) produced audited accounts, without material
qualification, for at least one year; (b) be
incorporated in the UK and have at least
three directors on its board; (c) ensure that
nothing in its articles of association could
impede the settlement of dealings in its
equity; (d) convince a Stock Exchange
member firm that it will be worthwhile to
sponsor the company on to the Third
Market;
III. In the U.S. the stock exchange is defined as an
organized market for the purpose of de-
ntralized trading in securities; it is a voluntary
association of members and strictly a market
of a ‚secondary' nature, that is, for securities
already issued and outstanding and admitted
through the listing process to trading;
1. the first tier; national markets, namely,
American, Boston, Chicago Board of Options, Chicago Board of Trade, Cincinnati,
Intermountain, Midwest, New York,
Pacific, Philadelphia, Spokane;
2. the second tier: the Over-the-Counter market, OTC: for securities not listed on any
organized sexourities exchanges; OTC has
two sectors: NASDAQ Tier 1 and Tier 2
securities, each with specified minimum
criteria; (a) other unlisted securities that do
not qualify for the NASDAQ criteria or
choose not to enter NASDAQ)
(Bö) commodity exchange = Warenbörse
(Note that stock exchanges on the Continent are
often called ‚Bourses' by the British; eg, Paris
Bourse)

Börsenabrechnung f (Bö) stock ex-
change settlement
Börsenabschlußeinheit f (Bö) full (or
regular) lot
Börsenabschluß m
(Bö) stock market transaction
– (GB) bargain

Börsenagent m (Bö) bank's stock ex-
change agent (or representative)
Börsenaufsichtsbehörde f
(Bö) stock market supervisory au-
thority
– (US) Securities and Exchange
Commission, SEC

Börsenaufsicht f (Bö) stock exchange supervision

Börsenauftrag m (Bö) stock exchange order

Börsenausschuß m (Bö) stock exchange committee

Börsenbaisse f (Bö) bear market

Börsenbedingungen fpl (Bö) stock exchange rules

Börsenbericht m
(Bö) stock exchange report
– market report

Börsenbesucher mpl (Bö) groups of persons having access to the stock or commodity exchanges

Börsenbewertung f
(Bö) market assessment *(eg, of equities)*
– stock market rating
(Bö) market capitalization

Börsenblatt n
(Bö) stock exchange gazette

Börseneffekten pl (Bö) securities traded on the stock exchange

Börseneinführungsgebühr f (Bö) stock exchange admission fee

Börseneinführungsprospekt m (Bö) prospectus

Börseneinführungsprovision f
(Fin) commission charged for stock exchange admission
– listing commission
(ie, charged for stock exchange admission)

Börseneinführung f (Bö) admission to official listing *(or quotation)*

Börsenengagement n (Bö) stock exchange commitment

Börseneröffnung f (Bö) opening of the stock exchange

Börsenfachmann m (Bö) stock exchange *(or trading)* specialist

börsenfähige Aktie f (Bö) marketable *(or listable)* share

börsenfähige Wertpapiere npl (Bö) stock exchange securities

Börsenfähigkeit f
(Bö) marketableness
– qualification for trading on the stock exchange

Börsenflaute f (Bö) dullness of the market

börsenfreie Optionen fpl (Bö) OTC options

börsengängige Dividendenwerte mpl (Bö) marketable equities

börsengängige Papiere npl (Bö) marketable *(or stock exchange)* securities

börsengängig
(Bö) marketable
– listed *(or traded)* on the stock exchange

Börsengeschäfte npl (Bö) exchange transactions

Börsengeschäft n
(Bö) stock market transaction
– (GB) bargain

Börsengesetz n (Re) German Stock Exchange Law *(ie, as amended in 1975)*

Börsenhandel m
(Bö) stock exchange trading
– exchange dealings

Börsenhändler m (Bö) stock exchange trader *(ie, Angestellte von Unternehmen mit Händlerbefugnis)*

Börsenhausse f (Bö) bull market

Börsenindex-Kontrakt m (Bö, GB) „Footsie" contract
(ie, based on the FT-SE index, concluded at Liffe, qv)

Börsenindex m (Bö) stock *(exchange)* index

Börsenkapitalisierung f (Bö) market capitalization *(syn, Börsenwert)*

Börsenklima n (Bö) market climate *(or sentiment) (ie, affects the price of securities on a stock market; may be bullish, bearish, or mixed)*

Börsenkommissionsfirma f (Bö) commission brokers

Börsenkonsortium n (Bö) stock exchange syndicate

Börsenkorrektur f (Bö) corrective price adjustment

Börsenkrach m
(Bö) market crash
– stock exchange crash

(ie, wiped out $40 billion in stock prices during the last four months in 1929)

Börsenkredit *m* (Fin) bank loan for financing stock exchange dealings

Börsenkurs *m*
  (Bö) stock exchange ... price/quotation
  – (fair) market price
  – list price (of a security)
  – officially quoted price

Börsenmakler *m* (Bö) stock (exchange) broker

börsenmäßiger Handel *m* (Bö) stock exchange trading

börsenmäßig gehandelte Waren *fpl* (Bö) commodities (*or* goods) dealt in on an exchange

Börsenmitglied *n* (Bö) member of a stock exchange

börsennotierte Anleihe *f* (Bö) listed bond

börsennotierte Gesellschaft *f* (Bö) listed company

börsennotiertes Unternehmen *n* (Bö) listed/quoted ... company

börsennotierte Wertpapiere *npl*
  (Bö) listed securities
  – quoted investments
  – on-board securities

börsennotiert
  (Bö) listed/quoted ... on the stock exchange

Börsennotierung *f*
  (Bö) stock market listing
  – exchange ... listing/quotation

Börsennotiz *f* (Bö) quotation

Börsenordnung *f* (Bö) stock exchange rules and regulations

Börsenorgane *npl* (Bö) stock exchange authorities

Börsenpapiere *npl* (Bö) quoted (*or* listed) securities

Börsenparkett *n* (Bö) (exchange) floor

Börsenpflichtblatt *n* (Bö) authorized journal for the publication of mandatory stock exchange announcements

Börsenplatz *m* (Bö) stock exchange

Börsenpreis *m*
  (Bö) exchange price (*or* quotation)
  – market price
  – stock market price

Börsenprospekt *m* (Bö) prospectus

Börsenrecht *n* (Re) law governing stock exchange transactions

Börsenrendite *f* (Bö) stock market yield

Börsenschiedsgericht *n* (Bö) exchange arbitration tribunal

Börsenschluß *m*
  (Bö) close of stock exchange
  – market close
  (Bö) lot
  – trading unit

Börsensegment *n* (Bö) stock market tier

Börsensitzung *f* (Bö) trading session

Börsensitz *m* (Bö) exchange seat

Börsenspekulant *m*
  (Bö) stock exchange speculator
  – stag

Börsenspekulation *f* (Bö) stock exchange speculation

Börsensprache *f* (Bö) stock exchange jargon

Börsenstimmung *f*
  (Bö) tone (*or* mood *or* sentiment) of the market

Börsenstunden *fpl* (Bö) official (*or* trading) hours

Börsentage *mpl* (Bö) market (*or* trading) days

Börsentendenz *f* (Bö) stock market trend

Börsentermingeschäft *n*
  (Bö) forward exchange transactions
  – trading in futures

Börsenterminhandel *m*
  (Bö) forward trading
  – trading in futures

Börsenticker *m* (Bö) ticker *(ie, telegraphic installation which immediately transmits the rates during a session of the stock exchange; it also transmits news items; syn, Ticker, automatische Kursübermittlungsanlage)*

Börsentransaktion *f*
  (Bö) stock exchange transaction
  – (GB) bargain
Börsenumsätze *mpl*
  (Bö) stock exchange turnover
  – value of trading
  – sales figures
  – markings
Börsenumsatz *m*
  (Bö) trading volume
  – volume of securities traded
  (syn, Umsatzvolumen)
Börsenusancen *fpl* (Bö) stock exchange usages
Börsenverkehr *m* (Bö) stock exchange dealings (*or* transactions)
Börsenvertreter *m* (Fin) bank's representative at a stock exchange
Börsenvolumen *n* (Bö) volume of securities traded
Börsenvorstand *m* (Bö) managing committee of the stock exchange
Börsenwerte *mpl* (Bö) quoted securities
Börsenwert *m*
  (Fin) market capitalization *(ie, Kurswert e-r Kapitalgesellschaft; syn, Börsenkapitalisierung)*
Börsenzeiten *fpl* (Bö) trading hours
Börsenzettel *m*
  (Bö) list of quotations
  – stock list
Börsenzulassung *f* **beantragen** (Bö) to apply for . . . listing/official quotation
Börsenzulassungsausschuß *m* (Bö) listing committee
Börsenzulassungsprospekt *m* (Bö) prospectus
Börsenzulassungsverfahren *n* (Bö) listing procedure
Börsenzulassung *f*
  (Bö) admission to . . . listing/official trading
  – listing
Börsenzwang *m* (Bö) stock exchange monopoly *(ie, bars securities trading outside official stock exchanges)*

Börse *f* **schließen** (Bö) to suspend trading
Börsianer *m*
  (Bö) stock exchange
  – market
  – bourse . . . operator
Boykott *m* (com, Pw) boycott
brachliegendes Geld *n*
  (Fin) idle money
  – unemployed funds
Branche *f*
  (com) branch of business (*or* industry)
  – line of business
  – industry
  – sector of industry
  – industrial segment
Branchenanalyse *f* (Fin) sector analysis
Branchenerlöse *mpl* (Fin) industry revenue
Branchenindex *m* (Fin) sector index *(ie, Aktienindex für eine einzelne Branche; opp, Gesamtindex)*
Branchenkenner *m* (com) knowledgeable observer of an industry
Branchenposition *f* (com) industry position
Branchenquotenziele *npl* (com) industry quota objectives
branchenüblicher Gewinn *m* (Fin) conventional profit
Branchenverzeichnis *n*
  (com) trade register
  – trade directory book
  – (US, but also GB) the yellow pages
  (ie, classified telephone directory; sometimes called ‚the Red Book')
Branchenvorausschau *f* (com) industry forecast
Brauereiaktien *fpl* (Fin) brewery stock, breweries
breiter Ermessensspielraum *m* (com) wide discretion
breit gestreuter Aktienbesitz *m*
  (Fin) widespread/widely scattered . . . shareholdings
Brief *m*
  (com) letter

(Bö) ask
- offer
- offer price

Briefablage *f* (com) letter filing

Briefe *mpl* **diktieren** (com) to dictate letters

Briefentwurf *m* (com) draft letter

Briefgeheimnis *n* (com) secrecy of mails

Briefkasten *m*
(com) mailbox
- (GB) letter-box
- post(ing) box
- pillar box

Briefkastenfirma *f* (com) letter box company *(ie, empty cover without economic functions of its own)*

Briefkopf *m*
(com) heading
- letterhead

Briefkurs *m*
(Fin) selling rate *(ie, of foreign exchange)*
(Bö) asked price
- offered
- offer price
- price offered
- rate asked
- sellers' rate *(opp, Geldkurs, qv)*

Briefkursnotiz *f* (Bö) offer quotation

briefliche Auszahlung *f* (Fin) mail transfer

briefliche Überweisung *f* (Fin) mail transfer, M/T

Briefmarke *f*
(com) postage stamp
- postal stamp
- stamp

Briefnotiz *f* (Bö) offer quotation

Briefsendung *f* (com) consignment by mail

Brieftelegramm *n*
(com) lettergram
- letter telegram

Briefträger *m*
(com) mailman
- (GB) postman

Briefumschlag *m* (com) envelope

Briefumschlagklappe *f* (com) envelope flap

Brief und Geld
(Bö) asked and bid
- sellers and buyers

Briefwahl *f*
(com) voting . . . by mail/post
- absentee ballot
- (GB) postal . . . ballot/vote

Briefwähler *m* (com) absentee voter

Briefwechsel *m* (com) correspondence

Briefzustellung *f* (com) delivery of letters

Broschüre *f*
(com) broschure
- booklet
- folder

bruchteilige Gewinne *mpl* (Bö) fractional gains

Bruchteilsaktie *f* (Fin) fractional share certificate

Bruchzins *m* (Fin) broken interest

brutto (com) gross

Bruttoaufschlag *m* (com) gross (merchandise) margin

Bruttoauftragseingang *m* (com) gross sales

Bruttobetrag *m* (com) gross amount

Bruttodividende *f* (Fin) gross dividend

Brutto-Eigenkapitalrendite *f* (Fin) gross return on net assets

Bruttoeinkaufspreis *m* (com) gross/invoiced . . . purchase price *(ie, acquisition cost less invoice deductions = Nettoeinkaufspreis)*

Bruttoeinnahmen *fpl* (com) gross receipts *(or* takings)

Bruttoersparnis *f*
(com) gross savings

Bruttoertrag *m*
(com) gross proceeds
(Fin) gross yield from investment

Bruttoertrag *m* **bis zur Rückzahlung** (Fin, GB) gross yield to redemption

Bruttofracht *f* (com) gross freight

brutto für netto (com) gross for net *(ie, price is quoted for the weight of the goods inclusive of packing, § 380 HGB)*

85

Bruttogewicht *n* (com) gross weight
Bruttogewinn *m*
   (com) margin (ie, gross profit on sales)
   (com) gross profit on sales
   (ie, in retailing and wholesaling: difference between purchase and sales prices)
Bruttogewinnmarge *f* (com) gross profit margin
Bruttogewinnspanne *f* (com) gross (merchandise) margin
Bruttogewinnzuschlag *m* (com) gross markon
Bruttokaltmiete *f* (com) = Kaltmiete, qv
Bruttoladefähigkeit *f* (com) deadweight cargo
Bruttomiete *f* (com) gross rent *(syn, Gesamtmiete, Entgelt)*
Bruttopreis *m* (com) gross price *(ie, prior to discounts or rebates)*
Bruttopreisliste *f* (com) gross-price list
Bruttorendite *f* (Fin) gross return
Bruttoselbstfinanzierung *f*
   (Fin) gross self-financing
   – (GB) gross plough-back
Bruttoverdienstspanne *f* (com) gross margin
Bruttoverkaufspreis *m* (com) gross selling price
Bruttoverzinsung *f* (Fin) gross interest return
Bruttowertschöpfung *f*
   (com) gross value added
   (eg, per employee in manufacturing)
Bruttozins *m* (Fin) gross interest
Bruttozinsspanne *f* (Fin) gross interest margin
Bucheffekten *pl* (Fin) = Wertrechte, qv
Buchgewinn *m* (Fin) book/accounting/paper . . . profit
   (syn, rechnerischer Gewinn)
Buchhandel *m* (com) book trade
Buchhonorar *n* (com) book royalty
Buchkredit *m*
   (Fin) book credit

   – current account credit
   – open (book) credit
   – open account credit
   (eg, Kontokorrentkredit und Kreditgewährung im Einzelhandel durch Anschreiben; Lieferantenkredit)
buchmäßiger Überschuß *m* (Fin) book surplus
Buchmesse *f* (com) book fair
Buchstabierwörter *npl* (com) identification words
Buchung *f*
   (com) reservation
   – (GB *also*) booking
Buchungsgebühr *f*
   (Fin) account management fee
   – transaction charge
Buchungszentrum *n*
   (Fin) = Offshore-Zweigstelle, qv
Buchverleger *m* (com) book publisher
Buchwert *m*
   (Fin) book value
   (ie, nominal amount of liability less unamortized discount = nicht abgeschriebenes Disagio od Damnum)
   (Fin) asset value
   (ie, von Investmentfonds: total assets of the company minus all the liabilities, minus all prior capital; the net value is this sum divided by the number of shares (Anteile), to give a figure per share)
Budgetanforderung *f* (Fin) budget request
Budgetausgleichsfonds *m* (Fin) budget equalization fund
Budgetierung *f*
   (Fin) budgeting
   (ie, in the sense of financial planning)
Bulk-Factoring *n* (Fin) bulk factoring *(ie, does not involve accounts receivable ledgering; syn, Eigenservice-Factoring)*
Bull-and-Bear-Anleihe *f* (Fin) = Aktienindex-Anleihe, qv

Bündelung *f* **von Risiken** (Fin) repackaging of risks
(ie, zerlegte Risiken werden get-
rennt oder neu gebündelt, um den
individuellen Risikoneigungen zu
entsprechen)

Bundesanleihekonsortium *n* (Fin)
federal loan (*or* bond-issuing) syndicate
(ie, Gruppe von Kreditinstituten,
die alle Emissionen von Bundesan-
leihen durchführt; Deutsche Bun-
desbank, Großbanken und rd. 70
weitere Banken)

Bundesanzeiger *m* (com) Federal Official Gazette

Bundesaufsichtsamt *n* (com) Federal
Supervisory Office

Bundesaufsichtsamt *n* **für das Kreditwesen** (Fin) Federal Banking
Supervisory Office
(ie, nimmt die staatliche Banken-
aufsicht wahr; gehört zum Ge-
schäftsbereich des Bundesministers
der Finanzen; Sitz in Berlin)

Bundesbahn *f* (com) Federal Railways

Bundesbank *f*
(Fin) West German Central Bank
– Deutsche Bundesbank
– Bundesbank

Bundesbankdirektorium *n* (Fin) Directorate of the Bundesbank

bundesbankfähige Abschnitte *mpl*
(Fin) bills rediscountable at the
Bundesbank

bundesbankfähige Wechsel *mpl* (Fin)
= bundesbankfähige Abschnitte

Bundesbankfähigkeit *f* (Fin) eligibil-
ty for rediscount at the Bundesbank
(ie, refers to bills of exchange and
other negotiable instruments)

bundesbankfähig (Fin) eligible for rediscount (*or* rediscountable) at the
Bundesbank

Bundesbankgiro *n* (Fin) Bundesbank
transfer

Bundesbankguthaben *npl* (Fin) Bundesbank balances

Bundesbankrat *m* (Fin) Federal
Bank Council

Bundesbehörde *f*
(com) federal authority

Bundesbürgschaft *f*
(Fin) federal (*or* state-backed)
guaranty
– state backing
(ie, for credits that are in the public
interest and cannot otherwise be
secured)

Bundeseinlagenversicherung *f* (Fin,
US) Federal Deposit Insurance
Corporation, FDIC
(ie, insures bank deposits, currently
up to $100 000 per deposit)

Bundesemittent *m* (Fin) issuer of federal bonds

Bundesgarantie *f* (Fin) federal
guaranty

Bundesmittel *pl* (Fin) federal funds

Bundesschatzanweisung *f* (Fin) federal treasury note

Bundesschatzbrief *m*
(Fin) federal treasury bill
– Federal savings bond

Bundesschuldverschreibung *f* (Fin)
federal bond

Bundesstelle *f* **für Außenhandelsin-
formation**
(com) Federal Foreign Trade Information Office

Bundesverband *m* **der deutschen Ar-
beitgeberverbände** (com) Confed-
eration of German Employers'
Federations

Bundesverband *m* **der Deutschen Industrie** (com) Federation of German Industries
(ie, comprises 34 specialist umbrel-
la associations whose branches cov-
er the differentiated structure of
German industry)

Bundesverband *m* **Deutscher Banken**
(Fin) Federal Association of German Banks

Bürgschaftskredit *m* (Fin) guaranty
credit

Bürgschaftsplafond *m* (Fin) guaranty
line (*or* ceiling)

Bürgschaftsprovision *f* (Fin) guaranty commission

Bürgschaftsrahmen *m* (Fin) = Bürgschaftsplafond

Bürogemeinschaft *f*
(com) sharing office facilities
– shared office

Bürohandel *m* (Bö) unofficial trading

C

Cash Flow *m*
(Fin) cash flow
(ie, allgemein der finanzwirtschaftliche Überschuß (Einnahmenüberschuß) e–r Periode; für die externe Analyse wird meist folgendes Schema verwendet: Bilanzgewinn oder –verlust + Erhöhung der Rücklagen – Gewinnvortrag aus Vorperiode = Jahresüberschuß + Abschreibungen (– Zuschreibungen) + Erhöhung der langfristigen Rückstellungen = Cash Flow (Brutto-Cash-Flow) – Gewinnausschüttung = Netto-Cash-Flow)

Cash Management *n* (Fin) cash management
(ie, sachgerechte Kassendisposition e–r Unternehmung; wesentlicher Bestandteil der kurzfristigern Liquiditätsplanung)

Cellulartelefon *n* (com) = tragbares Telefon, qv

C-Geschäft *n* (Fin) installment credit based on bills of exchange

Chart-Analyse *f*
(Fin) chart analysis
– charting *(syn, technische Analyse, qv)*

Chart-Analyst *m* (Fin) chartist

Charterer *m* (com) charterer

Charterflug *m* (com) charter flight

Chartergeschäft *n* (com) charter business

Chartermaschine *f* (com) charter plane

Chartern *n* (com) chartering *(ie, of ocean-going vessel or airplane)*

chartern
(com) to charter

– to hire
– to affreight

Charterpartie *f* (com) charter party, § 557 HGB

Chartervertrag *m*
(com) contract of affreightment
– charter party

Chart-Service *m* (Bö) chart service
(ie, es werden bereitgestellt: Schlußkursdiagramm, Balkendiagramm, gleitende Durchschnittskurse, Point&Figure-Diagramm)

Checkliste *f* (com) check list

Chef *m*
(com) head *(ie, of a firm)*
– (infml) boss
– (infml) chief

Chefetage *f* (com) executive floor

Chefredakteur *m* (com) editor-in-chief

Chefsekretärin *f*
(com) personal secretary
– personal assistant, PA
(ie, may be a female or a male humanperson)

Chefunterhändler *m* (com) chief negotiator

Chemiegrundstoffe *mpl* (com) base chemicals

Chemieindustrie *f* (com) chemicals industry

Chemiekonzern *m* (com) chemicals group

Chemiemärkte *mpl* (com) chemicals markets

Chemieriese *m*
(com) chemical giant *(eg, BASF, Hoechst, Bayer)*

Chemieunternehmen *n* (com) chemicals company

Chemiewerte *mpl* (Bö) chemicals

chemische Industrie f (com) = Chemieindustrie

cif-Agent m (com) CIF agent

cif-Geschäft n (com) CIF contract (or transaction)

circa (Bö) about

Clearing n (Fin) clearing

Clearing-Forderungen fpl (Fin) clearing receivables

Clearing-Guthaben n (Fin) clearing assets

Clearingstelle f (Fin) clearing house

Clearingverkehr m (Fin) clearing transactions

Cod-Sendung f (com) consignment „cash on delivery"

Computerbrief m (com) personalized computer letter

Computergeld n (Fin) electronic (or disk) money

Condock-Schiff n (com) container-dock ship

Container m (com) container

Containerfracht f (com) containerized freight
– capsule cargo

Container-Frachtbrief m (com) container bill of lading

Container-Linie f (com) container line

Containerschiff n (com) container ship

Containerstapel m (com) unit load

Containerstapler m (com) container carrier truck

Containerterminal m od n (com) container terminal

Container-Verkehr m (com) container traffic

Contremineur m (Bö) bear
– speculator for a fall of prices

Courtage f (Bö) brokerage

Courtagerechnung f (Bö) brokerage statement

Courtagesatz m (Fin) brokerage rate

CpD (Fin) = Konto pro Diverse

CpD-Konto n (Fin) suspense account (ie, Konto pro Diverse = Sammelkonto für eingehende Überweisungen, die nicht für Bankkunden bestimmt sind und auch sonst keine Angaben über Bankverbindungen enthalten = account held for uncleared settlements, undisclosed customers, etc.; syn, durchlaufendes Konto, Interimskonto)

CPFF-Vertrag m (com) cost plus fixed fee contract

CPIF-Vertrag m (com) cost plus incentive fee contract

Cross Hedge m (Bö) cross hedge (ie, imperfect matches of the futures contract to the cash instrument: das zu kaufende od zu verkaufende Gut ist nicht identisch mit dem am Terminmarkt gehandelten; eg, T-bill futures contract to hedge a commitment in CDs)

D

Dachfonds m (Fin) pyramiding fund
– fund of funds
(ie, assets consist of shares of other investment funds, legally prohibited in 1969)

Dachgesellschaft f (com) holding company (ie, either an AG or a GmbH, set up to control and dominate affiliated companies; Obergesellschaft im Konzern)

Dachorganisation f (com) umbrella organization

Dachverband m (com) umbrella organization

Damnum n
(Fin) loan discount (or premium)
– debt discount
– (often called) points
(ie, Differenz zwischen dem höheren Nennwert und dem niedrigeren Auszahlungswert, vor allem bei

Hypotheken; difference between the amount of repayment of a loan and the payout amount; syn, Darlehensabgeld, Auszahlungsdisagio) (Fin) loss *(eg, on exchange rates, securities)*

dämpfen
(com) to check
 – to curb
 – to damp down
 – to retard
 – to slow down

Dankschreiben *n*
(com) letter of thanks
 – note of thanks
(infml) bread-and-butter letter

Darlehen *n*
(Fin) loan
 – advance

Darlehen *n* **aufnehmen**
(Fin) to raise
 – to contract
 – to obtain
 – to secure
 – to take on
 – to take up... a loan

Darlehen *n* **aushandeln**
(Fin) to negotiate/arrange... n
 – to negotiate the terms of a loan

Darlehen *n* **gegen Pfandbestellung**
(Fin) loan secured by chattel mortgage
 – collateralized loan

Darlehen *n* **genehmigen** (Fin) to approve a loan

Darlehen *n* **gewähren**
(Fin) to extend
 – to grant
 – to make... a loan

Darlehen *n* **kündigen** (Fin) to call/recall... a loan

Darlehen *n* **mit täglicher Kündigung**
(Fin) loan at call

Darlehensabgeld *n* (Fin) loan discount = Damnum, qv

Darlehensagio *n* (Fin) loan premium

Darlehensantrag *m* (Fin) application for a loan

Darlehensbedingungen *fpl* (Fin) terms of a loan

Darlehensbestand *m* (Fin) loan portfolio

Darlehensbetrag *m* (Fin) loan amount

Darlehensempfänger *m* (Fin) borrower

Darlehensfinanzierung *f* (Fin) loan financing
(ie, general term to denote financing through outside lenders)

Darlehensforderung *f*
(Fin) claim under a loan
 – loan receivable

Darlehensforderungen *fpl* **abzüglich Wertberichtigungen** (Fin) loans less provisions

Darlehensgeber *m* (Fin) lender

Darlehensgeschäft *n* (Fin) lending (*or* loan) business

Darlehensgewährung *f* (Fin) loan grant

Darlehenskasse *f* (Fin) loan bank

Darlehenskosten *pl* (Fin) loan charges

Darlehenslaufzeit *f* (Fin) loan period

Darlehensnehmer *m* (Fin) borrower

Darlehenspolitik *f* (Fin) lending policy

Darlehensrückzahlung *f* (Fin) amortization/repayment... of a loan

Darlehensschuld *f* (Fin) loan debt

Darlehensschulden *fpl* (Fin) loans

Darlehensschuldner *m* (Fin) borrower

Darlehenssumme *f* (Fin) amount of loan

Darlehensvaluta *f* (Fin) loan proceeds

Darlehensverbindlichkeiten *fpl* (Fin) loan liabilities

Darlehensvermittler *m* (Fin) loan broker

Darlehensversprechen *n* (Fin) promise to extend a loan, § 610 BGB

Darlehensvertrag *m*
(Fin) loan agreement
 – credit agreement (*or* contract)
(syn, Kreditvertrag)

Darlehensvertrag *m* **abschließen**
(Fin) to conclude a loan agreement

Darlehensvorvertrag *m* (Fin) preliminary loan agreement

Darlehenszinsen *mpl* (Fin) interest on loans, § 608 BGB and §§ 354 II, 352 HGB

Darlehenszinssatz *m*
(Fin) loan interest
– lending rate

Darlehenszusage *f*
(Fin) loan commitment
– promise to grant a loan

Darlehen *n* **tilgen** (Fin) to repay a loan

Darlehen *n* **zurückzahlen** (Fin) to pay off (*or* repay) a loan

darstellen
(com) to describe
(com) to represent
– to portray
– to picture

Darstellung *f*
(com) description
(com) representation

Datenfernübertragungssystem *n* **der Kreditinstitute** (Fin) direct fund transfer system

Datenkonstellation *f*
(com) facts
– set of sets
– situation

Daten *pl*
(com) data
– facts and figures
– particulars
– conditions

Daten *pl* **erfassen** (com) to accumulate
– to acquire
– to collect . . . data

datieren (com) to date

datiert sein (com) to bear date (of)

Datierung *f* (com) dating (*eg, of a document*)

dato (com, *obsolete*) date

dato nach heute (Fin) after date, a/d

Datowechsel *m*
(Fin) after-date bill of exchange
– bill (payable) after date
(*opp, Tageswechsel, Datumswechsel*)

Datum *n* **des Angebots** (com) date of quotation

Datum *n* **des Poststempels** (com) date as postmark

Datumsangabe *f*
(com) date (*eg, undated letter*)

Datumstempel *m*
(com) dater
– date stamp

Datumswechsel *m*
(Fin) bill payable at a fixed date
– day bill
(*syn, Tagwechsel; opp, Datowechsel*)

Dauer *f*
(com) duration

Daueraktionär *m* (com) long-term shareholder

Daueranlage *f*
(Fin) permanent holding
– long-term investment

Daueranleger *m* (Fin) long-term investor

Dauerauftrag *m*
(com) standing order
(Fin) money transfer order (*ie, the practice is rare in America*)
– (GB) banker's order
– mandate

Dauerausschreibung *f* (com) standing invitation to tender

Dauerbelastung *f* (com) permanent burden

Daueremission *f*
(Bö) constant issue
– issue offered continuously
– tap issue
(*ie, by mortgage banks and certain banks making communal loans*)

Daueremittent *m*
(Fin) constant issuer
(Bö) tap issuer

Dauerfinanzierung *f* (Fin) continuous funding

Dauerkonsortium *n* (Fin) standing loan syndicate

Dauerkredit *m* (Fin) long-term credit

Dauerkunde *m*
(com) regular customer
– repeat buyer

Dauerkundschaft f (com) established clientele

Dauerregelung f (com) permanent arrangement

Dauersparauftrag m (Fin) automatic deduction plan
(*ie, under which a bank transfers to a savings account a specified sum at fixed intervals*)

Dauersparen n (Fin) long-term saving

Dauertender m (Bö) continuous tender panel, CTP
(*ie, agent quotes the strike offer yield throughout the offering period and on this basis underwriters approach clients; underwriters are guaranteed a supply of paper up to their prorated underwriting commitment*)

davonlaufende Preise mpl (com) skyrocketing prices

DAX (Fin) = Deutscher Aktienindex = German Stock Index

DCF-Analyse f
(Fin) discounted cash flow analysis
– DCF (*or* dcf) analysis

Découvert n (Bö) = Leerverkauf

Debetzins m (Fin) interest on debit balance

Debitorenausfälle mpl (Fin) loan chargeoffs (*or* writeoffs)

Debitorengeschäft n (Fin) lending business

Debitorenkredit m (Fin) accounts receivable loan

Debitorenliste f (Fin) accounts receivable list

Debitoren pl
(Fin) lendings

Debitorensätze mpl (Fin) lending rates

Debitorenverkauf m (Fin) sale of accounts receivable

Debitorenverwaltung f
(Fin) debtor management
– sales accounting and collection service
(*ie, the making of collections and accounts receivable ledgering*)

Debitorenziehung f (Fin) bill drawn by a bank on a debtor
(*ie, may also be a promissory note made out by a debtor and presented to his bank*)

Deckladung f (com) deck cargo

Deckung f
(Fin) cover
(*ie, ausreichende Geldmittel zur Einlösung von Scheck und Wechsel*)
(Bö) covering purchase
– short covering
(*ie, Käufe zur Abdeckung vorangegangener Leerverkäufe; syn, Deckungskauf*)

Deckung f **anschaffen** (Fin) to provide cover

Deckung f **der Anleihezinsen durch die Gewinne des Unternehmens** (Fin) interest times earned

Deckung f **im Leergeschäft** (Bö) short covering

Deckungsanschaffung f (Fin) provision of cover

Deckungsauftrag m (Bö) covering order

Deckungsbeschränkung f (Fin) cover restriction

Deckungsbestätigung f
(Fin) confirmation of cover
– cover note

Deckungsdarlehen n (Fin) covering loan
(*ie, zur gesetzlichen Absicherung von Pfandbriefen dienen Hypothekarkredite als D.*)

deckungsfähiges Risiko n (Fin) coverable risk

deckungsfähige Wertpapiere npl
(Fin) fixed-interest securities which the central bank may use as cover in its open market operations

Deckungsfonds m (Fin) cover fund

Deckungsforderungen fpl (Fin) covering claims

Deckungsgeschäft n (Bö) covering/heding . . . transaction
(*ie, dient zur Eindeckung leer verkaufter Wertpapiere*)

Deckungsgrad *m* (Fin) cover (*or* liquidity) ratio
(eg, balance sheet ratios, such as: fixed assets to equity + long-term debt; cash and short-term receivables to current liablities; debt-equity ratio)

Deckungsgrenze *f*
(Fin) cover limit

Deckungsguthaben *n*
(Fin) coverage deposit
– covering balance
– (US) compensating balance, qv
– covering balance
(Fin) bond-covered mortgage *(ie, zur Deckung von Hypothekenpfandbriefen)*

Deckungskapital *n*
(Fin) guaranty fund

Deckungskauf *m*
(com) covering purchase
(Bö) covering
– short covering
– hedge transaction
(ie, Wertpapierkauf zur Erfüllung von Lieferverpflichtungen)

Deckungskonto *n* (Fin) cover account

Deckungslinie *f* (Fin) backup facility
(ie, meist für Emission kurzfristiger Wertpapiere)

Deckungsorder *f* (Bö) covering order

Deckungspapiere *npl* (Fin) securities pledged as collateral

Deckungsquote *f* (Fin) cover ratio

Deckungsumsatz *m* (com) breakeven sales *(ie, sales volume absorbs all costs)*

Deckungsverkauf *m*
(Bö) covering sale
– hedging sale

defensive Anlagepolitik *f* (Fin) defensive investment policy
(ie, unwilling to tolerate higher degrees of risk)

Defizit *n*
(com, FiW) deficit
– shortfall

defizitär
(Fin) in deficit
– (infml) deficit-ridden

deflationieren
(Stat) to deflate
(ie, nominelle in reale Größen umrechnen)

Degressionseffekt *m* (Bw) degressive effect

degressiver Tarif *m* (com) tapering rate

Deklaration *f*
(com) declaration *(ie, of contents and value in postal consignments)*

Deklarationsprotest *m* (WeR) declaratory protest

Delkredereagent *m* (com) del credere agent

Delkrederegebühr *f* (Fin) credit insurance premium *(ie, in factoring)*

Delkrederegeschäft *n* (com) del credere business

Delkredereklausel *f* (com) del credere clause

Delkredereprovision *f* (com) del credere commission
(ie, paid for undertaking to guarantee the fulfillment of obligations arising from a deal, § 86 b HGB)

Delkredereserven *fpl* (Fin) additional loan loss allowances

Delkредererisiko *n* (com) collection risk *(ie, particularly high in export trade)*

Delkredereschutz *m* (Fin) credit protection

Delkredere *n* **übernehmen** (com) to assume del credere liability

Delkredere-Vertrag *m* (com) del credere agreement

Delkredere-Vertreter *m* (com) del credere agent

Delta *n* (Bö) delta
(ie, gibt an, in welchem Maß sich e–e Marktpreisveränderung des Bezugsobjekts auf die Optionsprämie auswirkt; Spanne zwischen 1 und 0)

demnächst
(com) coming
– forthcoming

Demontage *f* (com) dismantlement

Denomination *f* (Fin) form of capital

reduction of a German stock corporation

Deponent m
(Fin) depositor *(eg, of money)*
(Fin) bailor *(ie, in safekeeping)*

Deponentenaktien fpl (Fin) deposited
shares *(ie, for which banks may
vote proxies in their own name)*

deponieren
(Fin) to deposit
(Fin) to hand over for safe-keeping

Deport m
(Bö) delayed delivery penalty
– (GB) backwardation
*(ie, London Stock Exchange term:
percentage of the selling price payable by the seller of shares for the
privilege of delaying their delivery;
opp, Report)*

Deportgeschäft n (Bö) backwardation business *(opp, Reportgeschäft)*

Deportsatz m (Bö) backwardation
rate

Depositalschein m (Fin) = Depotschein

Depositenbank f (Fin) deposit bank

Depositeneinlage f (Fin) deposit

Depositengelder npl
(Fin) deposit money
– deposits

Depositengeschäft n (Fin) deposit
banking *(or business)*

Depositenkonto n (Fin) deposit account

Depositenkonto n **mit festgesetzter
Fälligkeit** (Fin) deposit account
with fixed maturity

Depositenkonto n **mit vereinbarter
Kündigungsfrist** (Fin) deposit account at notice

Depositen pl (Fin) deposits
*(ie, demand and time deposits; ie,
heute kaum noch gebräuchliche
Bezeichnung für Einlagen bei Kreditinstituten)*

Depositenschein m (com) deposit receipt

Depositenzertifikat n (Fin) Certificate of Deposit
(ie, meist unübersetzt)

Depositenzinsen mpl (Fin) deposit
rate

Depot n
(Fin) securities account

Depot A n (Fin) own security deposit,
§ 13 DepG *(syn, Eigendepot)*

Depotabstimmung f (Fin) securities
account reconciliation

Depotabteilung f (Fin) securities deposit department

Depotaktien fpl (Fin) deposited
shares *(ie, for which banks may
vote proxies in their own name)*

Depotaufstellung f (Fin) list of securities deposited

Depotauszug m (Fin) statement of
securities

Depot B n (Fin) third-party securities
account *(syn, Anderdepot)*

Depotbank f (Fin) depositary/custo-
dian . . . bank

Depotberechtigter m (Fin) depositor

Depotbescheinigung f (Fin) deposit
certificate

Depotbesitz m (Fin) holding of deposited securities

Depotbuch n (Fin) deposit ledger *(ie,
maintained by bailee of deposited
securities, § 14 DepG)*

Depotbuchhaltung f (Fin) securities
accounts department

Depotbuchung f (Fin) posting to securities account

Depot C n (Fin) pledged securities
deposit *(syn, Pfanddepot)*

Depot D n (Fin) special pledged-securities deposit *(syn, Sonderpfanddepot)*

Depotgebühr f
(Fin) safe custody charge *(or fee)*
– custodian fee

Depotgeschäft n
(Fin) custody business
– security deposit business
– portfolio management
*(ie, Verwahrung und Verwaltung
von Effekten für Kunden e–r Bank;
durch Sonder- od Streifbandver-
waltung od durch Sammelverwahrung, qv; custody and ad-*

ministration of securities for the account of others)

Depothandel *m* (com) = Agenturhandel

Depotinhaber *m* (Fin) securities account holder

Depotkonto *n*
(Fin) security deposit account
– securities account
– custodianship account

Depotprüfer *m* (Fin) securities deposit auditor

Depotprüfung *f* (Fin) audit of security deposit holdings
(ie, annually by auditors appointed by the Federal Supervisory Office or by the Bundesbank, § 30 KWG)

Depotschein *m*
(Fin) safe custody receipt
– deposit receipt

Depotstimmrecht *n*
(Fin) proxy voting power
– right of banks to vote proxies
– bank's right to vote deposited shares at a general meeting
(ie, under German law, a bank automatically votes all proxies according to the decisions of its management, unless shareholders have given instructions to the contrary)

Depotstück *n* (Fin) security deposited at a bank

Depotumbuchung *f* (Fin) transfer of securities

Depotverpfändung *f* (Fin) pledging of security holding

Depotvertrag *m* (Fin) safe custody agreement
(ie, relating to the custody and management of securities, §§ 688 ff BGB and relevant provisions of ‚Depotgesetz')

Depotverwahrung *f* (Fin) custodianship
(ie, safekeeping and accounting for income-bearing personal property)

Depotverwaltung *f*
(Fin) management of deposited securities
– portfolio management

Depotwechsel *m* (Fin) collateral bill
(ie, deposited with a bank)

Desinvestitionsperiode *f* (Fin) recovery period *(ie, period in which the tied-up capital flows back with interest)*

Desinvestitionsvorgang *m* (Fin) disinvestment process

Destinatar *m*
(com) consignee *(ie, recipient of goods named in a waybill)*

detaillierte Aufstellung *f*
(com) detailed list
– breakdown

detaillierte Übersicht *f*
(com) detailed report
– detailed statement
– rundown

deutlich (com) perceptible *(eg, liegt deutlich über: is currently running at perceptibly above 10%)*

Deutsche Bundesbank *f*
(Fin) West German Central Bank
– Deutsche Bundesbank
– the Bundesbank
(ie, finally established in 1957; it is a federal corporation under public law, and its capital is held by the Federal Government; the 1957 Act requires the Bank and the Federal Government to consult and cooperate; and the Bank is required to support the general economic policy of the Government; it also states that the Bank must always regard its primary task as being the guardian of the currency; not only is it independent of instructions from the Federal Government; its obligation to support general economic policy is expressly linked to the condition that this does not create insoluble conflicts with its reponsibility for the prudent management of monetary policy; Währungs- und Notenbank der Bundesrepublik Deutschland mit Sitz in Frankfurt, a. M.; unabhängig von den Weisungen der Bundesregierung;

Deutsche Genossenschaftsbank

geld- und währungspolitische Befugnisse sind:
1. Ausgabe von Banknoten = issue of bank notes
2. Diskontsatz-Politik = discount rate policy
3. Offenmarkt-Politik = open-market policy
4. Mindestreservesatz-Politik = minimum reserve policy
5. Einlagepolitik = government deposit policy
6. Swapgeschäfte = swap transactions
7. Interventionspolitik = intervention policy
8. Wertpapierpensionsgeschäfte = sale und repurchase of securities)

Deutsche Genossenschaftsbank *f* (Fin) Central Bank of German Cooperatives

Deutsche Girozentrale *f* (Fin) German Central Giro Bank

Deutscher Aktienindex *m*, **DAX** (Bö) German Stock Index (DAX) *(ie, Laufindex, der im KISS-System der Frankfurter Börse minütlich neu berechnet und angezeigt wird; enthält 30 Aktien)*

Deutscher-Aktienindex-Terminkontrakt *m* (Bö) German index futures contract *(ie, ab Anfang 1990 an der DAX notiert)*

Deutscher Sparkassen- und Giroverband *m* (Fin) German Savings Banks' and Giro Association

Deutscher Städtetag *m* (com) Federation of German Towns
– German City Diet

Deutsche Terminbörse *f*, **DTB** (Bö) German Futures Exchange *(ie, arbeitet seit 26. 1. 1990; Computerbörse: standortunabhängige Teilnahme am Börsenhandel über Terminal; die Trägergesellschaft fungiert als zentrale Clearing-Stelle)*

Deutsche Vereinigung *f* **für Finanzanalysten und Anlageberater, DVFA** (Fin) German Association of Financial Analysts and Investment Consultants

Deviation *f* (com) deviation from scheduled route

Devinkulation *f* (WeR) change of a registered instrument into a bearer paper

Devisenabrechnung *f* (Fin) foreign exchange note

Devisenankaufskurs *m* (Fin) buying rate

Devisenarbitrage *f* (Fin) arbitration of exchange
– currency/exchange . . . arbitrage *(ie, 1. Ausgleichsarbitrage; 2. Differenzarbitrage; in US: either simple or compound arbitration: direkte od indirekte Arbitrage; the result is the „arbitrated exchange" = günstigster Arbitragekurs; but the term is gradually being replaced by „commercial parity")*

Devisenaufgeld *n* (Fin) premium on exchange

Devisenbestände *mpl* (Fin) currency holdings (*or* reserves)
– foreign exchange holdings (*or* reserves)
– exchange holdings
– holdings of exchange

Devisenbörse *f* (Bö) (foreign) exchange market
– currency market

Deviseneigenhandel *m* (Fin) foreign exchange dealings for own account *(of a bank)*

Deviseneinnahmen *fpl* (Fin) currency receipts
– exchange proceeds

Devisenengagements *npl* (Fin) foreign exchange commitments

Devisengeschäft *n* (Fin) foreign exchange transaction (Fin) foreign exchange trading

Devisenguthaben *n* (Fin) foreign exchange holdings

Devisenhandel m
(Fin) foreign exchange trade (or trading)
– dealings in foreign exchange
– foreign exchange dealings
Devisenhändler m
(Fin) exchange dealer (or trader)
– foreign exchange dealer (or trader)
Devisenkassageschäft n (Bö) spot exchange transaction (syn, Comptantgeschäft)
Devisenkassahandel m (Bö) spot exchange trading
Devisenkassakurs m (Bö) spot exchange rate
Devisenkassamarkt m (Bö) spot exchange market
Devisenkaufoption f (Fin) currency call option
Devisenkonto n (Fin) foreign exchange account
(syn, Währungskonto, Fremdwährungskonto)
Devisenkredit m (Fin) foreign exchange loan
(ie, Kredit in ausländischer Währung; syn, Währungskredit, Valutakredit)
Devisenkurs m
(Fin) (foreign) exchange rate
– currency quote
Devisenkursarbitrage f (Fin) foreign exchange arbitrage
Devisenkursfeststellung f (Bö) exchange rate fixing
Devisenkursmakler m (Bö) currency broker
(ie, amtlicher Makler an der Devisenbörse)
Devisenkursnotierung f (Bö) exchange rate quotation
Devisenkurssicherung f (Fin) exchange rate hedging
Devisenkurszettel m
(Bö) list of foreign exchange
– currency quotations list
Devisenmakler m
(Bö) foreign exchange broker

– exchange broker
– cambist
(ie, vereidigter Kursmakler)
Devisenmarkt m
(Bö) foreign exchange market
– exchange market
– currency market
(ie, telefonischer od fernschriftlicher Handel von Devisen zwischen Banken, Devisenmaklern und großen Wirtschaftsunternehmen; das Interbankengeschäft dominiert)
Devisenmarktintervention f (Fin) exchange market intervention
(ie, in Form von An- od Verkäufen von Devisen)
Devisenmarktkurs m (Fin) market exchange rate
Devisenmittelkurs m (Fin) middle rate
Devisennotierung f (Fin) = Wechselkurs, qv
Devisenoption f (Fin) currency option
(ie, Recht, zu e–m Basispreis e–n bestimmten Betrag an Devisen zu kaufen (call option) oder zu verkaufen (put option); in der Bundesrepublik Deutschland (noch) nicht angeboten)
Devisenpensionsgeschäft n
(Fin) purchase of foreign exchange for later resale
– foreign exchange transaction under repurchase agreement
– currency repurchase agreement
Devisen pl
(Fin) foreign exchange
– exchange
– foreign currency
Devisenportefeuille n (Fin) foreign exchange holdings
Devisenreportgeschäft n (Fin) swap
(ie, buying a currency spot and simultaneously selling it forward)
Devisenspekulation f (Fin) foreign exchange speculation
Devisenspekulationsgewinn m (Fin) gain on foreign exchange speculation

97

Devisen-Swapgeschäft *n* (Fin) foreign exchange swap
(ie, die Deutsche Bundesbank kauft (verkauft) Devisen per Kasse und verkauft (kauft) diese sogleich wieder per Termin)

Devisenterminbörse *f* (Bö) forward market in currency

Devisentermingeschäft *n*
(Bö) forward exchange dealing
– forward exchange
– exchange futures
– future exchange transaction
(ie, zwei Geschäftsarten: (1) Outright-Termingeschäfte; (2) Swapgeschäfte)

Devisenterminhandel *m*
(Bö) forward exchange trading
– currency futures trading

Devisenterminkontrakte *mpl* (Fin) currency futures

Devisenterminkurs *m* (Bö) forward exchange rate

Devisenterminmarkt *m* (Bö) forward exchange market

Devisentransfer *m* (Fin) currency transfer

Devisenumrechnungssatz *m* (Fin) foreign exchange conversion rate

Devisenverkaufskurs *m* (Fin) selling rate

Devisenverkehr *m* (Fin) foreign exchange transactions

Devisenwährung *f* (Fin) currency exchange standard

Devisenwechsel *m*
(Fin) foreign exchange bill *(ie, payable abroad)*
– bill in foreign currency

Devisenwerte *mpl* (Fin) foreign exchange assets

dezimieren (com) to decimate *(eg, battle for the market decimated profits)*

DG-Bank *f* (Fin) Central Bank of German Cooperatives

Dichte *f* **des Seeverkehrs** (com) density of marine traffic

Diebstahl-Alarmanlage *f* (com) burglar alarm system

Dienstfahrzeug *n* (com) service vehicle

Dienstgespräch *n*
(com) business call
(com) official call

Dienstleistungen *fpl* **erbringen** (com) to provide (*or* render) services

Dienstleistungsbetrieb *m*
(com) service company (*or* enterprise)
(com) service center (*or* establishment)

Dienstleistungsentgelt *n* (com) service charge (*or* fee)

Dienstleistungsgeschäft *n*
(com) service transaction
– sale of services

Dienstleistungskosten *pl* (com) cost of services

Dienstleistungspalette *f*
(com) range
– array
– palette . . . of services

Dienstleistungsunternehmen *n*
(com) service business
– service-producing company

Dienststelle *f*
(com) office
– administrative office (*or* agency)
– official agency

Dienststunden *fpl*
(com) business/office . . . hours
(com) hours of . . . service/attendance)
– official hours
– (*or simply*) hours

Dienstweg *m*
(com) official channels

Dienstzeit *f*
(com) = Dienststunden, qv

Differentialfracht *f* (com) differential freight rate

Differenzarbitrage *f* (Bö) price difference arbitrage
(ie, Eigengeschäft der Banken mit der Absicht, rasch Kursgewinne zu erzielen)

Differenzbetrag *m* (com) differential amount

Differenzgeschäft *n*
(Bö) gambling in futures
– margin business (*or* trading)
(ie, not allowed in Germany, treated as gambling under § 764 BGB)

Differenzhandel *m* (Bö) margin business (*or* trading)

Differenzinvestition *f* (Fin) fictitious investment made in preinvestment analysis
(ie, to compare various spending alternatives)

Differenzzahlung *f* (com) marginal payment

Diktat *n* (com) shorthand dictation

Diktat *n* **aufnehmen** (com) to take dictation

Diktat *n* **übertragen** (com) to transcribe notes

Diktatzeichen *n*
(com) identification initials
– (GB) reference initials

dinglich gesicherte Verbindlichkeiten *fpl* (Fin) debt secured by real property

Direktdiskont *m* (Fin) direct rediscounting *(ie, without intermediation of banks, not provided for in the law on the Deutsche Bundesbank)*

direkte Arbitrage *f* (Fin) two-point arbitrage

direkte Ausfuhr *f* (com) direct export (selling)

direkte Devisenarbitrage *f*
(Fin) simple/direct ... arbitrage
(ie, nutzt den Unterschied zweier Währungen aus; opp, indirekte/Mehrfach-Arbitrage = compound arbitration; cf, Devisenarbitrage)

Direkteinkauf *m* (com) direct buying (*or* purchasing)
(ie, bypassing all trade intermediaries)

Direktemission *f* (Fin) direct ... offering/sale *(ie, of a loan issue)*

direkter Vertrieb *m* (com) direct selling *(ie, from manufacturer to final user)*

Direktfinanzierung *f* (Fin) direct financing
(ie, bypassing the capital market and banking syndicates)

Direktgeschäfte *npl* (com) direct business
(ie, done by principal with third parties without using the services of the commercial agent)

Direkthändler *m* (com) dealer

Direktion *f*
(com) headquarters
– (GB) head (*or* main) office

Direktkredit *m* (Fin) direct loan

Direktkredite *mpl*
(Fin) borrowings
(Fin) lendings

Direktlieferung *f* (com) direct (*or* drop) shipment

Direktor *m*
(com) manager
– head of ...

Direktplazierung *f* (Fin) direct placement
(ie, of an issue of securities, without interposing a broker or underwriter)

Direktverkauf *m*
(com) direct selling *(im weiteren Sinne: no intermediaries of trade)*
(com) direct selling *(im engeren Sinne: sale of consumer goods to ultimate consumers through retail outlets, door-to-door selling, mail ordering, etc.)*
(com) direct selling *(ie, also called ‚anonymer Warenweg' = ‚anonymous distribution channels', or ‚grauer Markt' = ‚gray market'; its various forms: (1) Belegschaftshandel = sale to outsiders through employees; (3) Beziehungshandel = direct sale to ultimate consumer by manufacturer or wholesaler.)*

Direktverkauf *m* **über Haushaltsreisende**
(com) door-to-door selling
– personal selling

Direktvertrieb *m* (com) = Direktverkauf

99

Direktwahlgespräch

Direktwahlgespräch *n* (com) automatically dialed call

Disagio *n*
(Fin) discount
– below par
– disagio

Disagio-Anleihe *f* (Fin) noninterest-bearing discount bond *(ie, interest paid at maturity)*

Disagio-Darlehen *n* (Fin) loan granted at a discount

Disagioerträge *mpl* (Fin) discounts earned

Disagiokonto *n* (Fin) account stating difference between repayment amount and payout amount – *Auszahlungsbetrag* – arising in connection with the issue of loans and other liabilities, § 156 III AktG

discount table (Fin) Abzinsungstabelle *f*

Diskont *m* (Fin) discount

Diskontabrechnung *f* (Fin) discount note

Diskontbank *f* (Fin) discounting bank

Diskontbedingungen *fpl* (Fin) discount terms

Diskonteinreichung *f* (Fin) presentation for discount

Diskonten *pl* (Fin) domestic bills of exchange *(opp, foreign exchange bills)*

Diskont *m* **erhöhen** (Fin) to increase *(or* raise) the discount rate

Diskonterhöhung *f* (Fin) raising the discount rate

Diskonterholung *f* (Fin) discount rate rise

diskontfähiger Wechsel *m* (Fin) discountable bill

diskontfähiges Papier *n* (Fin) paper eligible for discount

Diskontfähigkeit *f* (Fin) eligibility for discount

diskontfähig
(Fin) discountable
– bankable
– eligible for discount

Diskontgefälle *n* (Fin) discount rate differential

Diskontgeschäft *n* (Fin) discount business
(ie, Ankauf von Wechseln und Schecks; purchase of bills, notes, and checks)

Diskonthäuser *npl* (com) discount houses *(ie, retailing outlets selling far below usual or suggested prices, mostly self-service)*

diskontierbar
(Fin) = diskontfähig

diskontieren (Fin) to discount
(ie, to purchase or sell a bill at a reduction based on the interest for the time it has still to run)

diskontierende Bank *f* (Fin) discounting bank

diskontierter Einnahmeüberschuß *m* (Fin) discounted cash flow
– DCF, dcf

diskontierter Rückfluß *m* **von Barmitteln** (Fin) discounted cash flowback

diskontierte Wechsel *mpl*
(Fin) discounts
– discounted bills

Diskontierung *f*
(Fin) discounting
– discounting process
(ie, Bestimmung des Barwerts künftiger Zahlungen durch Multiplikation mit dem Abzinsungsfaktor; to determine the present value of a future amunt of money; syn, Abzinsung)

Diskontierungsfaktor *m*
(Fin) discount factor $(1 + i)^{-n}$
– conversion factor in compound discounting
(syn, Abzinsungsfaktor)

Diskontierungszeitraum *m* (Fin) discount period

Diskontkredit *m* (Fin) discount credit
(ie, Form des Wechselkredits; Verkauf e–s Wechsels vor Fälligkeit an ein Kreditinstitut)

Diskontmakler *m* (Fin) discount broker

Diskontmarkt *m* (Fin) discount market

Diskontnota f (Fin) list of bills or checks presented for discount *(usu. a bank's multipart form = Vordrucksatz)*

Diskontprovision f (Fin) discount commission *(ie, charged by the bill-buying bank as a service fee)*

Diskontrechnung f
(Fin) discount note

Diskontsatz m
(Fin) discount rate
(ie, Zinsfuß, der der Berechnung des Diskonts beim Wechselankauf zugrundegelegt wird; charged for buying bills of exchange in advance of maturity)
(Fin) central-bank discount rate
– official rate (of discount)
– (US) rediscount rate
(ie, Satz, zu dem die Zentralbank Wechsel bestimmter Güte ankauft; rate of discount fixed by the central bank for rediscounting paper; syn, Diskontrate, Banksatz)

Diskontsatz m **erhöhen** (Fin) to raise the discount rate

Diskontsatz m **senken** (Fin) to lower the discount rate

Diskontsenkung f (Fin) reduction of discount rate

Diskontspesen pl (Fin) discount charges

Diskonttage mpl (Fin) discount days

Diskontwechsel m (Fin) discount(ed) bill

Diskontzusage f (Fin) discount commitment

Diskussionspapier n
(com) discussion paper (*or* document)
– exposure draft

Dispokredit m (Fin) = Dispositionskredit, qv

Disponent m
(com) expediter
(com) managing clerk
(Fin) fund (*or* money) manager

disponible Ware f
(Bö) cash commodity *(ie, in spot transactions)*

disponieren
(com) to make arrangements
(com) to place orders

Disporahmen m (Fin) loan limit

Dispositionen fpl
(com) arrangements
– operations
– planning
(Fin) drawings *(ie, on a bank account)*

Dispositionen fpl **des Handels** (com) ordering by the trade

Dispositionsguthaben n (Fin) balance available

Dispositionskredit m
(Fin) personal credit line
– retail-customer credit
(ie, Kreditlinie der Kreditinstitute an ihre Privatkunden; i.d.R. in Höhe von 2-3 Monatsgehältern; syn, Dispokredit)

Dispositionspapiere npl (WeR) documents of title *(syn, Traditionspapiere)*

Dispositionsreserve f (Fin) general operating reserve

Dispositionsschein m (WeR) certificate of obligation, § 363 I HGB
(ie, made out by a bank which promises to pay a sum certain in money to a third party)

Distanzfracht f
(com) distance freightage
– freight by distance
(ie, shipper pays freightage in the same proportion as the part of the voyage covered stands to the whole, § 630 HGB)
– freight pro rate
– prorata freight

Distanzgeschäft n (com) contract of sale where seller agrees to ship the goods to buyer's destination at the latter's risk *(ie, basis of transaction may be sample, catalog or indication of standard quality)*

Distanzhandel m (com) mail-order business *(ie, based on catalog-type advertising)*

distanzieren von, sich (com) to dissociate from *(eg, statement, opinion)*

Distanzkauf *m* (com) = Distanzgeschäft

Distanzscheck *m* (Fin) out-of-town check

Distanzwechsel *m* (Fin) out-of-town bill
(opp, Platzwechsel)

Dividende *f*
(Fin) (shareholder) dividend

Dividende *f* **ankündigen** (Fin) to announce a dividend payout

Dividende *f* **auf Stammaktien** (Fin) ordinary dividend

Dividende *f* **ausfallen lassen** (Fin) to pass *(or* to waive) dividends *(eg, because of plunging profits)*

Dividende *f* **ausschütten** (Fin) to distribute *(or* pay) a dividend

Dividende *f* **erhöhen** (Fin) to increase a dividend

Dividende *f* **kürzen** (Fin) to cut/reduce ... a dividend

dividendenabhängig (Fin) linked to dividend payout

Dividendenabrechnung *f* (Fin) dividend note

Dividendenabschlag *m*
(Fin) interim dividend
(Bö) quotation ex dividend

Dividendenabschnitt *m* (Fin) dividend coupon

Dividendenanspruch *m* (Fin) right to a dividend

Dividendenausfall *m* (Fin) passing of a dividend

Dividendenausschüttung *f*
(Fin) dividend distribution
– dividend payment *(or* payout)

dividendenberechtigt
(Fin) entitled to dividend
(Fin) bearing dividend

Dividendenberechtigungsschein *m*
(Fin) dividend warrant

Dividendenbogen *m* (Fin) dividend coupon sheet

Dividendendeckung *f*
(Fin) earnings cover *(ie, ratio of earnings to dividend)*

(Fin) payout ratio
(ie, earnings percentage paid out in dividends)

Dividendeneinkommen *n* (Fin) dividend income

Dividendeneinnahmen *fpl* (Fin) = Dividendeneinkommen

Dividendenerhöhung *f* (Fin) dividend increase

Dividendenerklärung *f* (Fin) declaration of a dividend

Dividendengarantie *f* (Fin) dividend guaranty *(ie, promise to pay a minimum dividend by third parties; eg, by government or municipality; such promise cannot be extended to company's own shareholders, § 57 II AktG)*

Dividendeninkasso *n*
(Fin) dividend collection
– collection of dividend

Dividendenkontinuität *f* (Fin) payment of unchanged dividend over a period of years

Dividendenkürzung *f* (Fin) dividend cut

Dividendenpapier *n*
(Fin) equity security
– dividend-bearing share
– dividend paper

Dividendenpolitik *f* (Fin) dividend payout policy

Dividendenrendite *f* (Fin) dividend yield
(ie, Dividende in DM × 100 : Kurs in DM = gross cash dividend per share in percent of the market price)

Dividendenrückstände *mpl*
(Fin) arrears of dividends
– dividend arrears

Dividendensatz *m* (Fin) dividend rate

Dividendenschein *m* (Fin) dividend coupon *(or* warrant)

Dividendenschnitt *m* (Fin) dividend cut

Dividendensenkung *f* (Fin) dividend cut

Dividendenstopp *m* (Fin) dividend stop

Dividendentermin *m* (Fin) dividend due date

Dividendenvorschlag *m* (Fin) dividend proposal (*or* recommendation)

Dividendenwerte *mpl*
(WeR) dividend-bearing securities (*ie, corporate shares, parts of limited liability companies, quotas of mining companies, and other securities evidencing an equity investment in a domestic or foreign ‚Kapitalgesellschaft', § 19 II KVStG*)
(Bö) shares
– equities

Dividendenzahlstelle *f* (Fin) dividend disbursing agent

Dividendenzahlung *f* (Fin) dividend payment (*or* payout)

Dividende *f* **pro Aktie** (Fin) dividend per share

Dividende *f* **vorschlagen** (Fin) to recommend (*or* propose) a dividend

DM-Auslandsanleihe *f* (Fin) foreign (*or* international) DM bond

DM-Schuldscheine *mpl* (Fin) D-Mark denominated promissory notes

Dock *n*
(com) dock
– wharf

Dockempfangsschein *m* (com) dock warrant

Dockgebühren *fpl* (com) dock charges (*or* dues)

Dokument *n* **ausstellen** (com) to prepare a document

Dokumente *npl* (com) documents

Dokumente *npl* **aufnehmen** (Fin) to take up/accept . . . documents

Dokumente *npl* **gegen Akzept** (com) documents against acceptance, D/A

Dokumente *npl* **gegen Zahlung** (com) documents against payment, D/P

Dokumenten-Akkreditiv *n*
(Fin) (documentary) letter of credit
– (US) straight-line letter of credit (*ie, es liegt immer ein Warenge-*

schäft mit e–m Kaufvertrag und der Verpflichtung des Käufers [Importeurs] zur Akkreditiv-Eröffnung zugrunde)

Dokumentenaufnahme *f* (Fin) taking up of documents

Dokumenteneinreichung *f* (Fin) presentation of documents

Dokumentengegenwert *m* (Fin) currency equivalent of documents

Dokumentengeschäft *n* (Fin) documentary business

Dokumenteninkasso *n* (Fin) documentary collection (*ie, documents are handed over by the bank to the importer against payment of invoice amount*)

Dokumentenkredit *m* (Fin) documentary credit

Dokumententratte *f*
(Fin) documentary . . . draft/bill
– acceptance bill
– draft with documents attached

Dokumentenwechsel *m* (Fin) documentary bill

Dokument *n* **vorlegen**
(WeR) to present an instrument (to)
– to produce a document (to)

Dollaranleihen *fpl* (Fin) dollar bonds

Dollaranstieg *m* **bremsen** (Fin) to slow advance of dollar

Dollarguthaben *n* (Fin) dollar balance

Dollarklausel *f*
(Fin) dollar clause (*ie, stipulating that invoicing and payment must be made in dollars*)

Dollarrembours *m* (Fin) dollar documentary (*or* acceptance) credit

Dollartitel *mpl*
(Fin) dollar securities

Dollarüberfluß *m* (Fin) dollar glut

Dollarzinssätze *mpl* **am Eurogeld- und Euroanleihemarkt** (Fin) Eurodollar deposit rates and bond yields

Domizil *n*
(WeR) domicile

Domiziliant *m* (WeR) payer of a domiciled bill

domizilierter Wechsel *m* (WeR) domiciled bill

Domizilort *m* (WeR) place of payment of a domiciled bill

Domizilprovision *f* (Fin) domicile commission

Domizilstelle *f* (Fin) place for presentment

Domizilvermerk *m* (WeR) domicile clause

Domizilwechsel *m* (WeR) domiciled (*or* addressed) bill

Doppel *n* (com) duplicate

Doppelaktivierungs-Leasing *n* (Fin) double dip leasing
(ie, je nach nationalen steuerrechtlichen Vorschriften kann der Leasinggegenstand beim Leasinggeber und beim Leasingnehmer aktiviert werden)

Doppelbrief *m* (com) overweight letter

Doppelgesellschafter *m* (com) simultaneous partner *(ie, in two partnerships)*
(com) simultaneous member *(ie, in two companies)*

Doppelpackung *f* (com) twin pack

Doppelquittung *f* (com) double receipt *(ie, made out by a third party for another)*

Doppelstockwagen *m* (com) rack car *(ie, open goods waggon on which cars are transported two stories high)*

doppelstufige Sanierung *f* (Fin) capital writedown + immediate increase of capital

Doppelwährungsanleihe *f* (Fin) double currency loan
(ie, am Eurokapitalmarkt: Aufnahme und Tilgung in zwei verschiedenen Währungen)

Doppelzählung *f* (com) double counting

Dotationskapital *n* (Fin) dotation capital
(ie, equity capital of credit institu-

tions organized under public law, § 10 II No. 5 KWG)

dotieren
(Fin) to allocate funds
– to endow *(eg, a foundation)*
– to capitalize with equity

Dotierung *f*
(Fin) allocation (*or* provision) of funds
– endowment
– dotation

drastischer Anstieg *m*
(com) dramatic rise *(eg, of oil prices)*

drastischer Rückgang *m* (com) sharp fall

drastisch kürzen (com) to curtail drastically

Drehen *n* **an der Diskontschraube** (Fin) turning the discount screw

Dreiecksarbitrage *f*
(Fin) triangular arbitrage
– three-point arbitrage *(ie, in foreign exchange)*

Dreiecksgeschäft *n*
(com) three-cornered deal
– three-way switch deal

Dreifachboden *m*
(Bö) triple bottom formation
(ie, in der Point & Figure-Analyse)

Dreifachspitze *f* (Bö) triple top formation *(ie, in der Point & Figure-Analyse)*

Dreimeilengrenze *f* (com) three-mile limit

Dreimonatsakzept *n* (Fin) three months' acceptance

Dreimonatsgeld *n* (Fin) three-month funds

Dreimonatsinterbanksatz *m* (Fin) interbank rate for three-month funds

Dreimonatspapiere *npl* (Fin) three-month maturities

Dreimonatswechsel *m* (Fin) three months' bill of exchange

dreiseitige Gespräche *npl* (com) tripartite talks

Dreiteilung *f* (com) three-way classification

Drittausfertigung f
(com) third copy
(WeR) third of exchange
Dritter Markt m (Bö, GB) Third
Market
(ie, Segment an der Londoner
Börse; ergänzt den regulären
Handel [main market] und den
„Unlisted Securities Market"
(USM); Börseneinstieg für junge
und kleine Unternehmen, die sich
für die Aufnahme in den beiden
anderen Londoner Teilmärkten
nicht qualifizieren können od wol-
len; cf, Übersicht ‚Börse', S. 81)
dritte Wahl f
(com) third-class quality
– (infml) thirds
Drittschuldner m
(Fin) client (ie, in factoring)
– (account) debtor
Drittverwahrung f (Fin) custody (of
securities) by third party
Drittverzug m (Fin) cross default
(syn, reziproker Verzug)
drohender Verderb m (com) immi-
nent deterioration
drosseln
(com) to curb
– to reduce
– to restrict
Drosselung f
(com) curb
– cutdown
– reduction
Druck m **auf die Gewinnspanne**
(com) price-cost squeeze
Druck m **auf die Zinsspanne** (Fin)
pressure on interest margins
Druckfehler m
(com) misprint
– literal error
– (GB) typo (= typographical
error)
– literal
Drucksache f
(com) printed matter
– (GB) printed papers
Druck m **verstärken** (com) to step up
pressure (on)

DTB (Bö) = Deutsche Terminbörse
Dumpingraten fpl (com) uncommercial rates
(ie, in shipping)
Düngemittel pl (com) fertilizer
Düngemittelstatistik f (com) fertilizer
statistics
Dunkelziffer f (com) number of undisclosed cases
dunkle Geschäfte npl (com) shady dealings (ie, of doubtful honesty)
dünne Kapitaldecke f
(Fin) thin
– slender
– inadequate ... capital (or equity) base
Duplikat n (com) duplicate
Duplikatfrachtbrief m (com) duplicate of railroad bill of lading
Durationsanalyse f (Fin) duration
analysis (ie, Problem: wie verhält
sich der Markt- od Barwert von
Festzinspositionen bei Marktzins-
änderungen; cf, durchschnittliche
Bindungsdauer)
durchboxen (com, infml) to ram
through (eg, plan, project)
durchbringen (com) to carry through
(eg, a plan through a committee
meeting)
durcheinanderbringen (com, infml)
to throw (eg, a spending plan) off
balance
Durchfinanzierung f (Fin) complete
financing (package)
Durchfracht f (com) through freight
Durchfrachtkonnossement n (com)
through bill of lading (or B/L)
Durchfrachtverladung f (com)
through-freight shipment
Durchführbarkeit f
(com) workability
– feasibility
durchführbar
(com) workable
– feasible
durchführen
(com) carry out (or through)
– to perform
– to implement

Durchführung f
(com) implementation
– performance

Durchgangsfracht f (com) through freight

Durchgangsgüter npl (com) transit goods

Durchgangskonnossement n (com) through bill of lading (or B/L)

Durchgangsladung f (com) through shipment

Durchgangstransport m (com) transit transport

durchgehende Abfertigung f (com) through invoicing

durchgehendes Frachtpapier n (com) through bill of lading

durchgreifende Reform f (com) root-and-branch reform

Durchkonnossement n (com) through bill of lading (or B/L)

durchlaufende Gelder npl (Fin) transitory funds

durchlaufende Kredite mpl
(Fin) loans on a trust basis
– loans in transit
– conduit credits
(ie, bank acting in its own name but for the account of another; syn, Treuhandkredite)

durchlaufende Mittel pl (Fin) transmitted funds (or money)

durchlaufendes Konto n (Fin) suspense account (syn, Interimskonto, Cpd-Konto)

Durchlaufkredit m (Fin) transmitted credit

Durchlaufzeit f
(com) time from receipt of order till dispatch

durchleiten
(com) to channel through
– to transmit

Durchleitgelder npl (Fin) transmitted funds

Durchleitkredit m (Fin) transmitted credit

Durchleitmarge f
(Fin) bank's margin on transmitted credit

Durchleitung f
(com) channeling through
– transmission

durchrechnen
(com) to to make a detailed estimate
(com) to go over (eg, set of figures, Projekt, Kalkulation)

Durchschlag m
(com) copy
– carbon copy
– carbon
(eg, mit drei Durchschlägen = with three copies)

durchschlagen (com) to feed through (eg, auf die Preise = into the prices)

Durchschlagpapier n
(com) manifold
– flimsy
(ie, thin inexpensive paper for making carbon copies on a typewriter)
(com) carbon paper (= Kohlepapier)

Durchschnitt m **ermitteln** (com) to average out (eg, profit, cost, revenue, for a period of ...)

durchschnittlich anfallende Zinskosten pl (Fin) average interest expenses

durchschnittlich betragen (com) to average out (eg, output, takings, salary)

durchschnittliche Bindungsdauer m (Fin) duration
(ie, Laufzeitmaß; syn, Duration, Selbstliquidationsperiode)

durchschnittlicher Preisaufschlag m (com) average markon

Durchschnittsbetrag m (com) average amount

Durchschnittsertrag m
(Fin) average yield

Durchschnittsgewinn m (Fin) average profit

Durchschnittskostenmethode f
(Fin) cost averaging
(ie, Form der Effektenspekulation: in Phasen sinkender Kurse kann durch den Erwerb e-r höheren Zahl von Anteilen ein niedrigerer

*durchschnittlicher Einstandspreis
erzielt werden)*
Durchschnittskurs *m* (Bö) average
market price
Durchschnittsleistung *f*
(com) average performance
Durchschnitts-Produktivität *f* (Bw)
average productivity
Durchschnittsqualität *f* (com) fair av-
erage quality, faq
Durchschnittsrendite *f* (Fin) average
yield
Durchschnittssatz *m* (com) average
rate
Durchschnittsspanne *f* (com) average
profit margin
Durchschnittsverzinsung *f*
(Fin) average interest rates
– yield mix
Durchschnittsware *f* (com) merchandise of average quality
Durchschnittswerte *mpl*
(Bö) market averages
Durchschreibeblock *m* (com) carbon-
copy pad
Durchschreibsatz *m* (com) multi-part
form set
Durchschrift *f* (com) carbon copy
Durchschrift *f* **Kassenzettel** (com) tis-
sue form of sales check
durchsehen (com) to skim through
(eg, notes)
Durchsetzungsvermögen *n*
(com) assertiveness
– authority
– ability to get things done

durchstreichen
(com) to cancel
– to delete
– to cross out
– to strike out
Durchwahl *f*
(com) direct dialing
Durchwahlnummer *f* (com) direct
dial number
durchwurschteln
(com, infml) to muddle through
– to fumble along from day to day
durch Zession übertragbar (WeR)
transferable by assignment
Düsenverkehrsflugzeug *n* (com) jet-
liner
dynamische Methoden *fpl*
(Fin) time adjusted (*or* time-
weighted) methods (of investment
analyis)
– *(sometimes also:)* dcf methods
– (GB) discounted cash flow
methods
dynamischer Verschuldungsgrad *m*
(Fin) ratio of net indebtedness to
gross cash flow
dynamischer Wachstumsfonds *m*
(Fin) growth fund
dynamische Verfahren *npl* **der Investitionsrechnung**
(Fin) time-adjusted (*or* time-
weighted) methods of investment
analysis
– *(sometimes also:)* dcf methods
– (GB) discounted cash flow
methods

E

echtes Factoring *n* (Fin) nonrecourse
factoring
– old-line factoring
*(ie, Factor (Finanzierungsinstitut)
übernimmt Finanzierungsfunktion
+ Delkrederefunktion + Dienstlei-
stungs- und Servicefunktion; involves the outright purchase of receivables from client and factor's
guarantee of the credit worthiness*

*of client's customers; opp, unechtes
Factoring
= recourse factoring)*
Eckdaten *pl*
(com) key data
– benchmark figures
Ecktermin *m* (com) basic time limit
Eckzins *m*
(Fin) basic savings rate (of in-
terest)

– basic deposit rate
– benchmark rate
(ie, fixed for savings accounts at statutory notice = für Spareinlagen mit gesetzlicher Kündigungsfrist)

ECU-Leitkurs *m* (Fin) ECU central rate

Edelmetall *n* (com) precious metal

Edelmetallbörse *f* (Bö) precious-metals market

Edelmetallgeschäft *n* (com) precious-metals business

Edelmetallgewicht *n* (com) troy weight

Edelmetallhandel *m* (Fin) precious-metals dealing
– bullion trade

Edelmetallhändler *m* (Fin) bullion dealer
(ie, firms and institutions dealing in gold and silver, with prices determined by the international free markets)

Edelmetallhausse *f* (Fin) upswing in bullion prices

Edelmetallkonten *npl* (Fin) precious metals accounts
(ie, offered by Luxembourg-based German banks)

Edelmetallmarkt *m* (Bö) precious-metals market

Edelmetallombardgeschäft *n* (Fin) lending on precious metals

Edelmetallrechnung *f* (Fin) computing the gross weight and and the standard of purity of gold and silver bullion and of coins

EDV-Überweisungsverkehr *m* (Fin) electronic funds transfer, EFT

Effektenabrechnung *f* (Fin) contract note

Effektenabteilung *f* (Fin) investment (*or* securities) department
(ie, mostly organizationally related to security deposit department)

Effektenanalyse *f* (Fin) security analysis
(syn, Wertpapieranalyse)

Effektenanlage *f* (Fin) investment in securities

Effektenanlageberater *m* (Fin) investment consultant

Effektenarbitrage *f*
(Bö) securities arbitrage
– arbitrage in … securities/stock
– stock arbitrage

Effektenauftrag *m* (Fin) buying or selling order

Effektenaustausch *m* (Fin) portfolio switch (of investment fund)

Effektenbank *f* (Fin) investment bank
(ie, outside West Germany: special bank dealing with provision of finance, setting up new businesses, securities issues)

Effektenbankgeschäft *n* (Fin) investment banking

Effektenbeleihung *f* (Fin) advance on securities

Effektenberatung *f* (Fin) investment counseling

Effektenbestand *m* (Fin) security holding

Effektenbörse *f*
(Bö) stock exchange
– stock market
– market
(ie, exchanges on the European Continent are often called ‚Bourses‘; oft auch als Wertpapierbörse bezeichnet)

Effektendepot *n*
(Fin) deposit of securities
– securities deposit
– stock deposit

Effektendifferenzgeschäft *n* (Fin) margin business (*or* trading)

Effektendiskont *m*
(Fin) securities discounting
(Fin) securities discount *(ie, slightly above central-bank discount rate, deducted on buying securities drawn by lot prior to the redemption date)*

Effekteneigenhandelsgeschäfte *npl* (Fin) security trading for own account

Effekteneinführung *f* (Fin) marketing of securities

Effektenemission f
(Fin) issue of securities
– offering
(ie, for sale to the public)

Effektenemissionsgeschäft n (Fin)
underwriting business

Effektenengagement n (Bö) stock
market commitment

Effektenferngiroverkehr m (Fin) securities clearing system between
different stock exchange locations

Effektenfinanzierung f (Fin) financing through securities

Effektengeschäft n (Fin) securities
business
*(ie, Anschaffung und Veräußerung
von Wertpapieren für andere:
purchase and sale of securities for
the account of others)*

Effektengirobank f (Fin) giro-type
security deposit bank
*(ie, financial institution operating
collective security systems and giro
transfer systems; syn, Wertpapiersammelbank, Kassenverein)*

Effektengiroverkehr m (Fin) clearing
system for settling securities
operations
*(ie, Abwicklung geht stückelos vor
sich, durch bloß buchmäßige Übertragung; cf, Wertpapiersammelbank)*

Effektenhandel m
(Bö) dealing (*or* trading) in stock
– stock trading
– securities trading

Effektenhändler m
(Fin) stock dealer (*or* trader)
– dealer in securities
*(ie, bank employee dealing in cer-
tain types of securities)*

Effektenhaus n
(Fin) securities trading house
*(eg, Merrill Lynch, Salomon,
Shearson Loeb Rhoades, E. F.
Hutton)*

Effektenkauf m (Fin) security
purchase

Effektenkaufabrechnung f (Bö)
bought note

Effektenkauf m mit **Einschuß** (Bö)
buying on margin

Effektenkommissionär m
(Fin) securities commission agent
*(ie, banks act as such in their own
name and on behalf of another)*
(Fin, US) stockbroker

Effektenkommissionsgeschäft n (Fin)
securities transactions on commission *(ie, by banks, for officially
listed securities)*

Effektenkonto n (Fin) securities account

Effektenkredit m
(Fin) loan on securities
– security loan
– stock loan

Effektenkundschaft f (Fin) customers
investing in stocks and bonds

Effektenkurs m
(Bö) stock exchange quotation
– stock market price

Effektenleihe f (Fin) share borrowing
*(ie, zur Erfüllung von Lieferver-
pflichtungen)*

Effektenlombard m
(Fin) loan collateralized by securities
– collateral advance
– advance on securities
*(ie, in Form (kontokorrentmäßig-
er) Effektenvorschüsse od Effek-
tenkredite werden Kunden kurzfristige Kredite gewährt, die durch im
Depot liegende Wertpapiere
gedeckt sind; cf, Warenlombard)*

Effektenmakler m (Fin) stock broker

Effektenmarkt m (Bö) stock market

Effektennotierung f
(Bö) stock exchange quotation
– stock market price

Effektenorder f (Bö) stock order *(ie,
order to buy or sell shares)*

Effektenpaket n (Fin) block (*or* parcel) of shares

Effekten pl
(Fin) stocks and bonds
– stock exchange securities
*ie, am Kapitalmarkt handelbare,
vertretbare Wertpapiere mit Gut-*

glaubensschutz; neben Aktien und Schuldverschreibungen auch Pfandbriefe, sonstige Anleihen, Investmentanteile usw)

Effektenplazierung *f* (Fin) placing of new securities issue *(ie, by public sale or subscription)*

Effekten *pl* **beleihen** (Fin) to make a loan on securities

Effekten *pl* **lombardieren** (Fin) to borrow on stocks and bonds *(or securities)*

Effektenportfolio *n* (Fin) investment portfolio

Effektenrechnung *f* (Fin) computation of effective interest rate *(syn, Wertpapierrechnung)*

Effektensammeldepot *n* (Fin) collective securities deposit

Effektenschalter *m* (Fin) security department counter

Effektenscheck *m* (Fin) security transfer check *(syn, grüner Scheck)*

Effektenskontro *n* (Fin) securities ledger

Effektensparen *n* (Fin) saving through investment in securities

Effektenspekulation *f* (Fin) speculation in securities

Effektensubstitution *f* (Fin) substitution of security by another *(ie, financed through the issue of own shares, bonds, etc.)*

Effektentermingeschäft *n* (Fin) forward transaction *(or operation)* in securities

Effektenübertragung *f* (Fin) transfer of securities

Effektenverkauf *m* (Fin) sale of securities

Effektenverkaufsabrechnung *f* (Fin) sold note

Effektenverwahrung *f*
(Fin) security deposit business
(Fin) security custody

Effektenverwaltung *f*
(Fin) portfolio management
(Fin) security deposit department (of banks)

effektive Lieferzeit *f* (com) actual delivery time

effektiver Zins *m*
(Fin) effective interest rate
– market *(or real or* negotiated) rate of interest
– yield rate *(ie, in bond valuations)*

effektiver Zinsfuß *m* (Fin) effective rate

effektive Stücke *npl* (Bö) actual securities

effektive Verzinsung *f* (Fin) = Effektivverzinsung, qv

effektive Ware *f* (Bö) actuals *(syn, physische Ware; opp, Terminware = futures)*

effektive Zinsbelastung *f* (Fin) effective interest load

Effektivgeschäft *n* (Bö) spot market transactions *(ie, on commodity exchanges, include ,Lokogeschäfte', ,Abschlüsse auf Abladung', ,Abschlüsse in rollender od schwimmender Ware')*

Effektivhandel *m* (com) transactions directed at actual delivery *(opp, speculative trade)*

Effektivklausel *f*
(WeR) currency clause *(ie, „effektiv" on bills of exchange)*

Effektivrendite *f* (Fin) dividend yield *(cf, Dividendenrendite)*

Effektivverzinsung *f* (Fin) effective/yield . . . rate
– effective (interest) yield
– effective annual yield
– redemption/true . . . yield
– market rate
(ie, tatsächlicher Ertrag e–s Wertpapiers; kann über od unter der Nominalverzinsung liegen; it is investment income or investment rate of return; note that the terms yield and return are often confused; yield is restricted to the net imcome from a bond if held to maturity, while return denotes current income derived from either a bond or a stock, without reference to maturity; opp,

Nominalverzinsung = nominal rate of interest, coupon rate)

Effektivwert *m*
(Bö) actual price *(ie, esp. of stocks and bonds, generally market price less expenses)*

Effektivzins *m* (Fin) = Effektivverzinsung

Effizienz *f*
(com) efficiency
(ie, technisch/ökonomische Effizienz; relation between an output value and an input value; Ausdruck des Wirtschaftlichkeitsprinzips/Rationalprinzips)

EG-Wertpapiere *npl*
(Fin) Community financial instruments

Ehegattengehalt *n* (com) spouse's salary

Ehrenakzept *n*
(WeR) acceptance for honor
– acceptance supra protest
– acceptance by intervention

Ehrenakzeptant *m*
(WeR) acceptor for honor
– acceptor by intervention

ehrenamtlich tätig (com) acting on an honorary basis

Ehrenannahme *f* (WeR) = Ehrenakzept

Ehreneintritt *m*
(WeR) act of honor
– intervention supra protest

Ehrenzahlung *f*
(WeR) payment for honor
– payment supra protest
– payment by intervention

Ehrenzahlung *f* **ach Protest** (WeR) payment for honor supra protest

ehrgeiziges Projekt *n* (com) ambitious project (*or* scheme)

Eigenbedarf *m*
(com) personal requirements

Eigenbesitz *m*
(Fin) own holdings of securities

Eigenbestand *m* (Fin) own holdings

Eigenbestand *m* **von Emittenten** (Fin) issuers' holdings of their own bonds

Eigendepot *n*
(Fin) own security deposit
– trading account
(cf, §§ 13, 15 DepG; syn, Depot A)

eigene Aktien *fpl*
(Fin) own shares,
§ 71 AktG
– (US) treasury shares
– shares held in treasury
– reacquired/repurchased . . . shares

eigene Akzepte *npl*
(Fin) (bank's) acceptances outstanding

eigene Mittel *pl*
(Fin) own (*or* capital) resources
(ie, capital and reserves; may include depreciation allowances and unappropriated earnings)
(Fin) self-generated funds

eigener Wechsel *m* (WeR) promissory note

eigenerwirtschaftete Mittel *pl*
(Fin) internally generated funds
– internal equity
(ie, finance provieded out of a company's own resources; syn, Selbstfinanzierungsmittel)

eigene Ziehungen *fpl* (Fin) bills drawn by a bank

Eigenfinanzierung *f* (Fin) financing from own resources
(ie, the two components of this type of financing are a) eigene Mittel: equity financing, and b) Selbstfinanzierung: funds generated in the business; opp, Fremdfinanzierung; die wichtigste Form aus dem betrieblichen Umsatzprozeß ist die Selbstfinanzierung: Überführung von Gewinnen auf Rücklagekonten)

Eigenfinanzierungsmittel *pl* (Fin) internal resources *(ie, capital consumption, investment grants, retained income)*

Eigenfinanzierungsquote *f* (Fin) self-financing ratio

eigengenutzte Grundstücke *npl* (com) owner-occupied land

Eigengeschäft *n*
(Fin) trade/transaction ... for own account

Eigenhandel *m*
(Fin) trade for one's own account
– transactions for own account
– own account trading

Eigenhandelsgewinne *mpl* (Fin) profits from dealing for bank's own account

eigenhändige Unterschrift *f* (com) autograph (*or* personal) signature

eigenhändig geschriebener Brief *m* (com) autograph letter

eigenhändig
(com) „hand to addressee only"

Eigenhändlergeschäft *n* (Fin) trading for (bank's) own account (*ie, not on commission*)

Eigenhändlervertrag *m* (com) exclusive dealer agreement

Eigenhändler *m* (com) dealer (*ie, other than agent*)

Eigenheim *n* (com) owner-occupied home

Eigenheim *n* **mit Einliegerwohnung** (com) owner-occupied home with separate apartment

Eigenkapital *n*
(Fin) equity capital
(*ie, von Banken: ,hartes' E. = eingezahltes Aktienkapital + ausgewiesene Rücklagen; ,weiches' E. = Hälfte des E. kann mit ,ergänzenden Eigenkapitalsurrogaten-, wie Neubewertungsrücklagen oder Sammelwertberichtigungen auf Länderrisiken aufgefüllt werden*)

Eigenkapitalanteil *m* (Fin) proprietary interest

Eigenkapitalausstattung *f* (Fin) equity capitalization (*cf, Eigenkapitalquote*)

Eigenkapitalbasis *f* (Fin) equity capital base

Eigenkapitalbedarf *m* (Fin) equity requirements (*or* needs)

Eigenkapital-Bewegungsbilanz *f* (Fin) statement of shareholders' equity (*or* net worth)

Eigenkapitalbildung *f* (Fin) equity capital formation

Eigenkapitaldecke *f* (Fin) equity position (*eg, geringe = thin*)

Eigenkapitalfinanzierung *f* (Fin) equity financing

Eigenkapital *n* **je Aktie** (Fin) net assets per share

Eigenkapitalkonsolidierung *f* (Fin) equity funding

Eigenkapitalkosten *pl* (Fin) cost of equity

Eigenkapitalminderung *f* (Fin) decrease in equity

Eigenkapitalpolster *n* (Fin) equity cushion

Eigenkapitalquote *f*
(Fin) equity ratio
– capital-to-assets ratio
(*ie, Verhältnis Eigenkapital zur Bilanzsumme = ratio of equity to total assets; hat sich in der Industrie bei 30 stabilisiert*)

Eigenkapitalrendite *f* (Fin) = Eigenkapitalrentabilität

Eigenkapitalrentabilität *f*
(Fin) equity return
– income-to-equity ratio
– percentage return on equity
– return on (shareholders') equity

Eigenkapitalrückkauf *m*
(Fin) equity/capital ... buyback
– equity ... redemption

Eigenkapitalverflechtung *f* (Fin) equity link

Eigenkapitalverzinsung *f*
(Fin) equity yield rate
– rate of return on equity

Eigenkapitalzuführung *f* (Fin) (equity) capital contribution

Eigenleistung *f* (Fin) borrower's own funding

Eigenmittel *pl*
(Fin) own funds
– capital resources

Eigenmittelrichtlinie *f* (Fin) EC equity capital regulation
(*ie, 8% der Risikoaktiva sind mit Eigenkapital zu unterlegen; die sog. Acht-Prozent-Regelung*)

Eigennutzung *f* (com) internal use

Eigenschaft *f*
(com) attribute
– property
– characteristic
– feature
– earmark

Eigenservice-Factoring *n* (Fin) = Bulk-Factoring, qv

eigentrassierter Wechsel *m* (WeR) bill drawn by the maker

Eigenumsatz *m* (com) internal turnover *(ie, use of own finished products, own repairs, own buildings, etc.)*

Eigen- und Fremdkapital *n* (Fin) equity and debt capital

Eigenverbrauch *m*
(com) personal consumption

Eigenveredelung *f* (com) processing for own account

Eigenwechsel *m* (WeR) promissory note *(syn, Solawechsel)*

Eilauftrag *m*
(Fin) „urgent order" *(ie, instruction in postal check handling)*

Eilbestellung *f* (com) = Eilauftrag

Eilbote *m*
(com) special delivery messenger
– (GB) express messenger

Eilbotensendung *f* (com) express delivery consignment

Eilfracht *f*
(com) fast freight
– (GB) express freight

Eilfrachtbrief *m* (com) fast-freight waybill

Eilgebühr *f* (com) express delivery charge

Eilgeld *n* (com) dispatch money *(ie, bei eingesparter Liegezeit)*

Eilgeld *n* **in Höhe des halben Liegegeldes**
(com) dispatch half demurrage

Eilgeld *n* **nur im Ladehafen** (com) dispatch loading only

Eilgut *n* (com) fast freight

Eilpaket *n* (com) express parcel *(or package)*

Eilpost *f* (com) express postal service

Eilüberweisung *f* (Fin) rapid money transfer *(ie, straight through to the final account-holding bank; settlement still passing through Giro center)*

Eilzuschlag *m* (com) extra charge for urgent work

Eilzustellung *f* (com) rush delivery

einbehalten
(Fin) to retain *(eg, earnings)*

einbehaltene Gewinne *mpl*
(Fin) earnings *(or* net income *or* profits) retained in the business
– profit retentions
– retained earnings *(or* income *or* profit)
– undistributed profits
– (GB) ploughed-back profits

Einbehaltung *f* **von Gewinnen**
(Fin) earnings *(or* profit) retention
– (GB) ploughing-back of profits

einberufen (com) to call/convene *(eg, a meeting)*

einbezahlen
(com) to pay in

einbezahlt
(com) paid-in
– paid-up

einbringen
(com) to earn *(eg, money)*
– to yield *(eg, a profit)*
– to produce
– to bring in *(eg, book brought in DM1m)*
– (infml) to pull in *(eg, hefty rents)*
(Fin) to contribute
– to bring contributions to
– to put in contributions

Einbringung *f* (Fin) transfer of property to a company in exchange for stock

Einbringungsvertrag *m* (Fin) agreement relating to contribution of capital

Einbringung *f* **von Sachwerten** (Fin) contribution of physical assets

Einbruch *m*
(com) setback
(com) slump
– sharp tumble *(eg, in prices)*

Einbuße *f*
(com) damage
– loss
eindämmen
(com) to check
– to curb
– to damp
eindecken, sich (com) to buy ahead
– to cover requirements
– to stock up
– to accumulate inventory
Eindeckung *f*
(com) stocking up
(com) precautionary buying
eindeutiger Vorteil *m*
(com) decided advantage
eindringen (com) to penetrate *(eg, a market)*
einfache Devisenarbitrage *f* (Fin) direct arbitrage
einfache Fahrkarte *f*
(com) one-way ticket
– (GB) single ticket
(opp, Rückfahrkarte, qv)
einfache Mehrheit *f* (com) simple majority
einfaches Akkreditiv *n* (Fin) clean credit *(cf, Barakkreditiv)*
einfaches Inkasso *n* (Fin) clean collection *(opp, documentary collection)*
einfaches Termingeschäft *n* (Bö) outright forward transaction
einfache Zinsen *mpl* (Fin) simple interest
einfordern (Fin) to call in *(or* call up*)* capital
Einfordern *n* **nicht eingezahlter Zeichnungen** (Fin) call on unpaid subscriptions
Einfordern *n* **von Kapitaleinlagen** (Fin) call-in of unpaid capital contributions
einfrieren (Fin) to freeze *(eg, external assets)*
einfügen
(com) to insert
– to build in/into *(eg, clause/proviso /stipulation . . . into a contract)*
Einfuhr *f* (com) importation

Einfuhrbewilligung *f* (com) import permit
Einfuhrbewilligungsverfahren *n* (com) import licensing system
Einfuhren *fpl*
(com) imports
– imported goods
Einfuhrfinanzierung *f* (Fin) import financing *(ie, raising debt money for handling import transactions)*
Einfuhrkredit *m* (Fin) import credit
Einführungsangebot *n* (Bö) opening offer
Einführungskonsortium *n* (Bö) introduction syndicate
Einführungskurs *m* (Bö) introduction *(or* issue*)* price
Einführungsprospekt *m* (Bö) listing prospectus
Einführungsprovision *f* (Bö) listing commission
Einführungstag *m* (Bö) first day of listing
Einführung *f* **von Kreditkontrollen** (Fin) imposition of credit controls
Einfuhrvertrag *m* (com) contract for importation, § 22 AWV
Eingabetermin *m* (com) input date *(eg, für EDV-mäßige Erfassung)*
Eingang *m*
(com) arrival
(com) incoming mail
(Fin) receipts
Eingang *m* **e–r Zahlung** (Fin) receipt of payment
Eingänge *mpl* (Fin) receipts
Eingangsabteilung *f* (com) receiving department
Eingangsanzeige *f* (com) acknowledgment of receipt
Eingangsbestätigung *f*
(com) acknowledgment of receipt
Eingangsdatum *n* (com) date of receipt
Eingangsfracht *f*
(com) carriage inward
– freight in
– freight inward
Eingangsmeldung *f* (com) receiving report

Eingangsstempel *m* (com) date (*or* receipt) stamp

Eingangstag *m* (com) date of receipt

Eingangsvermerk *m* (com) file mark

Eingang *m* **vorbehalten** (Fin) „subject to collection" *(ie, clause on credit note for bills of exchange and checks turned in to a bank for collection)*

eingebrachtes Kapital *n* (Fin) contributed capital
– capital brought into the company

eingeforderter Betrag *m* (Fin) amount called in, § 63 II AktG

eingefordertes Kapital *n* (Fin) called-up capital

eingefrorene Forderung *f* (Fin) blocked (*or* frozen) claim

eingefrorenes Guthaben *n* (Fin) frozen (*or* blocked) assets

eingegliederte Gesellschaft *f* (com) integrated company, §§ 319–327 AktG

eingehen (Fin) to incur *(eg, debt, liabilities)*

eingehende Post *f* (com) incoming mail

eingehender Bericht *m* (com) detailed (*or* full) report

eingelöster Scheck *m* (Fin) paid check

eingerichteter Geschäftsbetrieb *m* (com) organized enterprise

eingeschaltete Bank *f* (Fin) intermediary bank

eingeschränktes Akzept *n* (WeR) qualified (*or* special) acceptance

eingeschränktes Indossament *n* (WeR) qualified indorsement

eingeschriebener Brief *m* (com) registered letter

eingesetztes Kapital *n* (Fin) capital employed

eingezahlte Aktie *f* (Fin) fully paid-in share

eingezahlter Betrag *m* (com) amount paid in (*or* tendered)

eingezahltes Aktienkapital *n* (Fin) paid-up share capital

eingezahltes Kapital *n* (Fin) paid-in capital *(ie, including contributions in kind)*

eingezogene Aktie *f* (Fin) redeemed/called-in . . . share

Einhaltung *f* **e–r Frist** (com) keeping a time limit
– meeting a deadline

einheimisches Unternehmen *n* (com) domestic enterprise

einheitliche Bedingungen *fpl* (com) standard terms

einheitliche Preise *mpl* (com) uniform prices

einheitlicher Bezugspunkt *m* (Fin) uniform base period *(ie, in investment analysis)*

Einheitliche Richtlinien *fpl* **für Dokumentenakkreditive** (com) Uniform Customs and Practice for Commercial Documentary Credits

Einheitliche Richtlinien *fpl* **für Inkasso** (Fin) Uniform Rules for Collections

einheitlicher Markt *m*
(com) unified market *(eg, as in EC)*
(Bö) uniform market

einheitlicher Satz *m* (com) uniform rate

Einheitsfrachttarif *m* (com) all-commodity freight rate

Einheitskonditionen *fpl* (com) unified conditions of sale and delivery *(ie, in Einheitskontrakten, wie Deutscher Baumwollkontrakt)*

Einheitskurs *m*
(Bö) daily
– single
– standard . . . quotation
– middle price

Einheitsladung *f* (com, US) unitized cargo *(ie, grouped cargo carried aboard a ship in pallets, containers, etc.)*

Einheitsmarkt *m* (Bö) single-price (*or* single-quotation) market *(opp, variabler Markt)*

Einheitsnotierung *f* (Bö) uniform prices *(opp, variable Notierung)*

Einheitsnotiz *f* (Bö) single quotation

Einheitspreis *m*
  (com) standard price
  – unit price
Einheitsscheck *m* (Fin) standard check form
Einheitstarif *m*
  (com) flat rate
Einheitsverpackung *f*
  (com) standard packing, § 62 I EVO
Einheitsvordruck *m* (com) standard form
Einheitswechsel *m* (Fin) standard form of bill of exchange
Einheitswert *m*
  (com) standard value
Einigung *f*
  (com) agreement
Einkauf *m*
  (com) buying
  – purchase
Einkaufen *n*
  (com, infml) shopping
  – (US) marketing
  (com) to do shopping
  – to go marketing
einkaufen
  (com, infml) to go shopping
  (com) to buy
  – to purchase
Einkäufer *m*
  (com) shopper
Einkaufsakkreditiv *n* (Fin) buying letter of credit
Einkaufsauftrag *m* (com) purchase order
Einkaufsbedingungen *fpl* (com) conditions of purchase *(ie, in commercial practice: conditions of delivery and payment)*
Einkaufskommissionär *m*
  (com) commission buyer
  – purchasing commission agent
  – buying agent
Einkaufskommittent *m* (Fin) securities account holder
Einkaufskontingent *n* (com) buying quota
Einkaufspreis *m* (com) purchase price *(ie, invoiced by seller)*

Einkaufsprovision *f* (com) buying commission
Einkaufsrechnungspreis *m* (com) invoiced purchase price *(ie, charged by supplier)*
Einkaufsvertreter *m* (com) buying agent
Einkommen *n*
  (com, Pw) income *(ie, usu. money income)*
  – earnings
Einkommensaktien *fpl* (Fin) income equities *(ie, shares with a high price-dividend ratio)*
Einkommensbezieher *m* (com) income recipient
Einkommensempfänger *m* (com) income recipient
Einkommensfonds *m* (Fin) income fund *(opp, Wachstumsfonds, Thesaurierungsfonds)*
Einkommenshöhe *f* (com) income level
Einkommen *n* **verringern**
  (com) to cut down
  – to diminish
  – to pare down
  – to reduce
  – to whittle down... income/earnings
Einkünfte *pl*
  (com) earnings
  – income
  – emoluments
  – revenue
Einladung *f* **zur Zeichnung** (Bö) subscription offer
Einlagekonto *n* (Fin) account of ‚dormant' partner showing the current position of his participation *(ie, see §§ 335 ff HGB!)*
Einlagen *fpl*
  (Fin) bank deposits
Einlagen *fpl* **abbauen** (Fin) to run down *(eg, central bank deposits)*
Einlagenabgänge *mpl* (Fin) outflow of deposits
Einlagen *fpl* **abziehen**
  (Fin) to withdraw deposits
  – (infml) to pull out deposits

Einlagenbestand *m* (Fin) volume of deposits

Einlagenentwicklung *f* (Fin) movement of deposits

Einlagengeschäft *n* (Fin) deposit-taking business *(ie, of a bank)*

Einlagen *fpl* **hereinnehmen** (Fin) to take (on)/accept . . . deposits

Einlagen *fpl* **mit Kündigungsfrist** (Fin) deposits at notice

Einlagen *fpl* **mit kurzer Kündigungsfrist** (Fin) short-term deposits

Einlagenrückgewähr *f* (Fin) refund of contributions, § 57 I 1 AktG

Einlagenschutz *m* (Fin) deposit security arrangements *(ie, multistage system set up by the German savings banks)*

Einlagensicherung *f* (Fin) safeguarding depositors' accounts *(ie, general term; accomplished through private arrangements of the banking industry, such as guaranty funds, joint liability agreements, ect.)*

Einlagensicherungs-Fonds *m* (Fin) deposit guaranty fund
– fire-fighting fund *(ie, set up by the ‚Bundesverband der deutschen Banken‘ = Federation of the German Banking Industry)*

Einlagenüberschuß *m* (Fin) surplus of deposits

Einlagenumschichtung *f* (Fin) shift in deposits

Einlagenvolumen *n* (Fin) volume of deposits

Einlagen *fpl* **von Anteilseignern** (Fin) capital contribution by shareholders

Einlagenzertifikat *n* (Fin) certificate of deposit, CD *(ie, Geldmarktpapier, das Banken zur Refinanzierung ihres Aktivgeschäfts emittieren)*

Einlagenzins *m* (Fin) deposit rate

Einlagenzuflüsse *mpl* (Fin) inflow of deposits

Einlagerer *m* (com, Zo) depositor

einlagern
(com) to store
– to stock
– to warehouse

Einlagerung *f*
(com) storage, §§ 416ff HGB
– warehousing

Einlagerungskredit *m* (Fin) stockpiling loan

Einlagerungswechsel *m* (Fin) storage *(or* warehouse*)* bill

Einlauf *m* (com) incoming mail

Einleger *m* (com, Fin) depositor

Einlieferung *f*
(com) mailing
– (GB) posting
(com) delivery
– surrender

Einlieferungsbescheinigung *f*
(com) postal receipt *(eg, for registered letters, inpayments)*
(Fin) paying-in slip
(Fin) safe custody receipt

einlösbar
(Fin) redeemable
– repayable
(Fin) payable *(eg, check, bill of exchange)*

einlösende Bank *f* (Fin) negotiating bank *(ie, in letter of credit transaction)*

einlösen
(Fin) to cash *(eg, check, coupon)*
(WeR) to honor *(eg, draft)*
(Fin) to redeem
– to repay *(eg, loan, mortgage)*

Einlösung *f* **e–s Wechsels** (WeR) payment of a bill

Einlösungsaufforderung *f* (Fin) call *(ie, to bondholders for payment, esp. by formal notice)*

Einlösungsbedingungen *fpl* (Fin) terms of redemption

Einlösungsfonds *m* (Fin) sinking fund

Einlösungsfrist *f*
(Fin) maturity deadline
– redemption period

Einlösungsgewinn *m* (Fin) gain on redemption

Einlösungskurs *m* (Fin) redemption price

Einlösungsprovision *f* (Fin) payment commission

Einlösungsstelle *f* (Fin) paying agent

Einlösung *f* **von Zinsscheinen** (Fin) coupon collection

Einlösung *f*
  (WeR) discharging
  – honoring
  – payment *(ie, of a bill)*
  (Fin) encashment *(eg, check, coupon)*
  (Fin) redemption
  – repayment *(eg, loan, mortgage)*

Einmalemission *f* (Bö) one-off issue *(opp, Daueremission: tap issue)*

einmalige Ausgabe *f* (Fin) non-recurring *(or one- off)* expenditure

einmalige Berechnung *f* (com) one-time charge

einmalige Einnahmen *fpl*
  (Fin) non-recurrent *(or one-time)* receipts

einmalige Erhöhung *f* (com) one-shot increase
  (eg, in special energy allowances to persons receiving supplemental government payments)

einmalige Gebühr *f*
  (com) non-recurrent charge
  – one-time charge
  (com) single-use charge
  (Fin) flat fee

einmaliges Akkreditiv *n* (Fin) straight letter of credit *(cf, list under ‚Akkreditiv‘)*

einmaliges Stück *n*
  (com) one of a kind
  – (GB, infml) one-off *(eg, a one-off model)*

einmalige Zahlung *f*
  (Fin) commutation payment
  (Fin) one-off *(or one-time)* payment

Einmalkosten *pl*
  (com) non-recurring *(or one-time)* costs

Einmann-AG *f* (com) one-man stock corporation

Einmannbetrieb *m*
  (com) one-man business
  – (sl) one-man band

Einmanngesellschaft *f*
  (com) one-man company *(ie, most frequently as limited liability company = GmbH)*
  (com) one-man corporation *(ie, may come into existence by the acquisition of all shares)*

Einnahmen *fpl*
  (com) receipts *(ie, do not confuse with ‚Einzahlung‘)*
  (com) (retail) takings
  (Fin) inflows *(ie, term used in preinvestment analysis)*

Einnahmen-Ausgaben-Plan *m* (Fin) cash budget

Einnahmen-Ausgaben-Planung *f* (Fin) cash budgeting

Einnahmenplan *m* (Fin) incoming receipts budget

Einnahmenreihe *f* (Fin) stream of earnings *(ie, term used in preinvestment analysis = Investitionsrechnung)*

Einnahmen *fpl* **und Ausgaben** *fpl*
  (com) *(a store's)* income and outgo

Einnahme-Überschüsse *mpl*
  (Fin) cumulative annual net cash savings *(ie, term used in preinvestment analysis)*
  (Fin) cash flows

Einnahmeunterdeckung *f* (Fin) negative cash flow

einordnen (com) to pigeonhole *(ie, to put into proper class or group)*

einpendeln (com) to settle down *(eg, prices settle down at a lower level)*

Einpendler *m* (com) commuter

Einpersonen-Gesellschaft *f* (com) one-man corporation *(ie, corporation with a single shareholder)*

einräumen
  (com) to admit
  – to allow
  (Fin) to grant *(eg, credit, loan)*
  – to extend

einreichen
  (com) to file

– to hand (to)
– to lodge
– to submit
(Fin) to bring (*or* present) *(eg, a bill for discount)*
(Fin) to deposit *(eg, for collection or safe custody)*

Einreicher *m* (com) presenting party

Einreichung *f*
(com) filing
– lodgment
– submission
(Fin) presentment
– presentation
– deposit

Einreichung *f* **e–s Antrags** (com) filing of an application

Einreichungsdatum *n* (com) filing date

Einreichungsfrist *f*
(com) closing date *(eg, invitation to tender)*
(com) deadline for application
(Fin) period for presentment

Einreichungsschluß *m*
(com) cut-off date for applications
– closing date
(com) bid closing

Einreichungstermin *m*
(com) closing date *(eg, for receipt of applications)*
– last day *(eg, on which we are to receive . . .)*

Einreichungsverzeichnis *n* (Fin) list of bills or checks submitted for discount *(usu. a bank's multipart form = Vordrucksatz)*

Einreichung *f* **von Schriftstücken** (com) filing of documents

einrichten
(com) to arrange
– to organize
– to set up

Einrichtung *f*
(com) office equipment and furnishings

Einsatz *m*
(com) use
– utilization
(Fin) one-off *(ie, von nur e-r Kassaposition)*

Einsatzbesprechung *f* (com) briefing session

Einsatzpreis *m* (com) starting price *(ie, at auction)*

einschalten
(com) to use the services of
– to interpose *(eg, a bank)*
– to intermediate

Einschaltung *f* **e–r Bank** (Fin) interposition of a bank

einschießen
(Fin) to contribute money (*or* capital)
– to put money into a business

einschließlich aller Rechte (Bö) cum all

einschließlich Bezugsrechte (Bö) cum rights

einschließlich Dividende (Bö) cum dividend

einschränkendes Konnossement *n* (com) claused bill of lading

einschränken
(com, infml) to cut down on *(eg, smoking, capital spending)*

Einschreibebrief *m* (com) registered letter

Einschreibegebühr *f* (com) registration fee

Einschreiben *n*
(com) registered mail
– (GB) registered post
(ie, Vorsicht! Wird von BAG und BGH noch nicht einmal als Beweis des ersten Anscheins für das Zugehen nach § 130 I BGB bejaht)

Einschreiben *n* **mit Rückschein** (com) registered letter with return receipt (*or* GB: advice of receipt, AR)

Einschreibsendung *f*
(com, US) certified mail
(com, GB) registered mail

Einschuß *m*
(Bö) contribution (*or* trading) margin
– margin requirement
– initial deposit
(ie, usu. 10% of contract value)

einseitige Überlebensrente *f*
(Fin) reversionary annuity
– survivorship annuity

Einsendeabschnitt *m* (com) return coupon

einsenden
(com) to send in
– to submit

Einsender *m*
(com) sender
– submitter

Einsendeschluß *m*
(com) deadline
– closing date

einsparen
(com) to save
– to cut expenses
– to economize (on)
– (infml) to shave (costs)

Einsparung *f*
(com) reduction of costs
– cutting expenses
– economizing

Einsparungsmöglichkeit *f* (com) savings possibility

Einstandsgebühr *f* (Fin) initial fee *(iee, in franchising)*

Einstandskosten *pl* (Fin) cost of funds *(ie, in banking; syn, Refinanzierungskosten)*

einstellen
(com) to discontinue
– to stop
– to suspend *(eg, payment of debts)*
(com) to close/shut . . . down *(eg, a plant)*
(com) to engage
– to hire

Einstellkosten *pl* (com) hiring cost *(or expenses)*

Einstellung *f*
(com) discontinuance
– stoppage
– suspension
(com) closure
(com) hiring

Einstiegsmodell *n*
(com) capture/entry-level . . . model

Einstiegspreis *m* (Bö) strike *(or striking)* price

einstimmige Entscheidung *f* (com) unanimous decision *(eg, was taken)*

einstimmiger Beschluß *m* (com) unanimous resolution *(eg, was adopted)*

einstufen
(com) to categorize
– to classify
– to grade
– to scale

Ein-Tages-Engagement *n* (Bö) intraday position
(ie, open foreign exchange position run by a dealer within a day)

einteilen
(com) to classify
– to grade
– to scale

Einteilung *f*
(com) classification
– gradation
– division
– subdivision

Eintrag *m*
(com) entry

eintragen
(com) to enter in/up
– to register on
– to make an entry
– to post

einträglich
(com) profitable
– remunerative

Eintragung *f*
(com) entry
– registration
– posting

Eintragung *f* **löschen** (com) to cancel an entry

eintreibbare Forderung *f* (Fin) recoverable debt

eintreiben (Fin) to collect *(ie, debts outstanding)*

Eintreibung *f* (Fin) collection

Eintrittspreis *m* (com) admission fee

Einverständnis *n*
(com) approval

einwandfrei funktionieren (com) to work properly

Einwegbehälter *m* (com) disposable (*or* one-way) container

Einwegflasche *f*
(com) non-returnable bottle
– non-refillable
– one-way bottle

Einwegverpackung *f* (com) disposable (*or* non-returnable) package (*or* packaging)

Einwendungsausschluß *m* (WeR) holder in due course (= *rechtmäßiger od legitimierter Inhaber*) is free of equitable defenses available to prior parties

einzahlen
(Fin) to pay in
(Fin, fml) to pay over

Einzahler *m*
(com) payer
(Fin) depositor

Einzahlung *f*
(Fin) inpayment
(Fin) deposit

Einzahlungsaufforderung *f*
(com) request for payment
(Fin) call
– call letter
– notice of call
(*ie, purchaser of nil-paid or partly-paid share is requested to pay amount due to a company*)

Einzahlungsformular *n*
(Fin) in-payment form
– paying-in slip

Einzahlungsquittung *f* (Fin) deposit receipt

Einzahlungsreihe *f*
(Fin) stream of cash inflows
– cash inflows
(*ie, term used in evaluating alternative investment projects*)

Einzahlungsrückstand *m* (Fin) calls in arrears
(*ie, due by shareholders who failed to pay calls for payment on subscribed shares*)

Einzahlungsschein *m*
(Fin) deposit slip

– (GB) paying-in slip
– credit slip

Einzahlungsströme *mpl* (Fin) cash inflows (*ie, in preinvestment analysis*)

Einzelabnehmer *m* (com) individual customer

Einzelaktionär *m* (Fin) individual shareholder (*or* stockholder)

Einzelanleger *m* (Fin) individual investor

Einzelaufgliederung *f* (com) detailed breakdown

Einzelaufstellung *f*
(com) detailed statement
– itemized list

Einzelauftrag *m* (com) individual order

Einzelfirma *f*
(com) one-man business
(com) sole (*or* individual) proprietorship
– individual business
– (GB) sole trader
(*syn, Einzelkaufmann, Einzelunternehmung*)

Einzelhandel-Einkaufsgenossenschaft *f* (com) retail cooperative

Einzelhandelsbetrieb *m*
(com) retail business (*or* establishment)
– retail store

Einzelhandelsgeschäft *n* (com) retail store (*or* outlet)

Einzelhandelskunde *m* (com) retail customer

Einzelhandelsorganisation *f* (com) retail sales organization

Einzelhandelspreis *m* (com) retail price

Einzelhandelsrabatt *m* (com) retail rebate

Einzelhandelsrichtpreis *m* (com) recommended retail price

Einzelhandelsspanne *f* (com) retail margin

Einzelhandelsumsätze *mpl*
(com) retail sales
– (GB) retail turnover
– shop sales
– sales of retail stores

Einzelhandelsunternehmen

Einzelhandelsunternehmen *n* (com)
retail establishment
Einzelhandelsvertrieb *m* (com) retail
marketing (*or* sales)
Einzelhändler *m*
(com) retailer
– retail trader
Einzelhonorar *n*
(com) individual fee
– fee for service
(*opp, Pauschalhonorar = flat-rate
fee, flate fee*)
Einzelkaufmann *m* (com) = Einzelfirma
Einzelkredit *m* (Fin) individual credit
(*ie, funds loaned to a single borrower*)
einzeln aufführen (com) to itemize
Einzelpreis *m* (com) unit price
Einzelpreisauszeichnung *f* (com) item
pricing
Einzelpreiserrechnung *f* (com) unit
price calculation
Einzelteile *npl*
(com) (component) parts
– components
Einzelunternehmen *n* (com) = Einzelfirma
Einzelveräußerungspreis *m* (com)
unit sales price
Einzelverpackung *f* (com) individual
(*or* unit) packing
Einzelverwahrung *f* (Fin) individual
safekeeping
Einzelwertberichtigung *f*
(Fin) provision for losses on indi-
vidual loan accounts
einziehen
(Fin) to call in
– to redeem (*ie, securities*)
(Fin) to collect (*eg, debt outstand-
ing, checks*)
(Fin) to debit
Einziehung *f*
(Fin) redemption
– call in
(Fin) collection
(Fin) debiting
Einziehungsgebühr *f* (Fin) collection
charge

Einziehungsgeschäft *n* (Fin) collec-
tion business
Einziehungsverfahren *n*
(Fin) = Einzugsverfahren
(Fin) collection procedure
Einzug *m*
(Fin) = Einziehung
Einzugsauftrag *m* (Fin) collection
order
Einzugsbank *f* (Fin) collecting bank
Einzugsermächtigungsverfahren *n*
(Fin) direct debiting service
– automatic debit transfer
(*ie, Zahlungsverpflichteter gibt Er-
mächtigung gegenüber dem
Zahlungsempfänger ab; cf,
Abbuchungsverfahren; syn, Ein-
ziehungsverfahren, Lastschriftver-
fahren, rückläufige Überweisung*)
Einzugsermächtigung *f* (Fin) direct
debit authorization
Einzugsgebiet *n*
(com) catchment area
(com) area of supply
– trading area
Einzugskosten *pl* (Fin) collecting
charges
Einzugsstelle *f* (Fin) collecting agency
Einzugsverfahren *n* (Fin) = Einzugsermächtigungsverfahren
Einzugswechsel *m*
(Fin) bill for collection
– collective draft
Eisenbahnfrachtbrief *m*
(com) railroad bill of lading (*or*
waybill) (*ie, this is a document of
title = Dispositions- od Traditions-
papier*)
– (GB) consignment note
Eisenbahnfrachtgeschäft *n* (com) carriage of goods by public railroads,
§§ 453 ff HGB
Eisenbahngütertarif *m*
(com) railroad freight tariff
– railroad rates
Eisenbahngüterverkehr *m* (com) rail
freight traffic
Eisenbahntarif *m*
(com) railroad rates
– (GB) railway rates

Eisenbahnwerte *mpl*
(Bö) railroad stocks
– rails
– (GB) railway shares

Eisenerzbergbau *m* (com) iron ore mining

eisenschaffende Industrie *f* (com) iron and steel industry *(syn, Eisen- und Stahlindustrie)*

eiserner Bestand *m*
(Fin) reserve fund

eiserne Reserve *f* (com) iron reserve *(ie, against unpleasant surprises such as escalation of prices)*

EK (Fin) = Eigenkapital

Elefanten-Hochzeit *f*
(com) giant (*or* jumbo) merger
– (infml) juggernaut marriage
– (US) megadollar merger

Elektrizitätsversorgung *f* (com) electricity (*or* power) supply

Elektrizitätswirtschaft *f* (com) electricity (supply) industry

Elektrobranche *f* (com) = elektrotechnische Industrie

Elektroindustrie *f* (com) = elektrotechnische Industrie

Elektronikindustrie *f* (com) electronics industry

elektronisch bestellen (com) to tele-order

elektronischer Zahlungsverkehr *m*
(Fin) electronic payments
– electronic funds transfer

elektronisches Handelssystem *n* (Bö) electronic trading system *(eg, die meisten Aktien werden in London nicht mehr im Börsenpar- kett, sondern über Bildschirm und Telefon gehandelt)*

elektronisches Zahlungsverkehrssy- stem *n* (Fin) electronic funds trans- fer system

elektrotechnische Gebrauchsgü- ter *npl* (com) electrical applicances

elektrotechnische Industrie *f* (com) electrical engineering industry

Elektrowerte *mpl* (Bö) electricals

Elementarmarkt *m*
(com) individual market

Elferausschuß *m* (Fin) Central Capi- tal Market Committee *(ie, repre- sents the large issuing banks)*

Emballage *f* (com) packaging *(ie, all- inclusive term)*

Embargorisiko *n* (Fin) risk of embar- go *(ie, in export credit insurance)*

Emission *f*
(Fin) = Effektenemission

Emission *f* **auf dem Submissionswege**
(Fin) issue by tender

Emission *f* **begeben** (Fin) to launch an issue

Emission *f* **fest übernehmen** (Fin) to underwrite an issue

Emission *f* **placieren** (Fin) = Emis- sion unterbringen

Emissionsabteilung *f* (Fin) issue de- partment *(ie, of banks)*

Emissionsagio *n*
(Fin) issue premium
– underwriting premium
(Fin, GB) share premium
(Fin) bond premium

Emissionsbank *f*
(Fin) issuing bank
– underwriter

Emissionsbedingungen *fpl*
(Fin) offering terms
– terms of an issue

Emissionsdisagio *n*
(Fin) issuing discount *(ie, discount to subscribers of a share or bond issue)*
(Fin) bond/debt . . . discount

Emissionserlös *m* (Fin) proceeds of an issue

Emissionsfahrplan *m*
(Fin) issue calendar
– calendar of new issues

Emissionsfenster *n* (Fin) new issue window *(eg, for fixed-interest pub- lic bonds)*

Emissionsgenehmigung *f* (Fin) au- thorization to issue securities *(ie, granted by economics minister for bearer and order bonds, §§ 795 and 808a BGB)*

Emissionsgeschäft *n* (Fin) issuing (*or* underwriting) business

Emissionsgesellschaft *f* (Fin) issuing company

Emissionsgewinn *m* (Fin) underwriting profit *(ie, issue premium less cost of issue)*

Emissionsgläubiger *m* (Fin) issuing creditor

Emissionshaus *n* (Fin, GB) issuing house

Emissionsinstitut *n* (Fin) issuing institution

Emissionsjahr *n* (Fin) year of issue

Emissionskalender *m* (Fin) new issue calendar

Emissionsklima *n* (Fin) climate for new issues

Emissionskonditionen *fpl*
(Fin) terms of issue
– offering terms

Emissionskonsortialvertrag *m*
(Fin) agreement among underwriters
– underwriting agreement

Emissionskonsortium *n*
(Fin) underwriting... group/syndicate
– buying syndicate

Emissionskontrolle *f* (Fin) control of security issues *(ie, as an instrument of capital market policy)*

Emissionskosten *pl* (Fin) cost of issue *(ie, expenses of issuing shares or bonds)*

Emissionskredit *m*
(Fin) credit granted to security issuer by issuing bank

Emissionskurs *m*
(Fin) initial offering price
– issue price

Emissions-Kursniveau *n* (Fin) issue-price level

Emissions-Limit *n* (Fin) ceiling of new issues

Emissionsmakler *m* (Fin) issue broker

Emissionsmarkt *m* (Fin) new issue market
(ie, Markt des ersten Absatzes von Wertpapieren: for the initial issue of securities; syn, Primärmarkt;

opp, Umlaufmarkt, Sekundärmarkt, Börse)

Emissionsmodalitäten *fpl* (Fin) terms of an issue

Emissionsnebenkosten *pl* (Fin) ancillary issuance (*or* issue) costs

Emissionspause *f* (Fin) pause preceding a new issue

Emissionspolitik *f*
(Fin) issue policy
– policy of issuing securities

Emissionsprospekt *m*
(Fin) prospectus
– issuing (*or* underwriting) prospectus

Emissionsrecht *n* (Fin) right to issue

Emissionsrendite *f*
(Fin) yield on newly issued bonds
– yield on new issue
– new issue rate

Emissionsrisiko *n* (Fin) underwriting risk

Emissionssatz *m* (Fin) tender rate

Emissionsschuldner *m* (Fin) issue debtor

Emissionsschwemme *f* (Fin) wave (*or* deluge) of new issues

Emissionssperre *f* (Fin) blocking of new issues
(ie, instrument of capital market policy)

Emissionsspitze *f* (Fin) portion of an unsold issue

Emissionsstatistik *f* (Fin) security issue statistics

Emissionsstoß *m* (Fin) flurry of new issue activity

Emissionstag *m* (Fin) date of issue

Emissionstätigkeit *f* (Fin) issuing activity

Emissionsübernahmevertrag *m* (Fin) underwriting contract

Emissionsvergütung *f* (Fin) issuing commission

Emissionsvertrag *m* (Fin) underwriting agreement

Emissionsvolumen *n* (Fin) total volume of issues

Emissionswährung *f* (Fin) issuing currency

Emissionswelle f (Fin) spate of new issues

Emission f **unterbringen** (Fin) to place an issue

Emission f **von Wertpapieren** (Fin) issue of securities

Emittent m (Fin) issuer
(ie, meist AG od öffentlich-rechtliche Körperschaft)

emittieren
(Fin) to issue *(eg, shares)*
– to float *(eg, an issue)*

emittierende Bank f (Fin) issuing bank

emittierende Gesellschaft f (Fin) issuing company

emittierendes Unternehmen n (Fin) issuer

emittierte Aktien fpl (Fin) shares issued and outstanding

Empfänger m
(Fin) payee *(ie, of money)*
– remittee
(Fin) borrower *(ie, of loan)*

Empfangsschein m (com) counterfoil
(ie, of a delivery note = ‚Lieferschein')

Endabnehmer m
(com) ultimate buyer *(or consumer)*
– end user
– intended user

Endauswertung f (com) final evaluation

Endbestand m (com) final balance

Ende n **der Laufzeit** (Fin) maturity date *(ie, of bonds)*

Endergebnis n
(com) final *(or net)* result

Enderzeugnis n (com) end *(or final)* product

endfällige Anleihe f
(Fin) bullet (bond)
(ie, fixed interest security with a single fixed maturity date)

Endfälligkeit f (Fin) final maturity

endgültiger Bescheid m
(com) final information
(com) final notice

endgültiger Bestimmungsort m (com) final destination

Endinvestoren mpl (Fin) final investors *(ie, Money Market Funds, Versicherungen und Finanzinstitute)*

Endkapital n **(K$_n$)**
(Fin) compound amount at end of n years
– end value
– new principal *(syn, Endwert)*

Endkreditnehmer m (Fin) final *(or* ultimate*)* borrower

Endlaufzeit f (Fin) period to maturity

endogene Finanzierung f (Fin) internal financing *(ie, profit retentions, reserves, depreciation, restructuring of assets)*

Endpreis m
(com) price charged to ultimate customer
– final price
(com) retail price

Endprodukt n
(com) final product

Endschuldner m
(Fin) final debtor *(eg, in the international credit system)*

Endsumme f
(com) total
(com) grand *(or final)* total

Endtermin m
(com) target date
– deadline
– finish date
– completion time

Endverbraucher m
(com) end . . . user/consumer
(com) retail customer

Endverbraucherpreis m
(com) retail price
(com) consumer price

Endverkaufspreis m (com) final sales *(or selling)* price

Endvermögensmaximierung f (Fin) maximization of assets at end of total planning period *(ie, targeted goal in evaluating investment projects)*

Endwert *m*
(Fin) total accumulation of annuity
Fin) = Endkapital, qv
Endwertmodell *n* (Fin) final-value
model
(ie, used in planning optimum capital budget, related to date of discontinuance of an enterprise or to cutoff date of planning horizon)
Endzinssatz *m*
(Fin) all-in interest rate
(Fin) interest rate charged to borrower
Energieberater *m* (com) advisor on energy
Energiebereich *m* (com) energy industry
Energieeinsparung *f*
(com) energy saving
– energy efficiency
Energiemarkt *m*
(com) power-supply market
Energiesektor *m*
(com) power-supply sector
Energieunternehmen *n*
(com) utility company
– power-supply company
Energieversorgungsunternehmen *n*
(com) public utility
Energiewerte *mpl* (Bö) utilities
Energiewirtschaft *f*
(com) energy industry
– power-supply industry
Engagement *n*
(com, Bö) commitment
(Fin) open position
enger Markt *m* (Bö) tight (*or* narrow) market
enge Verflechtung *f* (com) tight interlocking
(eg, of the banking and industrial sectors)
Engpaß *m* (com) bottleneck
Engrosabnehmer *m* (com) wholesale buyer (*or* customer)
Engrosbezug *m* (com) wholesale buying
Enquete-Kommission *f*
(com) study committee
– commission of inquiry

Entfernungsstaffel *f* (com) graded distance schedule
entflechten
(com, infml) to unbundle *(eg, by spinning off unprofitable interests)*
entgangener Gewinn *m*
(com) lost profits
entgegenkommen (com) to accommodate
Entgegennahme *f* **von Einlagen** (Fin) acceptance of deposits
Entgelt *n*
(com) payment
entgeltlich
(com) against payment
entgeltlich erwerben
(WeR) to take for value
Entladehafen *m* (com) port of discharge (*or* unloading)
entladen
(com) to discharge
– to unload
Entladeort *m* (com) place of unloading
Entladerampe *f* (com) unloading platform
Entladung *f*
(com) discharge
– unloading
entlasten
(com) to ease the strain (on)
Entnahme *f*
(Fin) distribution
(Fin) withdrawal *(eg, cash, capital)*
– drawings *(eg, to take ...)*
Entnahmemaximierung *f*
(Fin) maximization of annual withdrawals *(ie, target requirement in evaluating investment projects)*
Entnahme *f* **von Kapital** (Fin) withdrawal from capital
entnehmen
(com) to withdraw
– to take drawings
entrichten (Fin) to pay *(eg, taxes and duties)*
Entrichtung *f* (Fin) payment
entschädigen
(com) to reimburse

Entschädigungsforderungen *fpl*
(com) indemnity claims
(ie, arising under freight contracts signed with the Deutsche Bundesbahn)

Entschädigung *f*
(com) reimbursement

entschärfen
(com) to defuse *(eg, shopfloor unrest)*
(com, infml) to take the heat out of *(eg, situation, crisis)*

Entscheidung *f*
(com) decision

Entscheidung *f* **aufschieben** (com) to shelve a decision

Entscheidung *f* **fällen** (com) to make a decision

Entschließung *f* **annehmen** (com) to adopt/pass ... a resolution

entschulden
(Fin) to reduce indebtedness

Entschuldung *f*
(Fin) reduction of indebtedness

Entspannung *f* (Fin) easing *(eg, of financial position)*

entwerfen
(com) to draft
– to make a draft

entwerten
(com) to cancel
– to invalidate

Entwertung *f*
(com) cancellation
– invalidation

entwickeln
(com) to develop

Entwicklung *f*
(com) development
– movement
– trend
– tendency

Entwicklungsanleihe *f* (Fin) development loan

Entwicklungshilfeanleihe *f* (Fin) development aid loan

Entwicklungshilfekredit *m*
(Fin) aid/development ... loan

Entwicklungsmöglichkeiten *fpl* (com) open-ended capabilities

Entwurf *m*
(com) draft *(eg, of letter, document)*
– outline

entzerren (com) to correct the distorted pattern *(eg, of interest rates, prices)*

erbringen
(com) to perform
– to render
– to furnish
(Fin) to yield

Erbringung *f* **von Dienstleistungen** (com) performance of services

Erdölindustrie *f* (com) oil industry

Erdölwerte *mpl* (Bö) oils

Ereigniseintritt *m* (com) occurrence of an event

Erfahrungsaustausch *m* (com) interchange of know-how

Erfahrungsbericht *m* (com) progress report

Erfahrungswerte *mpl* (com) experience figures

erfassen
(com) to record
– to account for

Erfassungsbereich *m* (com) scope *(eg, of survey, estimate, assessment)*

Erfassungsbreite *f* (com) scope of coverage

Erfolg *m*
(com) result of economic activity
– performance

erfolgloses Übernahmeangebot *n* (com) abortive takeover bid

erfolgreich abschließen (com, infml) to pull off a deal

erfolgreicher Anbieter *m* (com) successful bidder

erfolgreiches Unternehmen *n*
(com) successful venture
– going business

Erfolgshonorar *n* (com) contingent fee

Erfolgsvergleichsrechnung *f* (Fin) comparative earnings analysis *(ie, carried out to evaluate investment projects)*

Erfolgswert *m* (Fin) = Ertragswert

Erfolgszurechnung *f* (Fin) allocation of earnings *(ie, to various organizational units)*

erfüllen
(com) to satisfy *(eg, conditions)*

Erfüllung *f* **e-s Wertpapiergeschäfts** (Bö) execution of a bargain

Erfüllungsfrist *f*
(Bö) delivery time

Erfüllungsrisiko *n*
(Fin) settlement risk
(Fin) FX delivery risk *(ie, in foreign exchange trading)*

Erfüllungsschuldverschreibung *f*
(Fin) performance bond

Erfüllungstag *m* (com) due date

Erfüllungstermin *m* (Bö) settlement day

Ergänzungslieferungen *fpl* (com) supplements *(ie, to loose leaf volumes)*

Ergänzungsprodukt *n* (com) add-on product

Ergebnis *n*
(com) result
– showing *(eg, the best ... since 1990)*
– performance

Ergebnis *n* **je Aktie** (Fin) net earnings per share

Ergebnisprotokoll *n* (com) minutes of a meeting

erhebliche Vorteile *mpl* (com) substantial benefits

erhöhen
(com) to increase *(eg, prices, wages)*
– to raise
– to advance
– to lift
– to put up
(com, infml) to boost
– to beef up
– to bump up
– to hike up
– to push up
– to step up

Erhöhung *f* **liquider Mittel** (Fin) increase in net funds

Erhöhung *f*
(com) increase
– rise
– (US) raise

erholen, sich
(com) to recover
– to revive
– (infml) to pick up
– to back up
(Bö) to rally

Erholung *f*
(Bö) rally
(ie, brief rising period following an up reversal)

Erholung *f* **am Aktienmarkt** (Bö) stock market rally

Erholung *f* **am Rentenmarkt** (Bö) bond market rally

Erinnerungsschreiben *n* (com) follow-up letter

erklären
(com) to explain
– to account for

Erklärungstag *m*
(Bö) exercise date *(ie, of an option; syn, Ausübungstag)*

Erklärung *f*
(com) declaration
– statement

erlassen
(com) to abate

Erläuterungen *fpl*
(com) comments (on)
– notes (on)

erledigen
(com) to arrange for
– to dispatch
– to discharge
– to see to it
– to settle

Erledigung *f*
(com) dispatch
– discharge
– settlement

Erlöseinbuße *f* (com) fall (*or* drop) in sales revenue

Erlössituation *f* (com) revenue picture
(eg, is improving)

Erlös *m*
  (com) revenue
  – proceeds
Ermächtigungsindossament *n* (WeR)
indorsement for collection only
Ermächtigungsschreiben *n* (com) letter of authority
ermäßigen
  (com) to reduce
  – to abate
  – to lower
  – to mark down
ermäßigte Gebühr *f* (com) reduced
rate
ermäßigter Satz *m* (com) reduced
rate
Ermäßigung *f*
  (com) allowance
  – reduction
ernennen (com) to appoint (as/to be)
(*eg, to a post or vacancy, as/to be
chairman of a board*)
Ernennung *f* (com) appointment
Erneuerungsschein *m*
  (Fin) renewal coupon
  – coupon sheet
  – certificate of renewal
  (*syn, Talon, Zinsleiste, Leistenschein*)
erneut zusammentreten
  (com) to meet again
  – to reconvene
eröffnende Bank *f* (Fin) opening (*or*
issuing) bank (*ie, in the case of a
letter of credit*)
eröffnen
  (com) to open
  – to set up (*eg, business*)
  (Fin) to open (*eg, account*)
Eröffnungsbank *f* (Fin) = Akkreditivbank
Eröffnungshandel *m*
  (Bö) early trading
  – first trade
Eröffnungskurs *m* (Bö) opening (*or*
initial) quotation
Eröffnungsnotierung *f* (Bö) = Eröffnungskurs
Eröffnungssatz *m* (Fin) daily opening
rate

Eröffnungsschreiben *n* (Fin) advice
of credit
Erprobungsphase *f* (com) trial phase
errechnen
  (com) to compute (*eg, aus e–m
Betrag errechnen = to compute on
an amount*)
  – to work out
Erreichung *f* **des Tiefstkurses** (Bö)
grounding
Ersatzaktie *f*
  (Fin) substitute share certificate,
§ 74 AktG
Ersatz *m* **barer Auslagen** (com) reimbursement of cash outlay
Ersatzbescheinigung *f* (com) substitute certificate
Ersatzinvestition *f*
  (Fin) capital spending on replacement
Ersatzlieferung *f* (com) substitute delivery
Ersatzscheck *m* (Fin) replacement
check
Ersatzstück *n* (Fin) replacement certificate
Ersatz *m* **von Barauslagen** (com)
reimbursement of cash expenses
erschließen
  (com) to develop (*eg, land*)
  – to improve
Erschließung *f* (com) land development
Erschließungsanlagen *fpl* (com) land
(*or* public) improvements
Erschließungsaufwendungen *fpl*
  (com) development and improvement costs
Erschließungsgebiet *n* (com) improvement area
Erschließungsgelände *n* (com) land
ready for building
Erschließungskosten *pl*
  (com) development costs
  – cost of developing real estate
Erschließungsunternehmen *n*
  (com) developer
  – property developer
  – (US) real estate developer
  (*ie, one that improves and sub-*

divides land and builds and sells houses thereon)

erschlossene Grundstücke *npl* (com) improved real property

erschlossenes Gelände *n* (com) developed (*or* improved) site

erschöpfende Aufzählung *f* (com) exhaustive enumeration

erschwerende Umstände *mpl* (com) aggravating circumstances *(opp, mildernde Umstände = mitigating circumstances)*

Ersparnis *f* (Fin) savings

Ersparnisbildung *f* (Fin) formation of savings

Ersparnisse *fpl* **angreifen** (com) to dip into savings

Erstabsatz *m* **neu aufgelegter Wertpapiere** (Fin) initial sales of newly issued securities

erstatten (com) to pay back
– to refund
– to reimburse
– to repay
– to return

Erstattungsantrag *m* (com) claim for repayment

Erstattungsbetrag *m* (com) amount of refund

erstattungsfähig (com) recoverable
– refundable
– repayable

Erstattungsrückstände *mpl* (Fin) repayment arrears

Erstauftrag *m* (com) first (*or* initial) order

Erstausfertigung *f* (com) original (WeR) first of exchange *(syn, Erstschrift)*

Erstausgabepreis *m* (Fin) initial offering price *(ie, von Investmentanteilen)* (Bö) issuing price

Erstausstattung *f* (com) initial supply

Erstbesteller *m* (com) launch customer *(eg, in the sale of a new aircraft; syn, Pilotkunde)*

Erstbestellung *f* (com) initial (*or* launch *or* first) order

erste Adresse *f* (com) blue-chip customer (Fin) top-quality/top-rated . . . borrower
– quality borrower
– prime . . . borrower/firm
– prime industrial firm
– firm with impeccable credit standing

erstellen (com) to prepare
– to draw up
– to make up

Erstellung *f* (com) preparation *(eg, report, balance-sheet)*

erste Mahnung *f* (com) first reminder

erster Eindruck *m* (com) first impression

erster Entwurf *m* (com) rough (*or* preliminary) draft

erster Kapitalaufwand *m* (Fin) initial capital outlay

erster Kurs *m* (Bö) initial quotation *(syn, Eröffnungskurs)*

Ersterwerb *m* (Fin) purchase of newly issued securites

Ersterwerber *m* (com) first buyer (*or* purchaser) (Bö) original subscriber

erstes Bestimmungsland *n* (com) first country of destination

erstes Gebot *n* (com) opening bid *(ie, at an auction)*

erste Wahl *f* (com) prime quality
– (infml) firsts

erste Zahlungsaufforderung *f* (com) first request to pay an amount due (Fin) first call *(ie, going out to shareholders after allotment)*

Erstfinanzierung *f* (Fin) initial financing

Erstgebot *n* (com) first bid

Ersthand-Leasing n (Fin) first-hand leasing

Erstinvestition f (Fin) start-up investment

erstklassig
(com) first class
– first tier
– top flight
– top notch

erstklassige Anlage f (Fin) prime investment

erstklassige Bank f (Fin, infml) blue-blooded bank

erstklassige Geldmarktpapiere npl (Fin) prime paper

erstklassiger Wechsel m
(Fin) approved bill of exchange
– fine bill
– prime bill

erstklassige Schuldverschreibung f
(Fin) top-line bond
– high-grade bond

erstklassiges Material n (Fin) first-category paper

erstklassige Wertpapiere npl (Fin) top-grade securities

Erstplazierung f (Fin) initial placing of securities

erstrebte Mindestverzinsung f (Fin) minimum acceptable rate (of return)

Erstschrift f (com) original

erststellige Schuldverschreibung f (Fin) senior bond

erststellige Sicherheit f (Fin) first-charge security

Erstverkauf m (com) initial sale

Erstverpflichteter m
(WeR) principal (eg, guarantor, indorser)

Erstverwahrer m (Fin) original custodian

Erstzeichner m (Fin) original subscriber

Erstzeichnung f (Fin) initial subscription

Ertrag m **aus der Nominalverzinsung**
(Fin) nominal yield

ertragbringend
(com) earning

– income-producing
– profitable

ertragbringende Aktiva npl (Fin) earning assets (eg, stocks and bonds; opp, cash or capital equipment)

Ertrag m **des investierten Kapitals**
(Fin) return on investment
– return on capital employed

Erträge mpl **aus Beteiligungen an Tochtergesellschaften** (Fin) income from subsidiaries

Erträge mpl **aus festverzinslichen Wertpapieren** (Fin) receipts from bonds

Erträge mpl **aus Investmentanteilen** (Fin) income from investment shares

Erträge mpl **aus Beteiligungen**
(Fin) income from investments
– investment income

Ertragsausfall m (Fin) loss of earnings

Ertragsausgleich m
(Fin) income adjustment (eg, in investment funds)

Ertragsausschüttung f (Fin) distribution of earnings

Ertragsbesteuerung f (Fin) tax treatment of yield

Ertragsbewertung f (Fin) valuation of prospective earnings (or of earning power)

Ertragsdifferenz f (Fin) yield differential

Ertragseinbruch m (Fin) sharp drop in earnings

Ertragseinbußen fpl (Fin) reductions in profit

Ertragsentwicklung f
(Fin) trend of earnings (or profits)
– trend of profitability

Ertragserwartungen fpl (com) earnings (or profit) expectations

Ertragsfähigkeit f
(com) income productivity (eg, of land)
(Fin) earning power
– earning capacity value (syn, Ertragskraft)

Ertragsfaktoren

Ertragsfaktoren *mpl* (Fin) earnings/
income/profit . . . factors
*(eg, sichere oder wahrscheinliche
E. sind bei der Bewertung zu berücksichtigen)*
Ertragskraft *f*
(Fin) earning power
– earning capacity value
– profitability
Ertragskurve *f*
*(Fin) yield curve (ie, spread betwen
long-term and short-term interest
rates)*
Ertragslage *f*
(Fin) earnings/operating . . . position
– income/profit . . . situation
– profitability
*(ie, vom Gesetzgeber verwendet,
ohne näher definiert zu werden; cf,
§ 264 II HGB; wird aber nach allgemeiner Meinung durch die GuV-
Rechnung bestimmt, die die Er-
folgsquellen offenlegt und die Auf-
wandsstrukturen zeigen soll)*
Ertragslage *f* **verbessern** (Fin) to improve profitability
Ertragsmarge *f* (com) profit margin
Ertragsminderung *f* (com) reduction
of earnings (or profit)
Ertragsrückgang *m* (Fin) drop in
earnings
Ertragssituation *f*
(com) revenue picture *(eg, is
worsening)*
(Fin) earnings situation
Ertragsspanne *f* (Fin) earnings margin *(ie, ratio of operating cost to
average volume of business)*
Ertragssteigerung *f* (Fin) earnings
growth
Ertragsverbesserung *f* (Fin) improvement of profitability
Ertragsvorschau *f* (Fin) profit and
loss forecast
Ertragswert *m*
(Fin) capitalized value of potential
earnings
– earning power
– earning capacity value

*(ie, kapitalisierter voraussichtlicher
Überschuß der Einnahmen über
die Ausgaben; spiegelt den Wert
des Unternehmens wider)*
Ertragszahlen *fpl* (Fin) operational
figures *(ie, revenue and expense as
reported in the statement of profit
and loss)*
Ertragszinsen *mpl* (Fin) interest
earned or received
erwartete Leistung *f* (com) expected
attainment (or performance)
erwartete Mindestrendite *f*
(Fin) hurdle rate of return
– cut-off rate
*(ie, expected minimum rate of re-
turn)*
Erwartungen *fpl* **zurücknehmen**
(com)
to scale back expectations
erweitern
(com) to extend
– to broaden
*(eg, the tax base = die Be-
steuerungsgrundlage)*
erweiterte Stimmrechte *npl* (com) en-
hanced voting rights
Erweiterungsfähigkeit *f* (com) ex-
pandability
Erwerb *m* (com) acquisition *(opp,
Veräußerung = disposal)*
erwerben
(com) to acquire
– to buy
– to earn
erwerbende Gesellschaft *f* (com) acquiring company *(syn, übernehmende Gesellschaft, qv)*
Erwerber *m*
(com) buyer
– purchaser
– acquiror
Erwerb *m* **e–r Kaufoption** (Bö) giving
for the call
Erwerbskurs *m*
(Fin) basis/purchase . . . price
*(ie, in terms of yield to maturity or
annual rate of return)*
(Bö) flat price *(ie, including accrued interest)*

Erwerb *m* **von Wertpapieren durch Gebietsfremde** (Fin) nonresident purchase of securities

erworbene Gesellschaft *f* (com) acquired company *(syn, übernommene Gesellschaft)*

Erzeugerhandel *m*
(com) direct acquisition and selling *(ie, by manufacturers)*
(com) direct selling *(ie, with no intermediaries to the ultimate consumer)*

Erzeugerkosten *pl* (com) cost of production

Erzeugerpreis *m* (com) producer price

Erzeugnis *n* (com) product

Erzeugnisgruppe *f* (com) product group

Erzeugnisspektrum *n* (com) product range

Erzeugung *f* (com) production

Erzeugungsgebiet *n* (com) production area

erzwungene Glattstellung *f* (Bö) enforced liquidation

etabliert
(com) well-established
– (infml) well-entrenched *(eg, manufacturer, dealer)*

etablierte Konkurrenz *f* (com) established competitors

etablierte Wettbewerber *mpl* (com) competitors *(or rivals)* firmly established in the market

Etatansatz *m*
(Fin) planned budget figure

Etikett *n* (com) ticket
– tag
– label

Euro-Aktien *fpl* (Fin) Euro-Equities *pl*

Euroaktienmarkt *m* (Fin) Euroequity market *(ie, Markt für den Handel mit Aktien und aktienähnlichen Beteiligungsrechten großer Unternehmen über internationale Konsortien)*

Euro-Anleihe *f* (Fin) Eurocurrency loan

Euro-Anleihemarkt *m* (Fin) Euro loan market

Eurobanken *fpl* (Fin) Eurobanks *(ie, am Euromarkt tätige Banken)*

Eurobondmarkt *m* (Fin) Eurobond market

Eurobonds *pl* (Fin) Eurobonds *(ie, issues floated in European countries payable in a currency foreign to the host countries; eg, American dollar bonds issued in European currencies; Eurobonds are generally exempt from applicable laws and regulations of the country in which they are sold; they are all bearer [unregistered] bonds)*

Euro-Clear
(Fin) Euro-Clear
– Euro-clear Clearance System plc
(ie, Clearing-Organisation im internationalen Wertpapierhandel mit Sitz in Brüssel; mit 125 Finanzintermediären als Gesellschafter)

Euro-Commercial-Paper *pl* (Fin) Euro Commercial Paper *(ie, Spiegelbild der US-Domestic Commercial Paper; aber vorrangig Alternative zum traditionellen Libor-verzinsten Eurokredit mit 3 od 6 Monats-Roll-over-Perioden; übliche Stückelung z. Zt. $500 000 und $1 000 000)*

Euro-Devisen *pl* (Fin) Euro currencies

Euro-Dollar *m* (Fin) Eurodollar

Euro-Dollareinlagen *fpl* (Fin) Eurodollar deposits

Euro-Dollarkredit *m* (Fin) Eurodollar borrowing

Euro-Dollarmarkt *m* (Fin) Eurodollar market

Euro-Emission *f* (Fin) Euro issue (of bonds)

Eurofestsatzkredit *m* (Fin) Euro fixed rate credit *(mit Schwerpunkt im Ein-, Drei- und Sechsmonatsbereich)*

Euro-Geldmarkt *m* (Fin) Eurocurrency market *(ie, internationaler*

133

*Finanzmarkt, an dem Einlagen-
und Kreditgeschäfte in e–r
Währung außerhalb ihres Gel-
tungsbereichs getätigt werden; syn,
Euromarkt, Offshoremarkt,
Fremdwährungsmarkt, Außengeld-
markt, Xenomarkt; Zentren sind:
London, Luxemburg, Paris, Hongkong, Singapur, einige Karibik-
staaten sowie die International
Banking Facilities in den USA;
dient dem internationalen Liquiditätsausgleich)*

Euro-Geldmarktgeschäfte npl   (Fin)
Eurocurrency business (or transactions)

Euro-Kapitalmarkt m (Fin) Eurocap-
ital market *(ie, auf ihm werden von
internationalen Bankenkonsortien
Anleihen außerhalb des Landes begeben, auf dessen Währung sie
lauten; Anlaß war die Einführung
der Zinsausgleichsteuer (interest
equalization tax) in den USA in
1963; syn, Euroanleihemarkt,
Eurobondmarkt)*

Euro-Konsortialkredit m (Fin) syndicated Euroloan

Euro-Kreditaufnahme f (Fin) borrowing in the Eurocredit market

Euro-Kreditgeschäft n (Fin) Euro
lending business

Euro-Kreditmarkt m (Fin) Eurocredit market

Euromarkt m (Fin) Euromarket
*(ie, Oberbegriff für die Gesamtheit
von Finanzmärkten wie Eurodol-
lar-Markt, Euro-DM-Markt,
Euroaktienmarkt, Eurogeldmarkt,
Eurokapitalmarkt, usw)*

Euronote f (Fin) Euronote
*(ie, Bankenkonsortium räumt e–m
Kreditnehmer längerfristig e–e Kreditlinie ein; dieser kann revol-
vierend nichtbörsenfähige Wertpapiere mit e–r Laufzeit bis zu 6
Monaten begeben; wichtigste Var-
ianten sind Revolving Underwriting
Facilities, RUF, and Note Issuance
Facilities, NIF)*

Europäische Bank f **für Wiederaufbau und Entwicklung**
(Fin) European Bank for Reconstruction and Development,
EBRD
*(ie, vehicle for funneling aid to re-
form-minded East Bloc states,
London-based)*

Europäische Börsenrichtlinien fpl
(EG) European stock exchange directives
*(ie, über Börsenzulassungspro-
spekte, Börsenzulassung von Wertpapieren, Zwischenberichte)*

Europäische Optionsbörse f (Bö)
European Options Exchange,
EOE
(ie, based in Amsterdam)

Europäische Währungsunion f (Fin)
European monetary union

Europäische Zentralbank f (Fin)
European Central Bank

Euro-Pfund n (Fin) Euro sterling

Euro-Währungskredit m (Fin) Eurocurrency loan

Euro-Währungsmarkt m   (Fin)
Eurocurrency market

Euro-Wertpapiere npl   (Fin)
Eurosecurities

Euro-Zinsen mpl (Fin) Euromarket
interest rates

Eventualfonds m (Fin) contingent
fund

Evidenzzentrale f (Fin) Central Risk
Service
*(ie, official credit information ex-
change; gathers information on the
total exposure – Engagement, Obligo – of individual corporations;
cf, § 14 KWG)*

ewige Rente f (Fin) perpetuity *(ie, an
annuity that continues forever)*

ex Berichtigungsaktien (Bö) ex
capitalization issue

ex Bezugsaktien (Bö) ex cap(italiza-
tion issue

ex Bezugsrecht (Bö) ex rights/ex allotment

ex Bezugsrechte
(Bö) ex new, ex.n.

– ex claim
– ex rights

ex Bezugsrechtsschein (Fin) ex warrants

ex Dividende
(Bö) dividend off
– coupon detached
– ex dividend (*or* ex-d)

ex Gratisaktien
(Bö) ex capitalization
– ex bonus
– ex scrip

Exklusivrecht *n* (com) exclusive dealing right

Exklusivvertrag *m*
(com) exclusive rights contract

ex Kupon (Bö) ex coupon

Exnotierung *f* (Bö) quotation ex...
(*eg, rights*)

exogene Finanzierung *f* (Fin) external financing (*ie, equity + debt*)

ex Optionsschein (Bö) ex warrant

Exoten *pl*
(Bö) securities offered by issuers from exotic countries
(Bö) speculative papers (*ie, unlisted and outside over-the-counter business*)

exotische Währungen *fpl*
(Fin) exotic currencies
– exotics
(*ie, no developed international market, and infrequently dealt*)

expandieren
(com) to expand (operations)
– to grow

expandierender Markt *m* (com) growing (*or* expanding) market

expansive Einflüsse *mpl* (com) expansionary forces

expansive Impulse *mpl* (com) expansionary impact

expansive Offenmarktpolitik *f* (Fin) expansionary open market policy

Expedient *m* (com) dispatcher

Expedition *f*
(com) forwarding
– shipping

Expeditionsabteilung *f* (com) forwarding (*or* shipping) department

Experte *m*
(com) expert
– specialist

Expertengruppe *f* (com) panel of experts

Expertise *f* (com) expert opinion

explodierende Kosten *pl*
(com) runaway/skyrocketing... costs

Exportakkreditiv *n* (Fin) export letter of credit (*or* L/C)

Export Factoring *n* (Fin) export factoring

Exportfinanzierung *f* (Fin) export financing

Exportfinanzierungsinstrumente *npl* (Fin) export financing instruments

Exportförderungskredit *m* (Fin) export promotion credit

Exportgeschäft *n* **finanzieren** (Fin) to finance an export transaction

Exportkalkulation *f* (com) export cost accounting

Exportkommissionär *m* (com) export commission agent

Exportkonnossement *n* (com) outward bill of lading

Exportkredit *m* (Fin) export (trade) credit

Exportkreditversicherung *f* (Fin) = Ausfuhrkreditversicherung, qv

Exportkunde *m* (com) export customer

Exportleiter *m*
(com) head of export department
– export sales manager

Exportlizenz *f* (com) export license

Exportmakler *m* (com) export agent (*syn, Ausfuhragent*)

Exportmarketing *n* (com) export marketing
(*ie, konkurrierende Termini sind: internationales Marketing, Auslandsmarketing, foreign marketing, internationl business, international management, multinational management, Außenhandelsmarketing; Stufen sind:*
1. direkter/indirekter Export;
2. Lizenzvergabe/Franchising;

3. *Kontraktproduktion im Ausland;*
4. *Kontraktmarketing;*
5. *Joint Ventures;*
6. *Produktionsniederlassung)*

Exportmarkt *m* (com) export market

Exportmarktforschung *f* (com) export market research *(syn, Auslandsforschung)*

Exportmesse *f* (com) export exhibition *(or fair)*

Exportmöglichkeiten *fpl* (com) export opportunities

exportorientierte Wirtschaft *f* (com) export trade

Exportpraxis *f* (com) export practice

Exportpreis *m* (com) export price

Exportquote *f* *(com) export share (ie, of sales abroad to total sales)*

Exportrisiko *n* (com) export-related risk

Exportselbstbehalt *m* (Fin) exporter's retention *(ie, share of financing)*

Exporttratte *f* (Fin) export draft

Exportverpackung *f* (com) export packing

Exportvertreter *m* (com) export agent

Exportware *f* (com) exported articles

Exportwelle *f*
(com) export wave
– surge of export orders

Exportwerbung *f* (com) export advertising

Exportwirtschaft *f*
(com) export sector
– export business
– export trade

Exposé *n*
(com) memorandum
– report
(com) Exposé *(ie, meist in negativer Bedeutung gebraucht)*

Expreßgut *n* (com) express consignment

Expreßgutschein *m* (com) express parcels consignment note

externer Kapitalgeber *m* (Fin) outside lender

externes Berichtswesen *n* (com) external reporting

ex Ziehung (Bö) ex drawing

ex Zinsen (Bö) without interest

F

Fabrikat *n*
(com) product
– make
– brand

fabrikmäßig (com) industrial *(eg, production)*

Fabrikmusterlager *n* (com) permanent display of sample
(ie, by producer or in main marketing centers, representing entire production program)

fabrikneu
(com) brand-new
– straight from the factory
– virgin

Fabrikpreis *m*
(com) price ex works

Fabrik *f* **unter Zollverschluß**
(com) bonded factory

– bonded manufacturing warehouse

Fach *n*
(com) special . . . area/field
(com) subject

Fachausschuß *m*
(com) technical committee
– committee of experts
– professional committee

Fachberater *m* (com) technical/trade . . . consultant

Fachbereich *m*
(com) special field *(or line or domain)*

Fachbericht *m* (com) technical report

Fachblatt *n*
(com) technical journal
(com) trade journal
(com) professional journal

Facheinzelhandel *m* (com) specialized retail trade
Facheinzelhändler *m* (com) specialized retail dealer
Fachgebiet *n* (com) special field (*or* line *or* domain)
Fachgeschäft *n*
(com) specialty store
– single-line retail store
– (GB) specialist shop
Fachgespräch *n* (com) expert (*or* technical) discussion
Fachgremium *n* (com) expert body (*or* group)
Fachgroßhandel *m* (com) specialist wholesaling trade
Fachgroßhändler *m* (com) specialist wholesaler
Fachgruppe *f*
(com) special group
– working party
Fachgutachten *n* (com) expert opinion
Fachhändler *m* (com) specialized dealer
Fachkenntnisse *fpl* (com) specialized/technical. . . knowledge
(*ie, resulting from job training + job experience*)
Fachkompetenz *f* (com) technical competence
Fachkraft *f*
(com) skilled worker
– specialist
Fachkräfte *fpl*
(com) skilled labor (*or* personnel)
– specialized labor
– qualified operators (*or* personnel)
(com) specialist staff
Fachleute *pl*
(com) experts
– specialists
– persons knowledgeable in a specialized field
fachliche Eignung *f* (com) professional qualification
fachliche Qualifikation *f*
(com) professional/technical . . . qualification

fachliches Können *n*
(com) technical competence (*or* expertise)
fachliche Vorbildung *f* (com) professional background
Fachmann *m*
(com) expert
– specialist
– authority
(*eg, in the field*)
Fachmesse *f* (com) trade fair (*or* show)
Fachpresse *f* (com) trade press
Fachverband *m*
(com) trade association
(com) professional association
Fachverkäufer *m*
(com) trained salesclerk
– (GB) trained salesman
Fachwelt *f*
(com) profession
– experts
– trade
Fachzeitschrift *f*
(com) professional
– technical
– trade . . . journal
Factoring *n*
(Fin) factoring
– accounts receivable financing
(*ie, Finanzierungsgeschäft, bei der Factor (Finanzierungsinstitut)
1. die Forderungen e–s Klienten ankauft und sie bis zur Fälligkeit bevorschußt (= Finanzierungsfunktion);
2. das Risiko des Forderungsausfalls übernimmt (= Delkrederefunktion);
3. für e–n Klienten die Debitorenbuchhaltung und Mahnwesen führt und das Inkasso betreibt (= Dienstleistungsfunktion);
bei Übernahme aller drei Funktionen handelt es sich um ‚echtes' Factoring, bei Nichtübernahme der Delkrederefunktion um ‚unechtes Factoring'; vgl auch: offenes/notifiziertes und stilles /nichtnotifiziertes Factoring*)

137

Factoring-Gebühr *f*
(Fin) factor's commission
– factorage

Factoring-Institut *n*
(Fin) factor
– factoring company

Factoring *n* **mit Delkredereüber-
nahme** (Fin) full factoring

Factoring *n* **mit Kreditrisiko und For-
derungsverwaltung** (Fin) maturity
factoring

Factoring *n* **ohne Rückgriffsrecht**
(Fin) main-line factoring

Factoring-Vereinbarung *f* (Fin) factoring agreement

Factoringvertrag *m* (Fin) factoring
contract
*(ie, sale of accounts receivable of a
firm to a factor = ,Finanzierungsin-
stitut' at a discounted price)*

Fahrlässigkeit *f*
(com) want of proper care
(com) negligence

Fahrzeugbau *m* (com) vehicles construction
*(ie, umfaßt Schiffbau, Luft- und
Raumfahrzeugbau, Straßenfahr-
zeugbau)*

Fahrzeugpark *m*
(com) vehicle
– automobile
– haulage ... fleet
– (GB) motor pool *(syn, Fahr-
zeugflotte, Flotte)*

Fahrzeugwerte *mpl* (Bö) motor
shares

Faktura *f*
(com) invoice
– bill

Fakturawährung *f* (com) invoicing
currency

Fakturenabteilung *f*
(com) billing (*or* invoicing) department

Fakturenwert *m* (com) invoice value

fakturieren
(com) to invoice
– to bill
– to factor *(eg, crude oil in dollars)*

Fakturierung *f*
(com) billing
– invoicing

Fakultativklausel *f* (Fin) optional
clause
*(ie, „oder anderes Konto des Emp-
fängers" = „or creditable to
another account of beneficiary")*

Fall *m* **bearbeiten** (com) to handle a
case

fallen
(com) to fall *(eg, prices, interest
rates)*
– to decline
– to decrease
– to dip
– to drop
– to fall off
– to go down
– to sag
– to lower
(syn, sinken, zurückgehen)

fallende Annuität *f* (Fin) decreasing
annuity

fallende Preise *mpl* (com) dropping
(*or* falling) prices

fallende Tendenz *f* (com) downward
tendency

Fall *m* **erledigen**
(com) to settle a case

fällige Forderung *f* (Fin) debt due

fälliger Betrag *m* (Fin) amount due
for payment

fälliger Wechsel *m* (WeR) payable
bill of exchange

fällige Verbindlichkeit *f*
(Fin) matured liability

fällige Zahlungen *fpl* **leisten** (Fin) to
meet payments when due

Fälligkeiten *fpl* (Fin) maturities *(syn,
Fristigkeiten)*

Fälligkeitsdatum *n* (Fin) = Fälligkeitstag

Fälligkeitsfactoring *n* (Fin) maturity
factoring
*(ie, Merkmale: Gutschrift der For-
derung nach Einzug – od bei Un-
beibringlichkeit – e–e gewisse Zeit
nach Fälligkeit aufgrund der Haftungszusage)*

138

Fälligkeitsgrundlage *f* (Fin) maturity basis *(ie, difference between future and spot prices)*

Fälligkeitshypothek *f* (Fin) fixed-term mortgage
(ie, Rückzahlung des Darlehens in e–m festen Betrag; syn, Kündigungshypothek; cf, Verkehrshypothek)

Fälligkeitsjahr *n* (Fin) year of maturity

Fälligkeitsklausel *f* (Fin) accelerating clause

Fälligkeitsliste *f* (Fin) maturity tickler

Fälligkeitsstaffelung *f* (Fin) spacing of maturities

Fälligkeitsstruktur *f* (Fin) maturity structure

Fälligkeitstabelle *f* (Fin) aging schedule

Fälligkeitstag *m*
(Fin) accrual date
(ie, for recurrent payments, such as interest, annuities)
(Fin) date of maturity
– maturity date
– due date
– date of payment
– date of . . . expiration/expiry

Fälligkeitstermin *m*
(Fin) = Fälligkeitstag

Fälligkeitswert *m* (Fin) maturity value *(eg, of a bond)*

Fälligkeitszeitpunkt *m* (Fin) = Fälligkeitstag

Fälligkeitszinsen *mpl* (Fin) interest after due date, § 353 HGB

Fälligkeit *f* **vorverlegen** (Fin) to accelerate the due date *(or maturity)*

Fälligkeit *f*
(com) maturity
– due date
(ie, the date at which an obligation becomes due)

fällig werden
(Fin) to become due
– to fall due
– to mature

fällig
(Fin) due

– payable
– due and payable
– matured

falls unzustellbar, zurück an (com) if undelivered return to

fälschen
(com) to counterfeit
– to fake
– to falsify
– (GB) to forge
(eg, bank notes, documents, receipts)

Falschgeld *n*
(Fin) counterfeit
– fake
– (GB) forged . . . money
– (sl) boodle

falsch informieren (com) to misinform

Falschmünzen *fpl* (Fin) base *(or* counterfeit) coin

Falschmünzerei *f* (Fin) forging of false currency

Falschmünzer *m* (Fin) counterfeiter

Fälschung *f*
(com) falsification
(com, Re) counterfeit
– fake

Falsifikat *n*
(com) counterfeit
– fake

Faltschachtel *f* (com) folding box

Familienaktiengesellschaft *f* (com) family-owned . . . company/corporation
(ie, die Mehrheit der stimmberechtigten Aktien befinden sich in e–r Familie; the majority of voting shares are held by a family)

Familienaktionär *m* (com) family shareholder

Familiengesellschaft *f*
(com) family partnership
(com) family-owned . . . company/corporation
(ie, Mitglieder sind ganz od vorwiegend durch verwandtschaftliche od Ehebeziehungen verbunden; gelegentlich bei der AG, häufig bei der GmbH und verbreitet bei der

Personenhandelsgesellschaft anzu-treffen)

Familienunternehmen *n*
(com) family-owned business (*or* concern)
(com) family partnership
(com) family-owned corporation

Farbklauseln *fpl* (Fin) color clauses (*ie, Red Clause, Green Clause; cf, Akkreditivbevorschussung*)

Farbstoffindustrie *f* (com) dyestuffs industry

Fassung *f*
(com) version
– wording
– form (*eg, in der vorliegenden Fassung = in its present form*)

Faustpfandkredit *m* (Fin) loan secured by pledge (*or* movable property) (*eg, merchandise, securities*)

Fautfracht *f* (com) dead freight, § 580 HGB (*ie, payable by a charterer for such part of the carrying capacity of a ship as he does not in fact use; it is damages for loss of freight; syn, Leerfracht, Fehlfracht*)

Favoriten *mpl* (Bö) favorites

faxen (com, infml) to fax

Fazilität *f*
(Fin) credit facility
– facility

Fed *f* (Fin, US) = Federal Reserve System

Federal Reserve Bank *f* (Fin, US) Federal Reserve Bank (*ie, e–e der 12 regionalen Banken des Federal Reserve System: Boston, New York, Philadelphia, Cleveland, Richmond, Atlanta, Chicago, St. Louis, Minneapolis, Kansas City, Dallas, San Francisco*)

Federal Reserve System *n* (Fin, US) Federal Reserve System (*ie, Zentralbanksystem der USA; includes 12 Federal Reserve Banks and their 25 branches, 37 automated clearinghouses, 46 regional check processing centers, national banks and many others*)

federführende Börse *f* (Bö) leading stock exchange (*ie, on the occasion of a stock or loan issue*)

federführende Firma *f* (com) leading member (*eg, of a group*)

federführende Konsortialbank *f*
(Fin) leading bank
– lead manager

federführender Ausschuß *m* (com) responsible committee

federführendes Konsortialmitglied *n*
(Fin) leader
– manager

federführend sein (com) to lead manage

federführend
(Fin) leading
– taking the lead

Federführung *f*
(com) central handling
– lead management

Fehlanzeige *f* (com) nil return

Fehlbestand *m*
(com) deficiency

Fehlbetrag *m*
(com) deficit
– deficiency
– short
– shortfall
– wantage

Fehler *m*
(com) mistake
(com) error

fehlerhafte Lieferung *f* (com) defective delivery

fehlerhaftes Produkt *n*
(com) defective product
– product in defective condition

fehlerhafte Übergabe *f* (Bö) bad delivery (*ie, of securities*)

Fehlfracht *f* (com) = Fautfracht

Fehlinvestition *f*
(com) bad investment
(Fin) unprofitable investment
(Fin) misdirected capital spending

Feingehalt *m*
(Fin) fineness
– percentage of purity
(*eg, designating the purity of gold or silver in carat or lot*)

Feldgeldkonto *n* (Fin) time account
fernbleiben von
  (com) to stay away from *(eg, a meeting)*
  – to absent oneself from
ferne Sichten *pl* (Bö) distant deliveries
Fernfrachtverkehr *m* (com) long-haul freight traffic
Ferngasgesellschaft *f*
  (com) gas transmission company
  – (US) pipeline company *(ie, in der überregionalen Erdgaswirtschaft hat die Ruhrgas AG zentrale Bedeutung für Import und Verteilung)*
Ferngespräch *n*
  (com) long distance call
  – (GB) trunk call
Ferngiroverkehr *m* (Fin) distant giro transfers
fernhalten (com) to keep out and down *(eg, rivals from the market)*
Fernkauf *m* (com) contract of sale where seller agrees to ship the goods to buyer's destination at the latter's risk, § 447 BGB
Fernmeldegebühren *fpl* (com) telephone charges
Fernscheck *m* (Fin) out-of-town check
Fernsprechanschluß *m* (com) telephone connection
Fernsprechauftragsdienst *m* (com) answering service
Fernsprechbuch *n*
  (com) telephone directory
  – (infml) phone book
Fernsprechgebühren *fpl* (com) telephone charges
Fernsprechkonferenz *f* (com) audioconference
Fernsprechleitung *f* (com) telephone line
Fernsprechteilnehmer *m* (com) telephone subscriber
Fernsprechverkehr *m* (com) telephone communications
Fernüberweisungsverfahren *n* (Fin) intercity transfer procedure

Fernüberweisung *f* (Fin) out-of-town credit transfer
Fernverkehr *m* (com) long-distance haulage *(or transport)*
Fernwirken *n*
  (com) telemetry *(cf, Temex der Deutschen Bundespost)*
Fernzahlungsverkehr *m* (Fin) intercity payments
fertigen
  (com) to produce
  – to manufacture
  – to make
Fertigerzeugnis *n* (com) finished product
Fertigprodukt *n* (com) finished product
Fertigstellung *f* (com) completion
Fertigstellungstermin *m*
  (com) finish date
  – completion time
Fertigwaren *fpl* (com) finished goods *(or products)*
Festanlage *f*
  (Fin) funds deposited for a fixed period
Festauftrag *m* (com) firm order
feste Annuität *f* (Fin) fixed-amount annuity
feste Belastung *f* (Fin) fixed charge
feste Bestellung *f* (com) firm order
feste Börse *f*
  (Bö) up market
  – strong market *(ie, when there is a price advance)*
feste Gelder *npl*
  (Fin) fixed bank deposits *(ie, for at least one month)*
  (Fin) longer-term funds traded in the money market for fixed periods *(eg, three months)*
feste Grundstimmung *f* (Bö) firm undertone
feste Kurse *mpl* (Bö) firm prices
feste Laufzeit *f* (Fin) fixed period to maturity
feste Laufzeiten *fpl* (Fin) fixed maturities
fester Kostenvoranschlag *m* (com) firm estimate

fester Kundenkreis *m* (com) established clientele

fester Kurs *m* (Bö) firm price

fester Markt *m* (Bö) firm (*or* steady) market

fester Schluß *m* (Bö) firm closing

festes Angebot *n* (com) firm (*or* binding) offer

festes Einkommen *n*
(com) regular income
(com) fixed income

festes Gebot *n* (com) firm (*or* fixed) offer

feste Tendenz *f* (Bö) firm tendency

feste Übernahme *f* (Fin) firm commitment underwriting
(*ie, of a bond issue by an issuing bank*)

Festgebot *n* (com) firm offer

Festgeld *n*
(Fin) fixed-term deposits (*opp, Tagesgeld*)

Festgeldanlage *f* (Fin) fixed-term deposit investment

Festgeldkonto *n*
(Fin) term account
– time (deposit) account

Festgeldzinsen *mpl* (Fin) interest on fixed-term deposits
– fixed period rates

Festgeschäft *n* (com, Bö) firm bargain (*or* deal)

Festjahre *npl* (Fin) call-free years

Festkauf *m* (com) firm purchase

fest kaufen (com) to buy firm

Festkonditionen *fpl* (Fin) fixed lending rates

Festkonto *n* (Fin) fixed-date time account

Festkredit *m* (Fin) fixed-rate loan

Festkurs *m* (Bö) fixed quotation

Festkurssystem *n* (Fin) fixed-exchange-rate system

Festlaufzeit *f* (Fin) fixed term (*ie, of a loan*)

festlegen
(Fin) to lock up (*eg, capital*)
(Fin) to lock away
(*eg, shares for two years in a share ownership scheme*)

Festlegungsfrist *f* (Fin) fixed period of investment

Festlegung *f* **von Kapital** (Fin) locking-up of capital

Festnotierung *f* (Bö) fixed quotation

Festpreis *m*
(com) firm price

Festpreisauftrag *m* (com) fixed price order

Festsatzkredit *m* (Fin) fixed rate credit (*ie, unter anderem die traditionelle Form des Eurokredits, bei dem kurze Laufzeiten vorherrschen*)

festschreiben (Fin) to lock in
(*ie, in futures trading; eg, lock in today's prices for long-term government bonds*)

festsetzen
(com) to determine
– to fix

Festsetzung *f* **des Goldpreises** (Bö) gold fixing

feststellen
(com) sagen = to state
– herausfinden = to find out
– bemerken = to notice
– festsetzen = to determine

Feststellen *n* **der Kreditwürdigkeit** (Fin) credit investigation

Feststellung *f* **des amtlichen Kurses** (Bö) fixing of official quotation

Festübernahme *f* (Fin) firm underwriting (*ie, of a loan issue*)

Festverkauf *m* (com) fixed sale

festverzinslich (Fin) fixed-interest bearing

festverzinsliche Anlagepapiere *npl* (Fin) investment bonds

festverzinsliche Anleihe *f* (Fin) fixed-interest loan

festverzinsliche Dollaranleihe *f* (Fin) dollar straight

festverzinsliche Kapitalanlage *f* (Fin) fixed-interest investment

Festverzinsliche *pl* (Fin) fixed-interest bearing securities

festverzinsliche Schuldverschreibung *f* (Fin) fixed-interest bearing bond

festverzinsliches Wertpapier *n* (Fin) fixed-interest (bearing) security

festverzinsliche Werte *mpl* (Fin) fixed-interest-bearing securities

Festzinsanleihe *f* (Fin) straight bond *(ie, nonconvertible Eurobond issues with fixed interest rates and fixed maturities; syn, Anleihe ohne Wandelrecht)*

Festzinshypothek *f* (Fin) fixed-rate mortgage

Festzinskredit *m* (Fin) fixed-interest loan

Festzinssatz *m* (Fin) fixed interest rate

fette Jahre *npl* (com, infml) fat *(or* locust*)* years *(opp, magere Jahre = lean years)*

Feuerwehrfonds *m* (Fin) fire-fighting fund *(ie, as a measure of safety to bank customers' accounts; today ‚Einlagensicherungsfonds')*

Fibor *m* (Fin) Frankfurt interbank offered rate, Fibor *(ie, Referenzzinssatz am deutschen Geldmarkt für die Laufzeiten von 3 und 6 Monaten, in Anlehnung an Libor; introduced in August 1985; wird an der Frankfurter Börse publiziert; ermöglicht Floating Rate-Anleihen in DM)*

fiktive Dividende *f* (Fin) sham dividend

Filialbank *f*
(Fin) branch bank
(Fin) multiple-branch bank

Filialbanksystem *n*
(Fin) branch-banking system
– multiple-branch banking

Filialbetrieb *m*
(com) company *(or* firm*)* having branches
(com) branch operation *(ie, under central management)*

Filiale *f*
(com) branch
(com) branch/field ... office
(com) branch operation *(ie, may be an independent retail outlet, a field store from which customers*

are supplied = *Auslieferungslager, etc.)*

Filialleiter *m*
(com) branch manager

Filialnetz *n* (com) network of branches

Filialunternehmen *n* (com) = Filialbetrieb

Filialwechsel *m* (Fin) house bill

Finanz *f*
(Fin) (management of) finance
(Fin, infml) financial community

Finanzabteilung *f* (Fin) financial department

Finanzakzept *n* (Fin) accepted finance bill *(ie, with no underlying sale of goods)*

Finanzanalyse *f* (Fin) financial analysis

Finanzanalyst *m* (Fin) financial analyst

Finanzanlageinvestition *f*
(Fin) investment in financial assets
– (GB) trade investment

Finanzanlagen *fpl*
(Fin) financial investments
– long-term investments
– (GB) non-trading assets

Finanzanlagenzugänge *mpl* (Fin) addition to capital investments

Finanzanlagevermögen *n* (Fin) = Finanzanlagen

Finanzausgleich *m* **zwischen Händlern** (com) pass-over system

Finanzausschuß *m*
(Fin) committee on finance
– finance committee
– financial policy committee

Finanzbedarf *m* (Fin) financial requirements *(or* needs*)*

Finanzbedarfsanalyse *f* (Fin) financial requirements analysis

Finanzbedarfsplanung *f* (Fin) planning of financial requirements

Finanzbedarfsrechnung *f* (Fin) financial requirements analysis

Finanzberater *m* (Fin) financial consultant *(or* adviser*)*

Finanzberatung *f* (Fin) financial counseling

143

Finanzbericht *m* (Fin) financial report

Finanzbeteiligung *f* (Fin) financial participation

Finanzbrief *m* (Fin) financial letter

Finanzbudget *n* (Fin) capital (*or* financial) budget

Finanzdecke *f* (Fin) available operating funds

Finanzdienstleistungen *fpl* (Fin) financial services
(ie, umfassender als der Begriff ,Bankdienstleistungen')

Finanzdirektor *m* (Fin) = Finanzleiter

Finanzdisposition *f*
(Fin, FiW) management of financial investments *(ie, seeking to optimize the asset mix)*
(Fin) implementation of a company's financial policy

Finanzen *pl*
(Fin) matters of finance
– finances

Finanzentscheidung *f* (Fin) financial decision

Finanzexperte *m* (Fin) expert in financial management

Finanzfachleute *pl* (Fin) finance specialists (*or* men)

Finanzflußelemente *npl* (Fin) cash flow elements

Finanzflußrechnung *f*
(Fin) funds statement
– financial flow statement
– cash flow statement

Finanzfranc *m*
(Fin) free franc, BEL *(opp, commercial franc)*

Finanzfreihäfen *mpl* (Fin, US) International Banking Facilities, IBFs

Finanzgebaren *n*
(Fin, FiW) practice of financial management
– management (*or* practice) of finances

Finanzgenie *n* (Fin, infml) financial wizard

Finanzgeschäfte *npl* (Fin) financial business (*or* operations)

Finanzgeschäft *n* (Fin) financial (*or* money) transaction

Finanzgewaltiger *m* (Fin, infml) financial tycoon

Finanzgruppe *f*
(Fin) financial services group
– financial (*or* financiers') group

Finanzhedging *n* (Fin) financial hedging

Finanzhilfe *f*
(Fin) financial aid (*or* assistance *or* support)

Finanzholding *f* (Fin) financial holding (company)

finanziell angeschlagen (Fin) financially-stricken *(eg, electrical group)*

finanzielle Aktiva *npl* (Fin) financial assets *(eg, money, receivables, property rights)*

finanzielle Angelegenheiten *fpl* (Fin) financial affairs (*or* matters)

finanzielle Ausstattung *f* (Fin) funding

finanzielle Belastung *f* (Fin) financial burden

finanzielle Beteiligung *f* (Fin) financial interest (*or* participation)

finanzielle Eingliederung *f* (Fin) financial integration

finanzielle Entschädigung *f* (Fin) pecuniary compensation

finanzielle Führung *f* (Fin) financial management

finanzielle Hilfe *f* (Fin) financial aid (*or* assistance)

finanzielle Konsolidierung *f* (Fin) financial restructuring

finanzielle Lage *f* (Fin) financial position (*or* condition)

finanzielle Leistungsfähigkeit *f* (Fin) financial strength (*or* power)

finanzielle Mittel *pl*
(Fin) funds
– financial resources
– finance

finanzielle Mittler *mpl* (Fin) financial intermediaries

finanzielle Notlage *f* (Fin) financial emergency

finanziellen Verpflichtungen *fpl* **nach-**

kommen (Fin) to fulfill (one's) financial obligations

finanzieller Beitrag *m* (Fin) financial contribution

finanzieller Engpaß *m* (Fin) financial straits (*or* plight *or* squeeze)

finanzielle Rettungsaktion *f* (Fin) financial rescue deal (*or* package)

finanzieller Status *m* (Fin) financial condition (*or* position)

finanzieller Vorteil *m* (Fin) financial advantage (*or* benefit)

finanzieller Zusammenbruch *m* (Fin) financial collapse (*or* failure)

finanzielle Schwierigkeiten *fpl*
(Fin) financial difficulties (*or* trouble)
– (infml) troubled waters

finanzielles Ergebnis *n* (Fin) financial result

finanzielles Gleichgewicht *n* (Fin) financial equilibrium

finanzielles Polster *n* (Fin) financial cushion

finanzielle Unterstützung *f* (Fin) financial aid (*or* assistance *or* backing *or* support)

finanzielle Verflechtung *f* (Fin) financial interpenetration

finanzielle Vermögenswerte *mpl* (Fin) financial assets

finanzielle Verpflichtung *f* (Fin) financial commitment (*or* obligation)

finanziell schwach
(Fin) cash strapped
– financially weak

finanziell unterstützen (Fin) to back financially

finanziell verpflichtet (Fin) financially obligated (to)

finanzieren
(com) to finance (*ie, to buy or sell on credit; eg, automobile*)
(Fin) to finance
– to fund
– to provide (*or* raise) funds (*or* capital *or* money)

Finanzierung *f*
(Fin) financing (*ie, act, process, instance of raising or providing funds*)
– provision of finance
– funding
(Fin) finance (*ie, capital, funds*)
(Fin) lending (*ie, extension of credits*)

Finanzierung *f* **aus Abschreibung** (Fin) replacement financing through accumulated depreciation

Finanzierung *f* **außerhalb der Bilanz** (Fin) off-book financing

Finanzierung *f* **durch Aktienemission** (Fin) stock financing

Finanzierung *f* **durch Fremdmittel** (Fin) financing with outside funds

Finanzierung *f* **durch Verkauf offener Buchforderungen** (Fin) accounts receivable financing

Finanzierung *f* **e-s Projektes** (Fin) funding of a project

Finanzierungsabschnitt *m* (Fin) phase of financing

Finanzierungsarten *fpl* (Fin) types of financing

Finanzierungsaufwand *m* (Fin) finance charges (*or* expenditure)

Finanzierungsbasis *f* (Fin) = Finanzierungsgrundlage

Finanzierungsbedarf *m*
(Fin) financing requirements
(Fin) borrowing requirements

Finanzierungsdarlehen *n* (Fin) loan for financing purposes

Finanzierungsdienst *m* (Fin) financing service

Finanzierungsentscheidung *f* (Fin) financial decision

finanzierungsfähig (Fin) eligible for financing

Finanzierungsform *f* (Fin) method of financing

Finanzierungsfunktion *f* (Fin) finance function

Finanzierungsgebühren *fpl* (Fin) financing charges

Finanzierungsgeschäft *n*
(Fin) financing transaction
(Fin) financing business (*eg, selling securities issues*)

Finanzierungsgesellschaft *f*
(Fin) finance (*or* financing) company
(Fin) = Kapitalbeteiligungsgesellschaft, qv

Finanzierungsgleichgewicht *n* (Fin)
balance of financing

Finanzierungsgrundlage *f*
(Fin) financial base
– basis for granting credit (*or* loans)

Finanzierungsgrundsätze *mpl* (Fin)
rules of financing

Finanzierungshandbuch *n* (Fin)
financing manual

Finanzierungshilfe *f* (Fin) financing aid

Finanzierung *f* **sichern** (Fin) to procure adequate financing

Finanzierungsinstitut *n* (Fin) financial institution

Finanzierungsinstrument *n* (Fin)
financing instrument (*or* vehicle)

Finanzierungskennzahlen *fpl* (Fin)
financing ratios
(ie, dienen der Beurteilung der Finanzstruktur der Unternehmung)

Finanzierungskonsortium *n* (Fin) financial (*or* financing) syndicate

Finanzierungskontrolle *f*
(Fin) internal financial control
– cash control

Finanzierungskosten *pl*
(Fin) cost of finance
– finance charges
– financial . . . charges/expense
– funding cost

Finanzierungskredit *m* (Fin) financing credit

Finanzierungslast *f* (Fin) financing burden

Finanzierungs-Leasing *n* (Fin) finance leasing *(ie, Finanzierungsgeschäft e–s Ratenkaufs unter Eigentumsvorbehalt)*

Finanzierungslücke *f*
(Fin) financing gap *(ie, in corporate finance)*

Finanzierungsmakler *m* (Fin) credit broker

Finanzierungsmethode *f* (Fin)
method of financing

Finanzierungsmittelmarkt *m*
(Fin) finance market
– fund raising market
(eg, money and capital markets, stock exchange)

Finanzierungsmittel *pl*
(Fin) funds
– finance

Finanzierungsmodalitäten *fpl* (Fin)
financing terms

Finanzierungsmodalität *f* (Fin)
financing terms

Finanzierungsmöglichkeit *f* (Fin)
source of finance

Finanzierungspaket *n* (Fin) financial package

Finanzierungspapiere *npl* (Fin)
financing paper
(ie, Geldmarktpapiere, die von öffentlichen Haushalten zur Überbrückung von Kassendefiziten ausgegeben werden: Schatzwechsel und U-Schätze)

Finanzierungsplan *m* (Fin) financing plan (*or* scheme)

Finanzierungspolitik *f* (Fin) financial policy

Finanzierungspotential *n* (Fin) available capital and credit sources

Finanzierungspraxis *f* (Fin) practice of finance

Finanzierungsquelle *f*
(Fin) financing source
– source of finance

Finanzierungsregeln *fpl* (Fin) rules for structuring debt capital

Finanzierungsreserve *f* (Fin) financial reserve *(ie, lump-sum amount added to cash requirements as a safety margin)*

Finanzierungsrisiko *n* (Fin) financing risk *(ie, entsteht aus Fristeninkongruenz sowie bei Großprojekten und Auslandsgeschäften)*

Finanzierungsschätze *pl* (Fin) financing Treasury bonds
(ie, nicht börsennotierte Finanzierungspapiere mit festen Lauf-

zeiten von 1 od 2 Jahren; Verzinsung durch Zinsabzug vom Nominal- od Einlösungswert)

Finanzierungsspielraum *m* (Fin) financial margin

Finanzierungstätigkeit *f* (Fin) financing activity

Finanzierungstechnik *f* (Fin) financial engineering
(ie, maßgeschneidertes Lösen von Finanzierungsproblemen)

Finanzierungstheorie *f* (Fin) theory of managerial finance

Finanzierungsträger *m* (Fin) financing institution

Finanzierungsüberschüsse *mpl* **anlegen** (Fin) to invest cash temporarily *(eg, in interest-bearing securities)*

Finanzierungsüberschuß *m* (Fin) surplus cash

Finanzierungsunterlagen *fpl* (Fin) documents to be submitted for financing

Finanzierungsvertrag *m* (Fin) financing agreement

Finanzierungswechsel *mpl* (Fin) finance acceptances and notes

Finanzierungsziele *npl* (Fin) objectives of financial decisions

Finanzierungszusage *f* (Fin) promise to finance
– financial commitment
– commitment to provide finance

Finanzierungszusageprovision *f* (Fin) finance commitment commission

Finanzimperium *n* (Fin) financial empire

Finanzinnovation *f* (Fin) financial innovation
(ie, Sammelbegriff für neue Teilmärkte und Geschäftsformen an den Finanzmärkten; kennzeichnend ist vor allem der Tatbestand der ‚securitization' = Verdrängung traditioneller Bankkredite durch neuartige, verbriefte und damit handelbare Forderungen (Wertpapiere) an den internationalen Finanzmärkten

Finanzinstitut *n* (Fin) financial institution

Finanzintermediär *m* (Fin) financial intermediary
(ie, vermittelt auf organisierten Kapitalmärkten zwischen Kapitalnachfrage und -angebot; vor allem an Wertpapierbörsen)

Finanzintermediation *f* (Fin) financial intermediation *(cf, financial intermediation)*

Finanzinvestition *f* (Fin) financial investment
(ie, loans, securities, participations)

Finanzjahr *n* (Fin) financial (*or* fiscal) year

Finanzklemme *f* (Fin) financial squeeze

Finanzkonzern *m* (Fin) financial group (of companies)

Finanzkraft *f*
(Fin) financial strength (*or* power)
(Fin, infml) financial clout

finanzkräftig (Fin) financially strong *(eg, company)*

Finanzkredit *m*
(Fin) finance loan
– financing credit
(ie, Form der Fremdfinanzierung, qv)

Finanzkrise *f* (Fin) financial crisis

Finanzkurs *m*
(Fin) financial rate *(ie, Kursart im Devisenhandel)*

Finanzlage *f* (Fin) financial ... position/condition

Finanzleiter *m*
(Fin) (corporate) financial manager
– treasurer
– (US *usu*.) vice president finance
(ie, placed at the second level of the management structure)

Finanzmagnat *m* (Fin) financial tycoon

Finanzmakler *m* (Fin) finance broker
(ie, making available medium- and long-term credits, participations, and enterprises as a whole)

Finanzmanagement *n* (Fin) financial management *(ie, institutional and functional)*
Finanzmann *m* (Fin) financier
Finanzmarkt *m* (Fin) financial market
Finanzmathematik *f* (Fin) mathematics of . . . finance/investment
finanzmathematische Methoden *fpl* **der Investitionsrechnung**
(Fin) discounted cash flow methods
 – time-adjusted methods
(ie, of preinvestment analysis; syn, dynamische Methoden)
Finanzmittelbindung *f*
(Fin) absorption of funds
 – tie-up of funds
Finanzmittel *pl*
(Fin) financial resources
 – funds
Finanzmittler *m* (Fin) financial intermediary
Finanzorganisation *f*
(Fin) administrative organization for financial decisions
 – administrative arrangement for financial matters
Finanzperiode *f* (Fin) budgetary period
Finanzplan *m* (Fin) financial plan *(or budget)*
Finanzplanung *f*
(Fin) budgetary planning
 – financial . . . forecasting/planning
Finanzplanungsmodell *n* (Fin) financial forecasting model
(ie, Planungsmodell des Operations Research; Ziel: bestmögliche Abstimmung von Beschaffung und Verwendung von Finanzmitteln; meist vom Typ der linearen bzw. ganzzahligen Optimierung, qv)
Finanzplatz *m* (Fin) financial center
Finanzpolster *n* (Fin) financial cushion
Finanz-Rand *m* (Fin) financial rand
Finanzriese *m* (Fin, infml) financial juggernaut

Finanzsachverständiger *m* (Fin) financial expert
finanzschwach (Fin) financially weak
Finanzschwierigkeiten *fpl* (Fin) = finanzielle Schwierigkeiten
Finanzspritze *f*
(Fin) cash infusion *(or injection)*
 – injection of fresh funds
 – (infml) fiscal hypo
 – (infml) fiscal shot in the arm
finanzstark (Fin) financially strong
Finanzstatistik *f* (Fin) financial statistics
Finanzstatus *m* (Fin) statement of financial position
Finanzstruktur *f*
(Fin) financial structure
 – pattern of finance
 – financing mix
Finanzsupermarkt *m* (Fin) financial supermarket *(ie, one-stop financial shop; eg, Sears Roebuck, Dean Wetter, etc)*
Finanzterminbörse *f* (Bö) financial futures market *(eg, in Chicago and London)*
Finanztermingeschäfte *npl* (Fin) financial futures
(ie, comprising futures contracts in interest rates and exchange rates; eg, dealing facilities exist notably in Chicago, and, since Sept 1982 in London: LIFFE: London International Financial Futures Exchange)
Finanzterminkontrakte *mpl*
(Fin) financial futures contract
 – futures contract on financial instruments
Finanztitel *mpl* (Fin) financial securities
Finanztransaktion *f* (Fin) financial operation *(or transaction)*
Finanzüberschußanalyse *f* (Fin) cash flow analysis
Finanzüberschuß *m*
(Fin) cash flow
Finanzverflechtung *f*
(Fin) unilateral or reciprocal equity participation
(ie, of two or more companies)

Finanzverhältnisse *npl* (Fin) financial conditions

Finanzvermögen *n* (Fin) financial assets

Finanzvorschau *f* (Fin) financial forecast

Finanzvorstand *m*
(Fin) (corporate) financial manager
– financial executive
– (US) vice president finance
– corporate treasurer

Finanzwechsel *m* (Fin) finance (*or* financial) bill

Finanzwelt *f* (Fin) financial community

Finanzwesen *n* (Fin) finance *(ie, management or use of funds)*

Finanzwirtschaft *f*
(Fin) corporate/business/managerial ... finance

finanzwirtschaftlich
(Fin) financial

finanzwirtschaftliche Bewegungsbilanz *f*
(Fin) source and application of funds statement
– funds statement *(syn, Kapitalflußrechnung)*

finanzwirtschaftliche Entscheidung *f*
(Fin) financial decision

finanzwirtschaftliche Modellbildung *f*
(Fin) financial modeling

Finanzzeitung *f*
(Fin) financial paper

Finanzzentrum *n* (Fin) financial center

Firma *f*
(com) firm
– business enterprise (*or* undertaking)
(ie, any economic unit of whatever type and size)
(com) firm/business ... name
(ie, the name under which a single trader carries on business and signs documents, § 17 HGB)

Firma *f* **gründen**
(com) to set up
– to organize

– to create
– to found ... a business

Firmenbezeichnung *f* (com) firm name

Firmenfortführung *f* (com) continued existence of a firm

Firmengründung *f* (com) establishment of a business undertaking

Firmengruppe *f*
(com) group of firms (*or* companies)
– company group

Firmeninhaber *m* (com) proprietor of a firm (*or* business)

Firmenkauf *m* (com) acquisition of a firm

Firmenkredit *m* (Fin) corporate loan

Firmenkreditgeschäft *n* (Fin) corporate lending business

Firmenkunde *m*
(Fin) wholesale (*or* corporate) client
– corporate account

Firmenkundengeschäft *n*
(Fin) wholesale (*or* corporate) banking
(opp, Privatkundengeschäft = retail banking)

Firmenkundschaft *f* (com) business/commercial ... customers *(opp, Privatkundschaft)*

Firmenname *m*
(com) business
– commercial
– corporate
– firm
– trade ... name
(com) legal name *(ie, one that is considered sufficient in all legal matters; name under which business is carried on)*

Firmenpleiten *fpl* (com) business failures

Firmensitz *m*
(com) registered office
– domicile of a firm (*or* company)
– headquarters

Firmensprecher *m* (com) company spokesman
(syn, Unternehmenssprecher)

Firmenverband *m* (com) group of companies

Firmenvertreter *m* (com) firm's representative

Firmenwertabschreibung *f* (Fin) goodwill amortization
(ie, method of determining the value of an enterprise as a whole)

Firmenzeichen *n* (com) firm's distinctive symbol

firmieren
(com) to carry on business under the firm of . . .
– to trade under the firm of . . .

fixe Kosten *pl*
(com) inflexible expenses
(com) fixed cost

fixen
(Bö) to bear the market
– to sell a bear
– to sell short
(ie, sell a security one does not own with the intention of buying it later at a lower price to cover the sale; syn, leer verkaufen)

Fixer *m* (Bö) bear/short . . . seller
(syn, Leerverkäufer)

Fixgeschäft *n*
(com) firm deal *(or bargain)*
(com) fixed-date purchase
(Bö) short sale *(syn, Leerverkauf, qv)*
(Bö) time bargain

Fixing *n* (Fin) fixing *(ie, amtliche Festsetzung e–s Börsenkurses, meist für Gold od Devisen)*

FK (Fin) = Fremdkapital

Flaute *f*
(com) dullness
– (infml) doldrums *(eg, in the doldrums)*
(Bö) slackness
– sluggishness

flexible Investmentgesellschaft *f* (Fin) management company

Fließtext *m*
(com) continuous/running . . . text

Float *m* (Fin) float
(ie, Transaktionszeit innerhalb des Bankenapparats)

Floatgewinn *m*
(Fin) profit from different value dates

flottant (Fin) non-permanent *(ie, security holdings)*

Flucht *f* **aus dem Dollar** (Fin) flight from the dollar

Flucht *f* **aus der DM** (Fin) flight of funds out of the Deutschemark

Fluchtgelder *npl* (Fin) = Fluchtkapital

Flucht *f* **in Gold od Edelmetalle** (Fin) flight *(eg, from a paper currency)* to gold and precious metals

Fluchtkapital *n* (Fin) flight *(or runaway)* capital

Flugdienst *m* (com) air service

Fluggesellschaft *f*
(com) airline
– (air) carrier

Flughafen *m*
(com) airport
– (US) airdrome *(ie, used by commercial and military aircraft)*

Flughafenhotel *n*
(com) airport hotel
– (infml) airtel

Flugpreise *mpl* (com) air fares

flugtauglich
(com) airworthy
– in good operating condition and safe for flying

Flugzeug *n*
(com) aircraft *(ie, any type, with or without an engine)*
– airplane *(ie, with at least one engine)*
– (GB) aeroplane

Flugzeugflotte *f* (com) aircraft fleet

Fluktuation *f*
(Fin) flow of funds *(ie, between markets)*

fluktuieren
(Fin) to float
– to flow

flüssige Mittel *pl*
(Fin) cash resources
– current funds
– liquid funds
(ie, Schecks, Kassenbestand, Bun-

desbank- und Postgiroguthaben,
Guthaben bei Kreditinstituten)

Flüssigkeit *f* **des Geldmarktes** (Fin)
ease in the money market

flüssig machen (Fin) to mobilize *(eg,*
several million DM)

Flußdiagramm *n*
(com) flowchart
– flow diagram

Flußfrachtgeschäft *n*
(com) inland waterway transportation business

Flußfrachtsendung *f* (com) consignment carried by inland waterway

Flußkonnossement *n*
(WeR) shipping note, §§ 444–450
HGB
– inland waterway bill of lading

Folgeauftrag *m* (com) follow-up
order

Folgeausgaben *fpl* (Fin) follow-up *(or*
subsequent) expenditure

Folgekosten *pl*
(com) follow-up costs

folgenreich (com) consequential *(eg,*
decision)

Folgen *fpl* **tragen** (com) to answer for
the consequences

Fonds *m*
(com) fund
(Fin) earmarked reserve fund
(Fin) = investment fund
(Fin) = real property fund

Fondsanlage *f* (Fin) fund investment

Fondsanteil *m*
(Fin) share
– (GB) unit

Fondsanteilseigner *m*
(Fin) shareholder
– (GB) unitholder

Fondsbeitrag *m* (Fin) contribution to
fund

Fondsbörse *f*
(Bö) stock exchange *(opp, com-*
modity exchange)
(Bö) fixed-interest security exchange

Fonds *m* **der flüssigen Mittel** (Fin)
cash fund *(ie, in Kapitalflußrech-*
nung = funds statement)

Fonds *m* **des Nettoumlaufvermögens**
(Fin) working-capital fund

Fondsgesellschaft *f* (Fin) investment
company

Fonds-Leasing *n* (Fin) fund leasing
(ie, neuere Variante des Immobi-
lien-Leasing)

Fonds *m* **liquider Mittel** (Fin) cash
fund

Fondsobjekt *n* (com) fund's property

Fondsvermögen *n* (Fin) fund's assets

Fondsverwaltung *f* (Fin) fund management

forcieren
(com) to force up
– to speed up
– to step up

Forderungen *fpl* **aus Aktienzeich-
nungen** (Fin) stock subscriptions
receivable

Forderungen *fpl* **aus Inkassogeschäf-
ten** (Fin) collections receivable

Forderungen *fpl* **aus Kreditgeschäf-
ten** (Fin) receivables from lending
operations

Forderungen *fpl* **einziehen** (Fin) to
collect accounts *(or* receivables)

Forderung *f* **erfüllen**
(com) to satisfy *(or* answer) a
claim
– to fulfill *(or* meet) a demand
– to agree to *(or* respond to) a demand

Förderung *f* **gewerblicher Interessen**
(com) furtherance of commercial
interests

Forderungsausfallquote *f* (Fin) loss
chargeoff ratio *(ie, in banking)*

Forderungseinzug *m* (Fin) collection
of accounts receivable

Forderung *f* **sichern** (Fin) to secure
an existing debt

Forderungsinkasso *n* (Fin) collection
of accounts receivable

Forderungskauf *m* (Fin) purchase of
accounts receivable, § 437 BGB

Forderungspapiere *npl* (WeR) securities representing money claims
(opp, Mitgliedschaftspapiere und
sachenrechtliche Papiere)

Forderungstilgung

Forderungstilgung *f* (Fin) repayment of debt

Forderungsumschlag *m*
(Fin) receivables turnover (ratio)
– collection ratio
– collection period (in days)

Forderungsvermögen *n* (Fin) financial assets

Forderungsverzicht *m*
(Fin) writeoff of a loan *(ie, by a bank)*

Förderungswürdigkeit *f* (com) eligibility for aid *(or promotion)*

förderungswürdig
(com) eligible for promotion
– worthy of support

Forfaitierung *f* (Fin) forfaiting
(ie, nonrecourse financing of receivables similar to factoring; so called in Austria and Germany; the difference is that a factor buys short-term receivables, while a forfaiting bank purchases notes that are long-term receivables with maximum maturities of 8 years)

Forfaitierungsgeschäft *n* (Fin) forfaiting transaction

Formblatt *n*
(com) form
– blank
– blank form

Formbrief *m* (com) form letter
(ie, business or advertising letter composed of carefully phrased but repetitive elements; opp, Schemabrief)

formelle Kreditwürdigkeitsprüfung *f*
(Fin) formal test of credit standing

formlos übertragbar (WeR) freely transferable

formlos übertragen (WeR) to negotiate by delivery only

Formular *n*
(com) blank
– form
– blank form
– printed form *(syn, Vordruck)*

Formularbrief *m* (com) = Formbrief

fortlaufende Kreditbürgschaft *f* (Fin) continuing guaranty

fortlaufende Notierung *f*
(Bö) consecutive *(or continuous)* quotation
– variable-price quotation *(opp, Einheitskurs)*

fortlaufender Handel *m* (Bö) continuous market

fortlaufende Verzinsung *f* (Fin) continuous interest *(or compounding)*

fortlaufend numeriert (com) consecutively numbered

fortschreiben (com) to update *(syn, aktualisieren)*

Fotokopie *f*
(com) photocopy
– photostat (copy)

fotokopieren (com) to photocopy

Fotokopiergerät *n* (com) photocopier

Fototermin *m* (com) photograph session

Fracht *f*
(com) cargo
– freight
– load
(com) = Frachtgebühr

Frachtaval *n* (Fin) guaranty of freight payment

Frachtenaval *n* (Fin) bank guaranty for deferred freight payment

frachtfrei
(com) freight prepaid
– (GB) carriage paid, C. P.
(com, *Incoterms 1953*) freight or carriage paid to ... *(named port of destination)*

frachtfreie Beförderung *f* (com) transport at no charge to customer

Frachtführer *m*
(com) carrier
– haulage contractor
(ie, individual or organization engaged in transporting goods by land, river or other inland waterway for hire = gewerbsmäßig; called ‚Verfrachter' = ‚ocean carrier' in sea transport)

Frachtgebühr *f*
(com) freight
– freight charge
– (GB) carriage charge

Fracht *f* **gegen Nachnahme**
(com) freight collect
– (GB) freight forward, frt fwd
(opp, frachtfrei = freight prepaid)

Frachtkosten *pl*
(com) freight
– freightage
– freight charges
– carrying charges

Frachtnotierung *f* (Bö) freight quotation

Frachtpapier *n* (com) transport document

Frachtparität *f* (com) = Frachtbasis, qv

Fracht *f* **per Nachnahme**
(com) freight collect (*or* forward)
– (GB) carriage forward

Frachtrate *f* (com) shipping rate

Frachtraum *m* (com) freight capacity

Frachtraum *m* **belegen** (com) = Frachtraum buchen

Frachtraum *m* **buchen** (com) to book freight

Frachtrechnung *f* (com) freight note (*or* account)

Frachtsatz *m* (com) freight rate

Frachttermingeschäfte *npl* (Bö) freight futures *(ie, by the dry cargo shipping market)*

Fracht vorausbezahlt
(com) freight prepaid, frt.ppd.
– (GB) carriage paid, C. P.

Fracht *f* **zahlt der Empfänger**
(com) freight collect (*or* forward)
– (GB) carriage forward, C/F

Frachtzahlung *f* **im Bestimmungshafen** (com) freight payable at destination

Frage *f* **anschneiden**
(com) to address
– to bring up
– to broach (to/with)
– to take up . . . a question

Franchise *f*
(com) weight variation allowance

franko (com) charges prepaid by sender

franko Courtage (Fin) free of brokerage

franko Kurtage (Bö) no brokerage

Frankoposten *mpl* (Fin) free-of-charge items in current account statements

franko Provision (Bö) free of commission
(ie, in stock exchange orders for over-the-counter securities)

Freiaktie *f*
(Fin) gratuitous share *(ie, illegal under German stock corporation law)*
(Fin) bonus share *(ie, backed by retained earnings or reserves; syn, Gratisaktie, qv)*

frei an Bord (com, *Incoterms*) free on board, F. O. B., fob

Freiantwort *f* (com) prepaid answer

frei Bahnstation (com) free on board *(ie, railroad station)*

frei Bau (com) free construction site

frei benannter Abflughafen (com, *Incoterms*) F. O. B. (*or* fob) airport

Freiberuflicher *m*
(com) (free) professional
– professional worker

freiberuflicher Mitarbeiter *m* (com) free lance contributor

frei Bestimmungsort
(com) free domicile
– free delivered

freibleibend
(Fin) subject to prior sale

freibleibendes Angebot *n* (com) offer without engagement

frei Eisenbahnwaggon (com, *Incoterms*) free on rail, F. O. R., for

freie Lieferung *f* (com) delivery free of charge

freier Aktionär *m* (Fin) outside shareholder

freier Beruf *m* (com) (liberal) profession

freier Goldmarkt *m* (Fin) free-tier gold market

freier Handel *m* (Bö) unofficial trading

freier Importeur *m* (com) outside importer

freier Kapitalmarkt *m* (Fin) gray capital market *(syn, grauer od alternativer Kapitalmarkt)*

freier Kapitalverkehr *m* (Fin) free movement of capital

freier Makler *m*
 (com) outside broker
 (Bö) unofficial/private ... broker *(syn, Privatmakler; opp, amtlicher Kursmakler)*

freier Markt *m*
 (com) free *(or* open) market
 (Bö) unofficial market
 – off-board trading

freier Marktpreis *m* (com) competitive *(or* free market) price

freier Mitarbeiter *m* (com) free-lance collaborator

freie Stelle *f*
 (com) unfilled/vacant ... job
 – vacancy
 – job opening
 – job on offer *(syn, offene Stelle)*

freie Stücke *npl* (Fin) freely disposable securities *(opp, Sperrstücke)*

freie Tankstelle *f*
 (com, US) private-brand gas station
 – (GB) independent filling station

freie Übertragbarkeit *f*
 (WeR) free transferability
 – negotiability

Freiexemplar *n*
 (com) free *(or* complimentary) copy
 – unpaid copy

frei finanziert (Fin) privately financed

frei Flughafen (com) free airport

Freigabe *f*
 (com) release
 (ie, of products for shipment; zur sofortigen Freigabe = for immediate release; cf, press release, news release)
 (Fin) unfreezing
 – unblocking
 (eg, of immobilized bank accounts)

Freigabe *f* **von Mitteln** (Fin) unblocking *(or* unfreezing) of funds

freigeben
 (com) to release *(eg, products for shipment; news to the press; cf, news/press ... release)*
 (com) to declassify
 (ie, to remove or reduce the security clasification; eg, to ... secret documents)
 (Fin) to unblock
 – to unfreeze
 (eg, immobilized foreign exchange bank balances)

Freigelände *n* (com) open-air space *(or* site) *(ie, at fairs and exhibitions)*

freigemacht
 (com) prepaid
 – postage paid

freigemachter Umschlag *m* (com) prepaid envelope

frei Grenze (com) free frontier

Freihandel *m*
 (Bö) over-the-counter trade

freihändige Auftragsvergabe *f* (com) discretionary award of contract

freihändiger Ankauf *m* (Fin) purchase at market rates

freihändiger Rückkauf *m* (Fin) repurchase *(eg, of mortgage bonds)* in the open market

freihändiger Verkauf *m* (Fin) direct offering *(or* sale) *(eg, of a loan issue)*

freihändig verkaufen
 (com) to sell privately
 – to sell by private contract

freihändig verwerten (com) to sell in the open market

frei Haus
 (com) free of charge to address of buyer
 – franco domicile
 – free house *(or* domicile)

frei Haus unverzollt (com) free at domicile not cleared through customs

frei Haus verzollt (com) free at domicile after customs clearance

Freijahre *npl*
 (Fin) grace period

– years of grace
– repayment holiday
(eg, three grace = principal repayment beginning in the fourth year; or: life of 10 years, with 8 grace)
frei konvertierbare Währung *f*
(Fin) freely convertible currency
frei Lager (com) free warehouse
frei Längsseite Schiff (com, *Incoterms*) free alongside ship, F. A. S., fas
frei längsseit Kai (com) free alongside quay, faq
frei Lkw (com, *Incoterms*) free on truck, F. O. T., fot
freimachen
(com) to stamp
– to prepay postage
Freimakler *m* (Bö) = freier Makler
Freimarktkurs *m* (Fin) free market rate *(ie, Kursart im Devisenhandel)*
Freiperiode *f*
(Fin) = Freijahre
frei Schiff (com) free on steamer, f.o.s.
Freischreibungserklärung *f* (WeR) officially recorded declaration by which the holder of a ‚Rektapapier' = *non-negotiable instrument* hands a title of execution to a pledgee; allows satisfaction of claim without assignment of instrument
freistellen
(Fin) to indemnify *(eg, for losses)*
freistempeln (com) to frank
Freistempler *m*
(com) postage meter
– (GB) franking machine
frei übertragen (WeR) to transfer freely
Freiumschlag *m*
(com) postage-paid
– reply-paid
– stamped . . . envelope
Freiverkehr *m*
(Bö, *geregelter*) over-the-counter market
(Bö, *ungeregelter*) unofficial dealing (*or* market)

– outside market
– unlisted trading
– off-floor (*or* off-board) trading
Freiverkehrsbörse *f* (Bö) unofficial market
Freiverkehrshändler *m* (Bö) dealer in unlisted securities
Freiverkehrskurs *m*
(Bö) unofficial quotation
– free market price
Freiverkehrsmakler *m*
(Bö) outside (*or* unoffical) broker
– broker for unofficial dealings
Freiverkehrsmarkt *m* (Bö) unofficial market
Freiverkehrsumsätze *mpl* (Bö) outside transactions
Freiverkehrswerte *mpl* (Bö) unlisted securities
frei verwerten (com) to sell in the open market
frei Waggon (com) free on rail, FOR, f.o.r.
freiwillige Verhaltensregeln *fpl* (Bö) voluntary codes of conduct *(eg, introduced by the German stock exchange and banking associations)*
Freizeichnungsklausel *f*
(com) without-engagement clause *(ie, Verkäufer befreit sich ganz od teilweise von ihm obliegenden Verpflichtungen; eg, Lieferungsmöglichkeit vorbehalten, Höhere Gewalt Klausel, Selbstbelieferung)*
Freizeitindustrie *f* (com) leisure time industry
Freizügigkeit *f*
(Fin) freedom of capital movements
Fremdanteile *mpl* (Fin) minority interests
Fremdanzeige *f* (Fin) third-party deposit notice
Fremdarbeiten *fpl*
(com) outside services
Fremdauftrag *m* (com) outside contract
Fremdbeteiligung *f* (Fin) minority interest (*or* stake)

Fremddepot n (Fin) third-party security deposit

fremde Gelder npl
(Fin) outside funds
– borrowings
(Fin) customers' deposits (*or* balances)

Fremdemission f (Fin) securities issue for account of another

fremde Mittel pl
(Fin) borrowed funds
– funds from outside sources

fremdes Bankakzept n (Fin) acceptance by another bank

fremdfinanzieren
(Fin) to finance through borrowing
– to borrow
– to obtain outside finance

Fremdfinanzierung f
(Fin) debt
– external
– loan
– outside . . . financing
– borrowing

Fremdfinanzierungsmittel pl (Fin) borrowed (*or* outside) funds

Fremdfinanzierungsquote f (Fin) borrowing ratio

Fremdgeld n (Fin) trust fund (*or* money)

Fremdgelder npl (Fin) third-party funds

Fremdinvestition f
(Fin) external investment
– investment in other enterprises

Fremdkapital n
(Fin) debt
– outside
– borrowed
– loan . . . capital
– capital from outside sources
– debt (*eg, in debt/equity ratio*)

Fremdkapitalbeschaffung f (Fin) procurement of outside capital

Fremdkapitalgeber m (Fin) lender

Fremdkapitalkosten pl (Fin) cost of debt

Fremdkapitalmarkt m (Fin) debt market

Fremdkapital n **mit Beteili-**

gungscharakter (Fin, US) participating debt

Fremdkapitalzins m (Fin) interest rate on borrowings

Fremdmärkte mpl (Fin) xenomarkets (*ie, markets in US-$ outside the United States; a successor to Eurocurrency markets*)

Fremdmittelbedarf m (Fin) borrowing requirements

Fremdmittel pl
(Fin) borrowed
– external
– outside . . . funds/resources

Fremdnutzung f (com) utilization by third parties

Fremdumsatz m (com) external sales (*or* GB: turnover)
(*ie, of a group of companies*)

Fremdvergleichspreis m (Fin) external reference price
(*ie, to charge such prices between branches of the same bank is not permissible*)

Fremdvermutung f (Fin) non-property presumption
(*ie, that securities which a bank placed with third-party depository are not its property: protects customer by restricting rights of retention and attachment*)

Fremdwährungsanleihe f
(Fin) foreign currency loan issue
– currency bond

Fremdwährungsbetrag m (Fin) amount denominated in foreign currency

Fremdwährungseinlagen fpl (Fin) foreign currency deposits

Fremdwährungsguthaben npl (Fin) foreign exchange balances (*syn, Währungsguthaben*)

Fremdwährungsklausel f (Fin) foreign currency clause

Fremdwährungskonto n (Fin) foreign exchange account (*syn, Währungskonto, Devisenkonto*)

Fremdwährungskreditaufnahme f (Fin) foreign currency borrowing

Fremdwährungskredit *m* (Fin) foreign currency loan

Fremdwährungsposition *f* (Fin) foreign currency position

Fremdwährungsrechnung *f* **zu Stichtagskursen**
(Fin) closing-rate method
– all-current method
(opp, F. nach der Fristigkeit = current noncurrent method, qv)

Fremdwährungsrisiko *n* (Fin) foreign currency exposure (*or* risk)

Fremdwährungsscheck *m* (Fin) foreign currency check

Fremdwährungsschuldverschreibung *f* (Fin) foreign currency bond

Fremdwährungsschuld *f* (Fin) debt expressed in a foreign currency

Fremdwährungsverbindlichkeiten *fpl*
(Fin) foreign currency . . . liabilities /debt/indebtedness

Fremdwährungswechsel *m*
(Fin) foreign currency bill
– foreign bill
– foreign exchange draft

Fremdwährung *f*
(Fin) foreign currency
– xenocurrency
(ie, currency on deposit in a bank owned by someone outside the issuing country)

freundliche Börse *f* (Bö) cheerful market

freundliche Übernahme *f* (com) friendly takeover *(opp, hostile takeover)*

freundliche Verfassung *f* (Bö) bright sentiment *(ie, of the market)*

frisieren (com) to doctor *(eg, report, balance sheet)*

Frist *f*
(com) time limit *(eg, within the . . . provided in the contract)*
– time allowed *(eg, for cancellation)*
– period of time
– time span
– extension of time *(eg, a 10-day . . . in which to consummate a deal)*

Frist *f* **bewilligen** (com) to grant a deadline

Frist *f* **einhalten**
(com) to keep a time limit
– to meet a deadline

Frist *f* **einräumen** (com) to grant a period of time

Fristenasymmetrie *f* (Fin) = Fristeninkongruenz

Fristen *fpl* **berechnen** (com) to compute time limits

Fristen *fpl* **einhalten** (com) to observe time limits

fristeninkongruente Darlehen *npl*
(Fin) mismatched loans
(ie, fixed-term loans financed with more expensive floating-rate funds)

Fristeninkongruenz *f*
(Fin) mismatched maturities
– mismatch in maturities

Fristenkategorie *f* (Fin) maturity category

fristenkongruent (Fin) at matching maturities

fristenkongruente Finanzierung *f*
(Fin) financing at matched maturities *(ie, of outflows and inflows)*

fristenkongruent finanzieren (Fin) to finance at matching maturities

Fristenkongruenz *f*
(Fin) matching maturities
– identity of maturities
(ie, Kapitalbindungs- und Kapitalüberlassungsdauer müssen deckungsgleich sein; zB, langfristige Investitionen durch langfristiges Kapital finanzieren)

Fristenraum *m* (Fin) maturity range

Fristenrisiko *n*
(Fin) risk of maturity gaps (of ,Schuldscheindarlehen‘)
(ie, risk that no follow-up loan is available when amounts are due with terms shorter than those of the overall loan)

Fristenschutz *m* (Fin) maturity hedging

Fristenstruktur *f* (Fin) maturity structure (*or* pattern)

Fristentransformation *f*
    (com) rephasing of time periods
    (Fin) maturity transformation
    (ie, borrowing short-term deposits to make longer-term loans; Fähigkeit der Kreditinstitute, kürzerfristige Einlagen in langfristige Kredite umzuwandeln)

Fristenverteilung *f* (Fin) maturity distribution
    (ie, diversification of maturities as short, intermediate, and long-term)

Frist *f* **festsetzen** (com) to fix a time limit

fristgemäße Rückzahlung *f* (Fin) repayment at due date

fristgemäß
    (com) within the time stipulated
    – within the agreed time limit
    – at due date
    – when due
    – as promised
    – on schedule *(syn, fristgerecht)*

Frist *f* **gewähren** (com) to grant a time limit

Fristigkeit *f*
    (Fin) time to maturity
    – *(or simply)* maturity

Fristigkeiten *fpl*
    (Fin) maturities

Fristigkeitsstruktur *f* (Fin) = Fristenstruktur

Fristigkeitsstruktur *f* **der Zinssätze**
    (Fin) term-structure of interest rates
    (ie, Gesamtheit der Renditen homogener festverzinslicher Wertpapiere zu e–m bestimmten Zeitpunkt, geordnet nach der Restlaufzeiten; relationship between yields on securities with various maturities and the maturity of securities; credit risk, liquidity, taxability, and other characteristics being the same; syn, Zinsstruktur)

Frist *f* **setzen**
    (com) to set a deadline
    – to fix a time limit

Frist *f* **überschreiten**
    (com) to disregard a time limit

    – to pass a deadline
    – to fail to meet a time target

Fristüberschreitung *f*
    (com) failure to keep within the time limit
    – passing a deadline

Frist *f* **verlängern** (com) to extend a time limit *(or* deadline*)*

Fristverlängerung *f*
    (com) extension of deadline *(or* time limit*)*
    (Fin) maturity extension *(syn, Laufzeitverlängerung)*

Frist *f* **versäumen** (com) to fail to meet a deadline

Frist *f* **wahren** (com) to observe a time limit

Fristwahrung *f* (com) observance of deadline

Frühjahrsmesse *f* (com) spring fair

Fühler *mpl* **ausstrecken** (com, infml) to put out *(or* send out*)* one's feelers

Fühlungnahme *f* (com) exploratory contacts

führende Aktienwerte *mpl* (Bö) equity leaders

führender Hersteller *m*
    (com) leading *(or* premier*)* producer

führender Market *m* (com) key/bellwether . . . market

führende Werte *mpl*
    (Bö) leading shares
    – bellwether stock
    – market leaders
    (syn, Publikumswerte, Spitzenwerte)

führen
    (com) to carry in stock *(eg, a wide variety of products)*
    (Fin) to lead manage *(eg, an underwriting syndicate)*

Fuhrpark *m*
    (com) vehicles . . . fleet/park/pool
    – car pool
    – automobile fleet
    – fleet of trucks *(ie, Lkws)*

Führungsausschuß *m* (com) management committee

Führungsbank f (Fin) lead manager
(ie, in e–m Konsortium)
Führungsgruppe f
(com) management team
(Fin) lead management group
Führungsprovision f (Fin) management fee
Fuhrunternehmen n (com) haulage contractor
Füllauftrag m
(com) stop gap order
– fill-in order
Fundamentalanalyse f (Bö) fundamental analysis
(ie, Methode zur Prognose von Aktienkursen; geht von den ‚fundamentals' (fundamentalen Daten) e–r Aktiengesellschaft aus; Teil der stock market techniques, qv)
fundieren (Fin) to fund (or consolidate) (eg, a debt or loan)
fundierte Schulden fpl (Fin) funded (or long-term) debt
Fundierung f
(Fin) funding
– consolidation
Fundierungsanleihe f (Fin) funding loan
Fundierungsschuldverschreibung f
(Fin) funding bond
fungibel
(com) fungible
– marketable
– merchantable
Fungibilität f (com) fungibility
fungible Waren fpl
(com) fungible (or merchantable) goods
– fungibles
funktionsfähig
(com) workable
für die Richtigkeit der Abschrift
(com) certified to be a true and correct copy of the original
für fremde Rechnung
(com) for third party account
– on/in behalf of another person
Fusion f (com) merger
(ie, Vereinigung von KapGes ohne

Abwicklung und ohne rechtsgeschäftliche Übertragungsakte: e–e der ursprünglichen Ges bleibt übrig [Verschmelzung durch Aufnahme] od e–e neue wird gebildet [Verschmelzung durch Neubildung] und die alte bzw alle alten Ges erlöschen; erfolgt im Wege der Gesamtrechtsnachfolge; cf, §§ 330ff AktG; in the technical sense 'merger' means a combination of two or more corporations into one of such corporations, but the term is also used in a broader sense to include consolidations and corporate combinations and acquisitions in which the corporate entities are preserved)
Fusion f **durch Aufnahme od Neubildung** (com) merger or consolidation
fusionieren (com) to merge
Fusionsangebot n (com) merger offer
Fusionsfieber n (com) merger fever
Fusionsgewinn m (Fin) consolidation profit
Fusionskontrolle f (com) merger control, §§ 23, 24 GWB (syn, Zusammenschlußkontrolle, qv)
Fusionsstrategie f (com) merger strategy
Fusionsvertrag m (com) merger agreement
Fusionswelle f
(com) spate (or wave) of mergers
– takeover wave
Futures pl (Bö) futures
(ie, auf dem Terminkontraktmarkt börsenmäßig gehandelte Waren, Devisen, Geldmarktpapiere und Anleihen, Aktienindizes sowie Edelmetalle)
Fuß fassen
(com) to get a toehold in a market
– to breach a market
– to carve out a market niche

G

gängiger Artikel *m*
  (com) fast-selling article
  – high-volume product
Gängigkeit *f*
  (com) marketability
  – salability (*or* saleability)
gängig
  (com) marketable
  – (readily) salable (*or* saleable)
  – readily sold
  – easily sold
Ganzcharter *f* (com) chartering a
  whole ship
ganzjährig geöffnet (com) open all
  the year round
ganz od teilweise (com) wholly or in
  part
Garant *m*
  (Fin) underwriter
Garantie *f*
  (com) warranty
  – guarantee
  *(ie, gesetzlich od vertraglich fixierte
  Verpflichtung e–s Anbieters,
  Eigenschaften e–s Produktes, wie
  Haltbarkeit od Funktionstüchtig-
  keit zu gewährleisten; Ansprüche
  nach §§ 459ff und §§ 633ff BGB;
  sonst nach Allgemeinen Geschäfts-
  bedingungen (AGB) od individuellen Garantieverträgen; hohe ab-
  satzpolitische Bedeutung; syn,
  Garantieleistung, Gewährleistung)*
  (Fin) underwriting
Garantieabteilung *f*
  (Fin) guaranty department *(ie, of a
  bank)*
  (Fin) underwriting department
Garantiearbeiten *fpl*
  (com) warranty work *(eg, by car
  makers)*
Garantiedeckungsbetrag *m*   (Fin)
  guaranty cover amount
Garantiedividende *f* (Fin) guaranteed
  dividend *(ie, adequate annual compensation payable to minority
  shareholders, § 304 AktG)*

Garantieeffekt *m* (WeR) guaranty effect *(ie, resulting from payment
  guaranty given by indorser of bill
  of exchange or check)*
Garantiefall *m* (Fin) event making a
  guaranty operative
Garantiefrist *f*
  (com) guarantee period
  – period of warranty
Garantiegeschäft *n* (Fin) guaranty
  business *(ie, of banks)*
Garantiegruppe *f* (Fin) underwriting
  group
Garantie *f* **haben** (com) guaranteed
  (eg, for 3 years)
Garantiekapital *n*
  (Fin) equity capital of real estate
  credit institutions
Garantiekonsortium *n*
  (Fin) underwriting syndicate
  – (GB) underwriters
  *(ie, rare in Germany: syndicate
  guarantees to take up any unsold
  portion of a security issue for its
  own account)*
Garantiekosten *pl*
  (Fin) cost of government or bank
  guaranties
Garantiemittel *pl*
  (Fin) guaranty funds
Garantieprovision *f*
  (Fin) guaranty commission
  (Fin) underwriting commission
Garantierahmen *m* (Fin) guaranty
  ceiling (*or* limit)
garantieren
  (com) to guarantee *(eg, a machine
  for 5 years)*
  – to warrant
Garantieverbund *m* (Fin) joint security scheme *(ie, operated by
  banks as a means to protect cus-
  tomers' accounts)*
**Gaststätten- und Beherbungsgewer-
  be** *n* (com) hotels and restaurants
Gattung *f*
  (Fin) class *(eg, of shares)*

Gebaren *n*
  (com) behavior
  – practices
  – mode of handling

Gebarung *f* (com) = Gebaren

gebietsfremde Einlagen *fpl* (Fin) non-resident deposits

Gebietsleiter *m*
  (com) regional manager
  – division area supervisor

Gebietsprovision *f* (com) overriding commission *(ie, of a commercial agent)*

Gebietsvertreter *m* (com) regional commercial representative

geborene Orderpapiere *npl* (WeR) original order papers
  (opp, gekorene (ie, auch gesetzliche Orderpapiere; die Möglichkeit der Übertragung durch Indossament gilt ohne weiteres für Wechsel, Scheck, Namensaktie; Art 11 I WG, Art 14 I ScheckG, § 68 AktG; opp, gekorene Orderpapiere)

Gebot *n*
  (com) bid *(eg, at auction)*
  (Bö) buyers

Gebot *n* **abgeben** (com) to make a bid

gebotener Preis *m* (com) bid price

Gebrauchsabnahme *f* (com) final acceptance of completed building

Gebrauchsgrafik *f* (Mk) commercial/advertising . . . art

Gebrauchsgüter *npl*
  (com) durable consumer goods
  – consumer durables
  – durables

Gebrauchswert *m*
  (com) practical value

Gebrauchtmaschinen *fpl* (com) used equipment

Gebrauchtwagen *m* (com) second-hand *(or* used) car

Gebrauchtwagenmarkt *m* (com) used-car market

Gebrauchtwagenpreisliste *f* (com, GB) Glass's guide *(ie, equivalent, for instance, to ‚Schwacke‘)*

Gebrauchtwaren *fpl* (com) second-hand articles

Gebrauchtwarenhändler *m* (com) second-hand dealer

Gebrauchtwarenmarkt *m* (com) second-hand market

gebrochener Schluß *m* (Bö) odd lot

gebrochener Verkehr *m* (com) combined transportation *(eg, rail/road, rail/truck)*

gebrochene Währung *f* (Fin) more than one currency

Gebührenaufstellung *f* (com) account of charges

Gebühren *fpl* **berechnen** (com) to charge fees

Gebühreneinheit *f* (com) (telephone) call charge unit

Gebühren *fpl* **entrichten** (com) to pay fees

Gebührenerhöhung *f* (com) increase of charges or fees

Gebührenerlaß *m* (com) remission of charge *(or* fee)

Gebührenerstattung *f* (com) refund of charges

Gebühren *fpl* **festsetzen** (com) to fix fees

gebührenfreies Konto *n* (Fin) account on a non-charge basis

gebührenfrei
  (com) at no charge
  – free of charge
  – without charge

Gebührenmarke *f*
  (com) fee stamp

Gebührenordnung *f* **für Kursmakler** (Bö) brokers' pricing schedule

Gebührenordnung *f*
  (com) fee scale
  – schedule of fees

Gebührenrechnung *f* (com) bill of charges *(or* costs)

Gebührensatz *m*
  (com) billing rate *(eg, per accountant hour)*

Gebührentabelle *f*
  (Fin) tariff of charges
  (ie, scale of interest rates and charges in banking)

Gebühren *fpl*
  (Fin, sometimes) commission

Gebühr *f* **für ungenutzte Liegetage**
(com) dispatch money

Gebühr *f*
(com) fee *(eg, admission/entrance/parking... fee)*

gebundene Namensaktie *f* (Fin) registered share of restricted transferability

gebundenes Kapital *n*
(Fin) tied-up *(or* locked-up*)* capital

Gedächtnisprotokoll *n* (com) minutes from memory

Gedankenaustausch *m*
(com) exchange of ideas (on)
– (infml) swapping ideas (on)

Gedankengang *m* (com) line of thought

gedeckte Option *f* (Bö) covered option

gedeckter Kredit *m* (Fin) secured loan *(or* credit*)*

gedeckter Wagen *m*
(com) boxcar
– (GB) covered goods waggon
(syn, G-Wagen)

gedrückter Markt *m*
(Bö) depressed market
– weak *(or* sagging*)* market
– heavy market
(ie, denotes a drop in prices due to selling of long stock by holders who are taking profits)

geeignete Schritte *mpl* (com) appropriate action *(eg, to take...)*

Gefahrenherd *m* (com, infml) hot spot *(ie, where there is likely to be trouble)*

Gefahren *fpl* **tragen** (com) to bear risks

Gefälligkeitsadresse *f* (WeR) accommodation address

Gefälligkeitsakzeptant *m* (Fin) accommodation acceptor

Gefälligkeitsakzept *n* (Fin) accommodation acceptance

Gefälligkeitsgarantie *f* (WeR) accommodation contract
(ie, usually simply by signing the instrument)

Gefälligkeitsgiro *n* (WeR) = Gefälligkeitsindossament

Gefälligkeitsindossament *n* (WeR) accommodation indorsement
(ie, guaranty of a negotiable instrument)

Gefälligkeitsindossant *m* (WeR) accommodation endorser *(cf, UCC § 3-415)*

Gefälligkeitskonnossement *n* (com) accommodation bill of lading
(ie, issued by a common carrier prior to receipt of merchandise)

Gefälligkeitspapier *n* (Fin) accommodation paper
(ie, bill or note endorsed to help another party)

Gefälligkeitswechsel *m* (Fin) accommodation... bill/note/paper
(ie, zur Hebung der Kreditfähigkeit von Unternehmen = signed to accommodate another party whose credit is not strong enough; quite common in personal and business lending)

Gefälligkeitszeichner *m* (WeR) accommodation party

gefälschte Banknote *f*
(Fin) counterfeit bill
– (GB) forged note

Gefriergut *n*
(com) frozen food
– (GB) frosted foods

Gegenakkreditiv *n*
(Fin) back-to-back
– countervailing
– secondary... credit
(ie, two letters of credit are used to finance the same shipment)

gegen bar verkaufen (com) to sell for cash

gegen Barzahlung (com) cash down

Gegenbieter *m* (com) competitive bidder

Gegendarstellung *f*
(com) counterstatement

Gegenerklärung *f* (com) counterstatement

Gegenforderung *f* (com) counterclaim

Gegengeschäft n (com) back-to-back transaction
- counterdeal
(Bö) offsetting transaction

Gegengutachten n (com) opposing expert opinion

Gegenofferte f (com) counter-offer

gegenseitige Bankforderungen fpl (Fin) interbank balances

Gegenstände mpl **des täglichen Bedarfs**
(com) necessaries
- convenience goods

Gegen-Swap m (Bö) reverse swap

gegenüber dem Vorjahr
(com) compared with the previous year
- from a year earlier
- on the previous year

Gegenübernahmeangebot n (com) anti-takeover proposal

gegenwärtiger Preis m (com) current (or prevailing) price

Gegenwartswert m
(Fin) = Barwert, qv

Gegenwechsel m (WeR) cross bill

Gegenwert m
(Fin) equivalent amount
(Fin) countervalue (eg, bills and checks)
(Fin) proceeds (ie, in the sense of ,Erlös')

Gegenwert m **überweisen** (Fin) to transfer counter-value

gegenzeichnen (com) to countersign

Gegenzeichnung f (com) counter-signature

Gehaltsempfänger mpl
(com) salaried employees
- salaried personnel
- salaried workers
- salary earners

Gehaltserhöhung f
(com) salary increase
- pay rise (or US: raise)

gehandelt
(Bö) quoted
- listed
- traded (ie, on the stock exchange)

gehandelt und Brief (Bö) dealt and offered

Geheimsache f
(com) secret matter
- classified item

Geisterstunde f (Bö, US, infml) triple witching hour
(ie, an der New Yorker Börse: einmal im Quartal, wenn Terminkontrakte und Optionen auf Marktindizes und Aktien auslaufen)

gekoppelte Börsengeschäfte npl (Bö) matched sales

gekorene Orderpapiere npl (WeR) order papers by transaction (or GB: act of the party
(ie, auch gewillkürte O.; bestimmte Papiere können durch Orderklausel [,an eigene Order'] zu Orderpapieren gemacht werden: Konnossement, Ladeschein, Lagerschein, Transportversicherungspolicen; opp, geborene Orderpapiere)

gekreuzter Scheck m (WeR) crossed check, §§ 37 ff ScheckG
(ie, Barzahlungsscheck, bei dem der Kreis der empfangsberechtigten Personen beschränkt ist; wird nach deutschem Recht als Verrechnungsscheck behandelt)

gekündigte Anleihe f (Fin) called bond

Geländeerschließungskosten pl (com) site development (or preparation) cost

Geld n
(Fin) money (ie, notes and coin)
(com) money
- (infml) cash (money in any form)
- (sl) bread
(Bö) bid
- buyers
- buyers over

Geldabfluß m (Fin) outflow of funds

Geld n **abheben** (Fin) to draw (or withdraw) money (ie, from bank account)

Geldabundanz f (Fin) abundance of

money *(ie, in the banking system and in the money market)*

Geldangebot *n*
(Fin) money supply *(eg, in the money market)*

Geldanlage *f*
(Fin) (financial) investment
– employment *(or* investment) of funds

Geldanlagen *fpl* **entgegennehmen**
(Fin) to accept deposits

Geldanlagen *fpl* **im Ausland** (Fin) funds employed abroad

Geldanlagen *fpl* **von Gebietsfremden**
(Fin) nonresident investments

Geld *n* **anlegen**
(Fin) to invest
– to put money (into)
– to sink money (into)

Geldanleger *m* (Fin) investor

Geld *n* **aufbringen** (Fin) to raise *(or* borrow) money

Geld *n* **aufnehmen** (Fin) to borrow/ take up . . . money

Geldausgang *m* (Fin) cash disbursement

Geld *n* **ausleihen**
(Fin) to lend
– to give out money (to)

Geldautomat *m*
(Fin) cash dispenser

Geldautomaten-Karte *f* (Fin) cash card

Geldautomatensystem *n*
(Fin) ATM (automatic teller machine) system
– (GB) cash dispenser system

Geldbedarf *m* (Fin) cash requirements

Geld *n* **bei e–r Bank haben** (Fin) to have/keep money in/with a bank

Geld *n* **bereitstellen** (Fin) to put up money *(ie, for a project)*

Geld *n* **beschaffen**
(Fin) to find
– to procure
– to raise . . . money
– (infml) to dig up money somewhere

Geldbeschaffung *f* (Fin) provision of

funds *(ie, converting nonliquid assets into cash)*

Geldbeschaffungskosten *pl*
(Fin) cost of finance
– cost of raising *(or* procuring) money
(Fin) financing costs for the bank itself

Geldbestand *m* (Fin) monetary holdings

Geld-Brief-Schlußkurs *m* (Bö) bid-ask close

Geld-Brief-Spanne *f* (Bö) price spread

Gelddarlehen *n* (Fin) money loan

Gelddeckung *f*
(Fin) sum total of liquid funds *(ie, raised through realizing physical assets or procuring money)*

Gelddisponent *m* (Fin) money manager

Gelddisponibilitäten *fpl* (Fin) available liquid funds

Gelddisposition *f*
(Fin) cash management
(Fin) money dealing *(or* operations)

Gelddispositions-Stelle *f* (Fin) money-management department

Geldeingang *m*
(Fin) cash receipt
(Fin) inflow of liquid funds *(ie, from sales of goods, services, or receivables)*

Geldeingänge *mpl* (Fin) monies received

Geldeinlage *f*
(Fin) contribution in cash
– cash contribution
(opp, Sacheinlage = contribution in kind od noncash contribution)

Geldeinstandskosten *pl* (Fin) cost of money *(ie, bank's own financing cost)*

Geld *n* **einzahlen**
(Fin) to pay in money
(Fin) to deposit money at/with a bank

Geldeinzug *m* (Fin) collection of receivables

Gelder *npl* **abziehen** (Fin) to withdraw funds

Gelder *npl* **anlegen** (Fin) to invest funds

Geldersatzmittel *n* (Fin) substitute money

Gelderwerb *m* (Fin) money-making

Geld *n* **fest anlegen** (Fin) to tie up money

Geldflüssigkeit *f* (Fin) = Geldmarktverflüssigung

Geldflußrechnung *f* (Fin) cash flow statement
(Note: ‚Finanzflußrechnung' is the preferred term in German managerial finance)

Geldforderung *f*
(Fin) money (*or* monetary) claim
– outstanding debt

Geldgeber *m*
(Fin) (money) lender
(com) financial backer
– sponsor

Geldgeschäfte *npl* (Fin) money (*or* monetary) transactions

Geldgeschäft *n*
(Fin) money-market business
(Fin) money (*or* financial) transaction
(Fin) procurement and disposal of funds

Geldhahn *m* (Fin, infml) money faucet (*eg, opens up*)

Geldhandel *m*
(Fin) money-market dealings (*ie, in central bank money between banks*)
(Fin) money dealing (*or* trading)

Geldhandelslinie *f* (Fin) money market line

Geldhändler *m* (Fin) money dealer

Geld *n* **hinauswerfen** (com, infml) to throw money down the sink

Geld *n* **hineinstecken**
(Fin) to invest money (into)
– to sink money into

Geldinstitut *n* (Fin) financial institution

Geld *n* **investieren** (Fin) to invest money (into)

Geldknappheit *f*
(Fin) scarcity (*or* shortage) of money
– (infml) money crunch

Geldkosten *pl*
(Fin) cost of money

Geldkredit *m* (Fin) monetary credit

Geld *n* **kündigen** (Fin) to call in money

Geldkurs *m*
(Fin) buying rate (*ie, im Devisenhandel = in currency trading*)
(Bö) bid
– bid/demand . . . price
– buyers'/money . . . rate

Geldleihe *f* (Fin) lending business (*ie, comprises loans, advances on current account, and credits by way of bills discounted*)

Geld *n* **leihen** (Fin) to borrow money (*syn, Geld aufnehmen*)

Geldleihverkehr *m* (Fin) money loan business between banks

Geldleistung *f* (com) payment

Geld *n* **locker machen** (com, infml) to stump up money

Geldmangel *m*
(Fin) lack of money
– want of finance

Geldmarkt *m*
(Fin) money market
(ie, in a broad sense: any demand for and supply of funds and credits)
(Fin) money market
(ie, in the technical sense: the open market for short-term funds; cf, Übersicht)
(Fin, US) money market
(ie, includes the capital market for longer-term funds (government and corporate bonds and stocks) provided by dealers and underwriters)
– (GB, infml) Lombard Street
– (US, infml) Wall Street

Geldmarktanlage *f*
(Fin) employment of funds in the money market
– money market investments

geldmarktfähige Aktiva *pl* (Fin) assets eligible for the money market

165

geldmarktfähige Papiere

(ie, those which are also eligible for discount with the central bank)

geldmarktfähige Papiere *npl* (Fin) paper eligible for the money market

Geldmarktfonds *m* (Fin) money market (mutual) fund
(ie, mit erstklassigen Geldmarktpapieren)

Geldmarktgeschäfte *npl* (Fin) money market dealings (*or* activities)

Geldmarktkredite *mpl* (Fin) money market loans

Geldmarktpapiere *npl* (Fin) money market paper

Geldmarktsatz *m* (Fin) money rate

Geldmarktsätze *mpl* **unter Banken** (Fin) interbank money market rates

Geldmarktsteuerung *f* (Fin) money market control

Geldmarktteilnehmer *m* (Fin) money market operator

Geldmarkttitel *mpl* (Fin) = Geldmarktpapiere

Geldmarkttransaktionen *fpl* (Fin) money market transactions *(cf, Übersicht)*

Geldmarktverflüssigung *f* (Fin) easing of money market *(ie, supply of loan funds satisfies demand)*

Geldmarktverschuldung *f* (Fin) money market indebtedness

Geldmarktwechsel *m* (Fin) money market bill

Geldmarktzinsen *mpl* (Fin) money market (interest) rates

Geldmengenentwicklung *f* (Fin) monetary growth

Geldmittelbestand *m* (Fin) cash position

Geldmittelbewegung *f* (Fin) flow of

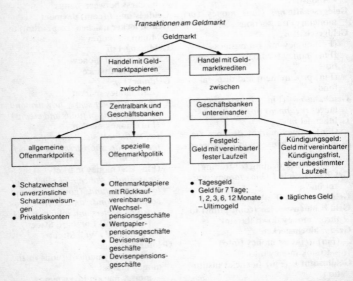

Transaktionen am Geldmarkt

Quelle: Dichtl/Issing, Vahlens Großes Wirtschaftslexikon, Bd. 1, München 1987, 675

funds *(ie, up dated statement of liquid funds extending over a period up to three months)*

Geldmittel *pl* (Fin) cash resources

Geldnähe *f* (Fin) degree of liquidity

Geldplan *m* (Fin) cash plan

Geldplanung *f* (Fin) cash planning

Geldquelle *f* (Fin) money source

Geldrepartierung *f* (Bö) scale-down of purchase orders

Geldrückgabe *f* (com) money back

Geldsatz *m* (Fin) buying rate

Geldsorten *fpl* (Fin) foreign notes and coin

Geld *n* **spielt keine Rolle** (com, infml) money no consideration

Geldspritze *f*
(Fin) injection of money
– (infml) fiscal shot in the arm

Geld *n* **stillegen**
(Fin) to immobilize
– to neutralize
– to sterilize . . . money

Geldstillegung *f*
(Fin) locking up
– tying up
– sterilization . . . of money

Geldsubstitut *n* (Fin) near money

Geldsumme *f* (Fin) sum of money

Geldsurrogat *n* (Fin) substitute money

Geld *n* **überweisen** (Fin) to remit money *(ie, by mail or post)*

Geldüberweisungsgebühr *f* (Fin) money transfer charge

Geldüberweisung *f*
(Fin) money transfer *(ie, transmission of funds by public or private telegraph)*
– remittance
(Fin) remittance
– amount of money remitted

Geldumsatz *m* (Fin) money turnover

Geld und Brief
(Bö) bid and asked

Geld- und Kapitalvermittler *mpl* (Fin) financial intermediaries

geld- und kreditwirtschaftliches Unternehmen *n* (Fin) financial enterprise

Geld *n* **verdienen**
(Fin) to make money

Geldverkehr *m* (Fin) monetary movements *(or transactions)*

Geldverknappung *f*
(Fin) contraction of money supply
– monetary tightness
– money squeeze

Geldverleiher *m* (Fin) moneylender

Geld *n* **verlieren**
(Bö) to loose money
– (infml) to catch a cold

Geldvermögenswerte *mpl* (Fin) cash assets

Geld *n* **verschwenden**
(Fin) to squander money
– (infml) to throw one's money about/around

Geldversorgungsgeschäfte *npl* (Fin) money creation and payments transactions *(ie, by banks)*

Geldvolumen *n* **der Wirtschaft** (Fin) volume of money in the economy

Geld *n* **waschen** (Fin, infml) to launder money
(ie, to legitimize illegally obtained money by processing it through a legitimate third-party business or organization)

Geldwäsche *f* (Fin, infml) money laundering
(ie, converting money from illegal or shady transactions into untraceable investment)

Geldwechselgeschäft *n* (Fin) currency exchange transactions

Geld *n* **wechseln** (Fin) to change money

Geldzuflüsse *mpl* (Fin) inflow *(or influx)* of funds

Geld *n* **zurückerstatten** (Fin) to refund *(or pay back)* money

Gelegenheitsagent *m* (com) occasional agent
(ie, he is not a commercial representative)

Gelegenheitsemittent *m* (Fin) occasional issuer

Gelegenheitsfrachtführer *m* (com) occasional carrier

Gelegenheitsgeschäfte *npl*
(com) occasional deals (*or* transactions)
(com) transactions of single-venture partnerships

Gelegenheitskauf *m*
(com) chance bargain

Gelegenheitskunde *m* (com) casual customer

Gelegenheitspreis *m* (com) bargain price

Gelegenheitsspediteur *m* (com) occasional forwarder

gelieferte Menge *f* (com) quantity shipped

geliefert Grenze benannter Lieferort (com, *Incoterms*) delivered at frontier named place of delivery

geliefert verzollt benannter Ort im Einfuhrland (com, *Incoterms*) delivered named place of destination in country of importation duty paid

geltender Preis *m* (com) current (*or* ruling) price

geltender Satz *m* (com) current rate

gemeiner Handelswert *m* (com) common market value, § 659 HGB

gemeinsame Arbeitsgruppe *f* (com) joint study team

gemeinsame Federführung *f* (com) co-general contracting
(*eg, for Western participants in gas pipeline project*)

gemeinsamer Ausschuß *m* (com) joint committee

gemeinschaftliches Bankkonto *n* (Fin) joint bank account

Gemeinschaftsangebot *n* (Fin) syndicated bid

Gemeinschaftsanleihe *f* (Fin) Community loan

Gemeinschaftsausschuß *m* **der Deutschen Gewerblichen Wirtschaft** (com) Joint Committee of German Trade and Industry
(*ie, headquartered in Cologne; as forum for the umbrella organizations, it deals with questions of common concern und represents*

common interests at the highest level)

Gemeinschaftsdepot *n* (Fin) joint security deposit (*ie, for the account of one or several depositors*)

Gemeinschaftsemission *f* (Fin) joint loan issue

Gemeinschaftsfinanzierung *f*
(Fin) joint (*or* group) financing
(Fin) co-financing deal

Gemeinschaftsgeschäft *n* (Fin) joint business

Gemeinschaftskonto *n* (Fin) joint account (*ie, which may be ‚Oder-Konto' or ‚Und-Konto', which see*)

Gemeinschaftskredit *m*
(Fin) joint loan
– syndicated credit

Gemeinschaftsprojekt *n* (com) community (*or* consortium) project

Gemeinschaftssparen *n* (Fin) collective saving (*opp, Individualsparen Einzelsparen*)

Gemeinschaftsunternehmen *n*
(com) joint undertaking
(com) joint venture, JV
(*ie, internationale Zusammenarbeit von Gesellschaften: grenzüberschreitende, auf Kapitalbeteiligungen beruhende vertraglich festgelegte dauerhafte Zusammenarbeit zwischen zwei od mehr Partnern mit jeweils eigenen Interessenlagen; der Begriff ‚joint venture' ist allerdings weiter: agreement by two or more firms to cooperate in manufacturing, distribution, R&D, etc.; each party makes a substantial contribution; eg, in the form of capital, technology, marketing experience, personnel, or physical assets; it may take various legal forms, such as corporation, partnership of (in German) civil law association (BGB-Gesellschaft); it usually involves the creation of a separate wholly-owned subsidiary*)

gemischte Hypothekenbank *f* (Fin) mixed mortgage bank

gemischter Fonds *m* (Fin) mixed fund

genannter Verschiffungshafen *m*
(com) named port of shipment
genaue Beschreibung *f* **der Waren**
(com) detailed description of
goods
genehmigen (com) to approve
(ie, agree officially; eg, a plan)
– to give approval
(com) to authorize *(ie, give permission for)*
(com) to permit
(com, infml) to rubber stamp
genehmigte Investition *f* (Fin) authorized investment
genehmigtes Kapital *n* (Fin) approved capital, §§ 202 ff AktG *(ie, not identical with the English term ,authorized capital' which is often translated as ,autorisiertes Kapital')*
Genehmigung *f*
(com) authorization
– approval
– permit
Genehmigung *f* **von Investitionsprojekten**
(Fin) capital spending authorization
– capital appropriation
Generalagentur *f* (com) general
agency
Generalbevollmächtigter *m*
(Fin) executive manager
Generalklausel *f*
(com) all-purpose clause
– blanket clause
Generalunternehmer *m*
(com) general
– main
– primary
– prime . . . contractor
Generalversammlung *f*
(com) general meeting of shareholders
– (GB) company in general
meeting
(ie, German term now replaced by ,Hauptversammlung')
(com) general meeting of members
(ie, e–r Genossenschaft = of a cooperative; vergleichbar der

Hauptversammlung e–r Aktiengesellschaft)
Generalvertreter *m* (com) general
agent *(or representative)*
Generalvertretung *f* (com) general
agency
Generika *pl*
(com) generic drugs *(ie, nonproprietary brands sold at a lower price than the branded products)*
genormte Größe *f* (com) standardized
size
Genossenschaft *f* (com) cooperative
association
Genossenschaft *f* **des Einzelhandels**
(com) retail co-op
– retailer cooperative
genossenschaftliche Zentralbanken *fpl* (Fin) central institutions of
credit cooperatives
Genossenschaftsanteil *m*
(com) cooperative share
– share in a cooperative
Genossenschaftsbank *f*
(Fin) cooperative bank
– credit cooperative
Genossenschaftskasse *f* (Fin)
cooperative bank
Genüsse *pl* (Fin, infml) = Genußscheine, qv
Genußaktie *f*
(Fin) bonus share *(ie, unknown in Germany)*
(Fin, GB) jouissance share
Genußrechte *npl* (Fin) profit participation rights
(ie, schuldrechtliche Ansprüche gegen die Gesellschaft:: Beteiligung am Gewinn, Liquidationserlös, aber auch Leistungen sonstiger Art)
Genußschein *m*
(Fin) participating/participation . . . certificate
– qualified dividend instrument
– certificate of beneficial interest
– „jouissance" share
(ie, verbrieft nur Vermögensrechte, wie Ansprüche auf Anteil am Reingewinn, am Liquidationserlös

*oder den Bezug neuer Aktien; cf,
§ 221 III AktG)*

geordneter Markt *m* (Bö) regular
market

Gepäckschein *m* (WeR) baggage (*or*
luggage) check

geplante Emissionen *fpl* (Fin) slated
issues

geplante Investition *f*
(Fin) proposed investment expenditure

geplatzter Scheck *m* (Fin, sl) bounced
check

Gerätemiete *f* (com) equipment
rental

geregelter Freiverkehr *m*
(Bö) regulated over-the-counter
market
– regulated inofficial dealing
– semi-official trading
– (GB) unlisted securities market,
USM
*(ie, securities permitted on the trad-
ing floor, but not on the official list;
cf, Stichwort ,Börse')*

geregelter Wertpapiermarkt *m* (Bö)
organized stock market

gerichtsverwertbare Tatsachen *f*
(com) court-type evidence

geringe Nachfrage *f* (com) slack (*or*
sluggish) demand

geringer Zuwachs *m* (com) marginal
gain *(eg, in sales)*

geringe Umsätze *mpl*
(Bö) calm
– quiet
– thin . . . trading

geringfügiger Rückgang *m* (com)
slight dip (*or* decline) *(eg, in value
of mergers)*

geringfügig fester (Bö) slightly firmer

geringfügig schwächer
(Bö) a fraction easier
– slightly off

geringwertig
(com) low-valued
– of minor value

Gerücht *n* **ausstreuen**
(com, infml) to plant a rumor
– (GB) to put it about (that . . .)

Gesamtabsatz *m* (com) total sales

Gesamtaktie *f* (Fin) multiple share
certificate *(ie, evidencing a large
share holding, not widely used in
Germany; syn, Gesamttitel od
Globalaktie)*

Gesamtannuität *f* (Fin) total annuity

Gesamtauftragswert *m*
(com) total contract value
(com) value of total orders received

Gesamtausleihungen *fpl*
(Fin) total lendings
– loan exposure

Gesamtbaufinanzierung *f* (Fin) one-
stop construction financing
*(ie, erst- und nachstellige Dauer-
finanzierung + Bauzwischenkre-
dite + Vorfinanzierung von Bau-
sparverträgen; syn, Finanzierung
aus e–r Hand)*

Gesamtbedarf *m* (com) total requirements

Gesamtbetrag *m*
(com) total
– total amount
– sum total
– grand total

Gesamtdividende *f* (Fin) total dividend

Gesamtengagement *n* (Fin) total exposure

Gesamtentwicklung *f* (com) overall
trend (*or* development)

gesamter Auftragsbestand *m* (com)
total backlog

Gesamtertrag *m*
(com) total yield *(ie, in farming)*

gesamtfällige Anleihen *fpl* (Fin) issues falling due en bloc

Gesamtfinanzierung *f* (Fin) total
financing *(opp, Grenzfinanzierung)*

Gesamtfinanzierungskosten *pl*
(Fin) total cost of financing
– all-in cost of financing

Gesamtgewinnrendite *f* (Fin) total
earnings yield in percent *(ie,
Gesamtgewinn in DM je Aktie ×
100: Kurs in DM)*

Gesamtindex *m*
(Fin) composite share index
*(ie, Aktienindex für den gesamten
Markt; opp, Branchenindex)*
Gesamtinvestitionen *fpl* (Fin) total
capital spending
Gesamtkapital *n* (Fin) total capital
Gesamtkapitalausstattung *f* (Fin) total capitalization
Gesamtkapitalrentabilität *f*
(Fin) return on total investment
– return on total assets
– percentage return on total capital employed
*(ie, profit + interest on borrowed
capital × 100, divided by total capital)*
Gesamtkaufpreis *m* (com) total
purchase value
Gesamtkonzern *m* (com) combined
group (of companies)
Gesamtkosten *pl*
(com) all-in cost
Gesamtlaufzeit *f* (Fin) total life *(eg,
of a bond issue)*
Gesamtnennbetrag *m* (Fin) total par
value
Gesamtperformance *f* (Fin) total performance *(ie, Zinsertrag plus
Kapitalgewinn der Rentenanlage)*
Gesamtplan *m* (com) master (*or*
overall) plan
Gesamtplanung *f*
(com) general layout
Gesamtpreis *m*
(com) overall/total . . . price
– (infml) all-round price
Gesamtproduktion *f* (com) total production (*or* output)
Gesamtprokura *f*
(com, appr) joint proxy
Gesamtrendite *f* (Fin) total yield (of a
loan) *(opp, Einzelrendite)*
Gesamtrentabilität *f*
(Fin) overall profitability
– operating efficiency
*(ie, as measured by return on total
assets)*
Gesamtsaldo *m* (Fin) aggregate balance

Gesamtsumme *f*
(com) total amount
– total
– sum total
– grand total
Gesamttextil *f* (com) German Textile
Federation
Gesamttitel *m* (Fin) = Globalaktie,
qv
Gesamtumschuldung *f* (Fin) total
debt rescheduling
Gesamtunternehmer *m*
(com) general
– main
– primary
– prime . . . contractor
(syn, Generalunternehmer)
Gesamtverband *m*
(com) central
– general
– umbrella . . . association
Gesamtverband *m* **der Textilindustrie**
(com) Central Association of the
Textile Industry
Gesamtvermögen *n*
(com) total (*or* entire) assets
– entire property
(Fin) total capital employed (*or* invested) *(ie, fixed assets + current
assets)*
– total investment
Gesamtwert *m*
(com) aggregate
– total
– overall . . . value
Gesamtzinsspannenrechnung *f*
(Fin) calculation of total interest
margin *(ie, to determine gross and
net margins)*
Gesamtzuladungsgewicht *n* (com)
deadweight tonnage *(ie, capacity
of vessel in tons of cargo, passengers, fuel, etc.)*
Geschäft *n* **abschließen**
(com) to make a bargain (*or* deal)
– to strike a deal
– to enter into a transaction
– to sign a contract (with)
– to consummate a transaction

Geschäft *n* **abwickeln**
  (com) to carry out a transaction
Geschäft *n* **aufgeben**
  (com) to abandon
  – to discontinue
  – to give up
  – to terminate ... a business
  – to go out of business
  (com) to close down a shop
  – (infml) to shut shop
Geschäft *n* **betreiben**
  (com) to carry on business
  (com) to run (*or* operate) a business
Geschäfte *npl* **der Kreditinstitute**
  (Fin) banking operations (*or* transactions)
Geschäftemacherei *f* (com) profiteering
Geschäft *n* **eröffnen**
  (com) to put up shop
  – (infml) to hang out one's shingle
  – (infml, GB) to put up one's brass plate
Geschäfte *npl* **tätigen** (com) to do business
Geschäfte *npl* **vermitteln** (com) to negotiate business (*ie, said of an agent*)
geschäftliche Transaktion *f* (com) business (*or* commercial) transaction
geschäftliche Verabredung *f* (com) business appointment (*syn, Termin*)
geschäftliche Verbindung *f* (com) business contact
geschäftlich (com) on business
Geschäft *n* **rückgängig machen** (com) to cancel an order
Geschäftsablauf *m* (com) course of business
Geschäftsabschluß *m*
  (com) conclusion of a deal (*or* transaction)
Geschäftsanteil *m*
  (Fin) share
  – interest
  – participation
  (*ie, in GmbH and Genossenschaft*)

Geschäftsaufgabe *f* (com) discontinuance (*or* termination) of a business
Geschäftsauflösung *f* (com) dissolution of a business
Geschäftsbankengeld *n* (Fin) commercial bank money
Geschäftsbank *f* (Fin) commercial bank
Geschäftsbauten *mpl*
  (com) commercial buildings
Geschäftsbeginn *m*
  (com) commencement of business
  (com) opening hours
Geschäftsbestätigung *f* (Fin) confirmation of deal
Geschäftsbetrieb *m*
  (com) business establishment
  (com) sum total of business activities
Geschäftsbewegungen *fpl* (com) sales activities
Geschäftsbeziehungen *fpl*
  (com) business ... relations/contacts
Geschäftsbrief *m* (com) business/commercial ... letter
  (*ie, angegeben werden müssen bei GmbH und AG Rechtsform und Sitz der Gesellschaft, das Registergericht sowie die Namen aller Geschäftsführer bzw Vorstandsmitglieder*)
Geschäftseröffnung *f* (com) opening of a business
Geschäftserweiterung *f* (com) expansion of business
Geschäftsfrau *f* (com) business woman
Geschäftsfreund *m*
  (com) business ... associate/acquaintance
  – customer
  – business friend
  (*ie, not close enough to call a friend in the everyday sense of the word*)
  (com) correspondent
  (*ie, one who has regular business relations with another, esp. at a distance*)

geschäftsführender Direktor *m*
(com) managing director
– head manager

geschäftsführender Gesellschafter *m*
(com) managing partner

geschäftsführender Partner *m*
(com) acting
– active
– managing . . . partner

geschäftsführendes Mitglied *n* (com)
managing member

geschäftsführend
(com) directing the affairs
– managing
– acting

Geschäftsführer *m*
(com) manager *(ie, of a company)*
(com) (general) manager *(ie, of GmbH and KG)*
– chief executive
– chief operating officer
(com) store manager

Geschäftsführungsbefugnis *f*
(com) managing authority
– power of management
– power to direct a business

Geschäftsführung *f*
(com) conduct of business

Geschäftsgebaren *n*
(com) business methods *(or practices)*

Geschäftsgebäude *n* (com) office building

Geschäftsgebrauch *m* (com) official use

Geschäftsgeheimnis *n*
(com) trade
– business
– industrial . . . secret

Geschäftsguthabendividende *f* (Fin)
capital dividend distributed by cooperative

Geschäftsguthaben *n*
(Fin) capital share
(ie, held by member of cooperative: includes cash contributions and pro-rata profit credited to contribution account = Barzahlung und Zuschreibung von Gewinnanteilen)
– paid-up cooperative share

Geschäftsinhaberin *f* (com) proprietress of a business

Geschäftsinhaber *m*
(com) storekeeper
– (GB) shopkeeper

Geschäftsjahr *n*
(com) business
– financial
– fiscal . . . year
– (infml) fiscal *(eg, in fiscal 1992)*
– accounting year

Geschäftskarte *f*
(com) business card *(ie, card with businessman's name, firm, business address, and phone number)*

Geschäftskette *f*
(com) retailing chain
– chain of retail stores

Geschäftskorrespondenz *f*
(com) business *(or* commercial) correspondence

Geschäftskredit *m* (Fin) business loan

Geschäftskunde *m*
(com) customer
– client

Geschäftsleben *n* (com) business *(eg, to retire from business)*

Geschäftsleiter *m* (com, Fin) manager

Geschäftsleitung *f*
(com) management
(com) place of management

Geschäftsleute *pl* (com) business men

Geschäftslokal *n*
(com) business premises

Geschäftsmann *m* (com) business man *(Americans now prefer ‚business person' if the term is understood to include both male and female)*

Geschäftspapiere *npl*
(com) business papers

Geschäftspartner *m*
(com) business partner
– associate

Geschäftsräume *mpl* (com) business premises

Geschäftsraum *m* (com) floor space

Geschäftsreise f (com) business...
travel/trip

Geschäftsrückgang m (com) shrinkage in volume of business (or trade)

geschäftsschädigend (com) damaging (or injuring) the interests and reputation of a firm

Geschäftsschädigung f (com) act by which a firm's standing is affected *(ie, wichtigster Fall geschäftlicher Ehrenschutz nach § 824 BGB; kann Ersatzanspruch aus unerlaubter Handlung begründen = may give rise to a tort claim)*

Geschäftsschluß m (com) closing time

Geschäftsspartenkalkulation f (Fin) cost accounting by lines of business *(ie, a type of departmental cost accounting practiced by banks)*

Geschäftssparte f (com) line of business

Geschäftsstellenleiter m (com) branch manager

Geschäftsstellennetz n (com) branch network

Geschäftsstelle f
(com) office(s)
(com) branch (or field) office

Geschäftsstunden fpl (com) business hours

Geschäftstätigkeit f **aufnehmen** (com) to commence business operations

Geschäftstätigkeit f
(com) business activity

Geschäftsübernahme f (com) takeover of a business

Geschäftsverbindung f (com) business... relations/contacts

Geschäftsverkehr m (com) business *(ie, the total of all reciprocal business or commercial relations)*

Geschäftsvolumen n
(com) business volume
– volume of business
(Bö) trading volume

Geschäftsvorgang m (com) business transaction

Geschäftswagen m (com) business car

Geschäftswelt f (com) business community

Geschäftszeichen n (com) reference (or file) number

Geschäftszeit f
(com) business hours

Geschäftszweig m (com) = Wirtschaftszweig, Branche

Geschäft n **tätigen** (com) to transact business

Geschäft n **zustandebringen**
(com) to negotiate a deal (or transaction)
– to conclude a contract
– to strike a deal
– (infml) to engineer a deal

Geschäft n
(com) business *(ie, general term)*
(com) store
– (GB) shop
(com) bargain
– deal
– (business) transaction

geschätzter Wert m (com) estimated value (or price)

geschlossene Ausschreibung f (com) closed bidding

geschlossener Fonds m (Fin) closed-end fund

geschlossener Immobilienfonds m (Fin) closed-end real estate fund

geschlossener Investmentfonds m (Fin) closed-end investment fund

geschlossenes Indentgeschäft n (com) closed indent *(ie, Indentgeber legt Lieferanten oder Ware fest; opp, open indent)*

geschlossenes Leasing n (Fin) closed-end lease *(ie, lessee returns the leased equipment to the lessor at the end of the lease term; he has no further obligation; opp, offenes Leasing, qv)*

geschuldeter Betrag m (com) sum due (or owing)

Gesellschaft f
(com) partnership *(ie, as the basic type of ,Personengesellschaft')*
(com) corporation
– company

(ie, as the basic type of ,Kapitalgesellschaft')

Gesellschaft *f* **auflösen**
(com) to dissolve a partnership (*or* company)

Gesellschaft *f* **ausgliedern** (com) to remove a subsidiary from an affiliated group of companies

Gesellschaft *f* **beherrschen** (com) to control another company

Gesellschaft *f* **des bürgerlichen Rechts** (com) = BGB-Gesellschaft

Gesellschafter *m*
(com) *(Personengesellschaft:)* partner
– member of partnership
(com) *(Kapitalgesellschaft:)* shareholder
– stockholder
– company member

Gesellschafterausschuß *m* (com) shareholders' committee
(ie, in der GmbH: nimmt Kompetenzen der GfterVers wahr und ersetzt diese uU; erledigt vielfach nur die Geschäftsführungsangelegenheiten)

Gesellschafterbeschluß *m*
(com) resolution adopted by the partners
– shareholders' decision (*or* resolution)

Gesellschafterdarlehen *n*
(com) member's loan
(Fin) partner's loan (to a partnership) *(ie, a genuine loan in the case of limited partners = Kommanditisten, if capital is fully paid, but a contribution only if paid in by unlimited partners = Komplementäre, Vollhafter)*
(Fin) shareholder loan
(ie, one granted to ,Kapitalgesellschaften'; genuine loan and as such subject to trade tax = Gewerbesteuer)

Gesellschaftereinlage *f* (Fin) partner's contribution

Gesellschafter-Geschäftsführer *m* (com) managing partner

Gesellschafterkapital *n* (Fin) partner's capital

Gesellschafterliste *f*
(com) shareholder list
(ie, containing names and residence of all shareholders of a stock corporation present at a general meeting)
(com) list of shareholders *(ie, submitted annually to the Commercial Register, § 40 GmbHG)*

Gesellschaft *f* **errichten**
(com) to constitute
– to establish
– to found
– to set up... a partnership *or* company

Gesellschafterversammlung *f*
(com) shareholders' meeting
– general meeting of members
(ie, organ of a GmbH, § 48 GmbHG)

Gesellschaft *f* **gründen**
(com) to form
– to create
– to organize... a partnership
(com) to create
– to establish
– to form... a corporation

Gesellschaft *f* **mit beschränktem Aktionärskreis**
(com) closely held corporation
– (GB) closely held company
(ie, most of the shares and voting control are held by a small group)

Gesellschaft *f* **mit beschränkter Haftung**
(com) limited liability company, GmbH *(ie, private legal entity, unquoted)*
– (US, *roughly*) close corporation
– (GB, *roughly*) private company

Gesellschaftseinlage *f* (Fin) contribution to partnership capital

Gesellschaftsformen *fpl* (com) legal forms of commercial entities
(ie, OHG, KG, atypische stille Gesellschaft, AG, KGaA, GmbH, Genossenschaft, Versicherungsverein auf Gegenseitigkeit)

Gesellschaftsgewinn

Gesellschaftsgewinn *m* (Fin) company profit

Gesellschaftskapital *n*
(Fin) partnership capital
(Fin) corporate capital
– share capital

Gesellschaftsmittel *pl* (Fin) corporate funds

Gesellschaftssitz *m*
(com) corporate domicile
– (GB) registered office

Gesellschaftsstatuten *pl* (com) bylaws

Gesellschaftsvermögen *n*
(Fin) partnership assets *(ie, of ‚Personengesellschaften‘)*
(Fin) company (*or* corporate) assets *(ie, of ‚Kapitalgesellschaften‘)*

Gesellschaftsvertrag *m*
(com) partnership agreement
– articles of (co)partnership
(ie, relating to Gesellschaft des bürgerlichen Rechts, OHG, KG, stille Gesellschaft)
(com) company... agreement/ contract)
(ie, equivalent to the articles of AG and KGaG; US: articles of incorporation + bylaws; GB: memorandum of association + articles of association)

gesetzliche Bestandteile *mpl* (WeR) statutory features
(eg, of checks or bills of exchange)

gesetzliche Einlagen *fpl* (Fin) legal minimum deposits

gesetzliche Orderpapiere *npl* (WeR) original order paper
(syn, geborene Orderpapiere; opp, gekorene Orderpapiere = order paper by act of the party)

Gesetz *n* **über Kapitalanlagegesellschaften**
(Fin) Law Relating to Investment Companies, as amended 14 Jan 1970

gesicherte Anlage *f* (Fin) asset-backed investment
(ie, investment related to tangible or corporate assets such as shares or property)

gesicherte Forderung *f* (Fin) secured debt

gesicherter Kredit *m* (Fin) secured credit

gesichertes Darlehen *n* (Fin) secured loan

gespaltener Devisenmarkt *m*
(Fin) split
– two-tier
– dual... foreign exchange market

gespaltener Goldmarkt *m* (Fin) two-tier gold market

gespaltener Goldpreis *m* (Fin) two-tier gold price

gespaltener Wechselkurs *m*
(Fin) multiple
– split
– two-tier... exchange rate
(syn, multipler od differenzierter Wechselkurs)

gespaltenes Wechselkurssystem *n*
(Fin) = System gespaltener Wechselkurse, qv

gespannter Kurs *m* (Bö) close quotation of foreign exchange

gesperrte Guthaben *npl* (Fin) blocked assets

gesperrter Scheck *m* (Fin) stopped check

gesperrtes Depot *n* (Fin) blocked deposit *(ie, of securities)*

gesperrte Stücke *npl* (Fin) blocked securities

Gespräch *n* **anmelden** (com) to book a (telephone) call

Gespräch *n* **durchstellen** (com) to put a call through

Gesprächsgebühren *fpl* (com) call charges

Gesprächsnotiz *f*
(com) memo of a discussion
– notes on a discussion

Gesprächspartner *m* (com) interlocutor

gestaffelte Rückzahlung *f*
(Fin) repayment by installments
– stepped repayment

gestaffelter Zinssatz *m* (Fin) staggered rate of interest

Gestaltungsfreiheit f
(com) freedom of scope
– scope of discretion

Gestehungswert m (com) cost of production or acquisition

Gestellung f **e-s Akkreditivs** (Fin) opening a letter of credit

gestreute Anlagen fpl (Fin) diversified investments

gestrichelte Linie f (com) dashed/broken . . . line

gestrichen (Bö) quotation canceled *(ie, no price, no dealings)*

gestützter Preis m (com) pegged (or supported) price

gestützter Wechselkurs m (Fin) pegged rate of exchange

Gesuch n
(com) application
– request

Gesuch n **ablehnen** (com) to refuse a request

Gesuch n **bearbeiten** (com) to handle an application (or request)

Gesuch n **bewilligen** (com) to grant an application

Gesuch n **einreichen**
(com) to file an application
– to submit a request

gesunde finanzielle Lage f (Fin) sound financial position

Gesundheitsattest n
(com) bill of health
– health (or sanitary) certificate

gesundschrumpfen
(com, infml) to pare down
– to whittle down
(ie, a company to a more profitable or leaner and more viable core)

getilgtes Disagio n (Fin) amortized discount

Getränkegroßhandel m (com) beverage wholesaling

Getränkeindustrie f (com) beverage industry

Getreidebörse f
(Bö) grain exchange
– (GB) (London) Corn Exchange *(ie, mostly part of produce exchange = Produktenbörse)*

Getreidehandel m (com) grain trade

Getreidehändler m (com) grain merchant (or dealer)

Getreidepreis m (com) grain price

Getreidetermingeschäfte npl (Bö) grain futures

gewähren
(com) to allow
– to grant

gewährleisten (com) to warrant

Gewährleistungsgarantie f
(Fin) performance bond
– defects liability guaranty
– guaranty against defective material and workmanship
– guaranty deposit
– maintenance guaranty
– guarantee for warranty obligations
(ie, als Bankgarantien erstellt und hinterlegt; diese Avalkredite belasten den Kreditspielraum des Lieferers)

Gewährleistung f (com) warranty *(ie, agreement by seller that article sold has certain qualities)*

Gewährträger m (Fin) guaranty authority
(ie, city or municipality which covers liability of savings banks operating within its jurisdiction)

Gewährung f **e-s Kredits** (Fin) granting of a credit

Gewässerverschmutzung f (com) water pollution

Gewerbe n **ausüben** (com) to carry on a trade

Gewerbebescheinigung f (com) trade certificate

Gewerbe n **betreiben** (com) to carry on a trade

Gewerbetreibender m
(com) businessman *(ie, anyone carrying on a trade or business in his own name and for his own account)*

Gewerbezweig m (com) branch of industry (or trade)

gewerbliche Bauten pl
(com) non-residential buildings

– commercial and industrial buildings
(syn, Wirtschaftsbauten)

gewerbliche Erzeugnisse *npl* (com) industrial products

gewerbliche Fahrzeuge *npl* (com) commercial vehicles

gewerbliche Hypothek *f* (Fin) industrial mortgage

gewerbliche Kreditaufnahme *f* (Fin) industrial and business borrowing

gewerbliche Kredite *mpl* (Fin) commercial (and industrial) loans *(ie, except those secured by real estate)*

gewerbliche Kreditgenossenschaft *f* (Fin) industrial credit cooperative *(ie, mainly ‚Volksbanken')*

gewerbliche Kreditnachfrage *f* (Fin) business-sector credit demand

gewerblicher Güterfernverkehr *m* (com) commercial long haul trucking

gewerblicher Hochbau *m* (com) industrial construction

gewerblicher Kredit *m* (Fin) industrial/business . . . loan

gewerblicher Kreditbedarf *m* (Fin) business credit demands

gewerblicher Kreditnehmer *m* (Fin) industrial borrower

gewerblicher Sektor *m* (com) business sector

gewerblicher Straßentransport *m* (com) commercial road transport

gewerbliches Fahrzeug *n* (com) commercial vehicle

gewerbliche Tätigkeit *f* usüben (com) to carry on a business

gewerbliche Tätigkeit *f* (com) business (*or* commercial) activity

gewerbliche Wirtschaft *f* (com) trade and industry

gewerbliche Zwecke *mpl* (com) industrial or commercial purposes

gewerblich genutzte Grundstücke *npl* (com) industrial real estate

gewerbsmäßiger Frachtführer *m* (com) common carrier

gewerbsmäßig (com) professionally
– by way of business or trade

Gewichtsbescheinigung *f* (com) weight certificate

Gewichtsermittlung *f* (com) determination of weights

Gewichtsgrenze *f* (com) weight limit

Gewichtsliste *f* (com) weight list

Gewichtstarif *m* (com) weight-based transport rate *(opp, Stück- und Raumtarife)*

Gewichtsverlust *m* (com) loss in weight

gewillkürte Orderpapiere *npl* (WeR) = gekorene Orderpapiere

Gewinn *m* (com) profit

Gewinnabführung *f* (Fin) transfer of profits

Gewinnabrechnungsgemeinschaft *f* (Fin) profit pool

Gewinnabschöpfung *f* (Fin) siphoning-off (*or* skimming-off) profits

Gewinnabsicht *f* (com) gainful intent

Gewinnanspruch *m* (Fin) claim on pro rata share in annual net profits *(ie, divident and interest coupons)*

Gewinnanteil *m* (Fin) profit share

Gewinnanteilschein *m* (WeR) profit sharing certificate, § 234 BGB
(Fin) dividend coupon (*or* warrant)

Gewinnanteilscheinbogen *m* (Fin) coupon sheet

Gewinnaufschlag *m* (com) mark-up

Gewinn *m* **aus Anlagenverkauf** (Fin) profit on asset disposal

Gewinnausschließungsvertrag *m* (Fin) non-profit agreement
– profit-exclusion agreement

Gewinnausschluß- und Verlustübernahmevertrag *m* (Fin) = Gewinnabführungsvertrag

Gewinnausschüttung *f* (Fin) distribution of profits
– profit distribution
– dividend payout

Gewinnaussichten *fpl* (Fin) profit prospects

Gewinn *m* **aus Wertpapieranlagen** (Fin) income from security holdings

gewinnberechtigt (Fin) entitled to profit share

gewinnberechtigte Aktien *fpl* (Fin) shares entitled to dividend

Gewinnbeteiligungsrechte *npl* (Fin) participating rights

gewinnbringend (com) profitable

Gewinn *m* **der Minderheitsaktionäre** (Fin) profit accruing to minority shareholders

Gewinne *mpl* **abschöpfen** (Fin) to siphon off (*or* skim off) profits

Gewinne *mpl* **erwirtschaften** (com) to generate profits *(eg, DM 2 million in profits)*

Gewinn *m* **einbringen** (com) to turn in profits

Gewinneinbruch *m*
(Fin) profit collapse
– sharp drop in results
– sharply lower profits

Gewinneinbußen *fpl* (Fin) squeeze on margins

Gewinne *mpl* **mitnehmen**
(Bö) to take profits
– to cash in on profits

gewinnen
(com) to win
– to gain
(com) to make a profit
(com, infml) to come out on top

Gewinnentgang *m* (com) loss of profits

Gewinnentwicklung *f* (Fin) earnings performance

Gewinne *mpl* **realisieren**
(Fin) to realize profits
(Bö) to take profits

Gewinnerhaltung *f* (Fin) maintenance of profit levels

Gewinn *m* **erzielen** (com) to make a profit

Gewinnerzielung *f* (Fin) making (*or* realization) of profits

Gewinne *mpl* **überweisen** (Fin) to forward profits *(eg, to parent company)*

Gewinne *mpl* **und Verluste** *mpl*
(Bö) gains and losses
– (GB) rises and falls

Gewinn *m* **in % des investierten Kapitals** (Fin) rate of return on investment (*or* capital employed)

Gewinn *m* **in % des Umsatzes** (Fin) percentage return on sales *(syn, Umsatzrentabilität, Umsatzrendite, Umsatzgewinnrate)*

Gewinn *m* **je Aktie** (Fin) earnings per share, EPS *(ie, wird in Deutschland nach der DVFA-Formel ermittelt und durch die Anzahl der ausgegebenen Aktien dividiert; amount of earnings attributable to each share of common stock)*

Gewinnkennziffern *fpl* (Fin) earnings ratios

Gewinn *m* **machen**
(com) to make a profit
(com, infml) to make a turn
(com, infml) to turn a profit

Gewinnmarge *f* (com) profit margin

Gewinnmatrix *f* (Fin) payoff (*or* gain) matrix

Gewinnmitnahme *f* (Bö) profit taking

Gewinnmitnahme *f* **durch den Berufshandel** (Bö) professional profit taking

Gewinnobligation *f* (Fin) income (*or* participating) bond *(ie, neben festem Basiszins ein mit der Dividende gekoppelter Gewinnanspruch)*

Gewinnpolster *n* (Fin) earnings cushion

Gewinn *m* **pro Aktie** (Fin) earnings per share

Gewinnprognose *f* (Fin) profit (*or* earnings) forecast

Gewinnpunkt *m* (Fin) breakeven point *(ie, point of activity or sales volume where total revenues and total expenses are equal, that is, there is neither profit nor loss)*

Gewinnrate *f* (Fin) rate of profit

Gewinnrealisierung *f*
(Bö) profit taking
– realization of profits

Gewinnrückgang *m* (com) drop in profits

Gewinnschuldverschreibung *f*
(Fin) income/participating ... bond
– (GB) profit-sharing loan stock
(ie, verbrieft neben e–r bestimmten Geldforderung weitere Leistungen, „die mit Gewinnanteilen von Aktionären in Verbindung gebracht" werden; cf, § 221 I 1 AktG; knüpft z.B. an Dividende, Bilanzgewinn od Jahresüberschuß an)

Gewinnspanne *f*
(com) profit margin
– margin of profit
– gross profit
– operating margin

Gewinnspanne *f* **e–r Emissionsbank**
(Fin) gross spread *(ie, equals the selling concession – Bonifikation – plus the management and underwriting fees)*

Gewinnspanne *f* **komprimieren**
(com) to squeeze the profit margin

Gewinnsteuerung *f* (Fin) profit management

Gewinn-Umsatz-Schaubild *n* (Fin) profit-volume graph

Gewinn- und Verlustübernahmevertrag *m* (Fin) profit and loss assumption *(or* absorption*)* agreement

Gewinnungskosten *pl* (com) resource cost *(ie, of obtaining primary energies)*

Gewinnvergleichsrechnung *f* (Fin) profit comparison method *(ie, in preinvestment analysis)*

Gewinnverlagerung *f*
(Fin) shift *(or* transfer*)* of profits
– profit shifting

Gewinnverlagerungspolitik *f* (Fin) profit shifting policy

gewinnversprechend (com) profitable

Gewinnverteilung *f*
(Fin) profit distribution

Gewinnverwendungsvorschlag *m*
(Fin) proposed appropriation of earnings

Gewinnvorschau *f* (Fin) profit forecast

gewöhnliche Post *f*
(com) ordinary mail
– (com, US) surface mail

gewöhnliche Zinsen *mpl* (Fin) simple *(or* ordinary*)* interest *(ie, based on 360 days)*

gezeichnete Aktien *fpl* (Fin) subscribed shares

gezielte Förderung *f* (com) selective incentives

gezogener Wechsel *m* (WeR) draft

giftige Gase *npl* (com) hazardous/toxic ... gases

Giralgeld *n* **der Kreditbanken** (Fin) commercial bank book money

Giralgeld *n* **der Zentralbank** (Fin) central bank book money

Girant *m*
(WeR) indorser
– backer
– (GB) endorser

Girat(ar) *m*
(WeR) indorsee
– (GB) endorsee

girierbar (WeR) indorsable

girieren
(WeR) to indorse
– (GB) to endorse *(syn, indossieren)*

girierter Wechsel *m* (WeR) indorsed bill of exchange

Girierung *f* (WeR) transfer by indorsement

Giro *n*
(WeR) indorsement
(Fin) giro

Giroabteilung *f* (Fin) giro department
(syn, Überweisungsabteilung)

Giroauftrag *m* (Fin) credit transfer order

Giroeinlage *f* (Fin) deposit on current account

Girogelder *npl* (Fin) funds available for credit transfer

Girogeschäft *n* (Fin) giro business *(ie, Durchführung des bargeldlosen Zahlungsverkehrs und des Abrechnungsverkehrs: cashless payments and clearings; cf, § I 1 9 KWG)*

Girogläubiger *m* (WeR) creditor by indorsement

Giroguthaben *n*
(Fin) credit balance on current account

Girokonto *n*
(Fin) current account *(ie, in a bank)*
– (GB) Giro account

Girokunden *mpl* (Fin) current account customers

Gironetz *n* (Fin) giro system *(ie, branch system of a group of banks through which payments are cleared)*

Giro *n* **ohne Gewähr** (WeR) indorsement without recourse

Giroprovision *f* (Fin) credit transfer commission

Girosammelanteil *m* (Fin) share in a collective securities account

Girosammeldepot *n* (Fin) = Girosammelverwahrung

Girosammelverwahrung *f*
(Fin) collective deposit (of negotiable securities)
– collective custody account
(ie, Wertpapiersammelbanken – securities clearing and deposit banks – sind Sammelverwahrer für die von den Kontoinhabern eingelieferten Wertpapiere)

Giroschuldner *m* (WeR) debtor by indorsement

Girostelle *f* (Fin) giro center *(ie, credit transfer clearing house)*

Giroüberweisung *f* (Fin) credit (or bank) transfer

Giroüberzugslombard *m* (Fin) Bundesbank advance

Giroverbände *mpl* (Fin) giro center associations *(ie, set up by savings banks and credit cooperatives)*

Giroverkehr *m*
(Fin) giro credit transfers
– giro transactions
– bank giro credit system
(ie, payment by cashless bank transfers; syn, Überweisungsverkehr)

Girozentrale *f* (Fin) central giro institution

Girozentralen *fpl* (Fin) giro centers *(ie, central credit institutions of public savings banks)*

glattes Akkreditiv *f*
(Fin) clean credit

Glattstellen *n*
(Bö) closing out
– offset
(ie, e-r futures- od Optionsposition)

glattstellen
(Bö) to balance
– to even up
– to liquidate
– to realize
– to sell off
– to settle
– to square

Glattstellung *f*
(Bö) realization sale
– evening out/up

Glattstellungsauftrag *m* (Bö) realization order

Glattstellungsgeschäft *n*
(Bö) evening-up transaction
– offsetting . . . transaction/trade)

Glattstellungsverkauf *m*
(Bö) realization sale
– sell off

Gläubigerpapiere *npl* (WeR) fixed-interest securities

Gläubiger *m*
(com) creditor *(ie, one to whom money is due)*

gleichartige Geschäfte *npl* (com) similar transactions

Gleichbesicherungsklausel *f* (Fin) pari passu clause
(ie, Kreditnehmer stellt bei Besicherung anderer Verbindlichkeiten den Gleichrang aller Forderungen sicher)

gleiche Güte *f* **und Qualität** *f* (com, US) like grade and quality

gleichgerichtete Kursbildung *f* (Bö) parallel pricing

gleichrangige Schuldverschreibung *f* (Fin) pari passu bond

Gleichrangrahmen *m* (Fin) scope for equally ranking charges

gleichwertige Positionen *fpl* (Bö) equivalent positions

Gleichwertigkeit *f* (com) equal value

Gleisanschluß *m* (com) railroad siding
– private siding

gliedern (com) to arrange
– to classify
– to subdivide

global (com) in aggregate terms

Globalaktie *f* (Fin) multiple share certificate
– stock certificate
(ie, *Sammelurkunde für mehrere Einzelaktien; evidences large share holding, not widely used in West Germany; syn, Gesamtaktie, Gesamttitel, Sammelaktie*)

Globalangebot *n* (com) comprehensive offer

Globalanleihe *f* (Fin) blanket loan

Globaldarlehen *n* (Fin) blanket (or lump sum) loan

Globalfinanzierung *f* (Fin) block financing

Globalisierung *f* (Fin) globalization (ie, *of financial markets*)

Globalkürzung *f* (com) across-the-board cut

Globalurkunde *f* (Fin) global certificate

GmbH (com) = Gesellschaft mit beschränkter Haftung = Limited Liability Company

GmbH & Co *f* (com) limited partnership
(ie, *whose general partner – nominally liable without limit for the partnership's debts – is a private company and whose limited part-* ners are the same persons as the shareholders of the company)

Goldaktien *fpl* (Bö) gold mines

Goldankaufspreis *m* (Fin) gold buying price

Goldarbitrage *f* (Fin) arbitrage in bullion
– gold arbitrage

Goldaufgeld *n* (Fin) gold premium

Goldbarren *m* (Fin) gold bullion

Goldbarrenmarkt *m* (Fin) bullion market

Goldbestand *m* (Fin) gold inventory

Goldbörse *f* (Bö) gold exchange

Goldene Bankregel *f* (Fin) Golden Bank Rule
(ie, *liquidity rule of credit institutions, requires sufficient availability of funds at any time*)

Goldene Finanzregel *f* (Fin) golden rule of financing (ie, *requires that long-term investments be not financed with short-term funds*)

Goldhandel *m* (Fin) gold trading

Goldmarkt *m* (Fin) gold market

Goldmünzen *fpl* (Fin) gold coins

Goldnotierung *f* (Fin) gold quote

Goldoptionen *fpl* (Fin) gold options

Goldpreis *m* (Fin) gold price

Goldverkäufe *mpl* **am freien Markt** (Fin) gold sales in the open market

Goldwertklausel *f* (Fin) gold clause

grafische Darstellung *f* (com) graphic representation
– graph

grafisches Gewerbe *n* (com) printing industry (ie, *German term obsolete, but still used in places*)

gratis (com) at no charge
– free
– free of charge

Gratisaktie *f* (Fin) bonus share (or stock)
(ie, *a special type of self-financing: a formal dividend payout is subsequently treated as a new capital contribution, §§ 207ff AktG; syn, Berichtigungsaktie*)

Gratisangebot *n* (com) free offer

Gratismuster n (com) free sample

Gratiszuteilung f (Fin) bonus allotment

grauer Markt m (com) gray market

Gremium n (com) body

Grenzfinanzierung f (Fin) marginal financing *(opp, Gesamtfinanzierung)*

Grenzkreditnehmer m (Fin) marginal borrower

Grenzkurs m (Fin) marginal rate

Grenzliquidität f (Fin) marginal liquidity

Grenzübergang m
(com) border crossing

grenzüberschreitende Informationen fpl (com) cross-border intelligence

grenzüberschreitender Kapitalverkehr m
(Fin) international (*or* cross-frontier) capital movements

grenzüberschreitendes Konzernclearing n (Fin) cross-border group clearing

grenzüberschreitendes Leasing n (Fin) cross-border leasing
(ie, über günstige Finanzierungskosten sollen die Bedingungen des Exports verbessert werden)

grenzüberschreitendes Projekt n (com) cross-frontier project

grenzüberschreitende Unternehmenskäufe mpl (com) cross-border mergers and acquisitions

grobe Schätzung f (com) rough estimate

grob gerechnet
(com) as a rough estimate
– roughly calculated

Großabnehmer m
(com) bulk ... buyer/purchaser
– big industrial user
– heavy consumer
– large/quantity ... buyer

Großabschluß m
(com) large ... contract/deal
– big-ticket transaction

Großaktionär m (Fin) major shareholder

Großanlagengeschäft n (Fin) big-ticket deposit taking

Großanleger m (Fin) big/large-scale ... investor

Großauftrag m
(com) major/large-scale ... order
– bulk order
– big ticket item

Großbank f (Fin) big/large ... bank

Großbestellung f (com) bulk order

Großeinlagengeschäft n (Fin) big-ticket deposit-taking
(ie, by banks)

Großemission f (Fin) jumbo loan issue

Großemittent m (Fin) major debt issuer

größenordnungsmäßig (com) in order of magnitude

großer Spielraum m (com) plenty of room to operate

großes Sortiment n (com) large variety of goods

Großgeschäft n (com) big-ticket (*or* jumbo) deal

Großhandelsbetrieb m (com) wholesale establishment

Großhandelslager n (com) wholesale stock

Großhandelspreis m (com) wholesale price

Großhandelsrabatt m (com) wholesale discount

Großhandelsspanne f (com) wholesale margin

Großhandelsvereinigung f (com) wholesaling association

Großhandelsvertreter m (com) wholesale representative

Großhandelswerte mpl (Bö) big volume stock

Großhandelszentrum n (com) wholesale center

Großhändler m
(com) wholesale dealer
– wholesaler
– distributor

Großkredit m
(Fin) big
– large-scale

– massive
– (infml) jumbo ... loan
(ie, extended in excess of 15% of a bank's equity capital, § 13 KWG)
Großkreditgeschäft *n* (Fin) large-scale lending business
Großkreditnehmer *m*
(Fin) major
– massive
– large
– big ... borrower
Großkunde *m*
(com) big customer
– bulk/large-lot ... buyer
– major account
– leading edge account
– (infml) big-ticket customer
Großlieferant *m* (com) major supplier
Großmarkt *m* (com) wholesale market
Großpackung *f*
(com) large
– bulk
– giant
– jumbo
– familiy size
– economy-sized ... package
Großprojekt *n*
(com) large-scale project
– big-ticket ... project/item
– jumbo scheme
Großraumbüro *n* (com) open plan office
Großverbraucher *m* (com) bulk consumer
Großverbundnetz *n* (com) large-scale integrated system
Großverdiener *m* (com) big income earner
großzügige Kreditbedingungen *fpl*
(Fin) (very) easy credit terms
Grundausstattung *f*
(com) basic equipment
Grundbedarf *m* (com) basic requirements
Grundbestand *m*
(com) basic stock
Grundbetrag *m*
(com) basic amount

Grunddaten *fpl*
(Fin) base data *(eg, stock market data, company accounts analysis data)*
Grundeinheit *f* (com) basic unit
gründen
(com) to form
– to create
– to establish
– to launch
– to organize
– to set up ... a business *(ie, of any kind)*
(com) to incorporate *(ie, Kapitalgesellschaft)*
– (GB) to promote (a company)
Gründer *m* **e-r AG**
(com) incorporator of a stock corporation, § 2 AktG
– (GB) promoter of a company
Gründerlohn *m* (Fin) founders' fee
Gründer *m*
(com) founder *(ie, of any type of business)*
(com) incorporator *(ie, of a Kapitalgesellschaft, usu. of an AG)*
– (GB) promoter
Grundgebühr *f* (com) basic fee *(or charge)*
Grundgeschäft *n*
(com) bottom line
– mainstay business
– (infml, US) meat and potatoes *(ie, of a busines, trade, or industry)*
Grundkapital-Dividende *f* (Fin) dividend out of capital
Grundkenntnisse *fpl*
(com) elementary understanding
– basic knowledge
– the ABC of ...
Grundkredit *m* (Fin) real estate credit
Grundkreditanstalt *f* (Fin) mortgage bank
Grundlage *f*
(com) basis
– foundation
– (infml) underpinnings
(eg, the court disavowed the ... of the case)

(com) basic elements
- fundamentals

Grundlagenforschung f (com) basic research

grundlegende Änderung f (com) wholesale change

gründliche Analyse f
(com) deep study
- study in depth
- (US) in-depth analysis
- (infml) seat-of-the-pants analysis

Grundmetalle npl (com) base metals *(eg, copper, lead, tin)*

Grundpfanddarlehen n (Fin) mortgage loan

Grundqualität f (Bö, US) = Basisqualität, qv

Grundrendite f
(Fin) basic yield

Grundsachverhalt m
(com) basic facts
- basics

Grundsatzdiskussion f (com) discussion in principle

Grundsatzentscheidung f
(com) pivotal decision

Grundsatzfragen fpl
(com) basic
- key
- pivotal ... issues

Grundstoffe mpl
(com) basic ... goods/commodities
- basic materials
- primary products

Grundstoffindustrie f
(com) primary
- basic
- extractive ... industry

Grundstücksbewertung f
(Fin, StR) valuation of real property
- site value appraisal

Grundstückserschließungsplan m
(com) land development plan

Grundstückserschließung f (com) real estate *(or* property) development

Grundstücksfonds m (Fin) real estate fund

Grundstücksgeschäfte npl (com) real estate transactions

Grundstücksgesellschaft f (com) real estate company *(ie, engaged in buying and selling)*

Grundstückskäufer m (com) purchaser of land

Grundstückskauf m (com) purchase of real estate

Grundstücksmakler m
(com) real estate broker *(or* agent)
- (GB) estate agent
- (GB) land agent
(syn, Immobilienmakler)

Grundstücksmarkt m
(com) real estate market
- property market

Grundstückspreise mpl (com) real estate prices

Grundstücksverkäufer m
(com) real estate operator
- (GB) property dealer

Grundstück n
(com) plot of land
- parcel of real estate *(or* real property)
- real estate tract
- real estate
(ie, may include buildings)

Grundtendenz f (com) underlying trend

Grund m **und Boden** m (com) real estate *(or* property)

Gründungsaufwand m
(Fin) formation expense, § 26 AktG
- organization expense

Gründungseinlage f (Fin) original investment

Gründungsfinanzierung f (Fin) funding at commencement of a business enterprise

Gründungsformalitäten fpl
(com) formalities of formation
- technical incorporation requirements
(ie, to be met in the case of stock corporations)

Gründungsjahr n (com) year of formation *(or* foundation)

Gründungskapital

Gründungskapital *n*
(Fin) original capital
– initial capital stock
Gründungskonsortium *n* (Fin) foundation (*or* underlying) syndicate
Gründungsurkunde *f*
(com, US) articles of incorporation
– (GB) memorandum of association
Gründungsversammlung *f* (com) organization meeting
Gründung *f*
(com) formation *(ie, of any type of business)*
– foundation
– organization
Grundvermögen *n*
(com) property in land
Grundwert *m*
(com) basic amount *(ie, in commercial calculations)*
Grundwertsteigerung *f* (Fin) real estate appreciation
grüner Scheck *m* (Fin) security transfer check
(syn, Effektenscheck)
grünes Licht *n* **geben** (com) to give the go-ahead *(eg, for final agreement, for an investment project)*
grüne Wiese *f* (com) greenfield site *(ie, building plot without infrastructure; eg, to build a plant on a greenfield site)*
Gruppenfrachtrate *f* (com) blanket/class ... rate
(ie, Gruppentarif)
Gruppenrendite *f* (Fin) group yield
Gruppentarif *m* (com) blanket rate
(syn, Gruppenfrachtrate)
Gruppenverteiler *m* (com) group distributor
gültig bis auf Widerruf (com) valid until canceled
gültiger Verkaufspreis *m* (com) actual selling price
günstige Bedingungen *fpl* (com) easy (*or* reasonable) terms
günstiges Angebot *n* (com) attractive (*or* favorable) offer

günstige Zahlungsbedingungen *fpl*
(Fin) easy terms of payment
günstigster Arbitragekurs *m* (Fin) arbitrated exchange
gut abschneiden (Fin) to perform well
Gutachten *n*
(com) expert opinion
– report
– experts report
– appraisal report *(ie, of valuer)*
– (esp GB) expertise
(syn, gutachterliche Stellungnahme)
Gutachten *n* **einholen** (com) to ask for an expert opinion
Gutachten *n* **erstatten** (com) to submit an expert opinion
Gutachter *m* (com) expert
Gutachterausschuß *m* (com) committee of experts
Gutachter *m* **heranziehen** (com) to consult an expert
gutachterliche Stellungnahme *f* (com) = Gutachten, qv
Gutachtertätigkeit *f* (com) expert's advisory services
gut behauptet (Bö) well-maintained
Güteaufpreis *m* (com) quality extra
gute Auftragslage *f* (com) strong orders position
Güteklassen *fpl*
(com) quality categories
(com) grades
Güterabfertigung *f*
(com) dispatching of goods
(com) freight office
– (GB) goods office
Güterkraftverkehr *m*
(com) trucking
– (GB) road (*or* freight) haulage
Güternahverkehr *m* (com) short haul transportation
(ie, im 50-km Umkreis um den Ortsmittelpunkt der Gemeinde des Fahrzeugstandorts; opp, Güterfernverkehr)
Güterspediteur *m* (com) freight forwarder
Güter *npl* **und Dienste** *mpl* (com) goods and services

Güterverkehr *m*
  (com) freight (*or* goods) traffic
  – freight business
  – freight movement
  – transportation of freight
Güterzug *m*
  (com) freight train
  – (GB) goods train
Güter *npl*
  (com) commodities
  – merchandise
  – goods
  – freight
Gütevorschrift *f* (com) quality standard (*or* classification)
Güte *f*
  (com) = *Qualität, qv*
gutgläubiger Besitzer *m*
  (WeR) holder in good faith
gutgläubiger Erwerber *m*
  (WeR) bona fide purchaser
  – good faith purchaser
  (ie, Inhaberpapiere werden wie bewegliche Sachen behandelt, Orderpapiere ähnlich; cf, §§ 932-936 BGB; without notice of any defense or claim to document or property; cf, UCC § 7-501
gutgläubiger Inhaber *m*
  (WeR) bona fide holder
  – holder in good faith
Guthaben *n*
  (Fin) balance
  – credit balance

  (Fin) deposits
  – funds
Guthaben *npl* **abziehen** (Fin) to withdraw balances
Guthaben *n* **ausweisen** (Fin) to show a balance
Guthabenbewegungen *fpl* (Fin) changes in credit balances
Guthaben *n* **freigeben** (Fin) to unfreeze funds
Guthaben *npl* **Gebietsfremder** (Fin) nonresident holdings
Guthabenklausel *f* (Fin) sufficient-funds proviso
Guthabensaldo *m* (Fin) credit balance
Guthabenzinsen *mpl* (Fin) credit interest
gut halten, sich
  (Bö) (prices) hold steady
  – hold up well
Gutschrift *f*
  (com) credit note
Gutschriftsanzeige *f*
  (Fin) credit memo(randum)
  – credit slip
  – (GB) credit note
Gutschriftskondition *f* **verschlechtern** (Fin) to tighten terms for crediting items
gut verkaufen lassen, sich
  (com) to sell readily
  – to find a ready market

H

haarsträubender Fehler *m* (com, infml) glaring flaw
Habenzinsen *mpl*
  (Fin) interest earned
  – interest earnings
  – credit interest
Habenzinssatz *m* (Fin) creditor (interest) rate
Hafen *m*
  (com) port *(ie, artificial)*
  – harbor *(ie, natural or artificial)*
Hafenanlagen *fpl* (com) port facilities

Hafen *m* **anlaufen** (com) to call at a port
Hafenarbeiter *m*
  (com) dock worker
  – docker
  – (US) longshoreman
Hafengebühren *fpl*
  (com) port dues
  (*or* charges)
Hafengeld *n*
  (com) harbor dues
  – groundage

Hafenkonnossement *n*
(com) port bill of lading
– port B/L

haftendes Eigenkapital *n* (Fin) liable equity capital *(ie, of banks)*, § 10 KWG

haftendes Kapital *n* (Fin) guarantee capital

Haftsummenverpflichtung *f* (Fin) uncalled liabilities of members *(ie, of a cooperative society)*

Haftungsbeschränkung *f* **des Transportunternehmens**
(com) risk note

Haftungskapital *n* (Fin) liable equity capital

Haftungsverbund *m* (Fin) joint liability scheme *(ie, operated by the savings banks' guaranty fund and the desposit security reserve of the ,Landesbanken' and ,Girozentralen')*

Haftungszusage *f* (Fin) guaranty commitment

halbamtlicher Verkehr *m* (Bö) over-the-counter market

Halberzeugnisse *npl* (com) semi-finished goods *(or products)*

Halbfabrikate *npl* (com) = Halberzeugnisse

Halbjahresdividende *f* (Fin) semi-annual dividend

Halbjahresgewinne *mpl* (Fin) first-half profits

Halbjahreszahlung *f* (Fin) semi-annual payment

Halbjahreszinsen *mpl* (Fin) semi-annual interest

halbjährlich
(com) semi-annual
– (GB) half-yearly

halbkundenspezifisch
(com, EDV) semi-custom

Halbwaren *fpl* (com) semi-finished goods

Halbzeug *n* (com) semi-finished products

Handbuch *n* (com) manual

Handel *m*
(com) trade

(ie, process of buying, selling, or exchanging commodities)
– commerce *(esp. on a large scale)*
(com) deal
– bargain
– commercial transaction
(Bö) trading
– dealing
(Bö) professional traders *(syn, Berufshandel)*

Handel *m* **abschließen** (com) to strike a bargain

Handel *m* **aussetzen** (Bö) to suspend trading

handelbare Kreditengagements *npl* (Fin) transferable loan facilities

handelbare Option *f* (Bö) traded option

Handel *m* **in Darlehensforderungen** (Fin) asset trading

Handel *m* **in Festverzinslichen** (Bö) bond trading

Handel *m* **in Freiverkehrswerten** (Bö) over-the- counter trading in unlisted securites

Handel *m* **in Wertpapieren** (Bö) trading *(or dealing)* in securities

Handel *m* **mit aufgeschobener Erfüllung** (Bö) trading per account

Handel *m* **mit Bezugsrechten** (Fin) rights dealings

Handel *m* **mit eigenen Aktien** (Fin) traffic in (a company's) own shares

handeln
(com) to buy and sell
– to trade
– to carry on trade
(Bö) to trade *(ie, on the stock exchange)*

handeln, im Freiverkehr (Bö) to trade over the counter

handeln, im Telefonverkehr (Bö) to trade in the unofficial market

handeln mit
(com) to deal in *(eg, certain commodities)*
– to trade in

Handel *m* **per Erscheinen**
(Bö) trading in securities not yet issued

Handel *m* **per Termin** (Bö) trading for future delivery

Handelsbestand *m*
(Fin) trading portfolio (*ie, held by a bank*)

Handelsbeziehungen *fpl*
(com) trade relations
- trading links

Handelsbeziehungen *fpl* **aufnehmen**
(com) to enter into trade relations

Handelsbrauch *m*
(com) trade
- business
- commercial
- mercantile . . . usage
- custom of the trade
- mercantile custom
- usage of the . . . market/trade
(*cf, § 346 HGB; syn, kaufmännische Verkehrssitte, Usancen, Handelssitte*)

Handelseinheit *f*
(Bö) unit of trading
- marketable parcel
- regular lot

handelsfähig
(com) marketable
- merchantable
- tradable
(WeR) negotiable

Handelsfranc *m*
(Fin) commercial franc, BEC (*ie, offizieller Wechselkurs; opp, free franc*)

Handelsgesellschaft *f*
(com) trading partnership
- trading company

Handelsgut *n* **mittlerer Art und Güte**
(com) fair average quality, faq

Handelsklassen *fpl* (com) grades (*ie, quality standards for farm and fishery products*)

Handelsklauseln *fpl* (com) trade terms (*eg, ex works, CIF, FOB*)
(*ie, Abkürzungen für bestimmte Vereinbarungen; Einteilung: 1. Zahlungsklauseln; 2. Lieferklauseln; 3. Klauseln über Qualität und Gewährleistung; 4. Freizeichnungsklauseln; siehe dort*)

Handelskorrespondenz *f* (com) business (*or* commercial) correspondence

Handelskosten *pl* (Bö) trading costs

Handelskredit *m* (Fin) trade credit

Handelskreditbrief *m* (Fin) commercial letter of credit, CLC
(*ie, im Verkehr mit angloamerikanischen Ländern: ist nicht an die avisierende Bank, sondern an den Begünstigten direkt gerichtet*)

Handelsmakler *m*
(com) commercial
- mercantile
- merchandise . . . broker
- mercantile agent, § 93 HGB

Handelspapiere *npl*
(com) commercial documents
(WeR) commercial paper (*ie, mainly comprising instruments made out to bearer and to order*)

Handelspartner *m* (com) trading partner

Handelsrechnung *f*
(com) commercial invoise
- (GB) trading invoice
(*ie, seller's bill addressed to buyer*)

Handelsreisender *m* (com) commercial traveler

Handelswährung *f* (Fin) dealing currency

Handelswaren *fpl*
(com) merchandise

Handelswechsel *m*
(Fin) commercial
- trade
- commodity bill
-. (infml) business paper
(*ie, results from a commercial transaction as compared to the noncommercial bill, such as a banker's bill; syn, Warenwechsel; opp, Finanzwechsel*)

Handel *m* **unter Maklern** (Bö) trading among brokers

handhabbar (com) manageable

Händlerdarlehen *n* (Fin) dealer loan

Händlerfinanzierung *f* (Fin) dealer financing

189

Händlergeschäfte *npl* (Bö) dealer transactions, § 22 KVStG
(ie, transactions among dealers or traders in securities, § 20 KVStG)

Händlergewinn *m* (Bö) turn

Händlerprovision *f* (Bö) dealer commission

Händler *m*
(com) trader *(ie, general term describing wholesaler, retail saler, itinerant trader, etc.)*
(com) distributor
(Bö) dealer or trader in securities *(ie, includes domestic and foreign banks and other credit institutions, domestic and foreign exchange brokers, the Bundesbank, etc., § 21 KVStG)*

Handlungsbedarf *m* (com) (pressing) need to act *(ie, usually in the phrase, es besteht kein Handlungsbedarf')*

Handverkauf *m*
(com) open sale
(Bö) over-the-counter sale

Handzeichen *n* (com) initials

Hanseatische Wertpapierbörse *f* (Bö) Hamburg Stock Exchange

Hantierungskosten *pl* (com) handling *(or processing)* costs

harte Nuß *f* (com, infml) tough nut to crack

hartnäckig verhandeln
(com) to bargain about/over
– to dicker over
– to haggle over

Hauptaktionär *m*
(Fin) principal
– major
– leading... shareholder *(or stockholder)*

Hauptanbieter *m* (com) main *(or principal)* bidder

Hauptbereich *m* (com) key area

Hauptbieter *m* (com) base bidder *(ie, in contract awarding)*

Hauptentschädigungsberechtigter *m* (Fin) recipient of basic compensation *(ie, see § 252 III LAG)*

Hauptgenossenschaft *f* (com) central

cooperative *(ie, supplying the ,Raiffeisengenossenschaften' with fertilizer, farm machinery, etc.)*

Hauptgeschäftsbereich *m*
(com) core business
– key operating area

Hauptgeschäftsführer *m* (com) chief manager

Hauptgeschäftsgegend *f* (com) main business area

Hauptgeschäftsstelle *f* (com) principal office

Hauptgeschäftszeit *f* (com) peak business hours

Hauptkasse *f* (Fin) main cashier's office

Hauptkassierer *m* (Fin) chief cashier

Hauptkunde *m*
(com) main *(or principal)* customer
– key account

Hauptlieferant *m* (com) main supplier

Hauptmarkt *m* (com) primary *(or principal)* market

Hauptmerkmal *n* (com) key *(or leading)* feature

Hauptniederlassung *f* (com) principal establishment

Hauptplatz *m* (Fin) main center
(ie, in foreign exchange trading this is the place where currency must be delivered; eg, Copenhagen, Frankfurt, New York, Montreal; often shown in foreign exchange list of quotations)

Hauptpreis *m* (com) leading price

Hauptprodukt *n* (com) main *(or leading)* product

Hauptpunkt *m*
(com) main point
– central issue
– main business
(eg, we now come to the... of the meeting = Hauptpunkt der Tagesordnung)

Hauptsendezeit *f*
(com, US) prime time (slot)
– (GB) peak (viewing) time *(ie, between 7.00 p. m. and 9.30 p. m.)*

Hauptsitz *m*
(com) head office
– headquarters
Hauptsparte *f*
(com) bottom/main . . . line
*(ie, of a business, trade, or indus-
try; syn, Grundgeschäft)*
Haupttermin *m* (com) main deadline
Hauptunternehmer *m* (com) general
(or prime) contractor
Haupturkunde *f* (WeR) principal instrument
Hauptverwaltung *f*
(com) headquarters
– central headquarters
– corporate *(or* company) headquarters
– head office
– main office
Hauptzahlstelle *f* (Fin) principal paying agent
Hauptzinstermin *m* (Fin) principal
coupon date
Hauptzweigstelle *f* (Fin) principal
branch office *(ie, of savings banks,
handling inpayments, outpayments,
and customers' accounts)*
Hausbank *f*
(Fin) house bank
*(ie, affiliated to a company and act-
ing as principal banker on its behalf)*
Hausgeräteindustrie *f*
(com) domestic *(or* home) ap-
pliance industry
Hausse *f*
(Bö) boom
(Bö) bull market
Haussekauf *m* (Bö) bull buying *(ie,
buying for a rise)*
Haussemanöver *n* (Bö) bull campaign
*(opp, Baissemanöver = bear cam-
paign)*
Haussemarkt *m* (Bö) bull/bullish-
. . .market
*(ie, a market in which the „primary
trend" is upward [Dow theory])*
Hausseposition *f*
(Bö) bull account
– long position

Haussesignal *n* (Bö) bullish signal
formation
(ie, in der Point & Figure-Analyse)
Haussespekulant *m* (Bö) bull *(syn,
Haussier, qv)*
Haussespekulation *f*
(Bö) buying long
– bull . . . operation/speculation
/transaction
Haussetendenz *f* (Bö) bullish ten-
dency
Haussier *m*
(Bö) bull
– bull operator
*(ie, believes that prices will rise and
buys on that assumption; opp,
Baissier = bear)*
haussieren (Bö) to rise sharply
Hebelwirkung *f*
(Fin) cf, Leverage
Hebelwirkung *f* **der Finanzstruktur**
(Fin US) leverage effect *(cf,
Leverage)*
Hedgegeschäft *n* (Bö) hedge transaction *(ie, in forward commodity
business)*
Hedge-Position *f* (Bö) hedge position
*(ie, Options- od Terminkontrakt-
position, die zur Absicherung e–r
Grundposition eröffnet wurde)*
Hedger *m* (Bö) hedger
*(ie, transfers interest-rate risk by
temporarily offsetting a position in
a cash market with a related position in a futures market)*
Hedgerate *f* (Bö) hedge rate
*(ie, gehaltene Aktien/leerverkaufte
bzw. geschriebene Optionen)*
heftige Kursausschläge *mpl* (Bö) erratic price movements
heiße Emission *f* (Fin) hot issue *(ie,
für die von Zeichnungsbeginn an
e–e sehr lebhafte Nachfrage besteht)*
heißes Geld *n*
(Fin) hot money
– (GB) footloose funds
*(ie, sent around in the attempt to
benefit from interest rate differentials; syn, vagabundierende Gelder)*

heiß umkämpfter Markt *m*
(com) fiercely competitive market
– hotly (*or* keenly) contested market
helfen (Fin) to bail out *(eg, an unprofitable company by injecting fresh funds)*
herabgesetzter Preis *m* (com) reduced (*or* cut-rate) price
herabsetzen
(com) to reduce
– to lower
– to cut
– to abate *(eg, prices, taxes)*
(Fin) to reduce *(eg, capital)*
(Bö) to mark down *(ie, prices)*
Herabsetzung *f*
(com) reduction
– abatement *(eg, of prices, taxes)*
Herabsetzung *f* **des Grundkapitals**
(Fin) reduction of capital
Herabsetzung *f* **des Kaufpreises**
(com) reduction (*or* abatement) of purchase price
heraufsetzen
(com) to increase *(eg, prices)*
(Bö) to mark up *(ie, security prices)*
herausgeben (com) to edit
(ie, direct the publication of newspaper, magazine; als Verfasser, Redakteur)
(com) to publish
– to bring out
– to fetch out
(eg, he has fetched out another 800-page book)
Herausgeber *m* (com) editor
herauslegen
(Fin) to open
– to establish *(eg, a letter of credit)*
(Fin) to put out
– to lend out *(ie, money, funds)*
– to grant *(ie, a credit)*
herauszuholen suchen (com, infml) to hold out (*or* stick out) for
(eg, a higher profit during negotiations)
Hereinnahme *f* **von Wechseln** (Fin) discounting of bills

hereinnehmen
(Fin) to take on deposit *(ie, funds)*
(Fin) to discount *(ie, a bill)*
herrschender Preis *m* (com) ruling price
herrühren
(com) to stem from
– to issue from
– be caused by
Herstellerfinanzierung *f* (Fin) financing of production *(ie, credit line offered by AKA)*
Herstellkosten *pl*
(com) cost of production
herunterhandeln
(com) to bargain down *(eg, your car dealer)*
– to beat down *(ie, prices)*
heruntersetzen
(com) to reduce
– to scale down
herunterspielen (com) to down-play *(eg, consequences)*
hervorheben (com) to highlight
Hilfs- und Nebengeschäfte *npl* (Fin) ancillary credit business *(ie, in the banking industry)*
hinaufsetzen
(com) to raise
– to mark up
hinausgeworfenes Geld *n* (com, infml) money thrown down the sink
hinauslegen
(Fin) to open *(ie, a letter of credit)*
(Fin) to put out *(ie, money)*
(Fin) to grant
– to extend *(ie, a loan or credit)*
Hinausschieben *n* **der Fälligkeiten** (Fin) postponement of maturity dates
hindern an (com) to constrain from *(ie, gewaltsam od mit rechtlichen Mitteln: by force or by law)*
hinhalten (com) to play along
hinkendes Inhaberpapier *n* (WeR) restricted bearer instrument
Hintergrunddaten *pl* (Bö) fundamentals
(ie, earnings, dividends, balance

sheet data, income account data, management, etc.)

hinterherhinken (com) to lag behind

Hinzuziehung *f* **von Sachverständigen** (com) employment of outside experts

historische Kurse *mpl* (Fin) historical exchange rates

Hochbau *m* (com) building construction
(opp, Tiefbau, qv)

hoch bewertet (Fin, infml) high flying *(eg, dollar)*

hochbieten (com) to bid up

hochentwickelt (com) sophisticated

Hochfinanz *f* (Fin) high finance *(ie, dealing with large sums of money)*

hochgradig (Bö) high-grade *(ie, in Rohstoffnotierungen)*

hochliquide Anlagen *fpl* (Fin) near cash

hochliquide Forderung *f* (Fin) highly liquid claim

hochpreisig
(com) high-priced
– high ticket *(eg, product)*

Hochprozenter *mpl* (Fin) high-interest-rate bonds

hochrentierende Papiere *npl*
(Fin) high yielding securities
– high yielders

hochriskantes Engagement *n* (Fin) high-risk exposure

hochspekulative Anlage *f* (Fin) aggressive/high-risk ... investment

Höchstangebot *n* (com) highest offer *(or* tender*)*

Höchstbetragshypothek *f* (Fin) maximum-sum mortgage, § 1190 BGB

Höchstbetrag *m*
(Fin) maximum *(or* threshold*)* amount
– ceiling

Höchstbietender *m* (com) highest bidder

Höchstdauer *f* (com) maximum duration

hochstehend (Bö) high priced

Höchstgebot *n*
(com) highest *(or* best*)* bid

– highest tender
– closing bid

Höchstkurs *m*
(Bö) highest/peak ... price
– all-time high

Höchstpreis *m*
(com) maximum price
– ceiling price
– price ceiling
– premium price
– top price

Höchstqualität *f*
(com) top quality

Höchststand *m* (com) high

höchstverzinsliche Wertpapiere *npl*
(Bö) high yielders

Höchstwert *m*
(Bö) high

Höchstzinssatz *m*
(Fin) interest rate cap
– cap rate

Hochtechnologie *f*
(com) high
– advanced
– state-of-the-art ... technology
– (infml) high tech
(syn, Spitzentechnik, Spitzentechnologie)

Hochtechnologie-Unternehmen *n*
(com) high-tech enterprise *(syn, Unternehmen der Spitzentechnologie)*

hochtreiben (com) to drive up *(eg, prices)*

Hoch- und Tiefbau *m* (com) structural and civil engineering

hoch verschuldet (Fin) badly in debt

hochverzinslich (Fin) high interest yielding

hochverzinsliche Anleihe *f* (Fin) high coupon loan

hochverzinsliche Langläufer *mpl* (Fin) high-coupon longs

hochverzinsliche Wertpapiere *npl*
(Fin) high-yield instruments
– high yielders

hochwertige Erzeugnisse *npl* (com) high-quality products

Hochzinsphase *f* (Fin) period of high interest rates

193

hohe Aufwendungen *fpl* (com) heavy spending

hohe kurzfristige Verschuldung *f* (Fin) mountain of short-term debt

hoher Auftragsbestand *m*
(com) high level of order backlog
– strong order book

höhere Preise *mpl* **verlangen** (com) to charge higher prices

hoher Gewinn *m* (Fin) high (*or* sizeable) profit

hoher Nachlaß *m* (com) hefty discount

höher notieren
(Bö) to mark up
– to trade higher

hoher Preis *m* (com) high price (tag)

höherstufen (com, Pw) to upgrade

höherverzinsliche Anlagen *fpl* (Fin) higher-yield investments

höherverzinslich (Fin) higher-yielding

hohe Verschuldung *f* (Fin) heavy debt load

hohe Zinsen *mpl* (Fin) steep interest rates

Honorant *m* (WeR) acceptor for honor (*or* supra protest)

Honorar *n*
(com) fee
– professional fee
– fee for professional services
– remuneration
– honorarium
(ie, paid to accountants, auditors, lawyers, doctors)

Honorarfestsetzung *f* (com) fee setting

Honorarrechnung *f*
(com) bill for professional services
– bill of costs
– bill of fees

Honorarumsatz *m* (com) volume of professional fees

Honorarvertrag *m* (com) fee contract

Honorarvorschuß *m* (com) fees (*or* charges) paid in advance

honorieren
(Fin) to honor
– to pay

Hörer *m* **auflegen**
(com) to put back the receiver
– (infml) to hang up *(ie, as an unfriendly act)*

horizontale Fusion *f* (com) horizontal merger
(ie, von Unternehmen der gleichen Branche)

Huckepackverkehr *m*
(com) rail trailer shipment
– piggyback traffic
(com) trailer on flatcar, TOFC

hundertprozentige Tochtergesellschaft *f* (com) wholly-owned subsidiary

hypothekarisches Darlehen *n* (Fin) mortgage loan

hypothekarische Sicherheit *f* (Fin) mortgage collateral *(ie, mortgage by real-estate mortgage)*

hypothekarisch gesicherte Forderung *f*
(Fin) mortgage-backed claim
– mortgage debt

hypothekarisch gesicherte Schuldverschreibung *f* (Fin) mortgage bond

Hypothekarkredit *m* (Fin) mortgage loan *(ie, mainly for financing residential construction)*

Hypothek *f* **aufnehmen** (Fin) to take up a mortgage

Hypothekenablösung *f* (Fin) redemption of mortgage

Hypothekenbank *f* (Fin) mortgage bank
(ie, there are 39 of them, chiefly engaged in long-term lending against security or public guaranty)

Hypothekenbankgeschäft *n* (Fin) mortgage banking business

Hypothekenbetrag *m* (Fin) mortgage principal

Hypothekendamnum *n* (Fin) mortgage discount

Hypothekendarlehen *n* (Fin) mortgage loan

hypothekenfrei (Fin) clear of mortgages

Hypothekenkredit *m* (Fin) mortgage loan

Hypothekenkreditgeschäft *n* (Fin) mortgage lending business

Hypothekenkredit *m* **mit 100% Auszahlung**
(Fin) real-estate mortgage paid out in full

Hypothekenkredit *m* **mit 90% Auszahlung** (Fin) real-estate mortgage, paid out at a discount of 10%

Hypothekenlaufzeit *f* (Fin) term (*or* currency) of a real-estate mortgage

Hypothekenmarkt *m* (Fin) mortgage market (*ie, long-term loans for house purchases; no such market exists in GB*)

Hypotheken *fpl* **mit Bundesgarantie** (Fin, US) federally guaranteed mortgages

Hypothekenpfandbrief *m* (Fin) mortgage bond

Hypothekenschuldverschreibung *f* (Fin) collateral mortgage bond

Hypothekenvaluta *f* (Fin) mortgage loan money (*or* proceeds)

Hypothekenzinsen *mpl*
(Fin) mortgage interest
– mortgage rates

Hypothekenzusage *f* (Fin) mortgage loan commitment

Hypothek *f* **tilgen** (Fin) to pay off a mortgage

Hypothese *f* **der Fristensynchronisierung** (Fin) hedging pressure hypothesis

Hypothese *f* **von der Kapitalmarkteffizienz** (Fin) efficient market hypothesis

I

Identifikation *f* (com) identification

illiquide
(Fin) insolvent (*ie, unable to meet financial obligations*)

illiquide werden
(Fin, infml) to run out of money (*ie, to pay bills*)

Illiquidität *f*
(Fin) insolvency (*ie, inability of a person or organization to pay its debts as they become due*)
– illiquidity
– insolvency
– shortage of liquid funds

imaginärer Gewinn *m*
(com, Vers) anticipated/imaginary . . . profit (*eg, profit expected upon arrival of the goods at place of destination*)

im Amt bleiben
(com) to stay in office

im Angebot
(com) on sale
– (GB) on offer (*eg, article is on offer this week*)

im Aufsichtsrat sitzen
(com) to sit on the supervisory board

im Ergebnis (com) on balance

im Freiverkehr handeln
(Bö) to trade over the counter

im internationalen Vergleich *m* (com) by international standards

Immobiliarkredit *m* (Fin) real estate credit

Immobilienabteilung *f*
(Fin) real estate department (*ie, of a bank*)

Immobilienanlage *f* (Fin) real estate investment

Immobilienanlagegesellschaft *f* (Fin) real estate investment fund

Immobilienbranche *f* (com) real estate industry

Immobilienfirma *f* (com) real estate firm (*or* venture)

Immobilienfonds *m*
(Fin) real estate investment trust, REIT
– (GB) property fund

Immobilienfondsanteil *m*
  (Fin) REIT share
  – (GB) property fund unit
Immobiliengesellschaft *f*
  (com) real estate company
  – property company
Immobilienhandel *m* (com) real estate business (*or* trading)
Immobilien-Investition *f* (Fin) real estate investment
Immobilienkredit *m* (Fin) real estate loan
Immobilienmakler *m*
  (com) real estate broker
  – (GB) estate (*or* land) agent *(syn, Grundstücksmakler)*
Immobilienmarkt *m*
  (com) property market
  – real estate market
Immobilien-Mischfonds *m* (Fin) commingled property fund
Immobilien *pl*
  (com) real estate
  – real property
  – property (*also:* properties)
Immobilienpreise *mpl* (com) real estate prices
Immobilienunternehmen *n*
  (com) real estate developer (*or* operator)
Immobilienverkauf *m* (com) sale of real estate (*or* property)
Immobilienverwalter *m* (com) property manager
im Original (com) in the original
implizite Volatilität *f* (Bö) implicit/ implied ... volatility
Import *m*
  (com) import
  – importation
Importabteilung *f* (com) import department
Importakkreditiv *n* (Fin) import letter of credit
Importe *mpl* (com) imports
Importerstfinanzierung *f* (Fin) initial import financing
Importeur *m* (com) importer
Importfinanzierung *f* (Fin) import financing

Importfirma *f*
  (com) importer
  – importing firm
importieren (com) to import
Importkonnossement *n* (com) inward bill of lading
Importkredit *m* (Fin) import credit
Importlager *n* (com) stock of imported goods
Import-Niederlassung *f*
  (com) import branch
  – import branch office (*or* operation)
Importrechnung *f* (com) import bill
Importware *f* (com) imported merchandise (*or* goods)
im Rahmen des Unternehmens (com) within the scope of the enterprise
im Telefonverkehr handeln (Bö) to trade in the unofficial market
im voraus zahlen
  (Fin) to pay in advance
  – (infml) to pay up-front
im Werte von (Fin) ad valorem, a.v.
im Wert fallen
  (com) to fall in value
  – to depreciate
  – to lose (*or* fall) (*eg, against another currency*)
im Wert steigen
  (com) to increase in value
  – to appreciate
  – to gain (*or* rise) (*eg, against another currency*)
inaktives Geld *n* (Fin) idle money
Inanspruchnahme *f* der Zentralbank (Fin) recourse to central bank
Inanspruchnahme *f* des Geldmarktes (Fin) borrowing in the money market
Inanspruchnahme *f* des Kapitalmarktes (Fin) tapping the capital market
Inanspruchnahme *f* e-s Akkreditivs (Fin) drawing on a letter of credit
in Arbeit befindliche Aufträge *mpl* (com) active backlog of orders
in Auftrag geben
  (com) to order
  – to commission

in bar
  (com) cash down
  – (in) cash
in Bausch und Bogen (com) by the
  bulk
in Bearbeitung
  (com) in process
  – being handled (*or* processed)
  – under way
  (com, infml) in the works
  – (GB) on the stocks (*ie, already
  started*)
in Betrieb
  (com) in operation
  – on stream (*eg, plant, machinery*)
in Betrieb gehen
  (com) to go into operation
  – to come on stream
  – to be commissioned
Inbetriebnahme *f*
  (com) coming on stream
  – going into operation
  – commissioning
in Betrieb nehmen
  (com) to commission
  – to put into ... operation/service
  /action
  – to take into operation
  – to put/bring ... on stream
  – to start up (*eg, continuous
  caster*)
  – to fire up (*eg, coke-oven battery*)
in Betrieb setzen (com) to bring on
  line (*eg, plant, machinery*)
Incoterms *pl*
  (com) Incoterms
  – trade terms
  (= *Internationale Regeln für die
  Auslegung handelsüblicher Ver-
  tragsformeln; z.B. ex works – for/
  fot – fas – fob – cif*)
in das Vermögen übergehen (Fin) to
  pass into the assets (of)
Indemnitätsbriefe *mpl* (com) letters
  of indemnity
in den Keller fallen (com) to fall
  through the floor
in den roten Zahlen stecken
  (com) to operate (*or* stay) in the red
  – to write red figures

Indexanleihe *f* (Fin) index-linked
  loan
Index *m* **der Aktienkurse** (Bö) index
  of stocks and shares
Index *m* **der Rentenwerte** (Fin) fixed-
  securities index
indexierte Anleihen *fpl* (Fin, GB) index-linked bonds
Indexterminkontrakt *m* (Bö) index
  futures contract (*ie, wird auf der
  Basis unterschiedlicher Indizes
  abgeschlossen*)
in die roten Zahlen geraten (com) to
  go (*or* plunge) into the red
in die Tagesordnung eintreten (com)
  to get down to business
indirekte Arbitrage *f* (Fin) multiple
  point (*or* triangular) arbitrage
indirekte Devisenarbitrage *f* (Fin)
  compound arbitration (of exchange)
  (*syn, Mehrfacharbitrage; opp, direkte Devisenarbitrage = simple arbitration; cf, Devisenarbitrage*)
indirekte Investition *f* (Fin) portfolio
  investment
  (*cf, Portfolioinvestition*)
indirekte Parität *f* (Fin) cross rate
  (*syn, Kreuzparität, qv*)
indirekter Wechselkurs *m* (Fin)
  cross-rate of exchange
Individualsparen *n* (Fin) individual
  saving (*opp, Kollektivsparen*)
Individualverkehr *m*
  (com) private transportation
  – (GB) private transport system
in Dollar fakturieren (com) to invoice
  (*or* factor) in dollars
indossabel
  (WeR) endorsable
  – indorsable (*cf, indossieren*)
indossable Wertpapiere *npl* (WeR)
  endorsable securities
Indossament *n*
  (WeR) endorsement
  – indorsement (*cf, indossieren*)
  – backing
  (*ie, signature on the back of an instrument by the payee – Wechselnehmer, Remittent; denotes transfer*

Indossamentschuldner

*of instrument = Übertragung der
Urkunde; cf, § 364 HGB)*

Indossamentschuldner *m* (WeR)
debtor by endorsement

Indossamentshaftung *f* (WeR) endorser's liability

Indossamentskette *f* (WeR) chain of
endorsements

Indossamentsverbindlichkeiten *fpl*
aus weitergegebenen Wechseln
(Fin) bills sold with the endorsement of the . . . bank

Indossamentsvollmacht *f* (WeR)
power to endorse

Indossament *n* **und Übergabe** *f*
(WeR) endorsement and delivery
*(ie, Übertragungsform bei Order-
papieren, qv)*

Indossant *m*
(WeR) endorser
– indorser *(cf, indossieren)*
– backer *(syn, Girant; opp, Indossatar)*

Indossatar *m*
(WeR) endorsee
– indorsee *(cf, indossieren)*

indossierbar
(WeR) endorsable
– indorsable *cf, indossieren)*

indossieren
(WeR, GB) to endorse
– (US) to endorse *(ie, commonly
used in business)*
– (US) to indorse *(ie, this spelling
is used by the UCC)*
– (infml) to back

indossierter Fremdwechsel *m* (Fin)
bill discounted

Industrie *f*
(com) industry
*(ie, a particular branch of industry
or industry as a whole)*

Industrieabgabepreis *m* (com) industrial selling price

Industrieaktien *fpl* (Fin) industrial
shares *(or equities)*
*(opp, Bank-, Versicherungs-, Ver-
kehrs-, Dienstleistungsaktien)*

Industrieanleihe *f* (Fin) industrial *(or
corporate)* loan

Industriebauten *mpl* (com) industrial
buildings

Industriebeteiligung *f*
(Fin) industrial (equity) holding
– industrial equities
– equity stakes which banks hold
in industry

Industriebörse *f* (Bö) industrial exchange
*(ie, on which fungible products,
esp. textiles, are traded; eg, Stuttgart, Manchester, Tourcoing)*

Industrieerzeugnis *n* (com) industrial
product

Industriefahrzeuge *npl* (com) industrial vehicles

Industriegelände *n* (com) industrial
site *(or area)*

Industriegüterausrüster *m* (com)
heavy equipment maker

Industriegüter *npl* (com) industrial
goods *(syn, industrielle Güter)*

Industriehypothek *f* (Fin) mortgage
on industrial sites

Industriekredit *m* (Fin) industrial
loan

Industriekreditbank *f* (Fin) industrial
credit bank

Industriekreditgeschäft *n* (Fin) corporate loan business

industrielle Beteiligung *f* (Fin) industrial participation *(or holding)*

Industriemesse *f* (com) industrial fair

Industrieobligation *f* (Fin) corporate
(or industrial) bond

Industriepark *m*
(com) industrial park *(or estate)*
– (GB) trading estate

Industrieschuldverschreibung *f* (Fin)
corporate *(or industrial)* bond

Industrieunternehmen *n* (com) industrial undertaking

Industriewaren *fpl* (com) manufac-
tured goods

Industriewerte *mpl*
(Bö) industrial equities
– industrials

Industriezweig *m*
(com) branch *(or segment)* of industry

in eigenem Namen (com) in one's own name

in eigenem Namen abschließen (com) to contract in one's own name

inflationsbewußt (Fin) inflation-conscious

inflationsfreie Währung *f* (Fin) non-inflationary currency

Inflationssicherung *f* (Fin) hedge against inflation

Informationsbrief *m* (com) news letter

Informationsbroschüre *f* (com) explanatory booklet

informieren
(com) to inform
– to brief *(ie, to give essential information)*
– to give a briefing

Infrastruktur *f* (com) infrastructure

Infrastrukturkredit *m* (Fin) infrastructure loan

Ingenieurbüro *n* (com) firm of consulting engineers

Ingenieurhonorar *n* (com) engineering fee

in Güteklassen einteilen
(com) to grade
– to gate into quality categories

Inhaber *m*
(WeR) bearer
– holder *(ie, of a negotiable instrument)*

Inhaberaktie *f* (WeR) bearer... share/stock

Inhaberindossament *n* (WeR) indorsement to bearer *(ie, treated as a blank indorsement, Art. 12 WG)*

Inhaberklausel *f* (WeR) bearer clause *(ie, entitling the holder of a security to require payment)*

Inhaberkonnossement *n*
(WeR) bill of lading made out to bearer
– bearer bill of lading *(or B/L)*

Inhaberkreditbrief *m* (Fin) open letter of credit

Inhaberlagerschein *m* (WeR) negotiable warehouse receipt made out to bearer

Inhaber- od Orderkonnossement *n* (WeR) negotiable bill of lading

Inhaberpapier *n*
(WeR) bearer paper
– bearer/made-to-bearer... instrument
(ie, der bloße Besitz des Papiers legitimiert den Inhaber als Berechtigten; Übertragung des verbrieften Rechts nach § 929 BGB durch Übereignung des Papiers: ,Das Recht aus dem Papier folgt dem Recht am Papier'; Arten:
1. Inhaberaktie = bearer share;
2. Inhaberschuldverschreibung = bearer bond;
3. Pfandbrief = mortgage bond;
4. Inhabercheck = bearer check;
5. Zinsschein = interest coupon;
6. Inhaberinvestmentanteil = bearer investment share (or unit);
opp, Orderpapier = order paper/instrument)

Inhabercheck *m*
(WeR) bearer check
– check to bearer

Inhaberschuldverschreibung *f* (WeR) bearer bond, §§ 793–806 BGB
(ie, where no one knows who the owner is, and interest is paid to whoever hands the coupon cut off the bond to the paying agent = Zahlstelle; opp, Namensschuldverschreibung = registered bond)

Inhaltsverzeichnis *n*
(com) table of contents
(com) directory

in Höhe von (com) in the amount of

Inkasso *n*
(Fin) collection *(ie, by commercial agents or banks)*
(Fin) collection procedure

Inkassoakzept *n* (Fin) acceptance for collection

Inkassoanweisungen *fpl* (Fin) collection instructions

Inkassoanzeige *f* (Fin) advice of collection

Inkassoauftrag *m*
(Fin) collection order

199

– letter of instruction (*or* transmittal)

Inkassobank *f* (Fin) collecting bank

inkassobevollmächtigt (Fin) authorized to collect

Inkassobüro *n*
(Fin) collection agency
– debt collecting agency
– debt collector

Inkassoerlös *m* (Fin) collection proceeds

Inkassoermächtigung *f* (Fin) collection authority

inkassofähig (Fin) collectible

Inkassogebühren *fpl* (com) collecting charges

Inkassogebühr *f* (Fin) collection charge (*or* fee)

Inkassogegenwert *m* (Fin) collection proceeds

Inkassogeschäft *n*
(Fin) collection business *(ie, of banks)*
– debt recovery service

Inkassoindossament *n* (WeR) indorsement ‚for collection‘
(ie, instructing a bank to collect amount of bill or draft)

Inkassopapiere *npl* (Fin) paper for collection

Inkassoprovision *f* (Fin, Vers) collection commission

Inkassorisiko *n*
(Fin) collection risk

Inkassospesen *pl*
(Fin) collecting charges
– collection charges
– collection commission
– encashment charges

Inkassostelle *f* (Fin) collecting (*or* collection) agency

Inkassovereinbarungen *fpl* (Fin) collection arrangements

Inkassovertreter *m* (Fin, Vers) collecting agent

Inkassovollmacht *f*
(Fin) authority to collect *(ie, third-party or assigned receivables, § 55 HGB)*
– collection authority

Inkassowechsel *m*
(Fin) bill for collection
– collection draft

in Kommission (com) on consignment

in Kommission geben (com) to consign

inkongruente Darlehen *npl* (Fin) mismatched loans *(ie, fixed-term loans financed with more expensive floating-rate funds)*

in Konsignation (com) on consignment

in Konsignation geben (com) to consign

in Kost geben
(Bö) to carry over
– to defer payment

in Kost nehmen (Fin) to take in *(ie, securities)*

inkulant
(com) unaccommodating
– petty
– picayune

Inländerkonvertibilität *f*
(Fin) internal/resident … convertibility
– convertibility for national residents

inländische Beförderungskosten *pl* (com) inland carriage

inländische DM-Anleihe *f* (Fin) German domestic bond

inländische Emittenten *mpl* (Bö) domestic issuers

inländische Konkurrenz *f* (Fin) domestic rivals (*or* competitors)

inländische Nichtbanken *fpl* (Fin) domestic non-banks

inländischer Emittent *m*
(Fin) domestic issuer
– resident

inländische Rentenwerte *mpl* (Fin) domestic bonds

inländischer Erzeuger *m* (com) domestic producer

inländischer Marktanteil *m* (com) domestic market share

inländischer Verkaufspreis *m* (com) domestic selling price

inländischer Wirtschaftszweig *m*
(com) domestic industry

inländisches Fabrikat *n* (com)
domestic product

inländisches Kreditinstitut *n* (Fin)
domestic bank (*or* banking institution)

inländische Wertpapiere *npl* (Fin)
domestic securites
*(ie, made out by a national resi-
dent)*

Inlandsabsatz *m* (com) domestic
sales

Inlandsanleihe *f* (Fin) internal (*or*
domestic) loan (*ie, issued by a
country payable in its own currency)*

Inlandsauftrag *m* (com) domestic (*or*
home) order

Inlandsbestellung *f* (com) = Inlandsauftrag

Inlandsbeteiligung *f*
(Fin) domestic participation
– (GB) domestic trade investment

Inlandsemission *f* (Fin) domestic
issue

Inlandsflug *m*
(com) domestic flight
– (GB) internal flight

Inlandsgeschäft *n*
(com) inland (*or* domestic) sale
– inland transaction
(com) domestic business

Inlandshafen *m*
(com) domestic port

Inlandskapital *n* (Fin) domestic capital

Inlandsmarkt *m*
(com) domestic (*or* home) market
(syn, Binnenmarkt)

Inlandsvertreter *m* (com) resident
agent

Inlandswährung *f* (Fin) domestic (*or*
local) currency

Inlandswechsel *m* (Fin) domestic bill
of exchange

Inlandswerte *mpl* (Bö) domestic securities

Innenfinanzierung *f* (Fin) internal finance (*or* financing)

Innenfinanzierungsmittel *pl* (Fin) internal financing resources

Innenfinanzierungsquote *f* (Fin) internal financing ratio

innerbetrieblich
(com) internal
– in-company (*or* intra-company)
– in-plant (*or* intra-plant)
– interoffice

innerbetriebliche Mitteilung *f* (com)
inter-office memo

innerer Verderb *m* (com) intrinsic
decay

innerer Wert *m*
(Fin) intrinsic value
*(ie, of a share of stock, determined
by dividing the net worth of the issuing company by the number of
shares)*

innere Unruhen *fpl* (com) civil com-
motion

in Pension geben (Fin) to park *(eg,
shares with a bank for sale later to
the public)*

in Raten (Fin) in (*or* by) installments

ins Haus stehen
(com) forthcoming
– upcoming
– approaching
– nearing

Insider-Geschäfte *npl* (Bö) insider
dealing

Insidergschäfte *npl* (Fin) insider dealings
*(ie, Schranken im dt Recht unbe-
kannt; Insiderregeln usw. suchen
diese Rechtslücke durch freiwillige
Selbstkontrolle zu füllen)*

Insiderhandel *m* (Fin) insider trading
(eg, she was charged with . . .)

insolvent
(Fin) insolvent
– unable to pay one's debts

Insolvenz *f*
(Fin) inability to pay
– insolvency
*(syn, Zahlungsunfähigkeit; opp,
Zahlungsfähigkeit, Solvenz)*

Insolvenzniveau *n* (Fin) volume of in-
solvencies

Inspektionszertifikat *n* (com) certificate of inspection

installieren
(com) to install
– to set up

institutioneller Aktionär *m* (Fin) institutional shareholder

institutioneller Anleger *m* (Fin) institutional investor (*or* buyer) *(syn, Kapitalsammelstelle)*

Institutsgruppen *fpl* (Fin) banking groups

in Stücken von (Fin) in denominations of

Integration *f*
(com) integration

integrierte Finanzplanung *f* (Fin) integrated financial planning

integrierter Swap *m* (Fin) currency coupon swap *(ie, Zins- und Währungsswap)*

integrierte Swaps *mpl* (Fin) cross currency swaps

Intensitätsnachteil *m* (Fin) operating inferiority *(Terborgh)*

Interbankaktiva *npl* (Fin) interbank assets

Interbankeneinlagen *fpl* (Fin) interbank deposits

Interbanken-Fazilität *f* (Fin) interbank facility

Interbankengelder (Fin) = Nostroguthaben, qv

Interbankengeldmarkt *m* (Fin) interbank money market

Interbankenhandel *m*
(Fin) interbank dealings (*or* operations)

Interbankenmarkt *m* (Fin) interbank market

Interbankgeschäft *n*
(Fin) interbank business
(Fin) interbank operation (*or* transaction)

Interbankrate *f* (Fin) interbank rate

Interessenkäufe *mpl*
(Bö) specialpurpose buying
(eg, to acquire a majority stake or a blocking minority)

Interessent *m*
(com) prospective buyer (*or* customer)
– potential buyer
– prospect
(Fin) potential acquiree *(ie, in merger or acquisition)*

interessewahrender Auftrag *m*
(Bö, US) discretionary order
– not-held order

interimistische Globalurkunde *f* (Fin) temporary global certificate

Interimsdividende *f* (Fin) interim dividend *(syn, Zwischendividende)*

Interimskonto *n*
(Fin) suspense account *(syn, durchlaufendes Konto, Cpd-Konto)*

Interimsschein *m* (WeR) interim certificate, § 10 AktG
(ie, obsolete term replaced by ‚Zwischenschein')

interindustrielle Neuverschuldung *f* (Fin) inter-industrial incurrence of liabilities

Inter-Market-Spread *m* (Fin) inter-market spread
(ie, when price differences are out of line between commodities trading in two cities)

intermediäres Finanzinstitut *n*
(Fin) financial intermediary
– nonbank financial institution

Internationale Bank *f* **für Wiederaufbau und Entwicklung**
(Fin) International Bank for Reconstruction and Development
– World Bank

Internationale Handelskammer *f* (com) International Chamber of Commerce, ICC

internationale Kapitalverflechtung *f* (Fin) international capital links

internationale Kreditmärkte *mpl* (Fin) international credit markets

internationale Messe *f* (com) international fair

Internationale Organisation *f* **für Normung** (com) International Standards Organization, ISO

internationaler Anleihemarkt *m* (Fin)
international bond market

internationaler Geldhandel *m* (Fin)
international money trade

internationaler Kreditverkehr *m*
(Fin) international lending

internationale Rohölbörse *f* (Bö, GB)
International Petroleum Exchange, IPE
(ie, Terminbörse für Rohölkontrakte; Sitz in London; Handelsobjekt ist das Nordseeöl)

internationaler Zahlungsauftrag *m*
(Fin) international payment order
(ie, im Auftrag und zugunsten Dritter = by order and for the account of a third party)

internationales Anlagepublikum *n*
(Fin) international investing public

internationales Bankgeschäft *n* (Fin)
international banking

Internationales Institut *n* **der Sparkassen** (Fin) *(Geneva-based)* International Savings Banks Institute

internationales Konzernclearing *n*
(Fin) = konzerninternes Clearing, qv

internationale Spedition *f* (com) international forwarders (*or* transport company)

internationales Spediteur(durch)konnossement *n*
(com) Forwarding Agent's Certificate of Receipt

Internationales Warenverzeichnis *n* **für den Außenhandel** (com) Standard International Trade Classification

Internationale Vereinigung *f* **der Optionsbörsen** (Bö) International Association of Options Exchange and Clearing Houses, IAOECH

internationale Verschuldung *f* (Fin)
international indebtedness
(ie, Netto-Schuldenposition von Ländern gegenüber internationalen Geschäftsbanken)

Internationale Warenterminbörse *f*
(Bö) International Futures Exchange, INTEX

internationale Zusammenarbeit *f*
(com) international cooperation
– cross-border link

international gebräuchlich (com) internationally recognized

interne Beteiligung *f* (Fin) intercompany participation

interner Zinsfuß *m*
(Fin) internal rate of return
– dcf rate of return
– time-adjusted rate of return
– actuarial return
(ie, found by determining the discount rate that, when applied to the future cash flows, causes the present value of those cash flows to equal the investment; problems must be solved by iteration)
(Fin) yield to maturity

internes Berichtswesen *n* (com) internal reporting

interne Zinsen *mpl* (Fin) internal interest

Interne-Zinsfußmethode *f*
(Fin) internal rate of return method
– IRR method of analysis
– discounted cash flow method
– (GB) yield method
(ie, of preinvestment analysis)

interne Zinsrechnung *f* (Fin) internal-interest accounting

intersektorale Kreditströme *mpl*
(Fin) intra-sectoral credit flows

intervalutarischer Devisenhandel *m*
(Bö) cross-exchange dealings

intervenieren
(com) to interfere
(Bö) to intervene *(ie, if prices fluctuate erratically)*

Intervention *f* (Bö) intervention

Intervention *f* **an den Devisenmärkten**
(Fin) intervention in foreign exchange markets

Intervention *f* **der Zentralbank** (Fin)
central-bank intervention

Interventionskurs *m* **im EWS** (Fin)
intervention rate

Interventionspunkte *mpl*
(Fin) dealing limits

- bank's upper and lower limits
- peg points
- support points
(ie, in foreign exchange trading)

in Übereinstimmung mit
(com) in accordance with
- in agreement (*or* conformity) with
- in keeping with
- conformably to

Inventarwert *m* **e-s Fondsanteils**
(Fin) net asset value per share
(ie, total assets minus total liabilities divided by total shares outstanding)

Inventarwert *m* **je Anteil** (Fin) net asset value per share *(ie, e-s Fondsanteils)*

Inventurausverkauf *m* (com) pre-inventory sale

Inventurverkauf *m* (com) inventory sale *(ie, permitted only as seasonal sale)*

inverses Renditegefälle *n* (Fin) reverse yield gap
(ie, theoretical amount lost in income terms when an investment in shares or property falls short of the amount that could be earned by putting the same amount in deposit account or a fixed-income security)

in Vertretung (com) *(to sign)* for and on behalf of

in Verzug geraten
(Fin) to become in arrears *(eg, mit der Rückzahlung)*

investieren
(Fin) to invest (into)
- (infml) to sink *(eg, $50m into an enterprise)*

investiertes Kapital *n*
(Fin) invested capital *(ie, current assets and fixed assets)*
- capital employed

Investitionen *fpl* **genehmigen** (Fin) to authorize investments

Investitionen *fpl* **im Dienstleistungssektor** (Fin) service investment

Investitionen *fpl* **kürzen** (Fin) to cut (or slash) spending for capital investment

Investitionsantrag *m*
(Fin) capital spending requisition
- appropriation request
- project appropriation request, PAR
(ie, by division, department, subsidiary, etc.)

Investitionsaufwand *m*
(Fin) capital expenditure
- capital outlay
- capital spending
- investment expenditure

Investitionsaufwendungen *pl* (Fin) = Investitionsaufwand

Investitionsausgaben *fpl* (Fin) = Investitionsaufwand

Investitionsbeihilfe *f* (Fin) investment aid

Investitionsbewilligung *f* (Fin) capital appropriation

Investitionsbudget *n*
(Fin) capital expenditure budget
- *investment budget*

Investitionsdarlehen *n* (Fin) loan to fund investment project

Investitionseinnahmen *fpl* (Fin) investment receipts

Investitionsentscheidung *f* (Fin) capital spending decision

Investitionsfinanzierung *f*
(Fin) (capital) investment financing
- financing of capital projects

Investitionsgenehmigung *f*
(Fin) capital spending authorization
- appropriation

Investitionsgütergewerbe *n* (com) capital goods sector

Investitionsgütergruppe *f* (com) group of capital goods producers

Investitionsgüterhersteller *m* (com) capital goods manufacturer

Investitionsgüterindustrie *f* (com) capital goods industry

Investitionsgüter-Leasing *n* (Fin) equipment leasing

Investitionsgüter *npl*
(com) capital
- investment

– industrial
– equipment ... goods
(ie, more precise: Anlageinvestitionsgüter)
Investitionskalkül *n* (Fin) investment analysis
Investitionskapital *n* (Fin) investment capital
Investitionskette *f* (Fin) stream of investment
Investitionskosten *pl*
(Fin) capital outlay cost
– investment cost
– up-front costs
Investitionskredit *m* (Fin) investment credit *(ie, long-term borrowed capital used for financing production plant; syn, Anlagenkredit)*
Investitionskürzungen *fpl* (Fin) cuts in capital spending
Investitionslücke *f* (Fin) investment ... deficit/gap
Investitionsmaßnahme *f* (Fin) investment
Investitionsmöglichkeiten *fpl* (Fin) investment opportunities (*or* outlets)
Investitionsobjekt *n*
(Fin) capital spending project
– capital investment project
– capital project
– investment ... project/object/proposal
Investitionsperiode *f* (Fin) investment period *(ie, during which the sum of outpayments is greater than the sum of receipts)*
Investitionsplanung *f*
(Fin) capital expenditure planning
– capital budgeting
– capital investment planning
Investitionsprogramm *n*
(Fin) capital (spending) program
– capital expenditure program
Investitionsprojekt *n* (Fin) capital project *(cf, Investitionsobjekt)*
Investitionsrechnung *f*
(Fin) capital budgeting
– preinvestment analysis
– investment ... appraisal/analysis

– estimate of investment profitability
(ie, method of comparing the profitability of alternative investment projects; or: technique of capital expenditure evaluation)
Investitionsrisiko *n*
(Fin) investment risk
– risk of capital spending
Investitionsstau *m*
(Fin) pile-up/backlog ... of investment projects
– piles of investment projects waiting to be started
Investitionsstoß *m*
(Fin) investment shock
– single injection of capital spending
Investitionssumme *f* (Fin) amount to be invested
Investitionsverhalten *n* (Fin) investment behavior
Investitionsvorgang *m* (Fin) investment process
Investitionsvorhaben *n*
(Fin) capital spending plan
– (capital) investment project
Investitionsvorhaben *n* **zurückstellen** (Fin) to shelve spending plan (*or* investment project)
Investitionszuschuß *m* (Fin) investment allowance
Investmentanteil *m*
(Fin) share
– (GB) unit
Investmentfonds *m*
(Fin) investment fund
– (US) mutual fund
– (GB) unit trust
Investmentfonds *m* **mit auswechselbarem Portefeuille** (Fin) flexible (*or* managed) fund
Investmentfonds *m* **mit begrenzter Emissionshöhe** (Fin) closed end fund
Investmentfonds *m* **mit Sitz in e-r Steueroase** (Fin) offshore fund
Investmentfonds *m* **mit unbeschränkter Anteilsemission** (Fin) open end fund

Investmentfonds

ISO-Code	Währung	Land/Gebiet
AED	U.A.E. Dirham	Vereinigte Arabische Emirate
AFA	Afghani	Afghanistan
ARP	Argentinischer Peso	Argentinien
ATS	Schilling	Österreich
AUD	Australischer Dollar	Australien
BDT	Taka	Bangladesh
BEC	Belgischer Handelsfranc	Belgien, Luxemburg
BEL	Belgischer Finanzfranc	Belgien, Luxemburg
BHD	Bahrain-Dinar	Bahrain
BRC	Cruzeiro	Brasilien
BSD	Bahama-Dollar	Bahamas
BUK	Kyat	Birma
CAD	Kanadischer Dollar	Kanada
CHF	Schweizer Franken	Schweiz, Liechtenstein
CLP	Chilenischer Peso	Chile
CNY	Renminbi Yuan	China
COP	Kolumbianischer Peso	Kolumbien
CYP	Zypern-Pfund	Zypern
DKK	Dänische Krone	Dänemark, Färöer
DZD	Algerischer Dinar	Algerien
ECS	Sucre	Ecuador
EGP	Ägyptisches Pfund	Ägypten
ESP	Peseta	Spanien
ETB	Birr	Äthiopien
FIM	Finnmark	Finnland
FRF	Französischer Franc	Frankreich, Franz. Guyana, Franz. Westindien, Andorra, Monaco, Réunion
GBP	Pfund Sterling	Großbritannien, Nordirland
GHC	Cedi	Ghana
GMD	Dalasi	Gambia
GRD	Drachme	Griechenland
GTQ	Quetzal	Guatemala
HKD	Hongkong-Dollar	Hongkong
IDR	Rupiah	Indonesien
IEP	Irisches Pfund	Irland
ILS	Shekel	Israel
INR	Indische Rupie	Indien
IQD	Irak-Dinar	Irak
IRR	Rial	Iran
ITL	Italienische Lira	Italien
JMD	Jamaika-Dollar	Jamaika
JOD	Jordan-Dinar	Jordanien
JPY	Yen	Japan
KES	Kenia-Schilling	Kenia
KHR	Riel	Kamputschea
KRW	Won	Südkorea
KWD	Kuwait-Dinar	Kuwait
LBP	Libanesisches Pfund	Libanon
LKR	Sri-Lanka-Rupie	Sri Lanka
LYD	Libyscher Dinar	Libyen
MAD	Dirham	Marokko
MGF	Madagaskar-Franc	Madagaskar
MTP	Malta-Pfund	Malta
MUR	Mauritius-Rupie	Mauritius
MWK	Malawi-Kwacha	Malawi

ISO-Code	Währung	Land/Gebiet
MXP	Mexikanischer Peso	Mexiko
MYR	Malaysischer Ringgit	Malaysia
NGN	Naira	Nigeria
NLG	Holländischer Gulden	Niederlande
NOK	Norwegische Krone	Norwegen
NZD	Neuseeland-Dollar	Neuseeland
OMR	Rial Omani	Oman
PAB	Balboa	Panama
PES	Sol	Peru
PGK	Kina	Papua Neuginea
PHP	Philippinischer Peso	Philippinen
PKP	Pakistanische Rupie	Pakistan
PTE	Escudo	Portugal
ROL	Leu	Rumänien
SAR	Saudi Riyal	Saudi Arabien
SCR	Seychellen Rupie	Seychellen
SDP	Sudanesisches Pfund	Sudan
SEK	Schwedische Krone	Schweden
SGD	Singapur-Dollar	Singapur
SOS	Somalischer Schilling	Somalia
SUR	Rubel	Sowjetunion
SYP	Syrisches Pfund	Syrien
THB	Baht	Thailand
TND	Tunesischer Dinar	Tunesien
TRL	Türkisches Pfund	Türkei
TZS	Tansania-Schilling	Tansania
UGS	Uganda-Schilling	Uganda
USD	US-Dollar	USA
UYP	Uruguayanischer Neuer Peso	Uruguay
VEB	Bolivar	Venezuela
XAF	CFA-Franc (Zentralafrikanische Zoll- und Wirtschaftsunion)	Gabun, Kamerun, Tschad, Kongo, Zentralafrikanische Republik
XAG	Silber	
XAU	Gold	
XEU	Europäische Währungseinheit (ECU)	Europäisches Währungssystem (EWS)
XOF	CFA-Franc (Westafrikanische Währungsunion)	Benin, Elfenbeinküste, Niger, Obervolta, Senegal, Togo
XPF	CFP-Franc	Französisch Polynesien, Neukaledonien
YUD	Jugoslawischer Dinar	Jugoslawien
ZAR	Rand	Südafrika, Lesotho, Namibia
ZMK	Kwacha	Sambia
ZRZ	Zaire	Zaire
ZWD	Simbabwe Dollar	Simbabwe

Investmentgeschäfte *npl*
(Fin) operations of investment companies

Investmentgeschäft *n* (Fin) investment business

Investmentgesellschaft *f* (Fin) investment company

Investmentgesellschaft *f* **mit gesetzlicher Risikoverteilung** (Fin) diversified company

Investmentgesellschaft *f* **mit konstantem Anlagekapital** (Fin) closed end investment trust

Investmentgesellschaft *f* **ohne gesetzliche Anlagestreuung** (Fin) non-diversified company

Investmentrückfluß *m* (Fin) reflux of investment units

Investmentsparen *n* (Fin) saving through investment companies

Investmentzertifikat *n*
(Fin) investment fund certificate
– (GB) investment fund unit

Investor *m* (Fin) investor

in Vorlage treten (Fin) to advance funds

in Zahlung geben
(com) to trade in
– to turn in

– (GB) to give in part exchange *(eg, old car, TV set)*

in Zahlung nehmen (com) to receive *(or* take) in payment

irreführende Kennzeichnung *f*
(com) false
– misleading . . . labeling
– misbranding

Irrläufer *m* (com) mis-sent item *(ie, sent in error to another recipient)*

ISO Code (Fin) Iso Code *m*
(ie, enthält international übliche Abkürzungen für Währungsbezeichnungen; besteht aus drei Buchstaben: die ersten beiden Stellen bezeichnen das Land, die dritte die Währung; zum Beispiel: USD = US-Dollar, GBP = Pfund Sterling)

Istausgaben *fpl* (Fin) actual . . . outlay/expenditure

Istbestand *m*
(com) actual stock

Istbetrag *m* (Fin) actual amount *(ie, of outlay or expenditure)*

Isteinnahmen *fpl* (com) actual receipts

Ist-Wert *m*
(com) actual value

J

Jahresabschlußzahlungen *fpl* (Fin) end-of-year payments

Jahresbedarf *m* (com) annual . . . demand/requirements

Jahresbeitrag *m* (com) annual membership fee

Jahresfehlbetrag *m*
(Fin) annual . . . deficit/shortfall

Jahresfrist *f* (com) one-year period

Jahresgebühr *f* (com) annual fee

Jahresgewinn *m*
(Fin) annual net cash inflow *(ie, determined in preinvestment analysis)*

Jahreshöchstkurs *m* (Bö) yearly high

Jahresrate *f*
(com) annual rate *(eg, construction costs rise at an . . . of 13%)*
(Fin) annual installment

Jahresrendite *f* (Fin) annual yield

Jahrestiefstkurs *m* (Bö) yearly low

Jahreszins *m*
(Fin) annual rate of interest
(Fin) annual interest charges
(Fin, GB) annualised percentage rate

Jahreszinsen *mpl* (Fin) annual interest

Jahreszins *m* **Festverzinslicher** (Fin) coupon yield

jährliche Effektivverzinsung *fpl*
(Fin) effective annual yield
*(ie, yield on an investment, taking
into effect compounding, but expressed as the equivalent simple interest rate)*

jährlicher   Einnahmeüberschuß *m*
(Fin) annual cash flow

jährliche Rendite *f* (Fin) annual return

jederzeit kündbar (Fin) terminable at
call

junge Aktie *f* (Fin) new share
*(ie, zur Grundkapitalerhöhung e–r
AG ausgegeben; syn, neue Aktie)*

Jungscheinkonto *n* (Fin) allotment
letter negotiable

K

Kabelauszahlungen *fpl* (Fin) cable
transfers, C. T.
*(ie, no longer quoted in German
foreign exchange markets)*

Kabelfernsehen *n* (com) cable television

Kabelkurs *m* (Fin) cable rate
*(ie, rate quoted for cable transfer,
in foreign exchange dealing)*

Kabotage *f*
(com) cabotage
*(ie, Staat behält sich das Recht vor,
im Falle des von ausländischen
Verkehrsunternehmen   durchge-
führten Verkehrs zwischen zwei
Orten des gleichen Staatsgebiets
[Binnenverkehr] diesen Verkehr
auszuschließen)*
(com) cabotage *(ie, coasting trade)*

kaduzierte Aktie *f* (Fin) forfeited
share

Kaffeeterminbörse *f*
(Bö) forward coffee exchange
– trading in coffee futures

Kaiablieferungsschein *m*   (com)
wharf's receipt

Kaianschlußgleis *n* (com) dock siding

Kaiempfangsschein *m*
(com) dock receipt
– wharfinger's note

Kaigebühren *fpl*
(com) dockage
– dock charges (*or* dues)
– wharfage charges
– quayage (*or* quay dues)

Kaigeld *n* (com) pierage

Kai-Receipt *n* (com) quay receipt

Kalender-Spread *m* (Bö) calendar
spread
*(ie, gleichzeitiger Kauf und Ver-
kauf von Optionen gleichen Typs,
aber mit unterschiedlichen Verfall-
daten)*

Kalkulationsfaktor *m* (com) markup
factor
*(ie, Aufschlag auf Bezugspreis, be-
zogen auf e–e DM)*

Kalkulationszinsfuß *m*
(Fin) internal rate of discount
– proper discount rate
– required rate of return *(ie, applied in preinvestment analysis =
Investitionsrechnung)*
Also:
– adequate target rate
– minimum acceptable rate
– conventional/prevailing/stipu-
lated . . . interest rate

kalkulierter Wert *m* (com) estimated
value

Kalkül *n*
(com) estimate
– consideration

Kammerbörsen *fpl* (Bö) securities
exchanges set up and maintained
by local chambers of commerce
and industry, which act as institutional carriers: Berlin, Hamburg,
Frankfurt; opp, Vereinsbörsen

kämpfen um
(com) to battle for
– to fight for
(eg, a share in the market; survival)

Kampfpreis *m* (com) cut-rate price

Kampf *m* **um Marktanteile** (com) contest for market shares

Kampf *m* **um Weltmärkte** (com) battle for world markets

kandidieren (com) to stand as a candidate

Kapital *n*
(Math) principal *(ie, basic amount without interest)*
(Fin) capital *(ie, funds employed in a business firm)*

Kapitalablösung *f* (Fin) redemption (*or* substitution) of capital

Kapitalanlage *f*
(Fin) investment
– capital/financial ... investment
– employment of ... capital/funds

Kapitalanlagegesellschaft *f* (Fin)
(German) investment trust
(cf, Gesetz über Kapitalanlagegesellschaften vom 16. 4. 1957 in der Neufassung vom 14. 1. 1970 = Investment Companies Act of 16 Apr 1967, as amended up to 14 Jan 1970)

Kapitalanlagen *fpl* **von Gebietsfremden** (Fin) nonresident capital investments

Kapitalanleger *m* (Fin) investor

Kapitalanlegerschutzverband *m* (Fin) investors' protection society

Kapitalanspannung *f* (Fin) = Verschuldungsgrad

Kapitalanteil *m* (Fin) capital share *(ie, in a partnership)*

Kapitalaufbau *m* (Fin) capital structure

Kapital *n* **aufbringen** (Fin) to put up (*or* to raise) capital

Kapitalaufbringung *f* (Fin) putting up (*or* raising) capital

Kapitalaufnahme *f*
(Fin) long-term borrowing
– raising of capital
(Fin) procurement of equity
– equity borrowing

Kapital *n* **aufnehmen** (Fin) to take up capital

Kapital *n* **aufstocken** (Fin) to inject fresh capital *(eg, into a company)*

Kapitalaufstockung *f*
(Fin) stocking-up of funds
– capital increase *(syn, Kapitalerhöhung)*
(Fin) cash injection *(eg, an extra DM30m are pumped into the company)*

Kapitalaufwand *m* (Fin) capital expenditure (*or* spending)

Kapitalausfallrisiko *n* (Fin) loan loss risk

Kapitalausstattung *f*
(Fin) capitalization
– capital resources
(ie, nach Art und Höhe)

Kapitalbasis *f*
(Fin) capital base
– equity base

Kapitalbedarf *m*
(Fin) capital requirements
– funding needs

Kapitalbedarfsplan *m*
(Fin) incoming and outgoing payments plan
(ie, part of long-term financial planning)

Kapitalbedarfsrechnung *f*
(Fin) capital budget
(Fin) capital budgeting

Kapitalbereitstellung *f* (Fin) provision of funds

Kapitalbereitstellungskosten *pl* (Fin) loan commitment charges

Kapitalberichtigung *f* (Fin) capital adjustment

Kapitalberichtigungsaktie *f*
(Fin) bonus share
(ie, issued for the adjustment of capital; syn, Gratisaktie, qv)

Kapital *n* **beschaffen**
(Fin) to procure capital
– to raise funds

Kapitalbeschaffung *f*
(Fin) procurement of capital
– capital procurement
– raising of funds

Kapitalbeschaffungskosten *pl*
(Fin) capital procurement cost
– cost of funds

Kapitalbeteiligung *f*
(Fin) capital interest
– equity participation

Kapitalbeteiligungsdividende *f* (Fin)
= Kapitaldividende

Kapitalbeteiligungsgesellschaft *f*
(Fin) equity investment company
(ie, Ziel: Zuführung von Eigenkapital an mittelständische, nicht emissionsfähige Unternehmen, deren Eigenkapitaldecke zu kurz ist und die nicht über bankmäßige Sicherheiten verfügen; invests its funds in enterprises unable to issue securities and lacking adequate collateral; syn, Beteiligungsgesellschaft, Unternehmensbeteiligungsgesellschaft, Finanzierungsgesellschaft)

Kapitalbetrag *m* (Fin) capital sum

Kapital *n* **binden**
(Fin) to tie up
– to tie up
– to absorb . . . capital/funds

Kapitalbindung *f* (Fin) capital . . .
lockup/tie-up

Kapitalbindungsdauer *f* (Fin) duration of capital tie-up

Kapitalbindungsfrist *f* (Fin) period of capital tie-up

Kapitalbudget *n* (Fin) capital budget

Kapitaldecke *f*
(Fin) capital resources
– equity . . . basis/position *(eg, dünn = thin)*

Kapitaldeckungsplan *m*
(Fin) capital coverage plan
(ie, part of long-term financial planning)

Kapitaldienst *m*
(Fin) debt service
– cost of servicing loans
(ie, payment of matured interest and principal on borrowed funds)

Kapitaldienstfaktor *m* (Fin) capital recovery factor
(syn, Wiedergewinnungsfaktor, Annuitätsfaktor)

Kapitaldividende *f* (Fin) capital dividend

(ie, deemed to be paid from paid-in capital)

Kapitaleigner *m*
(Fin) proprietor
(Fin) shareholder *(eg, of a corporation)*
– stockholder

Kapital *n* **einbringen** (Fin) to bring/contribute . . . capital to . . .

Kapitaleinbringung *f* (Fin) contribution of capital

Kapitaleinlage *f* (Fin) capital/equity . . . contribution

Kapitaleinlagen-Verhältnis *n* (Fin) capital-deposit ratio *(ie, in banking)*

Kapitaleinsatz *m* (Fin) (amount of) capital employed *(or invested)*

Kapitalentnahme *f* (Fin) withdrawal of capital

Kapital *n* **entnehmen** (Fin) to withdraw capital

Kapital *n* **erhöhen** (Fin) to increase capital

Kapitalerhöhung *f* **aus Gesellschaftsmitteln** (Fin) capital increase out of retained earnings, §§ 207 ff AktG
(ie, by converting disclosed reserves into stated capital = Nennkapital)

Kapitalerhöhung *f*
(Fin) capital . . . increase/raising
– increase of . . . share capital/capital stock
(ie, through self-financing or additional capital contributions by old or new members; eg, injection of DM 200m of new funds; syn, Kapitalaufstockung)

Kapitalertrag *m*
(Fin) capital yield
– income on investment

Kapital *n* **e-s Fonds** (Fin) corpus

Kapital *n* **festlegen** (Fin) to tie up *(or lock up)* capital

Kapitalfestlegung *f* (Fin) tying up capital

Kapitalfluß *m* (Fin) flow of funds

Kapitalflußrechnung *f*
(Fin) flow/funds . . . statement

– flow of funds analysis
– statement of application of funds
– statement of funds provided and utilized
– statement of sources and application of funds
– statement of changes in financial position
– sources-and-uses statement
– (infml) Where-Got-Where-Gone Statement
(syn, Bewegungsbilanz)

Kapitalfonds *m* (Fin) capital fund
(ie, sum of long-term borrowing and capital repayments; E. Gutenberg)

Kapitalforderung *f* (Fin) money claim
(opp, Forderung auf andere Leistungen, such as goods, services, securities)

Kapital *n* **freisetzen** (Fin) to free up capital

Kapitalgeber *m*
(Fin) lender
(Fin) investor

Kapital *n* **herabsetzen** (Fin) to reduce capital

Kapitalherabsetzung *f*
(Fin) capital reduction, §§ 222 ff AktG, § 58 GmbHG
– reduction of share capital
– write-down of corporate capital
(eg, in the ratio of 6:1)
(see: ordentliche K. and vereinfachte K.)

Kapitalherabsetzung *f* **durch Einziehung von Aktien** (Fin) reduction of capital by redemption of shares

Kapitalherkunft *f* (Fin) sources of finance

kapitalisierbar (Fin) capitalizable

kapitalisieren
(Fin) to capitalize
(ie, to discount the present value of future earnings)

kapitalisierte Zinsen *mpl* (Fin) capitalized interest

Kapitalisierung *f* (Fin) capitalization

Kapitalisierungsfaktor *m* (Fin) capitalization ... factor/rate
(ie, at which an expected income stream is discounted to present worth)

Kapitalisierungsformel *f*
(Fin) capitalized value standard

Kapitalisierung *f* **von Rücklagen**
(Fin) capitalization of reserves
(ie, Emission von Gratisaktien aus offenen Rücklagen; cf, Ausgabe von Gratisaktien = capitalization issue)

Kapitalknappheit *f* (Fin) shortage of capital

Kapitalkonsolidierung *f*
(Fin) consolidation of investment

Kapitalkosten *pl*
(Fin) cost of capital
– cost of borrowed funds
(Fin) capital charges
(ie, interest, depreciation, repayment)

Kapitalkosten *pl* **je Leistungseinheit**
(Fin) capital cost compound

Kapitalkraft *f*
(Fin) strength of capital resources
– financial ... strength/power

kapitalkräftig
(Fin) well-funded
– financially powerful

Kapitallücke *f* (Fin) capital gap

Kapitalmangel *m* (Fin) lack of capital

Kapitalmarkt *m* (Fin) capital market
(ie, Markt für mittel- und längerfristige Finanzierungsmittel; im weitesten Sinne wird auf ihm Geld für langfristige Verschuldungen angeboten; Teil des Kreditmarktes; man unterscheidet:
1. organisiert (Wertpapierbörsen) = organized (securities exchanges)
– Primärmarkt (Neuemissionen) = primary market (new issues)
– (a) Aktien (shares/stock); (b) Anleihen (bonds)
– Sekundärmarkt = secondary market
(a) Aktien (shares/stock); (b) Anleihen (bonds)

2. *nichtorganisiert = non-organized,*
Darlehen, Beteiligungen, Hypotheken = loans, equity interests, real estate mortgages)

Kapitalmarkt *m* **anzapfen** (Fin) to tap the capital market

Kapitalmarktausschuß *m* (Fin) German Capital Market Subcommittee

Kapitalmarkteffizienz *f* (Fin) capital market efficiency *(ie, hypothesis trying to explain stock price movements)*

Kapitalmarkt-Gesellschaft *f* (Fin) publicly quoted company (*or* corporation)

Kapitalmarkt *m* **in Anspruch nehmen** (Fin) to go to (*or* draw on) the capital market

Kapitalmarktinstitute *npl* (Fin) banking institutions operating in the capital market
(ie, commercial banks, savings banks, credit cooperatives, but not 'Bausparkassen')

Kapitalmarktintervention *f* (Fin) intervention in the capital market

Kapitalmarktklima *n*
(Fin) capital market conditions
– sentiment in the capital market

Kapitalmarktlinie *f* (Fin) capital market line
(ie, Element des capital asset pricing model)

Kapitalmarktpapiere *npl* (Fin) capital market paper

Kapitalmarktpflege *f* (Fin) supporting the capital market

Kapitalmarktstatistik *f* (Fin) capital market statistics *(ie, prepared by the Deutsche Bundesbank)*

Kapitalmarktsteuerung *f* (Fin) capital market control

Kapitalmarktteilnehmer *m* (Fin) capital market operator

Kapitalmarktzins *m* (Fin) capital-market interest rate

kapitalmäßige Bindung *f* (Fin) capital linkage (*or* tie-in)

kapitalmäßige Verflechtung *f* (Fin) capital tie-up

Kapitalmehrheit *f*
(Fin) equity majority
– majority shareholding

Kapitalmobilität *f* (Fin) mobility of capital

Kapitalnachfrage *f* (Fin) demand for capital

Kapitalnutzung *f* (Fin) capital utilization

Kapitalnutzungsentschädigung *f* (Fin) service charge for the use of money

Kapitalnutzungskosten *pl* (Fin) capital user cost

Kapitalpolster *n*
(Fin) equity cushion

Kapitalquellen *fpl* (Fin) sources of capital

Kapitalrendite *f*
(Fin) (rate of) return on investment, RoI
(Fin) equity return

Kapitalrentabilität *f*
(Fin) return on capital employed
– return on investment
(Fin) earning power of capital employed

Kapitalrente *f*
(Fin) annuity
– pension from capital yield

Kapital-Restriktionen *fpl* (Fin) capital constraints

Kapitalrückflußdauer *f* (Fin) payback period

Kapitalrückflußmethode *f* (Fin) payback (*or* payoff) analysis
(ie, in evaluating investment projects)

Kapitalrückflußrate *f* (Fin) capital recapture rate

Kapitalrückflußrechnung *f* (Fin) = Amortisationsrechnung, qv)

Kapitalrückfluß *m* (Fin) capital recovery

Kapitalrückführung *f* (Fin) repatriation of capital

Kapitalrückgewinnung *f* (Fin) capital recovery

Kapitalrückzahlung f (Fin) repayment of capital

Kapitalsammelstelle f (Fin) institutional investor (or buyer)
(ie, banks, insurance companies, pension funds, etc.; syn, institutioneller Anleger)

Kapitalschnitt m
(Fin) capital writedown
– (sharp) writedown of capital
– decapitalization
(eg, stockholders get one share for a larger number of shares)

Kapitalspritze f
(Fin) injection of capital
– equity injection
– cash injection
injection of cash

Kapitalstau m (Fin) piling up of investment capital

Kapitalstruktur f
(Fin) capital/financial . . . structure
– financing mix

Kapitalsubstanz f (Fin) real capital

Kapitalsumme f
(com) capital sum
(Fin) principal (ie, basic amount without interest)

Kapitaltransfer m (Fin) transfer of capital

Kapitalüberweisungen fpl (Fin) capital transfers

Kapitalumschichtung f (Fin) switching of capital

Kapitalumschlag m
(Fin) capital/equity . . . turnover
– (GB) turnover to average total assets
(ie, one of the components of the RoI ratio system; opp, Umsatzrentabilität, qv)

Kapitalumschlaghäufigkeit f (Fin) = Kapitalumschlag

Kapitalumstellung f (Fin) capital reorganization

Kapital n **und Zinsen** mpl (Fin) principal and interest

Kapitalverflechtung f
(Fin) financial . . . locking/interrelation

– interlocking capital arrangements
– capital links
(Fin) = Eigenkapitalverflechtung

Kapitalverminderung f
(Fin) capital writedown
– reduction in capital

Kapitalvertreter pl (Fin) stockholders' side

Kapitalverwaltungsgesellschaft
(Fin) investment management company

Kapitalverwässerung f
(Fin) capital dilution
– dilution of equity
– stock watering

Kapitalverwendung f (Fin) employment of capital (or funds)

Kapitalverzinsung f
(Fin) interest on principal
(Fin) = Kapitalrendite

Kapitalwert m
(Fin) net present
– capital
– capitalized . . . value
(eg, of an annuity or right of use)

Kapitalwertmethode f
(Fin) net present value (or NPV) method
(ie, used in investment analysis)

Kapitalzins m
(Fin) long-term interest rate
(Fin) = Kapitalverzinsung
(Fin) rate of return on investment (or on capital employed)

Kapitalzufluß m
(Fin) inflow of funds

Kapitalzuführung f
(Fin) new capital injection
– injection of fresh funds (or new capital)

Kapitalzusammenlegung f (Fin) capital reduction (or merger)

Kapitalzuwachs m (Fin) capital accretion

Kapitel n **binden** (Fin) to lock up
– to tie up
– to absorb . . . capital/funds

Karenzzeit f
(com) cooling period

213

Kargo

Kargo *m* (com) cargo, *pl.* cargoes, cargos
(ie, freight carried by ship, plane, or vehicle)
Kartei *f* (com) card file
Karteikarte *f*
(com) index card
– (GB) record card
kartengesteuertes Zahlungssystem *n*
(Fin) card-controlled payments system
(eg, Euroscheckkarte, Geldautomat, POS Banking, Chipkarte)
Kasko *m*
(com) means of transportation = Transportmittel
Kassadevisen *pl* (Bö) spot exchange
Kassadollar *mpl* (Fin) spot dollars
Kassa *f* **gegen Dokumente** (com) documents against payment, D/P, d/p
(ie, Importeur erhält Dokumente erst nach Zahlung der Vertragssumme auf e–m Konto der Exporteurbank)
Kassageschäfte *npl*
(Bö) dealings for cash
– cash ... bargains/dealings/trade
– spot trading
Kassageschäft *n*
(Bö) cash ... sale/operation/transaction
– spot ... sale/deal/transaction
– cash bargain
(opp, Termingeschäft = forward transaction)
Kassahandel *m*
(Bö) spot trading
– dealings for cash
Kassakauf *m*
(Bö) cash purchase
– buying outright
Kassakurs *m*
(Bö) spot rate (*or* price) *(ie, of foreign exchange)*
– cash price
(Bö) daily quotation
Kassalieferung *f* (Bö) spot delivery
Kassamarkt *m*
(Bö) cash

– physical
– spot ... market
(ie, in commodity trading)
Kassanotierung *f* (Bö) spot quotation
Kassapapiere *npl* (Fin) securities traded for cash
Kassaware *f* (Bö) cash (*or* spot) commodity
Kasse *f*
(com) cash register
– POS (point of sale) terminal
(Fin) cash/cashier's ... office
(Fin) cash payments handling department *(of a bank)*
Kasse *f* **gegen Dokumente** (com) cash against documents, c. a. d.
Kasse *f* **machen** (Fin, infml) to cash up
Kassenanweisung *f* (Fin) disbursement instruction
Kassenausgänge *mpl* (Fin) cash disbursements
Kassenbestandsnachweis *m* (Fin) records of cash totals
Kassenbon *m*
(com) sales slip
– cash receipt
Kassendefizit *n*
(Fin) cash deficit (*or* shortfall)
– shorts
Kassendifferenz *f* (Fin) cash over or short
Kassendisposition *f* (Fin) cash management plan
Kassendispositionen *fpl* (Fin, FiW) cash arrangements (*or* transactions)
Kassenentwicklung *f* (Fin) cash trends
Kassenfehlbetrag *m*
(Fin) cash deficit (*or* shortfall)
– (cash) shorts
Kassenführung *f* (Fin) cash management
Kassenhaltung *f*
(Fin) cash management
(Fin) cash balances
(Fin) till money *(ie, of a bank)*
Kassenhaltungsplan *m* (Fin) estimate of cash requirements

Kassenhaltungspolitik f (Fin) policy of optimum cash holdings

Kassenkreditzusage f (Fin) cash advance facility

Kassenlage f (Fin) cash position

Kassenmanko n (Fin) cash shortfall *(ie, determined through cash audit)*

Kassenmittel pl
(Fin) cash
– cash resources

Kassenobligationen fpl
(Fin) medium-term fixed-rate notes *(ie, issued by Federal Government, Bundesbahn, Bundespost, and a number of banks)*
– Treasury notes
– (US) DM-nominated bearer treasury notes
– *(Austria)* cash bonds

Kassenquittung f (Fin) receipt evidencing payment for securities not yet issued

Kassenscheck m (Fin) open check

Kassenskonto m/n (Fin) cash discount

Kassensturz m (Fin) making the cash

Kassensturz m **machen** (Fin, infml) to make the cash

Kassentransaktion f (Fin) cash transaction

Kassenverein m (Fin) = Wertpapiersammelbank, qv

Kassierer m
(Fin) teller
– (GB) cashier

Katalogpreis m (com) catalog price

Kauf m
(com) purchase

Kaufabrechnung f (Bö) bought note

Kauf m **auf Hausse**
(Bö) buying for a rise
– bull buying

Kauf m **auf Raten**
(com) installment purchase
– (infml) buying on time

Kaufauftrag m (Bö) buy order

Kaufauftrag m **billigst** (Bö) buy order at market

Kaufempfehlung f (Bö) buy recommendation

Käuferabruf m (Bö) buyer's call

Käufer m **e–r Option** (Bö) option buyer

Käufer m **e–r Verkaufsoption** (Bö) buyer of a put option
(ie, darf gegen Zahlung des Optionspreises das Wertpapier innerhalb der Laufzeit der Option zum Basispreis liefern)

Käuferinteresse n (Bö) buying interest

Käuferkredit m (Fin) buyer credit *(eg, granted by a consortium led by Deutsche Bank)*

Käufermangel m (Bö) lack of buying orders

Käufer m
(com) buyer
– purchaser
– (fml) vendee

Kaufhauswerte pl
(Bö) stores

Kaufinteresse n (Bö) buying interest

Kaufinteressent m
(com) prospective (or potential) buyer
– prospect *(syn, Interessent)*

Kaufkraftrisiko n (Fin) purchasing power (or inflation) risk *(syn, Inflationsrisiko)*

Kaufkredit m (Fin) loan to finance purchases *(ie, mostly of durable goods)*

Kaufkurs m
(Bö) buying rate

käuflich erwerben
(com) to acquire by purchase
– to buy

Kaufmann m
(com) businessman
Also:
– trader
– dealer
– merchant

kaufmännische Anweisung f (WeR) bill of exchange drawn on a merchant

kaufmännische Orderpapiere npl
(WeR) commercial negotiable instruments, § 363 HGB

215

kaufmännischer Kurs *m* (Fin) commercial rate *(ie, Kursart im Devisenhandel)*

kaufmännischer Verpflichtungsschein *m* (WeR) certificate of obligation drawn up by a merchant

kaufmännische Urkunde *f* (WeR) commercial document *(eg, warehouse receipt, bill of lading, § 363 HGB)*

Kauf *m* **mit Preisoption** (com) call purchase
(ie, within stated range of the present price; opp, Verkauf mit Preisoption, qv)

Kauf *m* **mit Rückgaberecht** (com) sale or return

Kaufoption *f*
(Bö) call (option)
– option to buy *(ie, im Rahmen e–s Festgeschäfts)*

Kaufoptionskontrakt *m* (Fin) call contract

Kauforder *f* (Bö) buying order

Kaufpreis *m* (com) purchase (*or* contract) price, § 433 II BGB

Kaufpreis *m* **erstatten** (com) to refund the purchase price

Kaufvertrag *m* **abschließen** (com) to conclude a purchase order contract

Kauf *m* **von Wertpapieren zur sofortigen Lieferung** (Bö) cash buying

Kaufwelle *f* (Bö) buying surge

Kauf *m* **zur sofortigen Lieferung**
(Bö) cash buying
– buying outright
(ie, paying cash for immediate delivery)

Kaution *f* (Fin) security deposit

Kautionseffekten *pl* (Fin) deposited securities *(ie, of a bank)*

Kautionskredit *m* (Fin) credit as security for a contingent liability *(opp, Avalkreditgeschäft)*

Kautionswechsel *m* (Fin) bill of exchange deposited as a guaranty

Kellerwechsel *m*
(WeR) fictitious bill
– kite
– windmill

Kenn-Nummer *f*
(com) identification number

Kennzahlenhierarchie *f* (Fin) ratio pyramid
(eg, RoI system of E. I. du Pont de Nemours, ZVEI-Kennzahlensystem)

kennzeichnen
(com) to identify
– to label
– to mark

Kennzeichnung *f*
(com) labeling
– marking

Kennzeichnungssystem *n*
(com) certification system *(cf, DIN 820)*

Kerngeschäft *n*
(com) bottom line
– (infml) staple diet
(syn, Grundgeschäft, Massengeschäft)

Kernproblem *n* (com) focal (*or* key) problem

Kettenabschluß *m* (Bö) chain transaction *(ie, in forward commodity trading)*

Kettenbanksystem *n* (Fin) chain banking

KG (com) = Kommanditgesellschaft

KGaA (com) = Kommanditgesellschaft auf Aktien

KGV (Fin) = Kurs-Gewinn-Verhältnis

klassische Festzinsanleihe (Fin) straight bond
(ie, neben ihr gibt es Zwischenformen der Eigen- und Fremdfinanzierung: Wandelanleihe, Bezugsrechtsobligation als Form der Optionsanleihe, Gewinnobligation und Genußschein)

klassischer Zinsswap *m* (Fin, infml) plain vanilla swap

„Kleckerkonten" *npl* (Fin, infml) mini-volume customer accounts

Kleinaktie *f*
(Fin) small
– micro
– midget . . . stock

(ie, stock with a minimum par value of DM50, § 8 AktG)

Kleinaktionär *m* (Fin) small shareholder

Kleinanleger *m* (Fin) small investor

kleine Kasse *f*
(Fin) petty cash fund
– (GB) float

kleine Stückelung *f* (Fin) small denomination *(ie, of securities)*

Kleingeschäft *n* **der Banken** (Fin) retail banking

Kleinkredit *m*
(Fin) loan for personal (non-business) use

Klein- und Mittelunternehmen *npl* (com) small and medium-sized businesses

Klient *m* (com) client

knapp behauptet (Bö) barely steady

knapper Termin *m* (com) tight deadline

Knappheit *f*
(com) scarcity
– (infml) crunch

Kofinanzierung *f* (Fin) co-financing *(eg, Eurodollarkredit e–s Bankenkonsortiums + langfristiger Projektkredit der Weltbank; syn, Mitfinanzierung)*

Kollektivsparen *n* (Fin) collective saving *(opp, Individualsparen Einzelsparen)*

kollidierende Interessen *npl* (com) conflicting (or clashing) interests

Kombinationstransport-Unternehmen *m* (com) combined transport operator, CTO *(ie, engaged in multi-modal transport; eg, partly road, partly rail; issues a combined transport document)*

kombinierter Verkehr *m*
(com) multi-modal transportation
– intermodal traffic (eg, road and rail)
(ie, Beförderung e–s Ladegutes durch mehrere Verkehrsmittel ohne Wechsel des Transportverkehrs;

durch multimodale Transportketten)

kombiniertes Transportdokument *n* (com) combined transport document
(ie, may be negotiable or nonnegotiable; replaces the bill of lading)

kombiniertes Transportkonnossement *n* (com) combined transport bill of lading, CT-BL

Kommanditeinlage *f* (Fin) limited partner's contribution (or holding)

Kommanditgesellschaft *f* **auf Aktien** (com) commercial partnership limited by shares *(ie, no equivalent in US and GB)*

Kommanditist *m* (com) limited (or special) partner
(ie, not liable beyond the funds brought into the partnership; syn, Teilhafter; opp, Komplementär, Vollhafter = general partner)

Kommanditkapital *n* (Fin) limited liability capital

kommerzieller Kurs *m* (Fin) commercial rate *(ie, Kursart im Devisenhandel)*

Kommission *f*
(com) consignment
– production order

kommissionieren (com) to make out a production order
(ie, based on specifications of customer purchase order)

Kommissionsagent *m* (com) commission agent *(syn, Kommissionsvertreter)*

Kommissionshandel *m* (com) commission trade *(opp, Agenturhandel und Eigenhandel)*

Kommissionslager *n*
(com) consignment stock
– stock on commission

Kommissionsprovision *f* (com) consignment commission

Kommissionsrechnung *f* (com) consignment invoice

Kommissionstratte *f* (com) bill of exchange drawn for account of a third party, Art. 3 WG

Kommissionsverkauf *m* (com) sale on commission

Kommissionsvertrag *m* (com) consignment agreement

Kommissionsvertreter *m* (com) = Kommissionsagent

Kommissionsware *f*
(com) goods in consignment
– consignment goods
– consigned goods
– goods on commission
(syn, Konsignationsware)

Kommissionswechsel *m* (com) = Kommissiontratte

kommissionsweise (com) on commission

Kommittent *m*
(com) consignor

kommunalverbürgt (Fin) guaranteed by local authorities

Kompensationskurs *m* (Bö) settlement price in forward operations
(syn, Liquidationskurs)

Kompensationsmarkt *m* (Fin) compensation market

Kompensationspunkt *n* (Bö, US) breakeven point
(ie, oberhalb dieses Punktes wird die Optionsprämie durch die günstige Kursentwicklung überkompensiert)

kompensieren
(com) to compensate
– to counterbalance
– to offset

Kompetenzbereich *m*
(com) area of . . . authority/discretion
(syn, Verantwortungsbereich)

Komplementärinvestition *f* (Fin) complementary investment
(ie, in preinvestment analysis; syn, Differenzinvestition, Supplementinvestition)

komplexe Kapitalstruktur *f* (Fin) complex capital structure
(ie, comprises both common stock and common stock equivalents or other potentially dilutive securities; cf, dilution)

Kompromißvorschlag *m* (com) compromise proposal

Konditionen *fpl*
(com) terms and conditions
(Fin) terms
(eg, of a loan or credit)

Konditionenanpassung *f* (Fin) adjustment of terms

Konditionenbindung *f* (Fin) commitment to fixed terms

Konditionengestaltung *f* (Fin) arrangement of terms

Konditionenpolitik *f* (Fin) terms policy

Konditionen *fpl* **ziehen an** (Fin) interest rates go up

Konferenz *f*
(com) conference
– meeting
– (infml) get-together

Konferenzabkommen *n* (com) conference agreement *(ie, among ocean carriers as to rates, charges, delivery, etc)*

Konjunktur *f*
(com) level of business activity
– level of economic activity
– business (or economic) activity
– economic situation

Konkurrent *m*
(com) competitor
– rival
– contender *(eg, top contenders in a faltering market)*

Konkurrenz *f*
(com) the competition
– (GB, infml) the opposition
(ie, competing firms in one's business or profession; syn, Wettbewerb)

Konkurrenz *f* **abhängen**
(com, infml) to outdistance competitors
– to leapfrog rivals

Konkurrenzangebot *n*
(com) rival offer *(or bid)*

Konkurrenz *f* **aus dem Felde schlagen**
(com) to outdistance rivals

Konkurrenz *f* **ausschalten**
(com) to defeat

– to eliminate
– outbid ... one's competitors
Konkurrenz f **besänftigen** (com) to mollify competitors *(eg, by orderly marketing agreements)*
Konkurrenzbetrieb m
(com) rival firm
– competitor
Konkurrenzdruck m (com) competitive pressure
Konkurrenzerzeugnis n (com) competing product
Konkurrenzfähigkeit f
(com) competitiveness
– competitive edge *(or* position)
Konkurrenzkampf m (com) competitive struggle
Konkurrenzpreis m (com) competitive price
Konkurrenzprodukt n (com) rival product
Konkurrenzunternehmen n
(com) rival firm
– competitor
Konkurrenz f **verdrängen**
(com) to cut out
– to wipe out ... rivals *(or* competitors)
– to put rivals out of the market
konkurrieren (com) to compete (with) *(eg, in a foreign market)*
konkurrieren gegen
(com) to compete against/with
– to contend
– to contest against
konkurrieren mit (com) to compete with
Konkurs m **machen**
(com, infml) to go bust
– to go to the wall
Konnossement n (com) bill of lading
(ie, Urkunde des Seefrachtvertrages, welche die Rechtsverhältnisse zwischen Verlader, Verfrachter und Empfänger regelt; §§ 642 ff HGB)
Konnossement n **ausstellen** (com) to make out a bill of lading
Konnossement n **gegen Kasse** (Fin) cash against bill of lading

Konnossement n **mit einschränkendem Vermerk** (com) unclean bill of lading *(or* B/L)
Konnossementsanteilsschein m (com) delivery order, D/O
Konnossementsgarantie f
(com) bill of lading guarantee
– letter of indemnity
(ie, beläuft sich idR auf 150% des Warenwerts; finanzielle Absicherung der Reederei bei Aushändigung der Ware ohne Original-Konnossement)
Konnossementsklauseln fpl (com) bill of lading clauses
Konnossements-Teilschein m (com) delivery note
Konsolidation f
(Fin) consolidation
– funding
konsolidieren
(Fin) to consolidate
– to fund a debt
konsolidierte Anleihe f
(Fin) consolidated *(or* consolidation) bond
– unified bond
– unifying bond
Konsolidierung f
(Fin) consolidation
– funding
Konsolidierungsanleihe f
(Fin) debt-consolidating loan
– funding loan
Konsolidierung f **schwebender Schulden**
(Fin) funding of floating debts
Konsorte m
(Fin) syndicate member
– underwriter
Konsortialabteilung f (Fin) new issues *(or* underwriting) department
Konsortialanteil m (Fin) share in a syndicate
Konsortialbank f (Fin) consortium bank
Konsortialbeteiligung f (Fin) participation in a syndicate
konsortialführende Bank f (Fin) = Konsortialführerin

Konsortialführerin *f*
(Fin) (lead) manager
– managing ... bank/underwriter
– prime underwriter
– principal manager
– syndicate ... leader/manager
– consortium leader

Konsortialführung *f* (Fin) lead management

Konsortialgebühr *f* (Fin) management charge (*or* fee)

Konsortialgeschäft *n*
(Fin) syndicate (*or* underwriting) transaction
(Fin) underwriting business

Konsortialkredit *m* (Fin) syndicated ... loan/credit

Konsortialkredite *mpl* (Fin) loan syndications

Konsortialmarge *f* (Fin) issuing banks' commission

Konsortialmitglied *n*
(Fin) syndicate member
– underwriter

Konsortialnutzen *m* (Fin) underwriting commission (*ie, als Teil der Emissionsvergütung; syn, Übernahmeprovision*)

Konsortialprovision *f*
(Fin) underwriter's commission
– spread
– management fee
(*ie, vom Kreditnehmer an die Konsortialbank als Summenentgelt [flat = einmalig] gezahlt*)

Konsortialquote *f* (Fin) underwriting (*or* issuing) share

Konsortialrechnung *f* (Fin) syndicate accounting

Konsortialspanne *f*
(Fin) overriding commission
– spread

Konsortialverbindlichkeiten *fpl* (Fin) syndicated loans

Konsortialvertrag *m*
(Fin) consortium (*or* underwriting) agreement
(Fin, US) syndicate agreement, qv

Konsortium *n*
(Fin) management group

– financial syndicate
– syndicate of security underwriters
(*syn, Bankenkonsortium; civil-law partnership formed by banks to carry on underwriting business*)

Konsortium *n* **führen**
(Fin) to lead manager
– to lead (*eg, an underwriting syndicate*)

konstanter Schuldendienst *m*
(Fin, US) level debt service
– mortgage amortization
(*ie, combined payments of principal and interest (Kapital und Zinsen) on all payments are equal*)

Konsularfaktura *f* (com) = Konsulatsfaktura

Konsulargebühren *fpl* (com) consular fees (*or* charges)

Konsulatsfaktura *f* (*pl.-fakturen*) (com) consular invoice

Konsulatsgebühren *fpl* (com) consular fees

Konsum *m*
(com) consumption (*syn, Verbrauch*)

Konsument *m* (com) consumer (*syn, Verbraucher*)

Konsumentengeschäft *n* (Fin) consumer lending

Konsumentenkredit *m* (Fin) = Konsumkredit

Konsumfinanzierung *f*
(Fin) consumer credit
– financing of installment sales

Konsumgüterhersteller *m* (com) consumer goods maker

Konsumgüterindustrie *f* (com) consumer goods industry

Konsumgüter *npl*
(com) consumer/consumption ... goods (*ie, identical with ‚Verbrauchsgüter'*)
– consumer nondurables

Konsumkredit *m* Fin) consumer credit

Konsumtivkredit *m* (Fin) = Konsumkredit

Kontaktstelle *f* (com) contact point

Konto

Kontenabbuchung *f* (Fin) automatic debit transfer
Kontenanalyse *f* (Fin) account analysis
(ie, to determine the profit or loss incurred by a bank for servicing the account)
Kontenbewegungen *fpl* (Fin) transactions in a (customer's) account)
Kontensparen *n*
(Fin) deposit account saving
– savings through accounts
Kontenüberziehung *f* (Fin) bank overdraft
Kontermine *mpl* (Bö) group of bull operators
Kontingent *n* (com) quota
Kontingentbeschränkungen *fpl* (com) quota limitations
Kontingent *n* **überziehen** (com) to exceed a quota
kontinuierliche Verzinsung *f* (Fin) continuous convertible interest
Konto *n* **abgeschlossen** (Fin) account closed
Kontoabstimmung *f* (Fin) account reconciliation
Konto *n* **auflösen** (Fin) to close an account (with a bank)
Kontoauszug *m*
(Fin) statement of account
– bank statement
– abstract of account
Kontobewegungen *fpl* (Fin) account movements *(eg, debits, credits, holds)*
Kontoeinzahlung *f* (Fin) payment into an account
Konto *n* **eröffnen** (Fin) to open (*or* set up) an account (with/at a bank)
Kontoeröffnung *f* (Fin) opening of an account
kontoführende Bank *f* (Fin) bank in charge of an account
Konto *n* **führen**
(Fin) to administer an account
Kontoführungsgebühr *f*
(Fin) account management/service . . . charge
– account maintenance charge

Kontoführung *f*
(Fin) account maintenance
– account management
Kontoinhaber *m*
(Fin) account holder
Kontokorrent *n*
(Fin) account current
– current account
– open account
Kontokorrentauszug *m*
(Fin) statement of account
– account current
Kontokorrenteinlagen *fpl* (Fin) current deposits
Kontokorrentgeschäft *n* (Fin) overdraft business
Kontokorrentguthaben *n* (Fin) balance on current account
Kontokorrentkonto *n*
(Fin) current account
– cash account
– operating account
– (US) checking account
Kontokorrentkredit *m*
(Fin) credit in current account
– advance in current account
– (GB) overdraft facility
Kontokorrentvertrag *m* (Fin) open account agreement
Kontokorrentvorbehalt *m* (Fin) current account reservation
Kontokorrentzinsen *mpl*
(Fin) interest on current account
– current account rates
Konto *n* **pro Diverse** (Fin) = Cpd-Konto, qv
Konto *n* **pro Diverse, cpd** (Fin) collective suspense account
Konto *n* **prüfen**
(Fin) to verify an account
Konto *n* **sperren** (Fin) to block an account
Kontospesen *pl* (Fin) account carrying charges
Kontoüberziehung *f* (Fin) overdrawing of an account
Kontoumsatz *m* (Fin) account turnover
Konto *n* **unterhalten** (Fin) to have an account (with/at a bank)

221

Kontovollmacht *f* (Fin) power to draw on an account

kontrahieren
(com) to contract

Kontraktfrachten *fpl* (com) contract (freight) rates *(ie, in ocean shipping)*

kontraktive Geldpolitik *f* (Fin) tight money policy

Kontraktspezifikation *f* (Bö) contract specification
(eg, Basispreis, Verfallsdatum usw. bei Optionsgeschäften auf Terminkontrakte)

Kontrollabschnitt *m*
(Fin) stub
– (GB) counterfoil

kontrollierter Kurs *m* (Fin) controlled rate *(ie, Kursart des Devisenhandels)*

Kontrolliste *f* (com) check list

konventionelles Budget *n* (Fin) administrative budget

Konversion *f* **e-r Anleihe** (Fin) bond conversion

Konversionsanleihe *f* (Fin) conversion loan

Konversionsguthaben *n* (Fin) conversion balance

Konversionskurs *m* (Fin) conversion price

konvertibel (Fin) convertible

Konvertibilität *f* **in primäre Reserve-Aktiva** (Fin) reserve-asset convertibility

Konvertibilität *f* (Fin) = Konvertierbarkeit

konvertible Obligationen *fpl* (Fin) cf, Wandelanleihe

konvertierbare Devisen *pl* (Fin) convertible foreign exchange

konvertierbare Schuldverschreibungen *fpl* (Fin) convertible bonds
(ie, können nach e-r bestimmten Zeit in Aktien umgewandelt werden; international auch Umtausch in andere Anleihen möglich)

konvertierbare Währung *f* (Fin) convertible currency
(ie, unbeschränkt in einheimische

od fremde Währungen od Gold umtauschbar; volle Konvertibilität haben nur wenige IWF-Mitglieder)

Konvertierbarkeit *f* (Fin) (market) convertibility
(ie, to ensure freedom of international payments and capital transactions)

konvertieren
(Fin) to convert

Konvertierung *f* (Fin) conversion

Konvertierungsrisiko *n* (Fin) exchange transfer risk

konzentrieren auf, sich
(com) to concentrate on
– to center in/on/upon *(eg, activity, field of attention)*

Konzern *m*
(com) group of affiliated companies
– *(usu. shortened to)* group
– companies under common control
– corporate group
(ie, Zusammenfassung von mindestens zwei rechtlich selbständig bleibenden Unternehmen unter einheitlicher Leitung; cf, § 18 AktG; it is under the common centralized management of the controlling enterprise
(Note that English law has not developed a distinct body of law governing the relationship between holding companies and subsidiaries, and between companies which have substantial shareholdings in other companies not conferring legal powers of control and those of other companies. In this respect English law is less advanced than the German legislation governing public companies, §§ 15–21 and §§ 291–338 AktG)

Konzernclearing *n* (Fin) group clearing
(ie, Liquiditätsausgleich zwischen einzelnen Konzerngesellschaften)

konzerneigene Anteile *mpl* (Fin) group's own shares

konzerneigene Finanzierungsgesell-schaft f (Fin) captive finance company

konzerneigene Handelsgesellschaft f (com) trading subsidiary

konzernfremde Interessen npl (Fin) interests held by parties outside a group (of companies)

Konzernfremder m (Fin) outsider to a group

Konzerngeschäfte npl (com) intra-group transactions

Konzerngesellschaft f
(com) group company
– company belonging to a group
– constituent company

konzernintern
(com) intercompany
– intragroup
– within the group

konzerninterne Finanzierung f (Fin) intragroup (or intercompany) financing

konzerninterne Geschäfte npl (com) intragroup transactions

konzerninterne Kapitalströme mpl (Fin) intra-group capital flows

konzerninterner Lieferungs- und Leistungsverkehr m
(com) intragroup shipments (or supplies)

konzerninternes Clearing n (Fin) payments netting
(ie, Aufrechnen weltweiter konzerninterner Forderungen und Verbindlichkeiten; der Clearing-Vertrag, der das Verfahren regelt, entspricht e–m Aufrechnungs-Vorvertrag nach § 355 HGB; Einsparung von Kosten und Zinsen durch Rückgang der Anzahl der Transaktionen und Abbau des Float; syn, internationales Konzernclearing, auch: Netting)

konzerninterne Zinsen mpl (Fin) intercompany interest

Konzerninvestitionen fpl (Fin) group capital investment

Konzern-Kapitalflußrechnung f (Fin) group cash flow statement

Konzernleitung f
(com) central management of a group

Konzernlieferung f (com) intragroup delivery

Konzernspitze f
(com) principal company of a group
(com) = Konzernleitung

Konzerntochter f (com) consolidated subsidiary

Konzernunternehmen n
(com) group company
(ie, enterprise under common control, § 18 I AktG
Also:
– member of an affiliated group of companies
– affiliate
– allied/associated . . . company

Konzernverwaltung f (com) group headquarters

Konzernvorstand m (com) group executive board

Konzertzeichner m (Bö) stag

Konzertzeichnung f (Bö) stagging

Kooperation f
(com) cooperative deal
– (technical) cooperation link-up (with)

Kopffiliale f (Fin) head office (ie, of banks)

Kopie f
(com) copy
– duplicate

Kopiergerätemarkt m (com) copier market

Kopiergerät n (com) copier

Kopplungsgeschäft n
(com) package deal
– linked transaction

Korbwährung f (Fin) basket currency
(ie, zwei Unterarten: 1. Warenreservewährung; 2. Währungskorb-Währung; cf, Währungskorb)

körperliche Eigenschaften fpl **der Waren**
(com) physical characteristics of the goods

Korrektur *f* **nach oben**
(com) upward revision
– scaling up
Korrektur *f* **nach unten**
(com) downward revision
– scaling down
Korrespondent *m*
(com) correspondence clerk *(ie, person handling commercial correspondence)*
(Fin) correspondent bank
Korrespondentreeder *m* (com) managing owner *(ie, of a ship)*
Korrespondenzabteilung *f* (com) correspondence department
Korrespondenzbank *f*
(Fin) correspondent bank
– foreign correspondent
(ie, foreign bank with which a domestic bank is doing business on a continuous basis)
Korrespondenzspediteur *m* (com) correspondent forwarder
korrigieren
(com) to correct
– to rectify
– to remedy
– to set to rights
– to straighten out
(com) to blue-pencil *(ie, to revise written material)*
Kostenanschlag *m*
(com) cost estimate
(com) bid
– quotation
Kostenanstieg *m* (com) increase *(or* rise) in costs
Kostenbeteiligung *f*
(com) cost sharing
– assuming a share of costs
(com) shared cost
Kostendämmung *f*
(com) cost cutting
– curbing costs
– cost containment
kostendeckender Preis *m* (com) cost covering price
Kostendeckung *f* (com) cost coverage *(or* recovery) *(eg, was not achieved)*

Kostendruck *m*
(com) upward pressure on costs
– cost pressure
Kosteneinsparung *f*
(com) cost cutting
– cost saving
– (infml) rampage on expenses
Kostenersparnis *f* (com) cost saving
Kostenerstattung *f*
(com) reimbursement of expenses
– refund of costs
Kostenexplosion *f*
(com) cost explosion
– runaway costs
Kostenführerschaft *f* (com) cost leadership
Kostenführer *m* (com) cost leader
kostenlos
(com) at no charge
– free of charge
– without charge
kostenlose Ersatzlieferung *f* (com) replacement free of charge
kostenlose Lieferung *f* (com) delivery free of charge
Kosten *pl*
(com) cost(s)
– charges
– expense(s)
– expenditure
– outlay
Kosten *pl* **auffangen** (com) to absorb costs
Kosten *pl* **aufgliedern** (com) to itemize costs
Kosten *pl* **aufschlüsseln** (com) to break down expenses
Kosten *pl* **bestreiten** (com) to defray costs
Kosten *pl* **decken**
(com) to cover/recover . . . costs
– to break even
– to clear costs
– to recoup costs
Kosten *pl* **der Aktienausgabe**
(Fin) expense of issuing shares
– expense incurred in connection with the issuance of shares
Kosten *pl* **der Auftragsabwicklung**
(com) order filling costs

Kosten *pl* **der Auftragsbeschaffung** (com) order getting costs

Kosten *pl* **der Eigenkapitalfinanzierung** (Fin) cost of equity finance

Kosten *pl* **der Kapitalbeschaffung** (Fin) capital procurement cost

Kosten *pl* **der Nacharbeit** (com, KoR) cost of rework

Kosten *pl* **ermitteln** (com) to determine costs

Kosten *pl* **ersetzen** (com) to refund/reimburse ... costs

Kosten *pl* **erstatten** (com) to reimburse/refund ... expenses

Kosten *pl* **für Leichterung und Handhabung** (com) lightering and handling charges

Kosten *pl* **hereinholen** (com) to recapture/recover ... costs

Kosten *pl* **niedrig halten** (com) to hold down cost

Kosten *pl* **senken**
(com) to cut
– to reduce
– to trim
– to improve ... costs

Kosten *pl* **sparen** (com) to save ... costs/charges

Kosten *pl* **spezifizieren** (com) to itemize costs

Kosten *pl* **steigen** (com) costs ... increase/rise/go up

Kosten *pl* **tragen** (com) to absorb/bear/take over ... costs

Kosten *pl* **übernehmen** (com) to absorb/bear/take over ... costs

Kostenschaukel *f* (com, infml) cost jig-saw

Kostensenkung *f*
(com) cost ... cutting/reduction
– cost improvement

Kostensenkungsprogramm *n* (com) cost-cutting program

kostensparende Maßnahmen *fpl* (com) cost-reducing improvements

Kostenüberschreitung *f* (com) cost overrun

Kostenvergleichsrechnung *f* (Fin) cost comparison method *(ie, in preinvestment analysis)*

Kostenvoranschlag *m*
(com) cost estimate
– preliminary estimate
– (GB) bill of quantity *(ie, in the building contracting business)*
(com) bid
– quotation

Kostenzange *f* (com) cost squeeze

Kostgeschäft *n* (Fin) take-in transaction

Kotieren *n* (Bö) official listing of a security

kräftig anziehen (Bö) to advance strongly

kräftig senken
(com) to slash
– to reduce steeply

Kraftverkehrspedition *f*
(com) trucking company
– (GB) haulage contractor

Kredit *m*
(Fin) credit
– loan
– advance
(ie, types of credit: Kontokorrentkredit, Diskontkredit, Lombardkredit, Akzeptkredit, Akkreditiv)

Kreditabbau *m* (Fin) loan repayment

Kreditabschnitte *mpl* (Fin) loans

Kreditabsicherung *f* (Fin) credit security arrangements

Kreditabteilung *f* (Fin) loan department

Kredit *m* **abwickeln** (Fin) to process a loan

Kreditabwicklung *f* (Fin) loan processing

Kreditakte *f* (Fin) borrower's file *(ie, kept by bank)*

Kreditakzept *n* (Fin) financial acceptance *(ie, accepted finance bill)*

Kreditanalyse *f* (Fin) = Kreditprüfung, qv

Kreditanspannung *f* (Fin) tight credit situation

Kreditanstalt *f* **des öffentlichen Rechts** (Fin) credit institution of the public law

Kreditanstalt für Wiederaufbau

Kreditanstalt *f* **für Wiederaufbau**
(Fin) Reconstruction Loan Corporation, KfW, KW
(ie, Frankfurt-based, channel for public aid to developing countries)

Kreditantrag *m*
(Fin) credit/loan ... application
– request for a loan

Kreditantragsteller *m* (Fin) loan applicant

Kreditapparat *m* (Fin) banking system

Kreditaufnahme *f*
(Fin, FiW) credit intake
– borrowing
– raising ... credits/loans
– taking up/on credits

Kreditaufnahme *f* **im Ausland** (Fin) borrowing abroad

Kreditaufnahmevollmacht *f* (Fin) borrowing authority

Kreditaufnahme *f* **von Unternehmen**
(Fin) corporate borrowing
(opp, öffentliche Kreditaufnahme = government/public sector ... borrowing)

Kredit *m* **aufnehmen**
(Fin) to borrow
– to raise a loan
– to take on/up a credit

Kredit *m* **aufstocken** (Fin) to top up an loan

Kreditaufstockung *f* (Fin) topping up a loan

Kreditausfall *m* (Fin) loan loss

Kreditausfallquote *f* (Fin) loan loss ratio

Kredit *m* **aushandeln**
(Fin) to arrange a loan
– to negotiate the terms of a credit

Kreditauskunft *f*
(Fin) credit ... information/report
– (GB) banker's reference

Kreditauskunftei *f*
(Fin) credit reporting agency
– (GB) credit reference agency

Kreditauslese *f* (Fin) credit selection

Kreditausschuß *m* (Fin) credit (or loan) committee

Kreditauszahlung *f* (Fin) loan payout

Kreditbank *f* (Fin) bank

Kredit *m* **bearbeiten**
(Fin) to process a credit application
– to handle (or manage) a credit

Kreditbearbeitung *f*
(Fin) processing of credit applications
– loan processing
– credit management

Kreditbearbeitungsprovision *f* (Fin) loan processing charge

Kreditbedarf *m* (Fin) borrowing ... needs/requirements

Kreditbedarfsplan *m* (Fin) credit requirements plan

Kreditbedingungen *fpl*
(Fin) terms of credit
(Fin) lending terms *(ie, of a bank)*

Kreditberatung *f* (Fin) credit counseling

Kreditbereitschaft *f* (Fin) readiness to grant a credit

Kreditbereitstellung *f*
(Fin) allocation of loan funds
(Fin) extension of a loan
– loan origination

Kreditbeschaffung *f* (Fin) borrowing

Kreditbeschaffungsprovision *f* (Fin) credit procurement fee

Kreditbeschränkungen *fpl* (Fin) lending restrictions

Kredit *m* **besichern** (Fin) to collateralize a loan

Kreditbetrag *m*
(Fin) capital sum
– loan amount

Kredit *m* **bewilligen** (Fin) to approve a loan

Kreditbeziehung *f* (Fin) relationship involving credit

Kreditbilanz *f* (Fin) = Kreditstatus

Kreditbremse *f*
(Fin) credit (or monetary) brake
– restraint on credit

Kreditbrief *m* (Fin) letter of credit

Kreditbürgschaft *f* (Fin) credit guaranty
(Fin, GB) loan guarantee *(eg, granted by the government)*

Kreditbüro n (Fin) credit sales agency

Kredite mpl **aufnehmen** (Fin) to borrow funds (from)

Kredit-Einlagen-Relation f (Fin) loan-deposit ratio

Kredit m **einräumen** (Fin) to grant a credit

Krediteinschränkung f (Fin) credit restriction

Kreditengagement n (Fin) loan exposure

Kredit m **erneuern**
(Fin) to renew a loan
– to refresh an expiring loan

krediteröffnende Bank f (Fin) issuing (or opening) bank

Kredit m **eröffnen** (Fin) to open a credit

Krediteröffnungsvertrag m (Fin) credit agreement

Krediteröffnung f (Fin) opening of a credit

Kreditexpansion f
(Fin) growth of lending

Kreditfachmann m (Fin) credit expert

Kreditfähigkeit f
(Fin) borrowing... power/potential
– financial standing

Kreditfazilitäten fpl (Fin) borrowing facilities

Kreditfenster n (Fin) loan window

Kreditfinanzierung f
(Fin) loan financing
– borrowing
(ie, i. w. S. alle Formen der Fremdfinanzierung; i. e. S. die Finanzierung in Gestalt von Bankkrediten)

Kreditgarantie f (Fin) loan guaranty

Kreditgarantiegemeinschaften fpl
(Fin) credit guaranty associations
(ie, set up in the legal form of GmbH)

Kreditgebäude n (Fin) credit structure

kreditgebende Bank f (Fin) lending bank

Kreditgeber m (Fin) lender

Kreditgebühren fpl (Fin) loan charges

Kreditgenossenschaft f (Fin) credit cooperative

Kreditgeschäft n **der Banken** (Fin) bank lending

Kreditgeschäft n
(Fin) credit/loan... transaction
(Fin) lending business
(ie, Gewährung von Gelddarlehen und Akzeptkrediten; extension of money loans and acceptance credits)

Kredit m **gewähren**
(Fin) to extend
– to grant
– to make... a credit/loan

Kreditgewährung f **der Banken** (Fin) bank lending

Kreditgewährung f
(Fin) credit/loan... extension
– extension of credits and loans
– lending
– loan grant

Kreditgewerbe n (Fin) banking industry

Kreditgrenze f (Fin) credit ceiling

Kredithahn m **zudrehen** (Fin, infml) to cut off credit (to)

Kredithai m (Fin, infml) loan shark

kreditieren (Fin) to credit

Kreditierung f (Fin) crediting

Kredit m **in Anspruch nehmen**
(Fin) to draw upon
– to make use of
– to utilize... a credit

Kredit m **in laufender Rechnung**
(Fin) credit on current account
– open account credit

Kreditinstitut n (Fin) bank

Kreditinstitut n **mit Sonderaufgaben**
(Fin) specialized credit institution
– credit institution with special functions
(eg, Kreditanstalt für Wiederaufbau, Lastenausgleichsbank, etc.)

Kreditinstitut n **mit Warengeschäft**
(Fin) banking institution trading in goods

Kreditinstrument n (Fin) credit instrument

Kredit m **in unbeschränkter Höhe** (Fin) unlimited credit line

Kreditkapazität f (Fin) lending capacity
(ie, maximal mögliches Finanzierungsvolumen (Kreditangebot) e–s Bankbetriebes)

Kreditkarte f
(com) credit card
(Fin, US, infml) plastic

Kreditkartengeschäft n (Fin) credit card business

Kreditkarten-Organisation f
(Fin) card issuer

Kreditkauf m
(com) credit sale
(ie, as ‚Zielkauf‘ if agreed upon between merchants under stipulated terms of payment and delivery)
(com) consumer credit sale
(ie, identical to Teilzahlungs- od Abzahlungsgeschäft)

Kreditkauf m **von Effekten od Waren** (Bö) trading on margin

Kreditkette f (Fin) credit chain

Kreditklemme f (Fin) credit squeeze

Kreditknappheit f
(Fin) credit crunch
– credit stringency
– tight credit

Kreditkonsortium n (Fin) loan syndicate

Kreditkonto n (Fin) credit (*or* loan) account

Kreditkontrolle f (Fin) credit control

Kreditkostenfinanzierung f (Fin) financing of borrowing costs

Kreditkosten pl
(Fin) borrowing . . . cost/fees
– cost of borrowing
– credit cost

Kreditkunde m (Fin) borrowing/credit . . . customer

Kreditkundschaft f (Fin) borrower customers *(ie, of a bank)*

Kreditlaufzeit f
(Fin) credit period
– period of credit extension

– time span for which credit is granted

Kreditlaufzeiten fpl (Fin) loan maturities

Kreditleihe f (Fin) credit commitment
(ie, bank does not grant a money credit, but its credit standing in the form of guaranty, acceptance credit)

Kreditlimit n (Fin) borrowing limit

Kreditlinie f
(Fin) credit line
– line of credit
– lending . . . line/ceiling
(ie, the nearest British equivalent is the ‚overdraft‘)
(Fin) credit line
(ie, in bilateral and multilateral clearing agreements)

Kreditlinie f **vereinbaren** (Fin) to arrange a line of credit

Kreditliste f (Fin) black list of borrowers with low credit standing

Kreditlücke f (Fin) credit gap

Kreditmakler m (Fin) money broker

Kreditmarkt m (Fin) credit market
(ie, includes money market and capital market; umfaßt den kurzfristigen Geldmarkt und den langfristigen Kapitalmarkt)

Kreditmärkte mpl (Fin) financial markets

Kreditmarktverschuldung f (Fin) market indebtedness

Kreditmechanismus m (Fin) credit mechanism

Kredit m **mit Ablöseautomatik** (Fin) droplock credit agreement

Kredit m **mit fester Laufzeit**
(Fin) time loan
– fixed term loan

Kredit m **mit gleichbleibendem Zinssatz** (Fin) straight loan

Kreditmittel pl (Fin) borrowed funds

Kredit m **mit variabler Verzinsung**
(Fin) variable interest loan
– floating rate loan

Kredit m **mit Warenbindung** (Fin) tied loan

Kreditnachfrage *f*
(Fin) credit demand
(Fin) volume of credit demand
Kreditnachfrage *f* **der gewerblichen Wirtschaft** (Fin) business loan demand
Kreditnehmer *m* (Fin) borrower
Kreditobergrenze *f* (Fin) credit limit
Kreditobligo *n* (Fin) loan commitments
Kreditplan *m* (Fin) credit budget
Kreditpolitik *f* (Fin) lending (*or* credit) policy
Kreditportefeuille *n* (Fin) total lendings
Kreditpotential *n*
(Fin) lending capacity
– credit position
Kreditprolongation *f* (Fin) renewal of a loan
Kreditprovision *f*
(Fin) credit fee (*ie, equal to credit risk premium*)
(Fin) loan commitment fee (*ie, the older term is ,Bereitstellungsprovision'*)
Kreditprüfung *f*
(Fin) credit investigation/evaluation
– loan assessment
(*ie, Prüfung e–s Kreditantrages; syn, Kreditwürdigkeitsprüfung, Kreditanalyse, Schuldneranalyse*)
Kreditrahmen *m* (Fin) credit facilities

Kreditrahmenkontingent *n* (Fin) general credit line
Kreditreserve *f* (Fin) credit reserve
Kreditrisiko *n*
(Fin) business
– credit
– financial ... risk (*ie, chief test is to produce profits*)
– risk exposure
Kreditrisiko *n* **übernehmen**
(Fin) to take a credit risk upon oneself
– to assume a credit risk
Kreditrückflüsse *mpl* (Fin) loan repayments
Kreditrückzahlung *f* (Fin) repayment of a loan
Kreditsachbearbeiter *m* (Fin) credit officer
Kreditsaldo *m* (Fin) credit balance
Kreditschraube *f* (Fin) credit screw
Kreditschraube *f* **anziehen** (Fin) to tighten up on credit
Kreditschutz *m* (Fin) credit protection
Kreditselektion *f* (Fin) credit selection
Kreditsicherheit *f* (Fin) collateral for secured loan
Kreditsicherung *f*
(Fin) securing a loan
– collateralization of loan
Kreditsonderkonto *n* (Fin) special loan account

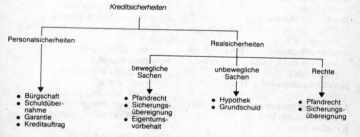

Quelle: Beyer/Bestmann: Finanzlexikon, 2. Aufl., München 1989, S. 170.

Kreditsperre f
(Fin) stoppage of credit
– credit freeze

Kredit m **sperren** (Fin) to block (or freeze) a credit

Kreditspielraum m (Fin) lending potential (of a bank)

Kreditstatistik f (Fin) bank lending statistics

Kreditstatus m (Fin) statement of credit position
(ie, prepared to determine net worth and liquidity of borrower)

Kreditstreuung f (Fin) loan diversification

Kreditsumme f (Fin) loan amount

Kredittechnik f (Fin) lending approach (ie, of banks)

Kredittranche f (Fin) credit tranche

Kreditüberwachung f (Fin) credit surveillance

Kredit m **überziehen** (Fin) to overdraw one's account

Kreditüberziehung f (Fin) overdraft

Kredit m **umschulden** (Fin) to renegotiate a loan

Kreditumschuldung f (Fin) rescheduling of a loan

Kreditunterbeteiligung f (Fin) loan . . . stripping/subparticipation

Kreditunterlagen fpl (Fin) information required for credits

Kreditunternehmen n (Fin) credit institution

Kreditvaluta f (Fin) loan moneys

Kreditverbilligung f (Fin) easier credit terms

Kreditvereinbarung f
(Fin) credit agreement (or arrangement)

Kreditverflechtung f (Fin) credit links (or ties) (eg, among business enterprises)

Kreditvergabepolitik f (Fin) lending policy

Kreditvergünstigungen fpl (Fin) credit concessions

Kreditverkauf m
(com) credit sale
– sale on credit

Kreditverkehr m (Fin) credit transactions

Kredit m **verlängern** (Fin) to renew a credit

Kreditverlängerung f (Fin) credit renewal

Kreditvermittler m (Fin) credit broker

Kreditvermittlung f (Fin) credit brokerage

Kreditvertrag m
(Fin) credit . . . agreement/contract
– borrowing agreement
(ie, made between lender and borrower)

Kreditvertrag m **abschließen** (Fin) to conclude a loan agreement

Kreditverträge mpl
(Fin) borrowing and lending agreements

Kreditverwaltung f (Fin) credit management

Kreditverwendung f (Fin) utilization of loan funds

Kreditvolumen n
(Fin) lending volume (ie, of a bank)
– volume of credits
– outstanding credits

Kreditwesengesetz n (Fin) German Banking Law, KWG

Kreditwirtschaft f (Fin) banking industry

Kreditwürdigkeit f **bestätigen** (Fin) to approve credit

Kreditwürdigkeit f **prüfen** (Fin) to test the credit standing

Kreditwürdigkeitsprüfung f
(Fin) credit . . . investigation/review
– loan assessment

Kreditwürdigkeit f
(Fin) credit worthiness
– credit rating
– credit standing (syn, Bonität)

kreditwürdig (Fin) creditworthy

Kreditzins m (Fin) lending/loan . . . rate

Kreditzinsen mpl
(Fin) interest on borrowings

(Fin) loan interest
(Fin) lending margin
Kredit *m* **zu günstigen Bedingungen**
(Fin) soft loan
Kredit *m* **zurückzahlen**
(Fin) to pay back
– to repay
– to retire . . . a loan
Kreditzusage *f*
(Fin) lending (*or* loan) commitment
Kreuzkurse *mpl*
(Fin) cross rates
Kreuzparität *f*
(Fin) cross rate
– (US) cross exchange
– (GB) indirect parity
(*ie, exchange rate between a foreign currency and the domestic currency; syn, indirekte Parität*)
Kreuzwechselkurs *m* (Fin) cross-rate of exchange
kritisieren
(com) to criticize
– (sl) to bum-rap (*eg, on several grounds*)
KT-Risiko *n* (Fin) conversion and transfer risk
Kuhhandel *m* (com, infml) horse trading
Kühlanlage *f* (com) cold storage plant
kulant (com) accommodating
Kulanz *f* (com) good will
Kulanzregelung *f* (com) broad-minded, liberal settlement of customer's complaint
Kulisse *f* (Bö) unofficial market
(*ie, non-official stock market + group of professional traders doing business on their own account; opp, Parkett: offizieller Börsenverkehr in amtlich notierten Werten durch Kursmakler*)
kumulative Dividende *f* (Fin) cumulative dividend
kumulierter Jahresgewinn *m* (Fin) cumulative annual net cash savings
(*ie, determined in preinvestment analysis*)

kündbare Einlagen *fpl* (Fin) deposits at notice
kündbare Obligationen *fpl* (Fin) redeemable bonds
kündbare Rente *f*
(Fin) redeemable (*or* terminable) annuity
kündbarer Swap *m* (Fin) callable swap
kündbare Schuldverschreibungen *fpl*
(Fin) redeemable bonds
kündbares Darlehen *n* (Fin) callable loan
Kündbarkeit *f* (Fin) terminability
kündbar
(Fin) callable
– redeemable
Kunde *m*
(com) customer
– client
– (GB) custom
(com) account
(Fin) (account) debtor
– customer (*ie, in factoring*)
Kundenanzahlung *f*
(Fin) advance/down . . . payment
– customer's deposit
– (customer) prepayment)
(*ie, spezielle Form des Handelskredits; vor allem im Großanlagengeschäft, im Flugzeugbau, in der Maschinenbauindustrie, bei umfangreichen Sachverständigengutachten; syn, Abnehmerkredit, Anzahlung, Vorauszahlungskredit*)
Kundenbankkunde *m* (Fin) nonbank customer
Kundenberater *m*
(Fin) financial consultant
Kundenbetreuer *m*
(com) account . . . representative/executive
(Fin) account manager
Kundenbetreuung *f*
(com) customer . . . service/servicing
– customer support
(Fin) account management
Kundendepot *n* (Fin) third-party securities account

Kundendienst *m*
(com) customer service

Kundendienstabteilung *f* (com) service department

Kundendienstorganisation *f* (com) customer service organization

Kundeneinlagen *fpl* (Fin) customer/client . . . deposits

Kundenentnahmen *fpl* (Fin) customers' drawings

Kundenfinanzierung *f*
(Fin) customer financing
– financing of customers
(syn, Absatzfinanzierung, qv)

Kundengeschäft *n*
(Fin) customer business *(ie, of banks; opp, Geschäft für eigene Rechnung)*

Kundenkartei *f* (com) customer file

Kundenkredit *m*
(Fin) credit extended to customer
(Fin) credit extended by customer to supplier
(ie, as advance financing of high-value projects)

Kundenkreditbank *f* (Fin) sales finance company

Kundenkreditvolumen *n* (Fin) lendings to customers

Kundenkreis *m*
(com) customers
– clientele

Kundenmanagement *n* (com) account management

Kundenschutz *m* (com) protection of patronage
(ie, if a certain district or a certain group of customers is assigned to the commercial agent, he is entitled to receive a commission also for business concluded without his participation, § 87 II HGB)

kundenspezifisch
(com) customized
– custom
– tailored
– made-to-order *(eg, circuits)*

Kundenstamm *m*
(com) regular customers
– established clientele

Kundenüberweisung *f* (Fin) customer transfer

Kundenverkehr *m* (com) business with customers

Kundenverlust *m* (com) loss of custom

Kundenwechsel *m*
(Fin) customer's acceptance
– bill receivable

kündigen
(Fin) to call in *(eg, a loan)*

Kündigung *f* **e–r Anleihe** (Fin) redemption of loan

Kündigung *f* **e–s Guthabens** (Fin) notice of withdrawal

Kündigungsgeld *n* (Fin) deposits at notice

Kündigungsgrundschuld *f* (Fin) mortgage with a call-in provision

Kündigungsklausel *f*
(Fin) call(-in) provision

Kündigungsrecht *n*
(Fin) call privilege *(ie, of a creditor)*
– right to call for repayment

Kündigungssperrfrist *f*
(Fin) period during which redemption is barred
– non-calling period

Kündigungstermin *m*
(Fin) call-in date
(Fin) withdrawal date

Kündigung *f* **von Einlagen** (Fin) notice of withdrawal of funds

Kündigung *f* **von Wertpapieren** (Fin) notice of redemption

Kündigung *f*
(Fin) calling in
(Fin) call *(ie, of bonds, debentures, or preferred stock)*

Kundschaft *f*
(com) customers
– clients
– clientele
– (business) patronage
– (GB) custom

Kundschaft *f* **aufbauen** (com) to develop a clientele

Kupferschrottmarkt *m* (Bö) copper scrap market

Kupon *m*
(Fin) coupon
  – dividend coupon
  – interest coupon
  (ie, Sammelbezeichnung für die zu e–m Wertpapier gehören Ertragsscheine, Dividendenscheine oder Zinsscheine; bilden zusammen mit dem Erneuerungsschein den Bogen)

Kuponarbitrage *f* (Fin) coupon arbitrage

Kuponbogen *m* (Fin) coupon sheet *(cf, Bogen)*

Kuponeinlösung *f* (Fin) collection of coupons

Kuponinhaber *m* (Fin) coupon holder

Kuponkurs *m*
(Fin) price of matured coupons of foreign securities

Kuponmarkt *m* (Fin) coupon market *(ie, für fällige Kupons ausländischer Wertpapiere)*

Kuponsammelstelle *f* (Fin) coupon collection department *(ie, of a large bank)*

Kupontermin *m* (Fin) coupon date *(ie, frequent dates are 2 Jan and 1 July – J/J – and 1 Apr and 1 Oct – A/O)*

Kurs *m*
(com) rate
(Bö) price
  – market . . . price/rate
  – quotation
(Fin) exchange rate *(ie, Devisenkurs)*

Kursabbröckelung *f* (Bö) slight drop in market prices

Kursabschlag *m*
(Bö) price reduction
  – markdown
  – (US) downtick

Kursabschwächung *f* (Bö) easing of market prices

Kurs *m* **alte Aktien** (Fin) market price

Kursangleichung *f* (Bö) adjustment of rates

Kursanstieg *m*
(Bö) rise in market prices
  – market advance
  – upturn in prices

Kursanstieg *m* **auf breiter Front** (Bö) price rises across the board

Kursanzeigetafel *f* (Bö) marking *(or* quotations) board

Kursaufschlag *m* (Bö) markup

Kursaufschwung *m* (Bö) upturn in prices

Kursausschläge *mpl*
(AuW) movements *(eg, of $, £, DM)*
  – exchange rate movements
(Bö) price fluctuations

Kurs *m* **aussetzen** (Bö) to suspend a quotation

Kursaussetzung *f* (Bö) suspension of a quotation

Kursbefestigung *f*
(Bö) firming up of prices
  – advance

Kursbericht *m* (Bö) = Kurszettel

Kursbewegung *f* (Bö) movement in prices

Kursbildung *f* (Bö) formation of rates

Kursbindung *f* (Fin) pegging of exchange rates

Kursblatt *n*
(Bö) daily official list
  – list of quotations
  – stock market report *(syn, Kurszettel)*

Kursdebakel *n* (Bö) price debacle *(eg, an den internationalen Aktienbörsen)*

Kursdiagramm *n*
(Fin) chart

Kursdruck *m* (Bö) downward pressure on prices

Kurs *m* **drücken** (Bö) to pull down prices

Kurse *mpl* **auf breiter Front zurücknehmen**
(Bö) to reduce prices across the board

Kurseinbruch *m* (Bö) sudden price fall

Kurseinbußen *fpl*
(Fin) losses on exchange
(Bö) price losses
Kursentwicklung *f* (Bö) price . . .
movement/performance
Kursentwicklung *f* **nach Emission**
(Bö) aftermarket performance
*(ie, price action of a stock after it
has been issued)*
Kurserholung *f* (Bö) rally *(or* recovery) in prices
Kurse *mpl* **stützen** (Bö) to peg quotations
Kurs *m* **ex Dividende** (Bö) ex-dividend price
Kurse *mpl* **zurücknehmen** (Bö) to
mark down prices
Kursfeststellung *f*
(Fin) fixing of official exchange
rate
(Bö) determination of prices
Kurs *m* **Festverzinslicher**
(Bö) bond price
– price of bonds
Kursgefälle *n*
(Bö) price differential
Kursgefüge *n*
(Bö) price structure
– structure of market rates
kursgesichert (Fin) covered forward
kursgesicherte Devisen *pl* (Fin) rate-hedged foreign exchange
kursgesicherte Transaktion *f* (Fin)
covered transaction
Kurs gestrichen
(Bö) no dealings
– non-quoted
Kursgewinn *m*
(Bö) stock price gain
– market profit
(Fin) exchange gain *(or* profit)
(Fin) takeout *(ie, realized in swapping blocks of shares)*
Kursgewinn-Chancen *fpl* (Bö) upside
price potential
Kursgewinne *mpl* **auf breiter Front**
(Bö) price gains across the board
Kursgewinn-Verhältnis *n*, **KGV** (Fin)
price-earnings ratio, PER
– p/ratio

– price-earnings multiple
– times earnings
*(ie, Gesamtgewinn e–s Unternehmens [verteilte Dividende plus
Zuweisung zu offenen Rücklagen
und stillen Reserven] bezogen auf
e–e Aktie und zum Börsenkurs
dieser Aktie in Relation gesetzt;
gelegentlich wird – seit der KSt-Reform von 1977 – eine Steuergutschrift mit einbezogen)*
Kursgraphik *f* (Fin) stock chart
Kurshöhe *f* (Bö) price level
Kurs *m* **im Freiverkehr** (Fin) dealer
(or inside) price
Kursindex *m*
(Bö) stock index
– (GB) share price index
(syn, Aktienindex, qv)
Kursinformationssystem *n*
(Bö) stock price information
system
Kursintervention *f*
(Fin) exchange intervention
(Fin) price intervention
Kursklausel *f*
(Fin) exchange clause *(ie, now obsolete)*
Kurskorrektur *f* (Bö) corrective
price adjustment
Kurskorrektur *f* **nach oben** (Bö) upward price adjustment
Kurskorrektur *f* **nach unten** (Bö)
downward price adjustment
Kurslimit *n*
(Bö) price limit
– stop price
Kursmakler *m* (Bö) official broker
Kursmanipulation *f*
(Bö) market rigging
– rigging the market
Kursniveau *n* (Bö) price level
Kursnotierung *f*
(Bö) market *(or* price) quotation
– quoted price
– stock quotation
– (GB) share quotation
Kursnotierung *f* **aussetzen** (Bö) to
stop *(or* suspend) a quotation *(syn,
aus der Notiz nehmen)*

Kursnotierung *f* **ohne Zinsen** (Bö) flat quotation

Kursnotizen *fpl* **aussetzen** (Bö) to suspend price quotations

Kurspflege *f*
(Fin) price management (*or* support)
– market regulation

Kurspflegebestand *m* (Fin) bonds held for market regulation purposes

Kurspflege-Operationen *fpl* (Fin) price support operations

Kurspflegeverkäufe *mpl* (Fin) market regulation sales

Kursrechnung *f* (Fin) bond valuation

Kursregulierung *f*
(Fin) regulation of the market
– price support

Kursregulierungs-Konsortium *n* (Bö) price support syndicate

Kursrisiko *n*
(Fin) exchange risk
(Bö) price risk

Kursrückgänge *mpl* **auf breiter Front** (Bö) fall in prices across the board

Kursrückgang *m* (Bö) decline in prices

Kursrücknahme *f* (Bö) price mark-down

Kursschnitt *m* (Bö) price fraud (*ie, by a commission agent*)

Kursschwankungen *fpl*
(Bö) price fluctuations (*or* variations)
– fluctuations of the market
– ups and downs of the market
– price swings

Kurssicherung *f*
(Fin) rate support (*or* hedging)
(Fin) covering

Kurssicherungsgeschäft *n* (Fin) hedging transaction

Kurssicherungskosten *pl*
(Fin) cost of exchange cover
(Fin) cost of forward exchange cover
(Bö) hedging cost

Kurssicherungsmaßnahmen *fpl* (Fin) currency risk management

Kursspanne *f*
(Bö) difference in quotations
– spread

Kurssprünge *mpl* (Bö) jumps in prices

Kurssteigerung *f* (Bö) price advance

Kurssturz *m*
(Bö) sharp tumble in stock/bond prices
– plunge of prices

Kursstützungskäufe *mpl* (Fin) price supporting purchases

Kursstützung *f*
(Bö) price maintenance
– price stabilization
– price support

Kurstabelle *f*
(Bö) quotation record
– stock market table

Kurstafel *f* (Bö) marking (*or* quotations) board

Kurstreiberei *f*
(Bö) rigging the market
– share pushing
– balooning (*ie, to unrereasonably high levels*)

Kurs *m* **unter Nennwert** (Bö) price below par

Kursverbesserung *f* (Bö) improvement in market rates

Kursverfall *m*
(Bö) substantial decline in prices
– price collapse

Kursverlust *m*
(Fin) exchange loss
– loss on fluctuations of the rate of exchange
(Bö) price loss

Kursverwässerung *f* (Bö) watering of stock exchange prices

Kursverzerrung *f* (Bö) price distortion

Kurswert *m*
(Bö) market value
– list price

Kurswertberichtigung *f* **von Wertpapierbeständen** (Bö) writedown of securities portfolio

Kurswert *m* **ohne Dividende** (Bö) ex dividend (*or* ex-d)

Kurswertreserven *fpl* (Fin) gains arising from the increase in security prices

Kurszettel *m*
(Bö) quotations sheet

Kursziel *n* (Bö) upside target

Kurszuschlag *m*
(Bö) continuation rate
– carrying-over rate

Kurtage *f* (Fin) courtage

Kurzbericht *m*
(com) brief
– summary/condensed . . . report

Kurzbrief (com) quick note

kürzen
(com) to shorten
– to abbreviate
– to abridge
(com) to cut
– to cut back
– to pare down
– to reduce
– to trim

kurzer Bereich *m* (Fin) short end of the market

Kurzfassung *f*
(com) abbreviated
– shortened
– boiled-down . . . version
(com) abstract

kurzfristig
(com) over the short term

kurzfristig anlegen (Fin) to invest short term

kurzfristig ausleihen (Fin) to lend short term

kurzfristige Ausleihungen *fpl* (Fin) short-term lendings

kurzfristige Einlagen *fpl*
(Fin) short-term deposits
– (GB) deposits at short notice

kurzfristige Finanzanlage *f* (Fin) cash fund

kurzfristige Finanzierung *f* (Fin) short-term financing

kurzfristige Finanzplanung *f* (Fin) short-term financial planning

kurzfristige Geldmarktpapiere *npl* (Fin) short-term paper

kurzfristige Kapitalanlage *f* (Fin)

short-dated (*or* temporary) investment of funds

kurzfristige Kreditaufnahme *f* (Fin) short-term borrowing

kurzfristige Kredite *mpl* (Fin) short-term lending (*ie, by banks*)

kurzfristige Kreditnachfrage *f* (Fin) short-term loan demand

kurzfristige Lieferung *f* (com) delivery at short notice

kurzfristige Mittel *pl* (Fin) short-term funds (*or* money)

kurzfristige Obligationen *fpl* (Fin) short-term bonds

kurzfristige Passivgelder *npl* (Fin) short-term liabilities

kurzfristiger Kredit *m* (Fin) short-term credit (*or* loan)

kurzfristiger Planabschnitt *m* (Fin) short-range budget period

kurzfristiger Schuldschein *m* (Fin) short note

kurzfristiger Warenkredit *m* (Fin) commercial credit

kurzfristiger Wechsel *m* (WeR) short-dated bill

kurzfristige Schuldverschreibungen *fpl*
(Fin) short-dated bonds

kurzfristiges Darlehen *n* (Fin) short-term loan

kurzfristig lieferbar (com) available . . . for prompt delivery/at short notice

kurzlaufende Bankschuldverschreibungen *fpl* (Fin) short-dated bank bonds

Kurzläufer-Rendite *f* (Fin) yield on shorts

Kurzläufer *mpl*
(Fin) short-dated bonds
– shorts

Kurzprospekt *m* (Bö) offering circular

Kürzung *f*
(com) cut
– cutback
– reduction
– deduction
– curtailment

Kux *m (pl. Kuxe)*
(WeR) quota of a mining company
– registered mining share

(ie, Rektapapier, no par value, subject to contributions by members; syn, Bergwerksanteil)

L

Laborexperiment *n* (com) lab(oratory) experiment
Laden *m*
(com) store
– (GB) shop
Laden *m* **mit Fremdbedienung** (com) over-the-counter store (*or* shop)
Ladeschein *m*
(WeR) shipping note, §§ 444–450 HGB
– inland waterway bill of lading, § 72 BinnSchG = Flußkonnossement
Lager *n*
(com) stock of goods (*or* merchandise)
Lagerbestand *m*
(com) goods on hand (*or* in stock)
– inventory level
– stock
– stock on hand
– stores
Lagerbestände *mpl* **des Einzelhandels** (com) retail inventories
Lagerempfangsschein *m* (WeR) warehouse receipt
Lagerfinanzierung *f* (Fin) inventory financing
Lagerkosten *pl*
(com) warehouse charges
(Fin) cost of carry *(ie, e–s Zinspapieres)*
Lager *n* **räumen**
(com) to clear stocks
– (infml) to offload stocks
Lagerschein *m* (WeR) warehouse receipt (*or* certificate)
Lagerstelle *f* (Fin) depositary
Länderlimit *n* (Fin) country limit
Länderrisikoanalyse *f* (Fin) country rating
Länderrisiko-Bewertung *f* (Fin) country-risk assessment

(ie, task is to analyze country-related conditions and to ensure that returns are adequate to compensate companies, banks, insurers for the risks involved; effective assessment ideally requires the employment of a true „Renaissance person" – exceedingly intelligent, a holder of doctorates from respectable institutions in economics, political science, sociology, psychology, and perhaps a few other fields as well, totally objective, with a great deal of common sense; well-traveled, up to date on developments in all countries of interest to the bank, and personally acquainted with key policy makers)
Länderrisiko *n*
(Fin) country risk
– (i.e.S) sovereign risk = Staatsrisiko
(ie, Risiko e–s Verlustes bei e–r Auslandsinvestition, e–m Auslandskredit od e–m Exportverkauf aufgrund der wirtschaftlichen und politischen Bedingungen im Empfängerland; drei Ausprägungen:
1. Liquiditätsrisiko;
2. Zinsausfallrisiko;
3. Totalausfallrisiko = endgültige Zahlungsverweigerung e–s Staates; risk that changes in economic and/or political conditions in a country may lead to delayed payments, refusal to pay, or controls on outflow of funds)
(AuW) jurisdiction risk
(ie, legal officials may not be impartial)
Landesbank *f* (Fin) regional bank *(ie, central giro institution of a Federal state)*

Landesbodenkreditanstalt *f* (Fin) Land mortgage bank

Landeskreditanstalt *f* (Fin) semi-public bank in a German state

Landesrentenbank *f* (Fin) Land mortgage bank

landesüblicher Zinsfuß *m* (Fin) current effective rate (of government bonds) *(ie, Effektivzinssatz für Staatsanleihen am Kapitalmarkt; dient zu Rentabilitätsvergleichen)*

landesüblicher Zinssatz *m* (Fin) current (*or* prevailing) rate of interest

Landeszentralbank *f* (Fin) land central bank *(ie, regional central bank branch)*

Landeszinsfuß *m* (Fin) = landesüblicher Zinsfuß, qv

ländliche Kreditgenossenschaft *f* (Fin) agricultural credit cooperative
– rural credit association *(ie, Spar- und Darlehnskassen od Raiffeisenkassen)*

landwirtschaftlicher Hypothekarkredit *m* (Fin) agricultural real estate loan

längerfristige Finanzierung *f* (Fin) longer-term financing
– provision of longer-period finance

langes Ende *n* **des Kapitalmarktes** (Fin) long end of the capital market

langfristig anlegen (Fin) to invest long term

langfristig ausleihen (Fin) to lend long term

langfristig disponieren (Fin) to invest long term

langfristige Anlage *f* (Fin) long-dated (*or* permanent) investment

langfristige Anleihe *f* (Fin) long-term bond

langfristige Ausleihungen *fpl* (Fin) money loaned long-term
– long-term lendings

langfristige Bankkredite *mpl* (Fin) long-term bank credits

langfristige Emission *f* (Fin) long-dated issue

langfristige Finanzierung *f* (Fin) long-term financing

langfristige Finanzierungsmittel *pl* (Fin) long-term financial resources (*or* funds)

langfristige Kapitalanlage *f* (Fin) long-term
– fixed
– permanent . . . investment

langfristige Kredite *mpl* (Fin) long-term indebtedness

langfristige Kreditgeschäfte *npl* (Fin) long-term lending

langfristige Kreditlücke *f* (Fin) long-term credit gap

langfristige Rentabilität *f* (Fin) long-term profitability

langfristiger Kredit *m* (Fin) long-term credit (*or* loan)

langfristiger Planabschnitt *m* (Fin) long-range budget period

langfristiger Wechsel *m* (WeR) long-dated bill
– long bill

langfristiges Darlehen *n* (Fin) long-term (*or* fixed) loan

langfristiges Kapital *n* (Fin) long-term capital

langfristiges Kreditgeschäft *n* (Fin) long-term loan business

langlaufende Terminkonten *npl* (Fin) long-term time accounts

Langläufer-Rendite *f* (Fin) long-term yield on bonds
– yield on longs

Langläufer *mpl* (Fin) long-dated securities
– long maturities
– longs

Langstreckenflug *m* (com) long-haul flight

Lastschrift *f* (com) debit note
– debit memo
(Fin) direct debit *(ie, im Lastschriftverfahren)*

Lastschriftanzeige *f* (Fin) charge slip

– debit . . . advice/memo/note
– advice of debit
Lastschriftverfahren *n* (Fin) = Einzugsverfahren
Lastschriftverkehr *m* (Fin) direct debiting transactions
Lastschriftzettel *m* (Fin) direct debit slip
laufende Dividende *f* (Fin) regular dividend
laufende Emission *f* (Fin) tap issue
laufende Erträge *mpl* (Fin) current income *(eg, from bonds)*
laufende Kontenabrechnung *f* (Fin) demand deposit accounting
laufende Numerierung *f* (com) consecutive numbering
laufender Betrieb *m* (com) day-to-day business
laufende Rechnung *f*
(com) account current
– current account
(com) = offene Rechnung, qv
laufende Rendite *f* (Fin) flat yield *(syn, Umlaufrendite, qv)*
laufender Geschäftsbetrieb *m*
(com) day-to-day business
– running operations
laufender Zins *m* (Fin) interest accrued
laufendes Geschäftsjahr *n* (com) current financial year
laufendes Konto *n*
(Fin) checking account
– (GB) current account
laufend numerieren (com) to number consecutively
Laufzeit *f*
(Fin) life
– life span
– maturity period
– time to maturity *(eg, of bond issue)*
– length of time to maturity *(eg, 5 years to   maturity)*
Laufzeitenstruktur *f* (Fin) maturity pattern
Laufzeit *f* e–r **Anleihe**
(Fin) duration
– length

– period . . . of a loan
– repayment period
Laufzeit *f* e–s **Wechsels** (WeR) term of a bill
laufzeitkongruent (Fin) of/with identical maturity
Laufzeitkongruenz *f* (Fin) identity *(or* matching) of maturities
Laufzeitverlängerung *f* (Fin) maturity extension
lauten auf (Fin) denominated *(or* issued) in *(eg, DM, £, $)*
Leasing *n* (com) leasing
(ie, e–e genaue Begriffsbestimmung existiert nicht; kann ausgelegt werden als: Mietvertrag, Teilzahlungsvertrag, Geschäftsbesorgungsvertrag, Treuhandverhältnis, Vertrag eigener Art; Bilanzierung von Leasing-Verträgen umstritten)
Leasinggeber *m* (Fin) lessor
Leasingnehmer *m* (Fin) lessee
lebenslängliche Rente *f* (Fin) life annuity
lebhafte Börse *f* (Bö) brisk market
lebhafte Käufer *mpl* (Bö) active buyers
lebhafter Handel *m*
(Bö) active . . . trading/dealings
– brisk trading
– broad market
lebhafter Markt *m* (Bö) brisk/active . . . market
lebhafte Umsätze *mpl*
(Bö) active . . . market/trading
– brisk trading
– broad/heavy . . . market
lebhaft gehandelt
(Bö) actively traded
– high volume
lebhaft gehandelte Werte *mpl*
(Bö) active
– actively traded
– high-volume . . . shares or stocks
lebhaft handeln (Bö) to trade briskly
lebhaft nachgefragt (Bö) bright
Leerabgabe *f* (Bö) short selling *(syn, Leerverkauf, qv)*
Leeraktie *f* (Fin) corporate share not fully paid up, § 60 AktG

leere Anleihestücke *npl*
(Fin, US) stripped bonds
– stripper bonds
– strips

Leerkauf *m* (Bö) uncovered sale

Leerverkauf *m*
(Bö) bear sale
– short sale
– short selling
– short
(ie, Verkauf von Wertpapieren od Waren, die Verkäufer noch nicht besitzt; Blankoverkauf, Fixgeschäft)

Leerverkäufe *mpl* **abschließen** (Bö) to sell short

Leerverkäufe *mpl* **als Baissemanöver** (Bö) bear raiding

leerverkaufen
(Bö) to sell short
– to bear the market *(syn, fixen)*

Leerverkäufer *m*
(Bö) bear/short . . . seller
– short *(syn, Fixer)*

Leerverkaufsposition *f* (Bö) short position

leerverkaufte Aktien *fpl* (Bö) shorts

legitimierter Inhaber *m* (WeR) holder in due course *(syn, rechtmäßiger Inhaber, qv)*

Leibrente *f* (Fin) life annuity
(ie, regelmäßig wiederkehrende Geldleistungen in Form von Lebensrenten oder Renten auf Lebenszeit; a stated income for life, paid annually or at more frequent intervals)

Leibrentenempfänger *m* (Fin) annuitant

leicht abgeschwächt (Bö) slightly lower

leichte Beschaffung *f* **von Fremdkapital**
(Fin) ease of borrowing money

leichte Erholung *f* (Bö) slight rally (*or* recovery)

leichte Finanzierung *f* (Fin) ease of raising capital

leichte Papiere *npl* (Bö) low-priced securities

leichter eröffnen (Bö) to open lower *(ie, at the start of trading)*

leicht erholen (Bö) to manage a slim gain

leicht erholt (Bö) slightly higher

leichter nach anfänglichen Kursgewinnen (Bö) easier after early gains

leichter nach Glattstellungen durch den Berufshan del (Bö) lower on professional liquidation

leichter schließen (Bö) to close lower

leichter tendieren (Bö) to turn lower

Leichtmetallindustrie *f* (com) light metals industry *(ie, also called ‚Aluminiumindustrie‘)*

leicht nachgeben (Bö) to turn a shade easier

leicht nachgebend (Bö) slightly easier

leicht verderbliche Güter *npl* (com) perishable goods

Leihdevisen *pl* (Fin) short-term currency borrowings

leihen
(Fin) to lend
(Fin) to borrow
– to raise
– to take up . . . funds/money

Leihgebühr *f* (com) rental rate

Leihkapital *n* (Fin) loan capital *(ie, obsolete term for ‚Fremdkapital‘)*

Leihwagenfirma *f* (com) car rental company

Leihwagengeschäft *n* (com) car rental business

Leihwagenkunde *m*
(com) car renter
– rental customer

Leihwagenmarkt *m* (com) car rental market

Leihwaren *fpl* (com) equipment loaned to customers

leihweise (com) on loan

Leiste *f* (Fin) renewal coupon *(syn, Erneuerungsschein)*

Leistungen *fpl* **abrechnen**
(com) to invoice sales (and/or services)

Leistungen *fpl* **erbringen**
(com) to perform

– to render services
– (infml) to deliver the goods
Leistungsabfall *m* (com) drop in performance
leistungsabhängiges Honorar *n* (com) fee per unit of services rendered
Leistungsangaben *fpl* (com) performance figures
Leistungsprämie *f*
(Fin) performance fee *(ie, bei Investmentgesellschaften)*
Leistungsprinzip *n* (com) achievement principle
Leistungsstand *m* (com) level of performance
Leistungsverbesserung *f*
(com) improved performance
Leitbörse *f* (Bö) central stock exchange *(ie, Frankfurt Bourse)*
Leitemission *f* (Fin) signpost/bellwether ... issue *(ie, spiegelt die allgemeine Marktlage wider)*
Leiter *m* **der Exportabteilung** (com) export manager
Leiter *m* **der Finanzabteilung** (Fin) finance director
Leiter *m* **der Verkaufsabteilung** (com) sales manager
Leiter *m* **Finanzen**
(Fin) head of finance
– finance director
Leiter *m* **Vermögensverwaltung** (Fin) chief investment manager
Leitkurs *m* (Fin) central rate *(ie, im Europäischen Währungssystem)*
Leitkursraster *m* (Fin) grid of central rates
Leitlinien *fpl*
(com) quidelines
– guideposts
Leitsätze *mpl* **für öffentliche Kaufangebote** (com) = LSÜbernahmeangebote
Leitstudie *f*
(com) pilot
– exploratory
– preliminary ... study
Leitwährung *f*
(Fin) key currency

(Fin) reserve currency *(ie, wider term covering gold and key reserve currencies)*
Leitzins *m*
(Fin) central bank discount rate
– key rate
– key interest rate
(Fin) basic interest rate for savings at statutory notice *(syn, Spareckzins)*
Lernprozeß *m* (com) learning process *(ie, taking place between a system and its environment)*
Letztangebot *n* (com) last offer
letzte Börsennotiz *m* (Bö) last price *(or quotation)*
letzte Mahnung *f* (com) final reminder
letzte Ratenzahlung *f* (Fin) terminal payment
letzter Kurs *m* (Bö) closing price
letztes Gebot *n* (com) last bid
letztes Wort *n* (com, infml) parting shot *(ie, in an argument)*
letztes Zahlungsdatum *n* (Fin) final date of payment
letztinstanzlicher Kreditgeber *m* (Fin) lender of last resort *(ie, the central bank; syn, letzte Quelle liquider Mittel)*
Letztverbrauch *m*
(com) end use
– ultimate consumption
Letztverbraucher *m*
(com) ultimate *(or final)* consumer
Letztverwender *m* (com) ultimate user
Leverage *n*
(Fin, US) leverage
– capitalization leverage
– (GB) gearing
(ie, Verhältnis zwischen Schuldverschreibungen Vorzugsaktien und Stammaktien; the use of debt capital (Fremdkapital) increases the effectiveness and risk of equity capital (Eigenkapital); syn, Hebelwirkung)
Leveraged Buyout, LBO *m*
(Fin, US) leveraged buyout, LBO

Leverage-Effekt

(ie, Unternehmenserwerb unter Ausnutzung des Leverage-Effekts; the operating management and an investor group put up a small portion of equity, while institutional investors provide additional equity and the remainder of cash in the form of debt; the debt-ratio (Verschuldungsgrad) is high; the deal is then described as highly levered or geared)

Leverage-Effekt *m* (Fin) leverage effect
(ie, Erhöhung der Eigenkapitalrentabilität (equity return) infolge e–r über dem Fremdkapitalzins liegenden Gesamtkapitalrentabilität (total equity return); die zunehmende Verschuldung übt e–e „Hebelwirkung" auf die Eigenkapitalrentabilität aus)

Leveragefaktor *m* (Fin) leverage factor
(ie, Eigenkapitalrendite zu Gesamtkapitalrendite × 100)

LIBOR-Zuschlag *m* (Fin) spread
Liebhaberpreis *m*
(com) fancy price
Lieferangebot *n*
(com) tender of delivery
– offer to supply goods
Lieferant *m*
(com) supplier
– seller
– vendor
(syn, Lieferfirma, Lieferer)
Lieferantenkredit *m* (Fin) trade/supplier . . . credit
Lieferantennummer *f* (com) vendor number
Lieferantenskonti *pl* (Fin) cash discount received
Lieferantenwechsel *m* (Fin) supplier's . . . bill/note
Lieferanweisung *f* (com) instructions for delivery
Lieferanzeige *f*
(com) advice note
– delivery note
– letter of advice

Lieferauftrag *m* (com) purchase order
lieferbar
(com) available
– in stock
(com) ready for delivery
lieferbares Stück *n* (Bö) good-delivery security *(ie, one without external defects)*
Lieferbarkeitsbescheinigung *f*
(Fin) certificate of deliverability
(Bö) validation certificate
– good delivery certificate
Lieferbarkeitsgrad *m* (com) level of customer service
Lieferbedingungen *fpl*
(com) terms and conditions of sale
– terms of delivery
Lieferbereitschaft *f* (com) readiness to deliver
Lieferdatum *n*
(com) date shipped
– delivery date
Lieferengpaß *m* (com) supply shortage
Lieferer *m*
(com) supplier
– seller
– vendor
Lieferer-Skonto *m/n* (com) discount earned
Lieferfähigkeit *f* (com) supply capability
Lieferfirma *f*
(com) supplying firm
– supplier
Lieferfrist *f*
(com) time of delivery
– delivery deadline
– period of delivery
Lieferfristüberschreitung *f*
(com) failure to keep the delivery date
Liefergegenstand *m* (com) delivery item
Liefergeschäft *n*
(com) delivery transaction
(com) series-produced products business
(opp, Anlagengeschäft)

242

Lieferklauseln *fpl*
(com) (international) commercial terms
(ie, regeln Weg der Ware, Gefahrübergang und Ort der Übergabe; eg, ab Werk, frachtfrei, ab Schiff, ab Kai, c&f, cif; cf, Handelsklauseln)

Lieferkosten *pl* (com) delivery charges

Liefermonat *m*
(Bö) delivery month

Lieferort *m*
(Bö) delivery point
– place of delivery

Lieferposten *m*
(com) lot
– supply item

Lieferpreis *m*
(com) contract price
– price of delivery
– supply price

Lieferprogramm *n*
(com) program of delivery

Lieferquelle *f* (com) source of supply

Lieferrückstand *m*
(com) back order *(ie, portion of undelivered order)*
– order backlog

Lieferschein *m*
(com) delivery note
– delivery ticket
– bill of sale
– receiving slip (*or* ticket)

Liefersperre *f*
(com) halt of deliveries

Liefertag *m* (Bö) delivery day

Liefertermin *m*
(com) date of delivery
– delivery date
– time of delivery
– target date
(Bö) term of maturity
– contract horizon
(ie, date or range of dates during which the commodity must be delivered)

Liefertermin *m* **einhalten**
(com) to meet a delivery date *(eg, set by a buyer)*

Lieferung *f*
(com) supply
(com) delivery

Lieferung *f* **auf Abruf** (com) delivery on call

Lieferung *f* **durchführen** (com) to effect (*or* execute) delivery

Lieferung *f* **effektiver Stücke** (Bö) delivery of actual securities

Lieferungen *fpl* **kürzen** (com) to cut (*or* slash) supplies

Lieferung *f* **frei Bestimmungsort** (com) free delivery

Lieferung *f* **frei Haus**
(com) delivery free domicile
– store/door delivery

Lieferung *f* **gegen Barzahlung** (com) cash on delivery

Lieferung *f* **gegen Nachnahme** (com) cash basis delivery

Lieferung *f* **nach Eingang der Bestellung**
(com) ready delivery

Lieferungsbedingungen *fpl* (com) = Lieferbedingungen

Lieferungssperre *f* (Bö) blocking period
(ie, subscriber to securities undertakes not to sell the paper before expiry of such blocking period)

Lieferungs- und Zahlungsbedingungen *fpl* (com) terms of payment and delivery

Lieferungsvertrag *m* (com) supply agreement (*or* contract)

Lieferung *f* **und Zahlung** *f* **am Abschlußtag**
(Bö) cash delivery

Lieferung *f* **von Haus zu Haus** (com) door-to-door delivery

Lieferverpflichtung *f* (com) supply commitment

Liefervertrag *m* (com) supply agreement (*or* contract)

Lieferverzögerung *f* (com) delay in delivery

Liefervorschriften *fpl* (com) delivery instructions

Lieferzeit *f*
(com) period of delivery

Lieferzeit *f* **einhalten**
(com) to meet the delivery deadline
– to deliver on time

Lieferzeitpunkt *m* (com) delivery
date

Lieferzusage *f* (com) delivery
promise

Liegegebühren *fpl* (com) anchorage
dues *(ie, charge for anchoring a
vessel)*

Liegegeld *n* (com) demurrage
(charge)
*(ie, charterer's contractual obliga-
tion under a charterparty to pay a
certain sum to the shipowner if he
fails to discharge the chartered vessel within the lay-time stipulated)*

Limit *n*
(com) price limit
– margin

Limitauftrag *m*
(Bö) limited (*or* stop) order
– limited (price) order
– order at limit
(syn, limitierter Auftrag)

Limit *n* **einhalten** (com) to remain
within a limit

limitieren
(com) to limit

limitierte Order *f* (Bö) = Limitauftrag

limitierter Auftrag *m* **bis auf Widerruf** (Bö) open order

limitierter Kaufauftrag *m*
(Bö) stop loss order
– limited price order

limitierter Kurs *m* (Bö) limited price

limitierter Verkaufsauftrag *m* (Bö)
selling order at limit

Limitpreis *m*
(Bö) limit price

Limit *n* **überschreiten** (com) to over-
shoot a limit *(eg, of external finance)*

linear
(com) across-the-board *(syn,
pauschal)*

lineare Anhebung *f* (com) across-the-
board rise

Liniencharts *npl* (Fin) line charts
*(ie, in der Chartanalyse: es werden
die täglichen Einheitskurse
miteinander verbunden, so daß eine
Kurskurve entsteht; Kurshöhe auf
der y-Achse, Zeit auf der x-Achse;
cf, Balkencharts und Points-and-
Figure-Charts*

Linienflugzeug *n* (com) airliner *(ie,
used on regular routes)*

Linienfrachten *fpl* (com) (cargo)
liner rates

Linienfrachter *m* (com) cargo liner

Linienfrachtraten *fpl* (com) liner
rates

**Linien-Konnossementsbedingun-
gen** *fpl* (com)
shipping-line bill-of-lading terms

Linienschiff *n* (com) liner

Linienschiffahrt *f* (com) shipping line
service *(opp, Trampschiffahrt)*

Liqudidationswert *m* (Bö) break-up
point
*(ie, indicates the actual value of net
assets per share)*

liquid
(Fin) liquid
– solvent

Liquidation *f*
(Bö) settlement
(Bö) clearance

Liquidationserlös *m* (Fin) liquidation
proceeds

Liquidationsgewinn *m* (Fin) winding-
up profit

Liquidationsguthaben *n* (Fin) clearing balance

Liquidationskasse *f* (Fin, US) clearing house

Liquidationskosten *pl* (Fin) liquidation costs

Liquidationskurs *m*
(Bö) making-up price
(Bö) settlement price in forward
trading *(syn, Kompensationskurs)*

Liquidationstermin *m* (Bö) pay day

Liquidationswert *m* (Fin) break-up
value *(opp, going concern value)*
(Fin) net asset value *(ie, determined by investment trusts)*

liquide
(Fin) liquid
– (infml) flush with cash
liquide bleiben (Fin) to stay solvent
liquide Mittel *pl*
(Fin) liquid funds *(ie, cash, short-term claims, and marketable securities)*
– cash and cash items
– cash (assets)
liquide Mittel *pl* **ersten Grades** (Fin) unrestricted cash
liquide Mittel *pl* **zweiten und dritten Grades** (Fin) assets held for conversion within a relatively short time
liquide Titel *mpl* **höchster Ordnung** (Fin) liquidity of last resort
liquidieren
(com) to charge *(ie, for services rendered)*
(Bö) to sell off
(Bö) to settle
Liquidität *f* **dritten Grades** (Fin) current ratio *(ie, total current assets to current liabilities)*
Liquidität *f* **ersten Grades**
(Fin) cash ratio
– (absolute) liquid ratio
(ie, cash + short-term receivables to current liabilities)
– (US) acid-test ratio
(ie, total cash + trade receivables + marketable securities to current liabilities)
Liquiditätsanspannung *f* (Fin) strain on liquidity
Liquiditätsausstattung *f* (Fin) availability of liquid funds
Liquiditätsausweitung *f* (Fin) expansion of liquidity
Liquiditätsbedarf *m* (Fin) liquidity requirements
Liquiditätsbereitstellung *f* (Fin) supply of liquidity
Liquiditätsbeschaffung *f* (Fin) procurement of liquidity
Liquiditätsbudget *n* (Fin) cash budget *(ie, itemizing receipts and disbursements)*

Liquiditätsdecke *f* (Fin) extent of liquidity
Liquiditätsdefizit *n* (Fin) shortfall of liquidity
Liquiditätsdisposition *f* (Fin) liquidity management
Liquiditätsengpaß *m* (Fin) liquidity squeeze
Liquiditätsentzug *m* (Fin) liquidity drain
Liquiditätserhaltung *f* (Fin) maintenance of liquidity
Liquiditätsgarantie *f* (Fin) debt service guaranty
liquiditätsgebende Aktiva *pl* (Fin) assets conferring liquidity
Liquiditätsgefälle *n* (Fin) different levels of liquidity
Liquiditätsgrad *m* (Fin) liquidity ratio
(syn, Deckungsgrad; see: Liquidität ersten, zweiten und dritten Grades)
Liquiditätsgrundsätze *mpl* (Fin) liquidity directives
(ie, issued by the ‚Bundesaufsichtsamt für das Kreditgewerbe = Banking Supervisory Authority‘)
Liquiditätskennzahlen *fpl* (Fin) liquid asset ratios
Liquiditätsklemme *f*
(Fin) liquidity squeeze
– cash bind
– cash crunch
– cash squeeze
Liquiditätsknappheit *f*
(Fin) lack of cash
– cash shortage
Liquiditäts-Konsortialbank *f* (Fin) liquidity bank
Liquiditätskosten *pl* (Fin) cost of liquidity
(ie, opportunity cost of cash holdings + interest payable on borrowed capital)
Liquiditätskredit *m* (Fin) loan to maintain liquidity
Liquiditätskrise *f* (Fin) liquidity crisis
Liquiditätslage *f* (Fin) cash/liquidity... position

Liquiditätslücke

Liquiditätslücke f (Fin) liquidity gap

Liquiditätsmanagement n (Fin) liquidity management *(cf, below)*
Quelle: Handelsblatt, 24. 4. 1986, B 31

Liquiditätsplanung f
(Fin) liquidity planning
– cash planning

Liquiditätspolitik f (Fin) liquidity policy

Liquiditätsprämie f (Fin) liquidity premium

Liquiditätsprisma n (Fin) liquidity grid

Liquiditätsprüfung f (Fin) liquidity audit

Liquiditätsquote f (Fin) liquidity ratio
(ie, ratio of free liquidity reserves of commercial banks to deposit vol-ume held by nonbanks and foreign banks)

Liquiditätsrahmen m (Fin) ceiling for new injections of liquidity *(ie, by the Bundesbank)*

Liquiditätsreservehaltung f
(Fin) liquidity reserve management

Liquiditätsreserven fpl (Fin) liquid reserves

Liquiditätsreserve f (Fin) cash reserve
(ie, Barreserve + Überschußreserve = 100% Sichteinlagen der Kreditinstitute; syn, Barreserve)

Liquiditätsschraube f (Fin) liquidity screw

Liquiditätsschwierigkeiten fpl
(Fin) cash pressures *(or* problems)
– (infml) financial hot water

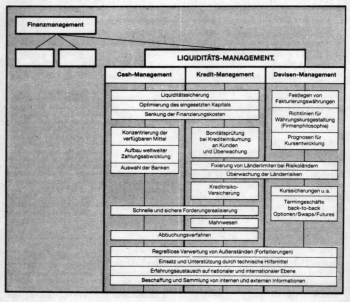

Quelle: Handelsblatt, 24. 4. 1986, B 31

Liquiditätssicherung *f*
(Fin) measures safeguarding
liquidity
Liquiditätsspritze *f*
(Fin) cash injection
– injection of fresh funds
Liquiditätssteuerung *f* (Fin) cash
management
Liquiditätsüberhang *m* (Fin) excess
liquidity
Liquiditätsüberschuß *m*
(Fin) cash surplus
– surplus cash resources
– surplus funds
Liquiditätsumschichtung *f* (Fin)
transfer (*or* switch) of liquidity
Liquiditätsumschlag *m* (Fin) cash
turnover ratio
(*ie, net sales divided by the sum of
cash plus marketable securities*)
Liquidität *f* **zweiten Grades** (Fin)
ratio of financial current assets to
current liabilities
Liquidität *f*
(Fin) liquidity
– ability to pay
– financial solvency
(Fin) availability of financial resources
(Fin) liquid . . . funds/assets
– cash resources
– current funds
(*ie, hochliquide Mittel, kurzfristige
Forderungen, marktfähige Wertpapiere = cash, short-term claims,
marketable securities*)
Liste *f* **aufstellen**
(com) to draw up (*or* compile) a
list
Listenpreis *m* **zahlen**
(com) to pay the list price
– (infml) to pay list
Lizenzbau *m* (com) licensed construction
Lizenzfertigung *f*
(com) licensed production
– production under license
Lockerung *f*
(com) easing
– loosening

– relaxation
– relieving
Logo *n*
(com) logo
– logograph
(*ie, sign or picture used as
trademark; also on letterhead, business cards; etc; syn, Signum*)
Lohnauftrag *m*
(com) farming-out contract
– commission order
Lohnaufträge *mpl* **vergeben** (com) to
farm out work to sub-contractors
Lohn- und Gehaltskonten *npl* (Fin)
wage and salary accounts
(*ie, kept by banks and receiving
cashless payments by employers*)
Lohnveredelungsverkehr *m* (com)
commission processing transactions
lokale Werte *mpl* (Bö) securities
traded on regional stock exchanges
Lokalkostenkredit *m* (Fin) credit to
finance local cost
(*ie, bei internationaler Auftrags-
finanzierung*)
Lokalmarkt *m* (Bö) local stocks
Lokalpapier *n* (Bö) security traded
on local exchange only
Lokogeschäft *n* (Bö) spot transaction
(*or* bargain) (*ie, made on commodity exchanges*)
Lokohandel *m* (Bö) spot trading
Loko-Kauf *m* (Bö) spot purchase
Loko-Kurs *m* (Bö) spot price
Loko-Markt *m* (Bö) spot market
Loko-Preis *m* (Bö) spot price
Lokowaren *fpl*
(Bö) spot commodities
– spots
Lombardbestand *m* (Fin) collateral
holdings
Lombarddarlehen *n* (Fin) col-
lateralized loan
Lombardeffekten *pl* (Fin) pledged
securities (*syn, Pfandeffekten*)
lombardfähige Wertpapiere *npl* (Fin)
securities eligible as collateral for
borrowings from Deutsche Bun-
desbank

247

Lombardfenster n (Fin) Lombard facility (or window)
(Fin, US) federal discount window
(ie, of the Federal Reserve Bank)

Lombardforderungen fpl (Fin) Lombard loans

Lombardgeschäfte npl (Fin) advances on securities

lombardieren
(Fin) to accept collateral for a loan

lombardierte Wertpapiere npl
(Fin) collateral securities
– securities pledged as security for a loan

Lombardierung f (Fin) borrowing from the central bank against securities

Lombardkredit m
Fin) collateral loan
– advance against security
(ie, wird durch Verpfändung od Sicherungsübereignung bzw Sicherungszession beweglicher Sachen od Rechte gesichert)

Lombardlinien fpl (Fin) ceilings on lombard credit

Lombardsatz m (Fin) Lombard rate
(ie, wird berechnet für die Darlehensaufnahme gegen Pfand von Kreditinstituten bei der Notenbank = German term for the rate of interest charged for a loan against the security of pledged paper; may be up to 1.5% above the Bundesbank 's discount rate)

Lombardverzeichnis n (Fin) Lombard list
(ie, list of securities eligible as collateral against central-bank advances, kept by the Deutsche Bundesbank)

Lombardwechsel m
(Fin) collateralized bill (or note)

Lombardzinssatz m (Fin) Lombard lending rate

Londoner Finanzwechsel m (Fin) international trade bill

Londoner Interbanken-Angebotssatz m

(Fin) London Interbank Offered Rate
– libor, LIBOR *(cf, Vol I [3])*

Londoner Metallbörse f (Bö) London Metal Exchange

Loroeffekten pl (Fin) securities held by one bank for the account of another bank

Loroguthaben n (Fin) credit balance on loro account

Lorokonto n (Fin) loro account
(ie, Konto bei e–m Kreditinstitut, das auf Initiative e–s anderen Kreditinstituts eingerichtet wurde; used in foreign exchange bookkeeping: by a depository bank to describe an account maintained with it by a bank in a foreign county)

Losanleihe f (Fin) lottery loan

Löschbescheinigung f (com) landing certificate

löschen
(com) to discharge ... goods/cargo
– to unload

Löschkosten pl (com) unloading charges

Löschplatz m
(com) place of discharge
– unloading berth

Löschung f e–r Ladung
(com) discharge of cargo
– unloading

Löschungskosten pl (com) landing charges

Lösungsansatz m (com) approach to problem-solving

Lotsengeld n (com) pilotage fee

Lotterieanleihe f (Fin) = Losanleihe

Lückenbüßer m (com) stopgap *(eg, act as a stopgap, stopgap arrangement)*

Lücke f **schließen** (com) to plug a gap

Luftexpreßfracht f (com) air express

Luftexpreßtarif m (com) air express tariff

Luftfahrtindustrie f (com) airline industry

Luftfahrtwerte mpl
(Bö) aircrafts
– aviation stocks

Luftflotte *f* (com) aircraft fleet
Luftfracht *f* (com) air ... cargo/ freight
Luftfrachtbranche *f* (com) air-freight industry
Luftfrachtbrief *m*
  (com) air waybill
  – airbill
  – (GB) air consignment note
Luftfrachtbüro *n* (com) cargo office
Luftfrachtführer *m*
  (com) air carrier
  – air freight forwarder
Luftfrachtgeschäft *n* (com) airfreight forwarding
Luftfrachtkosten *pl* (com) air freight charges
Luftfrachtraum *m* (com) air freight space
Luftfrachtsendung *f* (com) air cargo shipment
Luftfrachtspedition *f* (com) air freight forwarding
Luftfrachttarif *m* (com) air cargo rate
Luftfrachtverkehr *m*
  (com) air freight service
  – air cargo traffic
Luftpost *f* (com) airmail
Luftpostbeförderung *f* (com) carriage of airmail
Luftpostbrief *m* (com) airmail(ed) letter
Luftpostdienst *m* (com) airmail service
Luftpostleichtbrief *m*
  (com) air letter
  – aerogramme
Luftpostpäckchen *n*
  (com) airmail packet
  – *small air packet*
Luftpostpaket *n* (com) air parcel
Luftposttarif *m*
  (com) airmail rate

Luftpostzuschlag *m* (com) air surcharge
Lufttaxi *n* (com) air taxi
Lufttransportgewerbe *n* (com) air cargo industry
Lufttransportspediteur *m* (com) air carrier
Luft- und Raumfahrt-Gruppe *f* (com) aerospace group
  (eg, comprising McDonnel Douglas, General Electric, Rolls Royce, MTU, Snecma, Aeritalia)
Luft- und Raumfahrtindustrie *f* (com) aerospace industry
Luft- und Raumfahrtunternehmen *n* (com) aerospace company
Luftverkehr *m* (com) air transport
Luftverkehrsgesellschaft *f*
  (com) airline
  – air carrier
  – carrier
Luftverschmutzung *f* (com) air pollution
Luftverunreinigung *f* (com) = Luftverschmutzung
lukratives Geschäft *n* (com) high-margin business
lustlos
  (Bö) dull
  – flat
  – inactive
  – listless
  – sluggish
  – stale
lustlose Börse *f* (Bö) = lustloser Markt
lustloser Beginn *m* (Bö) dull start
lustloser Markt *m*
  (Bö) dull
  – flat
  – inactive ... market
lustloses Geschäft *n* (Bö) dull trading
Luxusware *f* (com) highest (*or* quality) goods

M

mahnen (com) to dun *(ie, demand payment of a debt)*

Mahngebühr *f* (com) dunning charge

Mahnschreiben *n*
(com) letter of reminder
– dunning letter
(ie, pressing for payment of a debt)

Mahnung *f* (com) dunning notice

Majoritätsbeteiligung *f* (com) = Mehrheitsbeteiligung

Majoritätskäufe *mpl* (Bö) stock purchases designed to acquire a majority stake

Makler *m* (com) broker
(ie, intermediary who brings together buyers and sellers of the same commodity or security and executes their orders, receiving a commission or brokerage; note that in US and GB the relationship between customer and broker is that of principal and agent; for details see law of agency; cf, §652 BGB and §§ 93–104 HGB)

Maklerabrechnung *f* (Fin) broker's statement

Maklerbuch *n* (Bö) broker's journal
(ie, registering all buy and sell orders and security prices)

Maklercourtage *f*
(com) broker's commission
– brokerage

Maklerfirma *f*
(com) brokerage firm
– (GB) broking firm

Maklergebühr *f*
(com) brokerage
– brokerage commission
– broker's commission

Maklergeschäft *n*
(com) brokerage
(com) brokerage (operation)

Maklerkammer *f* (Bö) brokers' association *(ie, now ‚Kursmaklerkammer')*

Maklerordnung *f* (Bö) brokers' code of conduct

Maklerprovision *f* (com) broker's commission

Maklertafel *f* (Bö) marking board

Maklervertrag *m* (com) brokerage contract

Mammutfusion *f*
(com) giant merger
– (US) megabuck merger

Management *n* (com) management
(ie, die Ausdrücke Management und Unternehmensführung werden weitgehend synonym verwendet; Ebenen sind:
1. Top Management: oberste Führungsebene, zB Vorstand, Geschäftsführung;
2. Middle Management: mittlere Führungsebene, zB Abteilungsdirektoren, Werksleiter;
3. Lower Management: unterste Führungsebene, zB Büroleiter, Werkmeister;
in bestimmten Organisationen (zB Banken) hat diese Dreiteilung die funktionale Abstufung: a) Dezernat (auf Vorstandsebene); b) Ressort (mehrere Abteilungen); c) Abteilung)

Management-Karussell *n*
(com, infml) management turntable
– management carousel
– (GB) management roundabout

Mangel *m*
(com) deficiency
– weakness

Mängelanzeige *f* (com) notice of defects, § 478 BGB

Mangel *m* **beheben**
(com) to remedy (*or* rectify) a defect

Mangel *m* **feststellen** (com) to discover a defect

mangelhafte Lieferung *f* (com) defective delivery

mangelhafte Verpackung *f* (com) defective packing

Mängelhaftung f
(com) warranty
Mängelrüge f **geltend machen** (com)
to make (or lodge) a complaint
Mängelrüge f
(com) customer's complaint, § 377
HGB
– notice of defects
– letter of complaint
– claim letter
mangels Annahme (WeR) for lack of
acceptance
Mängelstücke npl (Fin) defective certificates
mangels Zahlung (WeR) in default of
payment
Mangelware f
(com) goods in short supply
– scarce articles
manipulieren
(com) to manage
(Bö) to rig the market
Manko n (Fin) cash shorts
Mankogeld n (com) cashier's allowance for shortages
Mannmonate mpl (com) man months
Mantel m
(Fin) share certificate (opp,
coupons)
Marathonläufer mpl (Fin) securities
running to extremely long
maturities
Marathon-Sitzung f (com) „jumbo"
meeting
Marge f
(com) spread
(ie, between buying and selling
price, debtor and creditor interest
rates, etc.)
marginale Gewinnzielung f (Bö)
margin convenience yield (ie, in
the futures market, at spot availability of a commodity)
marginale interne Ertragsquote f
(Fin) marginal internal rate of return
marginale Refinanzierungskosten pl
(Fin) marginal cost of funds
Marke f
(com) brand

Markenartikel m
(com) brand (eg, the best brand of
coffee)
– branded . . . article/product/
good
markenlose Produkte npl
(com, US) generics
(ie, not trademarked, having a nonproprietary name)
Markierung f
(com) marking
– labeling
Markierungsvorschriften fpl (com)
marking/labeling . . . instructions
Markierungszeichen npl (com) shipping marks
Markt m
(com) market
– marketplace
Marktabschwächung f
(com) sagging market
– weakening of the market
Markt m **abtasten** (com) to explore/
sound out . . . a market
Marktangebot n (com) market . . . of-
fering/supply
Marktanteil m
(com) market share
– share of the market
– market coverage
Marktanteil m **erobern**
(com) to conquer a share of the
market
– (infml) to grab a chunk of the
market
Marktanteil m **halten** (com) to maintain a share of the market
Marktanteil m **zurückerobern** (com)
to win back a market share
Marktbefestigung f
(Bö) market stabilization
Markt m **beherrschen**
(com) to lead a market
(com) to dominate a market
marktbeherrschende Stellung f
(com) dominant market position
– market dominant role
**marktbeherrschendes Unterneh-
men** n
(com) dominant firm

251

– market dominating company (*or* enterprise), § 22 I GWB

Marktbeherrschung *f* (com) market... control/domination/dominance

Markt *m* **beobachten** (com) to watch/ investigate/monitor... a market

Marktbeobachter *m* (Fin) market observer

Marktchancen *fpl* (com) marketing (*or* sales) opportunities

Markt *m* **eindringen, in e–n** (com) to penetrate a market

Markteinfluß *m* (com) influence on the market

Marktelastizität *f* (com) market flexibility

Marktenge *f* (Bö) tightness of a market

Markterholung *f* (Bö) market recovery

Markt *m* **erkunden** (com) to explore
– to probe
– to study... a market

Markt *m* **erobern** (com) to conquer/ capture... a market

Markt *m* **erschließen** (com) to tap (*or* open up) a market

Markterschließung *f* (com) opening up (*or* tapping) new markets

marktfähige Papiere *npl* (Fin) = marktfähige Wertpapiere

marktfähiges Erzeugnis *n* (com) salable product

marktfähige Wertpapiere *npl* (Fin) marketable securities

marktfähig
(com) marketable
– salable

Marktfinanzierung *f*
(Fin) external financing
– outside financing
(*syn, Außenfinanzierung, exogene Finanzierung*)

Marktführer *m*
(Bö) leading security

Markt *m* **für Festverzinsliche**
(Fin) bond market
– fixed-interest market
(*syn, Rentenmarkt, Bondmarkt, qv*)

Markt *m* **für hochwertige Güter**
(com) class
– upend
– upscale... market (*opp, mass market*)

Markt *m* **für Kurzläufer** (Bö) short end of the market

Markt *m* **für Langläufer** (Bö) long end of the market

Markt *m* **für Neuemissionen** (Fin) primary market

Markt *m* **für unnotierte Werte** (Bö) unlisted securities market

marktgängige Größe *f* (com) commercial size

marktgängig
(com) marketable
– merchantable

Marktgefüge *n* (com) pattern (*or* structure) of a market

marktgemäße Verzinsung *f* (Fin) interest in line with market conditions

marktgerechter Preis *m* (com) fair market price

marktgerechte Verzinsung *f* (Fin) fair return

marktgerechte Zinsen *mpl* (Fin) interest rates in line with market conditions

Marktklima *n* (com) market conditions

Marktkurs *m* (Fin) market exchange rate

Marktlage *f* (com) market situation (*or* status)

Marktlücke *f* **schließen** (com) to bridge a gap in the market

Marktlücke *f*
(com) gap in the market
– untapped market

Marktmacher *m*
(Bö) market maker
– market making firm
(*eg, Warburg Securities London; ie, stets bereit, vor allem Effekten auf Anfrage zu e–m von ihm genannten Kurs zu kaufen/verkaufen; den gleichzeitig genannten Geld- und Briefkurs (ask bid) für*

*e–e Schlußeinheit nennt man Span-
ne od Spannungskurs (quote) des
Marktmachers; Prinzip börslicher
Kursermittlung; vor allem im
amerikanischen OTC-Markt)*

Markt *m* **mit amtlicher Notierung**
(Bö) official market

Markt *m* **mit stabiler Preisentwicklung** (com) firm market

Markt *m* **mit starken Schwankungen**
(com) jumpy market

Marktnische *f* (com) market niche

Marktnische *f* **erobern** (com) to carve
out a market niche

Marktpflege *f*
(Fin) market support

Marktpflegekäufe *mpl* (Fin) market
regulation purchases

Markt *m* **pflegen** (com) to cultivate a
market

Marktportefeuille *n* (Fin) market
portfolio

Marktposition *f* **ausbauen** (com) to
build up a market position

Marktposition *f* **stärken** (com) to
reinforce/strengthen... market
position

Marktpreis *m*
(com) going/ruling... price

Marktproduktion *f* (com) production
for the market *(opp, Kunden-
produktion, Vorratsproduktion)*

marktreagibel (com) sensitive to the
market

Marktregulierung *f* (com) market
regulating arrangements

marktreif
(com) ready for the market
– fully developed
– market ripe

Marktreife *f* (com) market maturity
(ie, of a product)

Marktrenner *m* (com) blockbuster
product

Marktrichtsatz *m* (Fin) key interest
rate *(syn, Leitzins)*

Marktrisiko *n* (com) market risk
*(ie, combines financial risk, inter-
est-rate risk, and purchasing-power
risk)*

Marktschwäche *f* (Bö) market weakness

Marktsituation *f* (com) market situation

Marktstellung *f* (com) market position

Marktstimmung *f*
(Bö) undertone
– underlying tendency of market
prices
(ie, may be weak, steady, or strong)

Marktstörungen *fpl* (Fin) disturban-
ces of a market

Marktstörungsklausel *f*
(Fin) = Verfügbarkeitsklausel,
qv

Marktstützung *f* (com) market support

markttechnische Erholung *f* (Bö)
technical rally

markttechnische Position *f* (Bö) technical position
*(ie, of a market; set of conditions or
forces operating within the market
itself; opp, external factors)*

markttechnischer Kursrückgang *m*
(Bö) technical decline

Marktteilnehmer *m*
(Bö) market/stock exchange...
operator

Markt *m* **überschwemmen** (com) to
flood a market *(eg, with high-quality equipment)*

Marktüberwachung *f* (Fin) market
scrutiny *(eg, supported by German
banks)*

marktüblicher Zins *m* (Fin) market
interest rate
*(ie, for first-class capital invest-
ments; often equal to the interest
rate charged for senior mortgages)*

Marktumschwung *m*
(Bö) turnabout of the market
– turn in the market

Markt- und Preisstützung *f* (com)
supporting the market

Marktverfassung *f* (com) state of the
market

Marktverhältnisse *npl* (com) market
conditions

253

Marktversteifung *f* (com) stiffening of the market

Marktwende *f* (Bö) = Marktum-schwung

Marktzersplitterung *f* (Bö) market fragmentation

Markt *m* **zurückerobern** (com) to re-conquer a market

marodes Unternehmen *n* (com) moribund company (*or* under-taking)

Maschinenbau *m* (com) mechanical engineering
(ie, deals with the generation, trans-mission, and utilization of mechan-ical power and heat, and with the production of tools, machines, and their products)

Maschinenbaugruppe *f* (com) mechanical engineering group

Maschinenbauindustrie *f* (com) mechanical engineering industry

Maschinenbauunternehmen *n* (com) mechanical engineering company

Maschinenbauwerte *mpl* (Bö) en-gineerings

maschinenlesbare Kreditkarte *f* (Fin) chip card

Maschinenlieferant *m* (com) supplier of machinery

Maschinenwerte *mpl*
(Bö) mechanical engineering shares
– engineerings

Massenartikel *m*
(com) high-volume product
– mass-produced article

Massenfrachtgut *n* (com) bulk cargo

Massengeschäft *n*
(Fin) retail banking
– bulk business
(ie, banking services for everyone)

Massengut *n* (com) bulk commodity

Massengütertransport *m* (com) bulk goods transport

Massengüterverkehr *m* (com) = Massengütertransport

Massengüter *npl*
(com) bulk goods
– commodities

Massengutfrachter *m* (com) bulk car-rier
(ie, vessel designed to transport dry or liquid bulk cargo, such as coal, ore, grain)

Massengutladung *f* (com) bulk cargo

Massengutschiff *n* (com) bulk freighter

Massengutspeicherung *f* (com) bulk storage

Massenlieferung *f* (com) bulk con-signment

Massenprodukt *n* (com) mass prod-uct

Massenüberweisungen *fpl* (Fin) bulk credit transfers

Massenverkauf *m* **von Wertpapieren** (Fin) large-scale selling (*or* un-loading) of equities

Massenverkehrsmittel *npl* (com) mass transportation facilities

massive Abgaben *fpl* (Bö) heavy sel-ling

massiver Auftragsrückgang *m* (com) massive (*or* marked) fall in orders

Material *n*
(Bö) securities

Materialabgaben *fpl* (Bö) selling of securities

Materialmangel *m*
(com) shortage of materials
(Bö) shortage of securities on offer (*or* of offerings)

Material- und Herstellungsfehler *mpl* (com) defective (*or* faulty) mate-rial and workmanship

Materialverkauf *m* (com) sale of materials

materielle Güter *npl*
(com) physical assets
– tangible goods

Maßfracht *f* (com) freighting on mea-surement

maßgebliche Beteiligung *f*
(com) controlling (*or* substantial) interest
– material interest *(syn, wesent-liche Beteiligung)*

maßgeblicher Hersteller *m* (com) leading producer

maßgeschneidert
(com, EDV) tailor-made
– custom(ized)

maßgeschneidertes System n (com)
tailored system

mäßige Umsätze mpl (Bö) moderate
trading

Maßnahmebündel n (com) package

Maßnahmen fpl **ergreifen** (com) to
take measures

Mechanismus m **der relativen Preise**
(Fin) mechanism of relative prices
(ie, in portfolio selection)

Medio-Abrechnung f (Fin) mid-
month settlement

Medio-Ausweis m (Fin) mid-monthly
statement

Mediogelder npl (Bö) funds or bills
repayable at mid-month

Mediogeschäft n (Fin) transaction for
mid-month settlement

Medioliquidation f (Bö) mid-month
settlement

Medio-Wechsel m (Fin) fourtnightly
bill

Mehraufwand m (com) additional expenditure *(or outlay)*

Mehrausgabe f (com) extra expense

Mehrbedarf m (com) additional requirements

Mehrbelastung f (com) additional
charge

Mehrbetrag m (com) additional
amount

Mehrbietender m (com) outbidder

Mehreinnahmen fpl (com) additional
receipts

Mehrerlös m
(com) additional proceeds

Mehrertrag m (com) extra proceeds

Mehrfacharbitrage f
(Fin) compound *(or indirect)* arbitrage
(Fin) compound arbitration (of exchange)
*(cf, arbitration of exchange; opp,
Einfacharbitrage = simple a.)*

Mehrfachbelegung f **des haftenden
Eigenkapitals** (Fin) multiple use of
liable capital

mehrfache Wechselkurse mpl (Fin)
multiple exchange rates

Mehrfachkopie f (com) multiple copy

Mehrfachsatz m (com) multipart
form

Mehrgebot n (com) higher bid

Mehrheit f
(com) plurality *(ie, a voting term)*
– (GB) majority *(ie, more than
50% = clear majority)*
(Fin) majority *(or controlling)* interest

Mehrheit f **erwerben** (com) to win
control (of)

Mehrheitsaktionär m
(com) majority... shareholder/
stockholder
– controlling shareholder

Mehrheitsbeschluß m
(com) majority vote
– resolution adopted by a majority of votes

Mehrheitsbeteiligung f
(com) majority ... interest/
holding/stake
– controlling interest
– key shareholding
*(ie, Mehrheit von Vermögensan-
teilen od Stimmrechten; idR einfache Mehrheit, die mindestens
50,01% betragen muß; cf, qualifizierte Mehrheit)*

Mehrheitsgesellschafter m (com) majority... shareholder/stockholder

Mehrkanal-Kabelfernsehen n (com)
multi-channel cable television

Mehrkosten pl
(com) extra cost

Mehrleistung f
(com) additional payment

Mehrstimmrechtsaktien fpl
(Fin) multiple-voting shares *(or
stock)*

Mehrstückpackung f
(com) multipack
– banded pack

mehrteiliges Etikett n (com) multiple
label *(or tag)*

Mehrverbrauch m (com) additional
consumption

Meinungsaustausch *m* (com) exchange of views

Meinungskauf *m* (Bö) speculative buying

Meinungsverkauf *m* (Bö) speculative selling

meistbietend (com) highest bidding

Meistbietender *m* (com) highest (*or* best) bidder

meistbietend verkaufen (com) to sell to the highest bidder

meistbietend versteigern (com) to auction off to the highest bidder

Meistgebot *n* (com) last and highest bid

meist gehandelte Aktie *f* (Bö) volume leader

meist gehandelte Werte *mpl* (Bö) most active issues

melden
(com) to notify
– to report

Meldepflicht *f* (com) duty to report

meldepflichtig (com) subject to reporting requirements

Meldeschluß *m* (com) deadline set for receiving applications

Meldetermin *m*
(com) reporting deadline
(com) notification date (*eg, im Konzernclearing*)

Meldewesen *n* (com) reporting

Mengenabnahme *f* (com) bulk purchasing

Mengenabsatz *m* (com) quantity (*or* volume) sale

Mengengeschäft *n* (Fin) = Massengeschäft

mengenmäßige Beschränkung *f* (com) quantitative restriction

mengenmäßiger Zuwachs *m* (com) rise in volume terms

mengenmäßig
(com) by volume (*eg, imports dropped 2% by volume*)
– in terms of . . . volume/quantity

Mengennachlaß *m* (com) = Mengenrabatt

Mengennotierung *f*
(Fin) indirect quotation

– indirect method of quoting foreign exchange
(*eg, price of $ in DM; ie, number of units of foreign currency that will buy a unit of domestic currency; opp, Preisnotierung*)

Mengenpreis *m* (com) bulk price

Mengenrabatt *m*
(com) volume/bulk . . . discount
– quantity rebate

Mengentarif *m* (com) bulk supply tariff

Mengenumsatz *m*
(com) volume sales
– sales in terms of volume

merkantiler Minderwert *m*
(com) reduced market value
– loss in value upon resale
(*ie, of damaged automobile, due to hidden defects supposed to remain after repair*)

Merkmal *n*
(com) characteristic
– criterion
– feature

Messeamt *n* (com) fair office

Messeausweis *m* (com) fair pass

Messe *f* **beschicken** (com) to participate in a fair

Messe *f* **besuchen** (com) to visit a fair

Messebesucher *m* (com) visitor of a fair

Messebeteiligung *f* (com) number of exhibitors

Messe *f* **eröffnen** (com) to open a fair

Messegelände *n* (com) exhibition site (*or* grounds)

Messekatalog *m* (com) fair catalog

Messeleitung *f* (com) trade fair management

Messeteilnehmer *m* (com) participant in a fair

Messe *f* **veranstalten** (com) to organize a fair

Messeveranstalter *m* (com) organizer of a fair

Metageschäft *n* (com) transaction on joint account
(*ie, Form der Partizipation: Einzelgeschäft wird von zwei*)

Gesellschaftern über Metakonto abgewickelt; syn, Konto a metà)

Metakonto *n* (Fin) joint account

Metakredit *m* (Fin) loan on joint account *(ie, extended on equal terms with another bank)*

Metallbörse *f* (Bö) metal exchange *(ie, on which nonferrous metals are traded; the leading exchanges are New York and London)*

Metallhandel *m* (com) metal trading

Metallindustrie *f*
(com) metal industry
− non-ferrous metals industry

Metallnotierungen *fpl* (Bö) metal prices

metallverarbeitende Industrie *f* (com) metal-working industry

metallverarbeitendes Gewerbe *n* (com) = metallverarbeitende Industrie

Miete *f*
(com) rent
(ie, Preis für die Gebrauchsüberlassung von Wohn- und Geschäftsräumen; syn, Mietzins)
(com) hire charge *(eg, for renting a car)*

Miete *f* **erhöhen**
(com) to raise rent
− (GB) to put up rent

Mietfläche *f* (com) rented floor space

Mietgebühr *f* (com) rental fee

Mietgrundstück *n* (com) tenancy property

Miethaus *n* (com) tenant-occupied house *(or dwelling)*

Mietkauf *m* (com) lease-purchase agreement
(ie, Mieter hat das Recht, die Mietsache innerhalb e−r bestimmten Frist zu e−m festgelegten Preis zu kaufen; gezahlte Miete wird ganz oder teilweise auf den Kaufpreis angerechnet; ie, a special type of leasing in which the lessee may negotiate a purchase at the end of the basic lease term, may renew the lease for stated periods, or may return the leased asset to the lessor.

Note that ‚Mietkauf‘ has little in common with the British practice of ‚hire-purchase agreements‘ for which there is no equivalent in German.)

Mietkaution *f* (com) rent deposit

Mietobjekt *n* (com) rented property

Mietrückstände *mpl* (com) rent arrears *(eg, due to increasing unemployment)*

Mietspiegel *m* (com) representative list of rents

Mietvorauszahlung *f*
(com) prepayment of rent
(com) rent paid in advance

Mietzins *m* (com) = Miete, qv

Milchmädchenrechnung *f* (com, infml) ’milkmaid’s calculation *(ie, speculation based on false reasoning)*

mildernde Umstände *mpl* (com) mitigating *(or alleviating)* circumstances *(opp, erschwerende Umstände = aggravating c.)*

mildtätige Einrichtung *f* (com) charitable institution

Millionenkredit *m* (Fin) credit of DM 1 million or more, § 14 I KWG

Minderausgabe *f* (com) reduction of expenditure

Mindereinnahmen *fpl* (com) shortfall in receipts

Mindererlös *m* (com) deficiency in proceeds

Mindergewicht *n*
(com) short weight
− underweight
− reduced weight

Minderheitsaktionär *m*
(com) minority shareholder *(or stockowner)*
− (GB) outside shareholder
− (GB) outside shareholders’s interest

Minderheitsbeteiligung *f* (com minority ... interest/holding/stake /participation
(opp, Mehrheitsbeteiligung, qv)

Minderheitspaket *n* (com) minority holding

257

Minderkonditionen *fpl* (Fin) highly favorable loan terms

Minderleistung *f*
(com) short-fall in output
– loss of efficiency

Minderlieferung *f* (com) short shipment

Mindermengenzuschlag *m* (com) markup for small-volume purchases

Minderung *f* **liquider Mittel** (Fin) decrease in net funds

Mindestabnahme *f* (com) minimum purchasing quantity

Mindestabschlußbetrag *m* (Bö) minimum dealing quota

Mindestangebot *n* (com) lowest bid

Mindestanlage *f* (Fin) minimum investment

Mindestauflage *f* (com) minimum circulation

Mindestbietkurs *m* (Bö) minimum bidding price

Mindesteinlage *f*
(Fin) minimum contribution, § 7 I GenG
(Fin) minimum deposit *(ie, 1DM on savings accounts, 5DM on postal check accounts)*

Mindesteinschuß *m*
(Bö) minimum margin requirements
(Bö) minimum contract

Mindestfracht *f* (com) minimum freight rate

Mindestgebot *n*
(com) lowest bid
(com, infml) knocked-down bid

Mindestgewinnspanne *f*
(com) minimum margin
(Bö) bottom-line profit margin

Mindestguthaben *n* (Fin) minimum balance

Mindestkapital *n* (Fin) minimum capital
(ie, zwingende Mindestkapitalsumme: Mindestgrundkapital bei der AG = DM 100 000; Mindeststammkapital bei der GmbH = DM 50 000 seit der Gesetzesnovel-

le von 1980; dieses Mindesterfordernis gilt nicht für Einzelunternehmen und Personengesellschaften)

Mindestkurs *m* (Bö) floor price

Mindestmenge *f*
(Bö) contract unit
– unit of trading

Mindestmengenaufpreis *m* (com) low-quantity extra

Mindestnennbetrag *m* (Fin) minimum par value of shares
(ie, gesetzlich vorgegebene Mindestgrenzen betragen für das Grundkapital der AG DM 100 000, für e-e Aktie DM 50, für das Stammkapital der GmbH DM 50 000, für e-e Stammeinlage DM 500)

Mindestpreis *m*
(com) knocked-down (*or* minimum) price
– price floor

Mindestqualität *f* (com) minimum acceptable quality

Mindestrendite *f* (Fin) minimum yield
(ie, in der Praxis meist als Kalkulationszinsfuß bezeichnet)

Mindestreservedispositionen *fpl* (Fin) arrangements to maintain minimum reserves

Mindestreserveeinlagen *fpl* (Fin) minimum reserve deposits

Mindestreserveerhöhung *f* (Fin) increase in minimum reserves

Mindestreserveguthaben *npl* (Fin) minimum reserve balances

mindestreservepflichtige Einlagen *fpl* (Fin) deposits subject to minimum reserve requirements
– (GB) eligible liabilities

mindestreservepflichtige Verbindlichkeiten *fpl* (Fin) reserve-carrying liabilities

Mindestreserveprüfung *f* (Fin) minimum reserve audit

Mindestreservesatz *m*
(Fin) minimum reserve ratio
– (GB) reserve assets ratio

(ie, prozentualer Anteil am Volumen der Sicht-, Termin- und Sparguthaben, der von den Geschäftsbanken in Zentralbankgeld mindestens gehalten werden muß; zinsloses Konto bei der Deutschen Bundesbank)

Mindestreservesenkung *f*
(Fin) lowering of minimum reserve ratios

Mindestreservesoll *n* (Fin) minimum reserve requirements

Mindestschluß *m* (Bö) minimum lot

Mindestumsatz *m*
(com) minimum sales
– (GB) minimum turnover

Mindestverzinsung *f*
(Fin) minimum rate of return
– cutoff rate (*or* point)
(ie, minimum acceptable rate of return expected of investment projects)

Mindestzeichnung *f* (Bö) minimum subscription

Mineralölindustrie *f* (com) mineral oil industry

Minimalfracht *f* (com) minimum freight rate
(ie, in ocean and inland waterway transport: charged to cover carriage between loading and unloading port)

Minoritätsbeteiligung *f* (com) = Minderheitsbeteiligung

Minusankündigung *f* (Bö) sharp markdown

Minuskorrektur *f*
(Bö) markdown
– downward adjustment

Minusposition *f* (Bö) shortage of cover

Minuszeichen *n*
(Bö) markdown

Mischfinanzierung *f*
(Fin) mixed financing
(ie, combination of several funding sources)
– hybrid financing

Mischkalkulation *f* (com) = Ausgleichskalkulation, qv

Mischkonzern *m*
(com) conglomerate company (*or* group)
– conglomerate
(ie, multi-industry or multi-market company: heterogeneous group of affiliated companies; syn, Konglomerat)

Mischkredit *m* (Fin) mixed (*or* blended) credit

Mischpreis *m* (com) composite (*or* mixed) price

Mischungsrechnung *f*
(com) alligation
– alligation alternate
– alligation medial
(ie, der Mittelpreis ist bei Mischung gleicher Teile zu verschiedenen Preisen gleich der Summe der Einzelpreise dividiert durch die Anzahl der Sorten)

Mischzinssatz *m* (Fin) composite interest rate

mit 100%-iger Auszahlung (Fin) paid out in full

mit 90%-iger Auszahlung (Fin) paid out at a discount of 10%

Mitaktionär *m*
(com) joint shareholder (*or* stockholder)

Mitarbeiter *m*
(com) collaborator
– co-worker

Mitarbeiter *mpl* **im Außendienst** (com) field staff

Mitarbeiter *mpl* **im Innendienst**
(com) indoor staff
– in-house staff

Mitarbeiterstab *m*
(com) staff
– team of subordinates

MIT-Auftrag *m*
(Bö) „market if touched"–Order *f*
(ie, Kombination aus Bestens–Auftrag und limitiertem Auftrag)

Mitbeteiligung *f*
(com) co-partnership
– joint interest
– participation

Mitbewerber *m*
  (com) competitor
  – rival
  (syn, Konkurrent)
mit Bezugsrecht (Fin) cum rights
mit Dividende (Fin) cum dividend
mitfinanzieren (Fin) to join in the
  financing of . . .
Mitführung *f*
  (Fin) co-management
  – joint lead management *(ie, of
  loan issue)*
mit Gewinn arbeiten
  (com) to operate in the black
mit gleicher Post (com) under separate cover
Mitgliederversammlung *f*   (com)
  meeting of members
Mitgliedsbeiträge *mpl* (com) membership dues
Mitgliedschaftspapiere *npl*   (WeR)
  securities evidencing membership
  (eg, corporates shares = Aktien)
Mitgliedschaftsurkunde *f* (WeR) evidence of ownership *(eg, Aktie)*
mit Kupon (Fin) cum coupon
mit (laufenden) Zinsen (Bö) cum interest
mit nächster Post (com) in the next
  outgoing mail
Mitnahme *f* (Bö) profit taking
mitnehmen
  (Bö) to take profits
  – to cash in on profits
Mitreeder *m*
  (com) co-owner of a ship, § 490
  HGB
  – joint shipowner
mitschreiben (com) to take notes
  (syn, Notizen machen)
mit Sonderdividende (Bö) cum bonus
mitteilen
  (com) to inform
  – to give notice
  (fml) to notify
  – to advise
Mitteilung *f* (com) notification
Mitteilungspflicht *f* (com) duty to
  notify
Mittelabfluß *m* (Fin) outflow of funds

Mittelaufbringung *f*
  (Fin) raising of funds (*or* money)
  – fund raising
Mittelaufkommen *n*
  (Fin) funds raised
  – inflow of funds
  (Fin) sales receipts *(ie, of invest-
  ment funds)*
Mittelaufnahme *f* (Fin) borrowing
Mittelaufnahme *f* **am Geldmarkt**
  (Fin) borrowing in the money
  market
Mittelaufnahme *f* **am Kapitalmarkt**
  (Fin) borrowing in the capital
  market
Mittelausstattung *f* (Fin) financial resources
Mittelbeschaffung *f*
  (Fin) borrowing
  – procurement of capital
  – raising of funds
Mittelbindung *f*
  (Fin) commitment of
  – tying up
  – locking up . . . funds
Mittelentzug *m* (Fin) withdrawal of
  funds
mittelfristig (com) intermediate term
mittelfristige Anleihen *fpl*
  (Fin) medium-term bonds
  – mediums
mittelfristige Ausleihungen *fpl* (Fin)
  term lendings
mittelfristige Finanzplanung *f*
  (Fin) intermediate financing
mittelfristige Optionsanleihe *f* (Fin)
  convertible notes
mittelfristige Papiere *npl*   (Fin)
  medium-term securities
mittelfristiger Bankkredit *m*
  (Fin) bank term credit
  – medium-term bank credit
mittelfristiger Kredit *m*
  (Fin) medium-term loan
  – intermediate credit
mittelfristiger Zinssatz *m*   (Fin)
  medium-term rate
mittelfristige Schatzanweisungen *fpl*
  (Fin)   medium-term   Treasury
  bonds

Mittelherkunft *f* (Fin) sources of funds

Mittelherkunft *f* **und -verwendung** *f* (Fin) sources and application of funds

Mittelkurs *m*
(Fin) mean (*or* middle) rate *(ie, arithmetic mean of buying and selling price of foreign exchange)*
(Bö) middle market price

Mittel *pl*
(Fin) funds
– resources

Mittel *pl* **aufbringen** (com) to raise money (*or* funds)

Mittel *pl* **aus Innenfinanzierung** (Fin) internally generated funds

Mittel *pl* **beschaffen** (Fin) to raise cash (*or* funds)

Mittel *pl* **binden** (Fin) to tie up (*or* lock up) funds *(eg, in receivables or inventories)*

Mittel *pl* **freigeben** (Fin) to release funds

Mittel *pl* **kürzen** (Fin) to cut/slash . . . funds

Mittel *pl* **weitergeben** (Fin) to relend funds (to)

Mittelrückfluß *m* (Fin) return flow of funds

Mittelsmann *m*
(com) go-between
– (GB) link

Mittelsorte *f*
(com) medium quality
– middling

Mittelstand *m* (com) small and medium-sized businesses

mittelständischer Kredit *m* (Fin) loan to small and medium-sized enterprises

mittelständische Unternehmen *npl* (com) small to medium-sized businesses

mittelständische Wirtschaft *f* (com) small and medium-scale sector of the economy

Mittelständler *mpl*
(com) small and medium-sized businessmen

Mittelstandskredit *m* (Fin) loan to small or medium-sized business

Mittelstrecke *f* (com) medium-haul route

Mittelstreckenflugzeug *n* (com) medium-haul airliner

mittel- und langfristiges Leasing *n* (Fin) financial leasing

Mittelvaluta *f* (Fin) mean value date

Mittelverwendung *f*
(Fin) application/uses . . . of funds

Mittelzuführung *f* (Fin) injection of new funds

mittlere Qualität *f* (com) medium quality

mittlerer Börsenpreis *m* (Bö) average list price

mittlerer Fälligkeitstermin *m*
(Fin) average/average due . . . date
– equated time
(ie, when several payments with different due dates are combined)

mittlerer Verfalltag *m* (Fin) mean due date *(ie, of bills of exchange)*

mittlere Transportentfernung *f* (com) average haul distance

mittlere Verfallzeit *f* (Fin) = mittlerer Verfalltag

Mitunterzeichner *m*
(com) co-signer
(WeR) co-maker

Mitwirkung *f* (com) intermediation *(eg, unter M. von = through the . . . of)*

mobiles Telefon *n* (com) cellular telephone

Mobiliarkredit *m* (Fin) credit secured by personal property or securities *(ie, term no longer in current usage)*

mobilisieren (Fin) to mobilize *(ie, put into circulation)*

Mobilisierungspapiere *npl* (Fin) mobilisation paper (*or* instruments) *(ie, sold by Deutsche Bundesbank to the banking industry)*

Modalitäten *fpl*
(com, Fin) arrangements
– features
– terms

261

Modeartikel *m*
  (com) style item
  – fashionable article
Modegag *m* (com) the latest rag (*or* thing)
Modellrechnung *f* (com) model calculation
Modellreihe *f* (com) model range *(eg, of cars)*
Modenschau *f*
  (com) fashion show
  – (GB) dress show
Moderator *m* (com) anchorman *(syn, Redakteur im Studio)*
Moderatorin *f*
  (com) anchorlady
modernisieren (com) to modernize
Modernisierung *f* (com) modernization
Modernisierungsdarlehen *n* (Fin) home improvement loan
Möglichkeit *f* **ausschließen** (com) to rule out a possibility *(eg, of a cut in interest rates)*
Möglichkeiten *fpl* **erkunden** (com) to explore possibilities
Möglichkeiten *fpl* **nutzen** (com) to exploit (business) opportunities *(eg, presented by . . .)*
monatliche Zahlung *f* (Fin) monthly payment (*or* installment)
Monatsbeitrag *m* (com) monthly contribution
Monatsbericht *m* (com) monthly report
Monatsgeld *n* (Fin) one-month money (*or* loans)
Monatszahlung *f* (Fin) monthly payment (*or* installment)
Mondscheingeschäft *n*
  (Bö) moonlight deal
  (ie, Kauf von Aktien wird zu dem Termin abgeschlossen, zu dem auch der Verkauf geplant ist; erscheint nie in der Bilanz und ist nur in e–r logischen Sekunde um Mitternacht, bei Mondschein, im Bestand)
monetäre Märkte *mpl* (Fin) financial markets

Monetärkredit *m* (Fin) monetary credit
Montage *f*
  (com) assembly
  – fitting
  – installation
Montagefirma *f* (com) assembler
Montagekosten *pl* (com) installation charges
Montanaktien *fpl* (Fin) shares of the coal, iron, and steel industries
Montanbereich *m* (com) coal, iron, and steel sector
Montangesellschaften *fpl* (com) coal, iron, and steel companies
Montanindustrie *f* (com) coal, iron, and steel industry
Montanwerte *mpl* (Bö) mining and steel shares
Moratorium *n*
  (Fin) debt deferral
  – deferral (*or* suspension) of debt repayment
  – moratorium
Motorenwerte *mpl* (Bö) motors
multilaterale Verrechnung *f* (Fin) multilateral compensation (*or* settlement)
multinationales Unternehmen *n*
  (com) multinational corporation (*or* company)
  – transnational company
  (ie, Phasen der Internationalisierung sind:
  1. Import von Produktionsfaktoren = import of input resources;
  2. Export von Überschüssen durch eigene Vertriebsorganisationen = export of surplus output through independent sales organizations;
  3. Errichtung von Tochtergesellschaften = formation of subsidiaries
  4. autonome Produktion der Tochter = self-managed production by subsidiaries;
  5. Kooperation der Töchter mit Drittland-Unternehmen = cooperation of subsidiaries with third-country enterprises;

6. *grenzüberschreitende Fusionen
= cross-frontier mergers;*
7. *Bildung multinationaler Kon-
zerne = creating multinational
groups worldwide)*
multipler Wechselkurs *m* (Fin) multiple *(or* split) exchange rate *(syn,
gespaltener od differenzierter
Wechselkurs)*
mündelsichere Kapitalanlage *f* (Fin)
eligible investment
mündelsichere Papiere *npl*
(Fin) trustee securities, § 1807 I
BGB
 – eligible securities
 – legal investment
*(ie, class of securities in which in-
vestors – trustees, savings banks –
may legally invest)*
mündelsicher (Fin) eligible for trusts
mündliche Bestellung *f* (com) oral
purchase order

Münzfernsprecher *m*
(com) pay station
 – (GB) pay telephone
Muster *n*
(com) sample *(ie, physical
specimen)*
Musterkollektion *f*
(com) sample collection
 – stock of samples
Musterlager *n* (com) display of
samples
Mustermesse *f* (com) samples fair
Muster *n* **ohne Wert** (com) sample
without value
Mustersendung *f* (com) sample consignment
Muttergesellschaft *f* (com) parent
company
*(ie, meist Synonym für
‚Obergesellschaft')*
Mutter *f* **und Tochter** *f* (com) parent
and offspring

N

nachaddieren (com) to refoot
Nacharbeit *f*
(com) rework
nacharbeiten
(com) to rework
Nacharbeitskosten *pl*
(com, KoR) cost of rework
nachbearbeiten
(com) to rework
 – to post-edit
Nachbearbeitung *f*
(com) reworking
 – post-editing
nach Bedarf (com) call off as required
nachbessern
(com) to rework
 – to rectify faults *(or* defects)
Nachbesserung *f*
(com) rework
 – rectification of defects *(or*
faults)
 – to improve (upon)

nachbestellen
(com) to reorder
 – to place a repeat order (for)
(syn, nachordern)
Nachbestellung *f*
(com) reorder
 – repeat order
nach Bestellung angefertigt
(com) custom-made
 – customized
 – made to order
Nachbezugsrecht *n* (Fin) right to
prior-year dividends
*(ie, on preferred stock, §§ 139ff
AktG)*
Nachbörse *f* (Bö) after-hours...deal-
ing/trading /market)
*(ie, Handel nach der Börsenzeit per
Telefon unter Börsenmitgliedern)*
nachbörsliche Kurse *mpl* (Bö) after-
hours prices
nachbörslich fest (Bö) strong in after-
hours trading

263

nachdatieren

nachdatieren (com) to antedate
(ie, to write a date preceding to-day's date; opp, vordatieren = to postdate)
Nachdruck *m* (com) reprint
Nachemission *f* (Bö) follow-up issue
Nachfaßbrief *m* (com) follow-up letter
Nachfinanzierung *f* (Fin) supplementary financing
Nachfolgebank *f* (Fin) successor bank
Nachfolgegesellschaft *f* (com) successor company
Nachfolgekonferenz *f*
(com) follow-up conference (*or* meeting)
Nachfolgeorganisation *f* (com) successor organization
Nachfolgerin *f* (com) = Nachfolgegesellschaft
nachfordern (com) to make a further claim
Nachforderung *f*
(com) subsequent (*or* supplementary) claim
(Bö) margin call
Nachfrageänderung *f*
(com) change in demand
Nachfrage *f* **befriedigen**
(com) to accommodate
– to meet
– to satisfy . . . demand
Nachfrage *f* **beleben** (com) to revive (*or* revitalize) demand
Nachfragebelebung *f*
(com) revival of demand
– revitalization of demand
– upswing (*or* upturn) in demand
Nachfrageboom *m* (com) boom in (*or* surge of) demand
Nachfrage *f* **decken** (com) to meet (*or* supply) a demand
Nachfrageintensität *f* (com) strength of demand
Nachfrage *f* **nach Arbeitskräften** (com) demand for labor
Nachfragerückgang *m* (com) drop (*or* fall) in demand
Nachfrage *f* **schaffen** (com) to create demand (for)

Nachfrageschwäche *f* (com) weak demand
Nachfrageverfall *m* (com) substantial drop in demand
Nachfrist *f*
(com) period of grace
– grace period
– extension of time
– days/term . . . of grace
– additional period of time
– respite
nachgeben
(com) to dip *(ie, prices, market)*
– to flag
– to sag
– to slip
– to soften
– to weaken
(com) to back down *(ie, in an argument)*
(Bö) to ease off
– to edge down
– to drift down
– to shade
– to slip back
nachgebend
(com) dipping *(ie, prices, market)*
– flagging
– sagging
– slipping
– softening
– weakening
nachgebende Kurse *mpl* (Bö) easing (*or* shading) prices
Nachgeben *n* **der Kurse** (Bö) slide in prices
Nachgeben *n* **der Zinsen** (Fin) easing of rates
Nachgebühr *f* (com) additional charge
(ie, postage or insufficient postage payable by addressee)
nachgeordnetes Darlehen *n* (Fin) subordinated loan
Nachgirant *m* (WeR) post-maturity indorser
Nachholbedarf *m*
(com) catch-up
– backlog
– pent-up . . . demand

Nachindossament *n* (WeR) post-maturity indorsement

Nachindossant *m* (WeR) post-maturity indorser

Nachkosten *pl* (com, KoR) = Nacharbeitskosten

nachlassen
(com) to reduce
– to abate *(eg, prices, taxes)*
– (infml) to knock off *(eg, I'll knock $10 off the retail price)*

nachlassender Auftragseingang *m*
(com) flagging *(or slackening)* orders
– fewer new orders

Nachlauf *m*
(com) post-carriage
– off-carriage
(ie, in container traffic: to final place of arrival)

Nachlaufkosten *pl* (com) follow-up costs

Nachlaß *m*
(com) discount
– allowance
– deduction
– reduction

Nachlaß *m* **an Kreditkartengesellschaften** (com) merchant discount *(ie, paid by retail and service establishments to credit card companies on card sales)*

Nachlaß *m* **bei Barzahlung** (com) cash discount

Nachlaß *m* **vom Listenpreis** (com) off list

Nachlieferung *f*
(com) additional supply
– subsequent delivery

nachmachen
(com) to counterfeit
– to fake *(eg, documents, bank notes, products)*

Nachmann *m* (WeR) subsquent endorser *(or holder)*

Nachmittagsbörse *f* (Bö) = Abendbörse

Nachnahme *f*
(com) cash on delivery, c.o.d., cod
– (US) collect on delivery

Nachnahmebrief *m* (com) c.o.d. letter

Nachnahmesendung *f* (com) registered c. o. d. consignment

Nachorder *f*
(com) repeat order
– reorder

nachordern (com) = nachbestellen

Nachporto *n* (com) additional postage

nachprüfen (com, infml) to check up on *(eg, a claim)*

Nachrangdarlehen *n* (Fin, US) subordinated ... loan/debenture *(ie, Darlehensgläubiger verpflichtet sich, mit seinen Forderungen hinter die Forderungen aller anderen Gläubiger zurückzutreten; im angelsächsischen Bereich beliebt, in den letzten Jahren hat Bedeutung auch in Dt zugenommen)*

nachrangige Anleihe *f* (Fin) secondary loan

nachrangige Sicherheit *f* (Fin) junior security *(ie, bond or mortgage secured by one or more senior issues)*

nachrechnen
(com) to check a calculation
– to recalculate

nachrichtlich (com) memorandum item

Nachsaison *f* (com) post-season

nachschießen
(Fin) to make a further contribution
(Bö) to remargin

Nachschlageinformationen *fpl* (com) reference information

Nachschlagewerk *n* (com) reference work

nachschüssige Rente *f*
(Fin) ordinary annuity
– annuity immediate

Nachschuß *m*
(Fin) supplementary contribution, § 26 I GmbHG
(Fin) additional payment
(Bö) further margin

Nachschußforderung *f* (Bö) margin call

(ie, Anforderung an den Kunden, die Mindestdeckung e-s Effektenkredits zu erhöhen = to up additional cash in a margin account)

nachschußfreie Aktien *fpl* (Fin) nonassessable corporate shares

Nachschußpflicht *f*
(Fin) obligation to make further contributions *(eg, § 26 GmbHG)*

nachschußpflichtig
(Fin) liable to make further contributions
– assessable *(ie, liable to pay extra)*

nachschußpflichtige Aktien *fpl* (Fin) assessable corporate shares

nachschußpflichtiger Gesellschafter *m* (Fin) contributory partner

Nachschußzahlung *f*
(Fin) additional cover *(or payment)*
(Bö) further margin

Nachsendeadresse *f*
(com, US) temporary mailing address
– (GB) accommodation/forwarding... address

Nachsendeanschrift *f*
(com) temporary mailing address
– (GB) accommodation address

Nachsendeantrag *m* (com) re-routing request *(ie, made to Post Office)*

nachsenden
(com) to send on
– to forward mail *(ie, to changed address)*

Nachsendung *f* (com) forwarding of mail

Nachsicht-Akkreditiv *n*
(Fin) documentary acceptance credit
– term credit

Nachsichttratte *f* (WeR) usance draft

Nachsichtwechsel *m* (WeR) aftersight bill
(ie, payable at fixed period after sight; syn, Zeitsichtwechsel)

Nachtrag *m*
(com) postscript *(ie, to letter, report, etc.)*
(com) addendum

Nachttresor *m* (Fin) bank's night safe-deposit box

Nachvaluta *f* (Fin) arrear value date

Nachvaluten *pl* (Fin) back values

nach Wahl des Käufers (com) at buyer's option

nach Wahl des Verkäufers (com) at seller's option

nachweisen
(com) to prove
– to furnish proof
– to give a record of
– to produce evidence
– to show by submitting suitable documents

nachzahlen (com) to pay retrospectively

Nachzahlung *f*
(com) back payment

Nachzahlungsaufforderung *f* (Fin) call *(ie, to shareholders for further contributions)*

nachziehen
(com, infml) to follow suit
– to play catch-up

Nachzugsaktien *fpl* (Fin) deferred shares *(or stock)*

Nagelprobe *f* (com, infml) litmus *(or acid)* test

Nahrungsmittelkette *f* (com) food chain

Nahrungs- und Genußmittel *npl* (com) food and kindred products

Nahrungs- und Genußmittelindustrie *f* (com) food, beverages, and tobacco industry

Nahverkehr *m*
(com) short-distance traffic
(com) short haulage

Namensaktie *f* (WeR) registered share *(or stock)*

Namenslagerschein *m* (WeR) registered warehouse receipt

Namenspapier *n* (WeR) registered instrument
– nonnegotiable document
(ie, kein Wertpapier i.e.S., nur schlichtes, schuldrechtliches Wertpapier ohne Gutglaubensschutz, deshalb nur 'transferable'; opp, In-

haber- und Orderpapiere = negotiable instruments)

Namenspfandbrief m (WeR) registered mortgage bond

Namensscheck m (WeR) registered check

Namensschuldverschreibung f (WeR) registered bond

namhafter Betrag m (com) substantial amount

nasse Stücke npl (Fin) mortgage bonds issued but not yet outstanding

nationale Handelsbräuche mpl (com) national trade usages

Naturalrabatt m (com) rebate in kind

Naturaltilgung f (Fin) repayment of mortgage loan to real-property bank by means of mortgage bonds (if below par) instead of cash

natürliche Absicherung f (Fin) natural hedge

Naßgewicht n (com) weight in wet condition *(ie, standard allowance 2 percent)*

Nebenanschluß m (com) (telephone) extension

Nebenapparat m (com) = Nebenanschluß

Nebenartikel m (com) side-line article

Nebenausgaben fpl (com) incidental expenses

Nebenbörse f (Bö) side-line *(or secondary)* market

Nebengebühren fpl (com) extra charges

Nebengewerbe n (com) ancillary part of a business

Nebenkasse f (Fin) petty cash fund (Fin) secondary cash office

Nebenklausel f (Fin) negative pledge clause

Nebenkosten pl (Fin) incidental bank charges

Nebenkosten pl **des Geldverkehrs** (Fin) expenses incidental to monetary transactions

Nebenmarkt m (Bö) secondary/side-line ... market *(cf, Parallelmarkt)*

Nebenplatz m (Fin) out-of-town place

Nebenrolle f (com) supporting role

Nebenstelle f (com) (telephone) extension

Nebenunternehmer m (com) = Nachunternehmer

Nebenwerte mpl (Bö) second-line stocks

Nebenzweigstelle f (Fin) subsidiary branch office *(ie, of savings banks, handling inpayments and outpayments, but no customers' accounts)*

negative Orderklausel f (WeR) negative order clause – „not to order" clause

Negativerklärung f (Fin) = Negativklausel, qv

Negativklausel f (Fin) negative pledge clause *(ie, Erklärung, unbelastete Vermögensteile auch künftig nicht zugunsten anderer Kreditnehmer zu belasten; syn, Negativerklärung, Negativrevers)*

Negativrevers m (Fin) = Negativklausel, qv

Negativzins m (Fin) negative *(or* penal*)* interest *(ie, zwecks Belastung unerwünschter Einlagen)*

Negotiation f (Fin) issue of public loan *(ie, esp by selling to bank or banking syndicate)*

Negotiationskredit m (Fin) cf, Ziehungsermächtigung

negotiierbares Akkreditiv n (Fin) negotiable credit

Negotiierbarkeit f (WeR) negotiability

negotiierende Bank f (Fin) negotiating bank

Negotiierungsanzeige f (Fin) advice of negotiation

267

Negotiierungsauftrag *m* (Fin) order to negotiate

negoziierbar (WeR) negotiable
(ie, legally capable of being transferred by indorsement and delivery = übertragbar durch Indossament und Übergabe)

Negoziierungskredit *m*
(Fin) drawing authorization
– authority to negotiate
(ie, based on letter of credit and shipping documents)

nehmen, was der Markt hergibt (com) to charge ‚what the traffic will bear‘

Nennbetrag *m* (Fin) = Nennwert

Nennbetrag *m* **je Aktie** (Fin) par value per share

Nennkapital *n* (Fin) = Nominalkapital

Nennwert *m*
(Fin) face . . . value/amount
– nominal . . . value/amount
– par value *(syn, Nennbetrag, Nominalwert)*

Nennwertaktie *f*
(Fin) par-value share
– face value share
– nominal value share
(ie, Summenaktie auf e–n bestimmten Betrag; § 6 AktG; Grundkapital ist gleich der Summe aller Nennwerte; opp, nennwertlose Aktie in US und GB)

nennwertlose Aktie *f*
(Fin) = Quotenaktie, qv

Nennwert *m* **von Münzen** (Fin) denominational value of coins

Netting *n* (Fin) = konzerninternes Clearing, qv

Netting-System *n* (Fin) netting system
(ie, im Auslandszahlungsverkehr werden Clearingeinrichtungen geschaffen, in denen Forderungen und Verbindlichkeiten gegeneinander aufgerechnet und nur die Nettobeträge durch tatsächliche Geldbewegungen ausgeglichen werden)

netto (com) net(t)

Nettoabrechnung *f* (Fin) net price settlement

Nettoabsatz *m*
(Fin) net security sales

Nettoauftragseingang *m* (com) net sales

Nettoausschüttung *f* (Fin) net payment *(or payout)*

Nettoauszahlung *f* (Fin) net cash investment *(ie, in investment analysis)*

Nettobestand *m* (Bö) net position *(or holdings)*

Nettobetrag *m* (com) net amount

Netto-Cashflow *m* (Fin) net cash flow
(ie, aftertax profits + dividends + depreciation)

Nettodividende *f* (Fin) net dividend
(ie, nach KSt und KapErtrSt)

Nettoeinnahmen *fpl* (com) net receipts

Nettoerlös *m* **e–s diskontierten Wechsels** (Fin) net avails

Nettoertrag *m* (Fin) net earnings *(or return)*

Nettoertrag *m* **aus Wertpapieren** (Fin) net security gain

Nettoforderungsausfall *m* (Fin) net loan charge-offs

Nettogesamtvermögen *n* (Fin) capital employed *(or invested)*
(ie, fixed assets + current assets – current liabilities)

Nettogeschäfte *npl* (Bö) net price transactions
(ie, commission, handling charges etc are included in the security price)

Nettogewicht *n* (com) net(t) weight

Nettogewinn *m*
(Fin) net earnings
(Fin) positive carry
(ie, aus dem Halten e–r Kassaposition im Terminkontrakthandel)

Nettogewinne *mpl* **aus Devisentermingeschäften**
(Fin) net gains on forward exchange transactions

Nettogewinnzuschlag *m* (com) net profit markup

Nettoguthaben *n* **bei der Zentralbank** (Fin) net balance with the central bank

Nettoinventarwert *m* (Fin) net asset value

Nettoinvestition *f* (Fin) net investment
(ie, Bruttoinvestition – Ersatzinvestition = gross investment minus replacement investment)

netto Kasse ohne Abzug (com) net cash

Nettokreditgewährungen *fpl* (Fin) net lendings

Nettokurs *m* (Bö) net price

Nettoliquiditätszufluß *m* (Fin) net liquidity inflow

Nettoliquidität *f* (Fin) net liquid assets
(ie, total of liquid assets – total of current liabilities)

Nettopreis *m* (com) net price

Nettorendite *f* (Fin) net yield

Nettosteuerbetrag *m* (com) net tax amount

Nettoumsatzrendite *f* (Fin) net earnings as percentage of sales

Nettoverkaufspreis *m* (com) net sales price
(ie, cash price ex stock, not including seller's transport charges and taxes)

Nettoverzinsung *f* (Fin) net return

Nettowarenwert *m* (com) net value of merchandise

Nettowertzuwachs *m* (Fin) net appreciation

Nettozahlungen *fpl* (Fin) net cash inflows
(ie, Rückflüsse e–r Investition; term used in preinvestment analysis, qv)

Nettozins *m* (Fin) pure interest

Nettozinsbelastung *f* (Fin) net interest burden

Nettozinsdifferenz *f* (Bö) covered interest-rate differential

Nettozinsklausel *f* (Fin) net interest clause

Nettozinsspanne *f* (Fin) net interest margin

Netz *n* **gegenseitiger Kreditlinien** (Fin) swap network

Neuabschlüsse *mpl*
(com) fresh business
– new orders booked
– new order bookings

neuartig
(com) novel
– unique

Neubautätigkeit *f* (com) new-construction activity

Neubegebung *f* (Fin) new issue

Neuberechnung *f*
(com) recalculation
– updating

Neubewertung *f*
(com) reappraisal
– reassessment
– re-rating

Neubewertungsreserven *fpl* (Fin) revaluation reserves
(ie, in der Kreditwirtschaft: unrealisierte Buchgewinne; entstehen dadurch, daß die Börsenkurse von Wertpapieren od Immobilienpreise höher als der bilanzielle Wert sind; werden von der EG als ergänzende Eigenmittel anerkannt)

neue Abschlüsse *mpl* (com) = Neuabschlüsse

neue Aktie *f* (Fin) new share *(syn, junge Aktie)*

neu einstufen (com) to reclassify

Neuemission *f*
(Bö) new (*or* fresh) issue
(Bö) primary distribution (*or* offering)

Neuemissionsmarkt *m* (Bö) new issue market

Neuengagements *npl*
(Fin) new loan commitments
(Bö) new buying

neu festlegen
(com) to redetermine
– to reset

Neufestsetzung *f* **der Leitkurse** (AuW) realignment of central exchange rates

Neufinanzierung *f* (Fin) original financing

(ie, provision of fresh funds for capital spending; opp, Umfinanzierung)
Neugeschäft *n*
(com) new business
Neugestaltung *f* (com) redesign *(eg, radical...)*
– recast *(eg, a system)*
Neukredite *mpl* (Fin) new credits
Neukreditgeschäft *n* (Fin) new lendings
Neulieferung *f* (com) replacement
Neuordnung *f* (com) reorganization and restructuring measures
Neuordnung *f* **der Kapitalverhältnisse** (Fin) equity reorganization
Neuordnungsplan *m* (com) rationalization program
Neuorganisation *f*
(com) fundamental reorganization *(eg, of a plant division)*
– streamlining operations
Neuorientierung *f*
(com) reorientation
– new departure
Neuregelung *f* (com) new arrangements
Neustrukturierung *f*
(com) = Umstrukturierung, qv
neutralisieren (Fin) to neutralize *(eg, money)*
neu verschulden, sich (Fin) to take on new debt
Neuverschuldung *f*
(Fin) new borrowings
– new indebtedness
– taking on new debt
Neuzulassungen *fpl* (com) new car registrations
Neuzusage *f* (Fin) new credit commitment
NE-Werte *mpl* (Bö) nonferrous metals stock
nicht abgehobene Dividende *f* (Fin) unclaimed dividends
nicht abgeholt
(com) unclaimed
– abandoned *(eg, mail, parcel)*
nicht abgerechnete Leistungen *fpl* (com) uninvoiced sales

nicht abgeschriebene Agiobeträge *mpl* (Fin) unamortized premiums
Nichtabnahme *f*
(com) nonacceptance
Nichtabrechnungsteilnehmer *m* (Fin) institutions not participating in the clearing procedure
nicht-akzeptable Tratte *f* (WeR) nonacceptable draft
nicht akzeptierter Wechsel *m* (WeR) unaccepted bill
nicht am Lager (com) out of stock
nichtamtlicher Handel *m* (Bö) unofficial trading
nichtamtlicher Markt *m* (Bö) unofficial market
Nichtannahme *f*
(com) non-acceptance
– abandonment
(ie, e–r Sendung wegen Beschädigung = of a defective consignment)
nicht an Order (WeR) not to order
nicht ausgeschüttete Gewinne *mpl* (Fin) retained earnings
– profit retentions
– undistributed profits
– (GB) ploughed-back profits
(syn, einbehaltene od thesaurierte Gewinne)
nicht ausüben (Bö) to abandon *(eg, an option)*
Nichtausübungsklausel *f* (Fin) no-action clause
Nichtbank *f* (Fin) non-bank
Nichtbankengeldmarkt *m* (Fin) intercompany money market *(ie, money dealings between corporate firms)*
Nichtbankenkundschaft *f* (Fin) non-bank customers
nicht bankfähig (Fin) unbankable
Nichtbankplatz *m* (Fin) nonbank place
nicht begebbarer Lagerschein *m* (WeR) nonnegotiable warehouse receipt
(ie, made out to a specified person)
Nichtbesicherungsklausel *f* (Fin) negative pledge clause

*(ie, Verpflichtung zur Gleich-
behandlung aller Gläubiger)*
**nichtbestimmberechtigte Vorzugsak-
tie** *f* (Fin) non-voting preferred
stock
nicht börsenfähige Werte *mpl* (Bö)
nonmarketable securities
nichtbörsenfähig (Bö) nonmarketable
(eg, capital market paper)
nicht börsengängige Wertpapiere *n*
(Bö) nonmarketable securities
nicht diskontfähiger Wechsel *m* (Fin)
unbankable paper
nichtdokumentäres   Akkreditiv *n*
(Fin) clean (or open) credit
nicht eingefordertes Kapital *n* (Fin)
uncalled capital
nicht eingelöster Scheck *m* (Fin) unpaid check
nicht eingelöster Wechsel *m* (WeR)
dishonored bill
nicht eingezahlte Einnahmen *fpl* (Fin)
undeposited receipts
Nichteinlösung *f* e–s Schecks (Fin)
dishonor of a check
Nichteinlösung *f* (WeR) nonpayment
nicht erfaßt (com) unrecorded
**nicht in Anspruch genommene Nach-
lässe** *mpl* (com) discounts lost
**nicht in Anspruch genommener Kre-
dit** *m* (Fin) undrawn loan facilities
nicht kostendeckend (com) sub-
margin
Nichtlieferung *f* (com) nondelivery
nicht notierte Aktien *fpl* (Bö) unlisted
stock
nichtnotierte Aktien *fpl* **und Anteile** *mpl* (Bö) unlisted shares
nichtnotiertes Unternehmen *n* (Bö)
unquoted company
nichtnotiertes Wertpapier *n*
(Bö) unlisted
– unquoted
– off-board . . . security
nicht notifiziertes Factoring *n* (Fin)
nonnotification factoring *(syn, stilles Factoring, qv)*
nicht realisierte Kursverluste *mpl*
(Bö) paper losses

nicht realisierter Kursgewinn *m* (Bö)
paper profit
nicht stimmberechtigte Aktie *f* (Fin)
non-voting share
nicht streuungsfähiges Risiko *n* (Fin)
nondiversifiable risk *(ie, in portfolio analysis)*
nicht übereinstimmen
(com) to disagree
– not to be in conformity with
(eg, the two accounts disagree)
Nichtveranlagungsbescheinigung *f*
(Fin) non-assessment note
– certificate confirming an exemp-
tion
*(ie, Aktionäre, die ihrer depot-
führenden Stelle eine N. ihres
Wohnsitzfinanzamtes vorlegen,
daß sie nicht zur ESt veranlagt [as-
sessed] werden, erhalten Bardividende und Steuerguthaben
sofort auf ihrem Konto gutgeschrie-
ben; höchstens drei Jahre gültig)*
nicht voll eingezahlte Aktie *f* (Fin)
partly paid share
nicht vorhersehbarer Schaden *m*
(com) unforeseeable damage
Nichtwohngebäude *npl* (com) non-residential buildings
Nichtzahlung *f*
(Fin) nonpayment
– failure to pay
nichtzinstragende   Kassenbestände
mpl (Fin) non-interest-bearing
cash balances *(ie, currency and
sight deposits)*
nicht zugelassene Wertpapiere *npl*
(Bö) unlisted securities
**nicht zweckgebundene Ausleihun-
gen** *fpl* (Fin) uncommitted lendings
nicht zweckgebundenes Kapital *n*
(Fin) nonspecific capital
niederlassen, sich
(com) to establish (or set up) business
Niederlassung *f*
(com) branch
– branch operation (or establishment)

   – branch office
   – field organization
Niederlassung f **im Ausland** (com) foreign branch
Niedersächsische Börse f
   (Bö) Hanover Stock Exchange
   – Lower Saxony Exchange
niedrig bewertete Aktien fpl (Fin) low-priced shares (or stocks)
niedrige Anfangsbelastung f (Fin) low initial debt service
niedrige Qualität f (com) low quality
niedriger einstufen
   (com) to downgrade
   – to put into lower group
niedriger notieren (Bö) to trade lower
niedriger Preis m (com) low (or soft) price
niedriges Angebot n (com) low bid (or price) offer
Niedrigpreis m
   (com) cut price
   – thrift price
Niedrigpreisgeschäft n (com) cut-price store
Niedrigpreis-Waren fpl (com) bargain goods
niedrigster Kurs m (Bö) bottom price
niedrigster Preis m
   (com) lowest
   – bottom
   – knock-down
   – rockbottom . . . price
Niedrigstkurs m (Bö) bottom price
niedrigverzinslich
   (Fin) carrying a low interest rate
   – low-interest yielding
   – low-interest-rate (eg, bonds)
niedrigverzinsliche Kurzläufer mpl (Fin) low-coupon shorts
Niedrigverzinsliche pl
   (Fin) = niedrigverzinsliche Wertpapiere
niedrigverzinslicher Kredit m (Fin) low-interest loan
niedrigverzinsliche Wertpapiere npl
   (Fin) low-yield securities
   – low-coupon securities
   – low yielders

Nochgeschäft n
   (Bö) call of more
   – put of more
   – option to double
noch nicht verrechnete Schecks mpl (Fin) uncleared items
Nochstücke npl
   (Bö) securities requested under a 'call of more'
Nomenklatur f **für den Kapitalverkehr**
   (Fin) nomenclature of capital movements
Nominalertrag m (Fin) = Nominalverzinsung
Nominalkapital n (Fin) nominal capital
   (ie, konstanter Teil des Eigenkapitals von AG, KGaA, GmbH; bei e–r GmbH heißt es ,Stammkapital', bei e–r AG oder KGaA ,Grundkapital': share capital of GmbH and capital stock of AG and KGaA as shown in the balance sheet; US: the capital of a corporation as determined by the par or stated value of its total outstanding shares; syn, nominelles Eigenkapital)
Nominalverzinsung f
   (Fin) nominal interest rate
   – cash rate
   – coupon rate
   (ie, Zinssatz bei langfristiger Fremdfinanzierung, der im Finanzierungsvertrag vereinbart wird; effektive Verzinsung weicht regelmäßig hiervon ab)
Nominalwert m
   (Fin) face value (or amount)
   – nominal value (or amount)
   – par value (syn, Nennbetrag, Nennwert)
Nominalwertrechnung f (Fin) par value accounting
Nominalzins m (Fin) = Nominalverzinsung
nominell (com) in money terms (opp, real = in real terms)
nominelle Entschädigung f (Fin) token amount of indemnity

nominelle Kapitalerhaltung f
(Fin) nominal maintenance of capital
– preservation of corporate assets in money terms
– recovery of original cost
(ie, during operating or service life; opp, substantielle Kapitalerhaltung = in real terms)

Nonvaleurs mpl (Bö) securities of little or no value

Nord-Süd-Gefälle n
(com) North-South divide

Normalbrief m (com) standard letter

normales Akkreditiv n (Fin) straight credit

Normalfracht f (com) ordinary cargo

Normalkonditionen fpl (com) standard terms and conditions

Normallaufzeit f (com) original term

Normalrendite f (Fin) normal return

Normaltarif m (com) standard rates
(ie, in rail transportation)

Normalverbraucher m (com) average consumer

Normalverzinsung f (Fin) nominal yield

Nostroeffekten pl
(Fin) nostro securities
– securities owned by a bank

Nostrogeschäft n (Fin) business for own account

Nostroguthaben n
(Fin) credit balance on nostro account
– nostro balance (or account)
(ie, Sichteinlagen, die ein Kreditinstitut bei e–m anderen unterhält; account kept by one commercial bank with another; syn, Interbankengelder)

Nostrokonten npl (Fin) nostro accounts *(ie, liquid balances on deposit with other credit institutions)*

Nostroverbindlichkeit f
(Fin) nostro liability
– due to banks

Nostroverpflichtungen fpl (Fin) nostro commitments *(cf, aufgenommene Gelder)*

Notadresse f (WeR) referee in case of need

Notakzept n (WeR) acceptance in case of need

Notanzeige f (WeR) notice of dishonor

Notar-Anderkonto n (Fin) banking account kept by a notary public in his own name for a third party on a trust basis

Notenbankausweis m (Fin) central bank return

Notenbanker m (Fin) central banker

Notenbankguthaben npl (Fin) central bank balances

Notenbankkredit m (Fin) central bank loan

Notenbankzinssätze mpl (Fin) official interest rates

Nothafen m
(com) port of distress
– port of necessity
– port of refuge

notieren
(Bö) to list *(ie, on the stock exchange)*
– to quote

notiert
(Bö) listed
– quoted

notierte Aktien fpl (Bö) quoted equities

notierter Kurs m (Bö) quoted price

notierte Währung f (Fin) currency quoted
(ie, on the official foreign exchange markets)

notierte Wertpapiere npl (Bö) listed (or quoted) securities

Notierungen fpl **an der Börse** (Bö) official prices (or quotations)

Notierung f **im Freiverkehr** (Bö) over-the-counter (or unofficial) quotation

Notierung f **im Telefonverkehr** m (Bö) off-board quotation

Notierungsmethode f (Bö) quotation technique

Notifikation f (Fin) notification

notifizieren (com) to notify

notifiziertes Factoring *n* (Fin) notification factoring
(syn, offenes Factoring, qv)

Notifizierung *f* (com) notification

Notiz *f* (Bö) quotation

Notizen *fpl* **machen** (com) to take notes *(syn, mitschreiben)*

Notiz *f* **ohne Umsätze** (Bö) nominal quotation

notleidend
(Fin) defaulting
– in default

notleidende Aktiva *npl* (Fin) nonperforming assets

notleidende Bank *f* (Fin) ailing bank
(eg, to rescue an . . .)

notleidende Branche *f* (com) ailing industry

notleidende Kredite *mpl*
(Fin) nonperforming loans
– loan deliquencies
– bad loans

notleidender Kredit *m* (Fin) delinquent/nonperforming . . . loan

notleidender Wechsel *m*
(Fin) bill overdue
– dishonored bill

notleidendes Engagement *n* (Fin) default on a loan

notleidende Wirtschaftszweige *mpl* (com) ailing industries

notleidend werden (Fin) to go into default *(eg, loans)*

Notverkauf *m*
(com) distress
– emergency
– panic . . . sale
– bail out

Notverkäufe *mpl*
(Bö) distress selling
– forced liquidation
(ie, happen when stocks owned on margin are sold because declining prices have impaired or exhausted equities)

Null *f*
(com) zero *(ie, in GB ,nought, nil, oh' are often preferred)*

Nullkuponanleihe *f* (Fin) zero coupon bonds *(syn, Zero Bonds, Nullprozenter)*

Nullkuponemission (Fin) zero bond issue

Nullprozenter *m* (Fin) = Nullkupon-Anleihe, qv

Nulltarif *m*
(com) fare-free transport

Nummernkonto *n* (Fin) number *(or* numbered) account
(ie, account to be kept secret from tax and currency control authorities)

Nummernverzeichnis *n* (Fin) list of securities deposited

nur Bogen (Fin) coupon sheets only

nur Mäntel (Fin) certificates only

nur zur Verrechnung (Fin) account payee only *(ie, phrase put on a check)*

Nutzeffekt *m* (com) efficacy *(ie, power to produce an effect)*

Nutzen *m*
(com) benefit

nutzen
(com, fml) to avail oneself of *(eg, offer, proposal, opportunity)*
– to make use of
– to capitalize on

Nutzfahrzeuge *npl* (com) commercial vehicles

Nutzfahrzeugmarkt *m* (com) commercial vehicles market

Nutzlast *f* (com) pay load

Nutzungsgebühr *f*
(com) royalty *(ie, compensation for the use of property)*

NV-Bescheinigung *f* (Fin) = Nichtveranlagungsbescheinigung, qv

O

oberer Interventionspunkt *m*
(Fin) upper support (*or* buying)
point
– upper intervention rate

obere Zinsgrenze *f* (Fin) interest rate
ceiling

Obergutachten *n* (com) decisive expert opinion

Objekt *n* (com) item of property

objektgebundene Kreditgewährung *f*
(Fin) earmarked lending

Objektkredit *m* (Fin) loan tied to
specific property

Obligation *f*
(Fin) = Anleihe, Schuldverschreibung, qv

Obligationär *m*
(Fin) bondholder
– (GB) debenture holder

Obligation *f* **einlösen** (Fin) to redeem
a bond

Obligationenagio *n* (Fin) bond premium

Obligationendisagio *n* (Fin) bond discount

Obligation *f* **mit Tilgungsplan** (Fin)
sinking fund bond

Obligationsanleihe *f*
(Fin) bond loan
– (GB) debenture loan

Obligationsausgabe *f* (Fin) bond issue

Obligationsgläubiger *m* (Fin) bondholder

Obligationsinhaber *m* (Fin) bondholder

Obligationsschuldner *m*
(Fin) obligor
– bond issuer

Obligationstilgungsfonds *m* (Fin)
bond sinking (*or* redemption) fund

Obligo *n*
(Fin) commitment
– guaranty
– liability

Obligobuch *n* (Fin) commitment
ledger (*ie, kept by bills department
of a bank*)

Obligomeldung *f* (Fin) notification of
liability

Obligoübernahme *f* (Fin) assumption
of commitment (*or* liability)

Oder-Konto *n* (Fin) joint account
(*ie, with the instruction „either to
sign"; opp, Und-Konto*)

offene Bestellungen *fpl* (com) outstanding purchasing orders

offene Darlehenszusagen *fpl* (Fin)
outstanding loan commitments

offene Frage *f*
(com) open question
– matter still in dispute

offene Investmentgesellschaft *f* (Fin,
US) open-end investment . . . company/fund
(*ie, fortlaufende Ausgabe neuer
Anteile und Pflicht zu jederzeitigem
Rückkauf*)

offene Kreditlinie *f* (Fin) open line of
credit (*ie, Differenz zwischen dem
eingeräumten Höchstbetrag und
der in Anspruch genommenen Kreditsumme*)

offene Linie *f* (Fin) unutilized credit
line

offene Position *f* (Fin) exposure (*syn,
Engagement*)

offene Positionen *fpl* (Bö) open commitments (*or* contracts)

offener Auftragsbestand *m* (com)
open orders

offener Buchkredit *m*
(Fin) open book account
– charge account
– open-account financing
– sales on open-account basis
– advance account
(*ie, Bar-, Akzept- od Diskontkredit*)

offene Rechnung *f*
(com) open (*or* outstanding) account
– open-book account
(*ie, Zahlung gegen einfache Rechnung: clean payment*)

offener Fonds *m* (Fin) open-ended fund

offener Immobilienfonds *m* (Fin) open-ended real estate fund

offener Investmentfonds *m* (Fin) mutual (*or* open-ended) fund *(ie, no fixed capital)*

offener Kredit *m* (Fin) unsecured (*or* open) credit

offener Markt *m* (com) open market

offenes Akkreditiv *n* (Fin) clean credit *c cf, Barakkreditiv)*

offenes Angebot *n* (com) open bid *(ie, one allowing price reductions)*

offenes Depot *n* (Fin) open deposit

offenes Factoring *n* (Fin) notification factoring
(ie, Rechnungen enthalten den Hinweis, daß die Forderung im Rahmen e–s Factoring-Vertrages abgetreten wird; syn, notifiziertes Factoring; opp, stilles Factoring, qv)

offenes Konto *n* (Fin) open (*or* current) account

offenes Leasing *n* (Fin) open-end lease
(ie, lessee pays the lessor at the end of the lease term the difference, if any, between a specified amount and the value of the leased property when it is returned to the lessor; so risk of fall in value if on lessee; opp, geschlossenes Leasing = closed-end lease)

offene Stelle *f*
(com) job opening (*or* vacancy)
– opening
– unfilled job (*or* vacancy)
– vacant job
– vacancy

offenes Warenlager *n* (com) public warehouse, § 56 HGB

offenes Wertpapierdepot *n* (Fin) ordinary deposit of securities

offenes Zahlungsziel *n* (Fin) open terms of payment

offenlegen
(com) to disclose
– to reveal

Offenmarktkäufe *mpl* (Fin) purchases in the open-market

Offenmarktpapiere *npl* (Fin) open market paper (*or* securities)

Offenmarkttitel *mpl* (Fin) = Offenmarktpapiere

offenstehende Beträge *mpl* (com) open items

öffentlich anbieten (Bö) to offer for public subscription

öffentlich bestellter Sachverständiger *m* (com) publicly appointed expert

öffentliche Anleihe *f* (Fin) public bond

öffentliche Auflegung *f*
(Bö) public offering
– invitation for general subscription

öffentliche Ausschreibung *f*
(com) public invitation to tender
– advertised bidding

öffentliche Ausschreibung *f*
(com) public invitation to bid
– advertised bidding

öffentliche Bausparkasse *f* (com) public building society

öffentliche Bautätigkeit *f* (com) public construction activity

öffentliche Emission *f* (Fin) public issue (offer) by prospectus

öffentliche Kreditwirtschaft *f* (Fin) public banking industry

öffentliche Plazierung *f*
(Fin) public placement (*or* placing)
– market flotation

öffentlicher Auftrag *m* (com) government contract

öffentlicher Hochbau *m* (com) public construction

öffentlicher Markt *m* (Bö) official market *(syn, amtlicher Markt)*

öffentlicher Wohnungsbau *m* (com) public (*or* government) housing

öffentliches Kaufangebot *n* (com) public offer
(cf, Leitsätze für öffentliche freiwillige Kauf- und Umtauschangebote [LSÜbernahmeangebote] vom Jan 1979; public offers are not exten-

*sively used in the FRG as a method
of acquisition; cf, Über-
nahmeangebot)*

öffentliches Lagerhaus *n* (com) public
warehouse

öffentliche Sparkasse *f* (Fin) public
savings bank

öffentliche Stromversorgung *f* (com)
public power supply

öffentliches Zeichnungsangebot *n*
(Fin) public offering
– public issue by prospectus

öffentliche Versteigerung *f* (com) sale
by public auction

öffentliche Zeichnung *f* (Fin) general
subscription

Öffentlichkeit *f*
(com) public
– general public
– public at large

**öffentlich-rechtliche Grundkreditan-
stalt** *f*
(Fin) public mortgage bank

öffentlich-rechtliche Kreditanstalt *f*
(Fin) public credit institution

öffentlich versteigern
(com) to auction
– to sell by public auction

offerieren
(com) to offer
– to tender

Offerte *f*
(com) offer
– bid
– quotation
– tender

Offerte *f* **machen** (com) to make an
offer

offizieller Devisenmarkt *m* (Fin) official (*or* regulated) market

offizielle Stellungnahme *f* (com) formal statement *(eg, by a company
spokesman)*

Öffnungszeit *f* (com) opening time

Offshore-Auftrag *m* (com, US) offshore purchase order

Offshore-Bankplatz *m* (Fin) offshore
center
*(ie, place with a lot of foreign banks
– and a beach)*

Offshore-Zweigstelle *f*
(Fin) shell branch
– booking center
*(ie, an Orten mit steuerlichen, Auf-
sichts- und administrativen od Pub-
lizitätsvorteilen, in denen Geschäft
verbucht, nicht aber acquiriert und
betreut wird; foreign branch, usu in
a tax haven, which engages in
Eurocurrency business but is run
out of a head office; syn, Buchungszentrum)*

ohne Berechnung
(com) free of charge
– at no charge

ohne Bezugsrecht (Fin) ex rights

ohne Dividende
(Fin) ex dividend
– dividend off

ohne Gewähr
(com) without engagement
(WeR) without recourse *(ie, if
prior indorser signs..., he exempts
himself from liability for payment)*

ohne Gratisaktien (Bö) ex bonus

ohne Kosten (WeR) no protest,
Art. 46, 25 II WG

ohne Kupon (Fin) ex coupon

ohne Notiz (Bö) no quotation

ohne Obligo (com) without engagement

ohne Prämie (Bö) ex bonus

ohne Protest (WeR) = ohne Kosten

ohne Rabatt
(com) without discount
– straight

Ohne-Rechnung-Geschäft *n* (com,
StR) no-invoice deal (*or* transaction)

ohne Regreß (WeR) = ohne Rückgriff

ohne Rückgriff (WeR) without recourse, Art. 9 II WG

ohne Stückzinsen (Bö) ex interest

ohne Umsatz (Bö) no sales

ohne Verlust arbeiten (com) to break
even

ohne Ziehung (Bö) ex drawing

ohne Zinsen notiert (Bö) quoted flat

Ökonomisierung *f* **der Kassenhaltung**

277

Ölförderland

(Fin) efficient employment of money holdings

Ölförderland *n* (com) oil producing country

Ölunfall *m* (com) (accidental) oil spill

optieren (Bö) to make use of an option

optimale Depotzusammensetzung *f* (Fin) portfolio selection

optimale Kapitalstruktur *f* (Fin) optimum capital structure (*or* financing mix)

optimale Restlebensdauer *f* (Bw) optimum remaining life
(*ie, e–r vorhandenen Anlage, für die der Kapitalwert sein Maximum annimmt*)

optimaler Preis *m* (com) optimum (*or* highest possible) price

optimales Angebot *n* (com) optimum offer

optimistische Erwartungen *fpl* (com) buoyant expectations

Option *f*
(com) right of first refusal
– right of choice
(Bö) option (*cf, Übersicht*)

Option *f* **auf Indexterminkontrakte** (Bö) option on index futures

Option *f* **auf Kassakontrakte** (Bö) option on actuals (*ie, vor allem im Wertpapiersektor*)

Option *f* **auf Swaps** (Bö) swapoption (*ie, Vereinbarung, die dem Käufer das Recht gibt, zu e–m Zeitpunkt in der Zukunft in e–n Swap einzutreten, dessen Konditionen beim Kauf der Option festgelegt werden*)

Optionen

	CALL-OPTIONEN	PUT-OPTIONEN
Käufer/Inhaber	eine Call-Option **berechtigt aber verpflichtet nicht,** zu bestimmten Konditionen zu beziehen (funded option).	eine Put-Option **berechtigt aber verpflichtet nicht,** zu bestimmten Konditionen zu liefern (funded option).
	Der Inhaber der Option **verliert im ungünstigsten Fall** die vorab gezahlte Optionsprämie	
	Gewinnmöglichkeiten	
	– unbegrenzt –	– im Zinsband unterhalb des Strike Price –
Verkäufer/Stillhalter	**Verpflichtung** bei Ausübung zu beziehen	**Verpflichtung** bei Ausübung zu liefern
	Der Verkäufer ist bei Ausübung der Option durch den Inhaber an die im voraus garantierten Konditionen gebunden	
	Der **Höchstgewinn** für den Verkäufer der Option ist die vorab erhaltene Optionsprämie	
	Verlustmöglichkeiten	
	– unbegrenzt –	– im Zinsband unterhalb des Strike Price –

Quelle: Handelsblatt, 23. .4. 1987, S. B 3.

Option *f* **auf Terminkontrakte** (Bö)
option on futures
(ie, „Papieranspruch auf Papieransprüche")

Option *f* **ausüben**
(Bö) to exercise an option
– to take up an option

Option *f* **einräumen** (Bö) to grant an option

Optionsanleihe *f*
(Fin) (equity) warrant issue
– warrant bond
– bond with warrants
– (GB) convertible debenture stock
(ie, Anleihe mit Optionsschein (cum); verbriefen dem Inhaber das Recht auf den Bezug von Aktien der Emittentin (equity-linked issue) Unterschied zur Wandelschuldverschreibung: Aktie tritt nicht an die Stelle der Wandelschuldverschreibung, sondern tritt zusätzlich hinzu; cf, Wandelschuldverschreibungen)

Optionsaufgabe *f* (Bö) abandonment of option

Optionsberechtigter *m* (Bö) option holder

Optionsbörse *f*
(Bö) options exchange
– traded options market

Optionsdarlehen *n* (Fin) optional loan

Optionsdauer *f*
(Bö) option period
(Fin) exercise period

Optionsempfänger *m* (Bö) grantee of an option

Optionsfrist *f* (Bö) = Optionslaufzeit

Optionsgeber *m* (Bö) giver of an option

Optionsgeschäft *n* **mit Termindevisen**
(Bö) option forward

Optionsgeschäft *n*
(Bö) options . . . trading/dealings
(Bö) option bargain

Optionshandel *m*
(Bö) trading in options
– options business (*or* trading)

Optionshändler *m* (Bö) option . . .
dealer/trader

Optionsinhaber *m* (Bö) option holder

Optionskäufer *m* (Bö) option buyer

Optionsklausel *f*
(com) option clause
– first refusal clause

Optionskontrakt *m* (Bö) option . . .
contract/deal

Optionslaufzeit *f*
(Bö) life of an option
– option period *(syn, Optionsfrist)*

Optionsnehmer *m* (Bö) taker of an option

Optionspreis *m*
(Fin) warrant exercise price
(ie, Preis, zu dem Aktien bei Optionsanleihen erworben werden können)
(Bö) price of an option *(syn, Prämie)*
(Bö) exercise/strike/striking . . .
price
(ie, Preis für Kauf- und Verkaufsoption, der vom Käufer der Option beim Abschluß zu zahlen ist; syn, Basispreis, Ausübungspreis)

Optionsrecht *n* (Bö) option right
(Bö) stock purchase warrant
(ie, when traded on the stock exchange)

Optionsschein *m* (Fin) warrant
(ie, Recht auf Ausübung der Option ist in getrennten Optionsscheinen verbrieft; wird an der Börse gehandelt)

Options-Swap *m*
(Fin) contingent swap
– contingent interest rate swap
(ie, Konditionen e–r künftigen Zins-Swapvereinbarung werden ex ante fixiert; kombinierte Anwendung der Options- und Swaptechnik)

Optionsverkäufer *m* (Bö) writer of the option

Option *f* **verfallen lassen** (Bö) to allow an option to lapse

Option *f* **verkaufen** (Bö) to write an option

ordentliche Kapitalherabsetzung *f*
(Fin) ordinary capital reduction
*(ie, Verminderung des Haftung-
skapitals; reduction of nominal value of shares and repayment to
shareholders, § 224 AktG)*

Orderklausel *f* (WeR) pay-to-order
clause

Orderkonnossement *n*
(com) order bill of lading
– bill of lading (made out) to
order

Orderladeschein *m* (WeR) shipping
note made out to order, § 363 II
HGB

Orderlagerschein *m*
(WeR) negotiable warehouse receipt
– warehouse receipt made out to
order

Ordermangel *m* (Bö) shortage of
buying orders

Orderpapier *n*
(WeR) order paper
– instrument to order
– instrument made out to order
*ie, Übertragung durch Indossament
und Übergabe: wertpapierrecht-
liche Übertragungserklärung wird
auf die Rückseite des Papiers (in
dosso) gesetzt und unterzeichnet;
Folge: Weitgehender Ausschluß
von Einwendungen aus dem
Grundgeschäft; damit starke Stellung des Erwerbers; Typen:
Namensaktie, Namensscheck,
Wechsel, Zwischenschein sowie die
‚gekorenen Papiere' des § 363
HGB)*

Orderscheck *m*
(WeR) check to order
– order check

Orderschuldverschreibung *f*
(WeR) order bond
– registered bond made out to
order

Order- und Inhaberpapiere *npl*
(WeR) negotiable instruments
*(ie, payable to order or bearer; syn,
Wertpapiere i. e. S.)*

Ordervermerk *m* (WeR) order clause
Ordervolumen *n*
(Bö) total (*or* volume of) buying
orders

ordnungsgemäß einberufene Sitzung *f*
(com) regularly/properly consti-
tuted meeting

ordnungsgemäße Zahlung *f* (Fin)
payment in due course

ordnungsgemäß zugestellt (com) duly
served

ordnungsmäßig einberufene Sitzung *f*
(com) duly convened meeting

organischer Bestandteil *m* (com) in-
tegral part

Organkredit *m* (Fin) loan to officers
and related persons
*(ie, wird an Mitglieder des Auf-
sichtsrats, Vorstands, leitende
Angestellte e–r Unternehmung und
deren Ehegatten und Kindern
gewährt; bei Banken Erweiterung
auf alle Beamten und Angestellten;
cf, § 15 KWG; loan extended by a
company to its officers [supervisory
board, managing board, managerial employees] and their spouses
and minor children)*

OR-Geschäft *m* (com, StR) = Ohne-
Rechnung-Geschäft

Orientierungspreis *m*
(com) introductory (*or* informa-
tive) price

Orientierungsrahmen *m*
(com) guide lines
– long-term program

Orientierungswert *m* (com) rule-of-
thumb value

Original *n* (com) original *(ie, of any
document, letter, etc.)*

Originalausfertigung *f* (com) original
document

Originaldokument *n* (com) source
document

Originalfaktura *f* (com) original invoice

Originalfracht *f* (com) original
freight

Originalrechnung *f* (com) original invoice

Originalverpackung f (com) original package (or wrapping)
Originalwechsel m (WeR) original bill of exchange
örtlicher Markt m (com) local market
(ie, which may also be ‚Binnenmarkt‘ or ‚Inlandsmarkt‘)
Ortsbrief m (com) local letter
Ortsgespräch n (com) local call
ortskundig (com) having local knowledge
Ortsteilnehmer m (com) local subscriber
ortsübliche Miete f (com) local rent
Ort m **und Tag** m **der Ausstellung**

(com) place and date of issuance (or issue)
Otto Normalsteuerzahler m (com, infml) John Citizen, the taxpayer *(ie, the average taxpayer left without the benefit of tax loopholes)*
Otto Normalverbraucher m (com, infml) John Doe
– John Citizen
– (GB) Mr. A. N. Onymous
(ie, the average, anonymous man)
Outright-Termingeschäfte npl (Bö) outright forward transactions
Outright-Terminkurs m (Bö) outright price

P

Pacht f
(com) lease
pachten
(com) to lease *(ie, land or building)*
– to take on lease
(Note that ‚to lease‘ also means ‚verpachten‘ in the sense of ‚to let on lease‘)
Pachtwert m (com) rental value
Päckchen n
(com) small parcel
– petit paquet *(ie, up to 2 kg, but 1 kg if sent abroad)*
packen
(com) to pack *(eg, into boxes, cases)*
Packerei f (com) packing department
Packliste f (com) packing list
Packmaterial n
(com) packing
– packing material
(com) dunnage
(ie, other than packaging)
Packpapier n (com) wrapping paper
Packstück n
(com) package
– parcel

Packung f
(com) pack *(ie, any size)*
– (GB) packet
Packungsgestaltung f (com) packaging
Packzettel m (com) packing (or shipping) slip
paginieren (com) to number pages
Paginiermaschine f (com) (page) numbering machine
Paket n
(com) parcel
– (US, *also*) package
(com) package deal *(or offer)*
(Fin) block *(or parcel)* of shares
Paketabschlag m
(Fin) share block discount
– blockage discount
(ie, reduction in the price of a large block or parcel of stock)
Paketbesitz m (Fin) 25-percent block of shares
Paketempfangsschein m (com) parcel receipt *(ie, made out by a shipping company)*
Pakethandel m
(Bö) block trading
– large-lot dealing

(ie, Handel mit Aktienpaketen, meist außerhalb der Börse)

Paketkarte *f*
(com) parcel dispatch slip
– parcel mailing form

Paketlösung *f* (com) package solution
(ie, detailed treatment of problems)

Paketmakler *m* (Bö) block trader

Paketpost *f* (com) parcel post

Paketsendung *f*
(com) parcel
– (US) package

Paketumschlagstelle *f* (com) parcel rerouting center

Paketverkaufsgewinn *m* (Fin) gain on disposal of block of shares

Paketzuschlag *m*
(Bö) share block premium
– extra price on block of shares
(ie, percentage × share price)
– pay-up *(ie, premium paid on block of shares)*

Paketzustellung *f* (com) parcel delivery

Palette *f* (com) pallet
(ie, portable platform used in conjunction with fork-lift truck – Gabelstapler – or pallet truck for lifting and moving materials)

Palettenbanking *n* (Fin) multi-product banking

Palettenladung *f* (com) palette load

palettieren (com) to palletize

palettierte Güter *npl* (com) palletized goods

Panikkäufe *mpl* (com) panic (*or* scare) buying

Panikverkäufe *mpl* (Bö) panic selling

Papiere *npl*
(Fin) securities

Papiere *npl* **aus dem Altgeschäft** (Fin) pre-currency-reform securities

Papier *n* **einspannen** (com, EDV) to load paper *(eg, into typewriter, printer)*

Papierhersteller *m* (com) paper maker

Papierindustrie *f* (com) paper industry

Papierkorb-Post *f* (com) junk mail

Papier *n* **mit Maßeinteilung** (com) scaled paper

Papier *n* **ohne Maßeinteilung** (com) non-scale paper

Papiersack *m*
(com) paper bag

papierverarbeitende Industrie *f* (com) paper converting industry

Papierverarbeiter *m* (com) paper converter

Pappe *f*
(com) paperboard
– cardboard *(ie, nontechnical term)*

Parallelanleihen *fpl*
(Fin) parallel loans
– back-to-back loans
(ie, two firms in separate countries borrow each other's currency for a specified period of time; such a swap creates a covered hedge against exchange loss since each company, on its own books, borrows the same currency it repays)

Parallelaufträge *mpl* (Bö) matched orders

Parallelmarkt *m* (Bö) parallel (foreign exchange) market
(ie, gebräuchlich besonders für e-n inoffiziellen Devisenmarkt, der im Ggs zum schwarzen Markt geduldet wird)
(Bö) parallel stock market
(ie, die beiden unteren vertikalen Marktsegmente der Amsterdamer Börse, 1982 eingerichtet; auch in Deutschland für untere Segmente benutzt)

paramonetäre Finanzierungsinstitute *npl*
(Fin) nonfinancial (*or* nonmonetary) intermediaries *(syn, sekundäre F.)*

paraphieren (com) to initial *(eg, contract)*

Pari-Bezugsrecht *n* (Bö) par rights issue

Pari-Emission *f*
(Bö) issue at par
– par issue

Parikurs *m*
(Fin) par of exchange
– par rate
(Bö) par price
pari notieren
(Bö) to quote at par
Pari-Passu-Klausel *f* (Fin) = Gleich-besicherungsklausel
Parirückzahlung *f* (Fin) redemption at par
Paritätengitter *n* (Fin) = Paritäten-raster
Paritätenraster *m* (Fin) parity grid
(ie, matrix of bilateral par values for the currencies of members of the European Monetary System; it establishes the intervention prices between each member government is obliged to maintain exchange value of currency in terms of every other group currency; die in Form e–r Matrix (Gitter) aufgezeichneten bilateralen Leitkurse der EWS-Währungen, Paritätengitter, syn, Gitter bilateraler Leitkurse)
Paritätsänderung *f* (Fin) parity change
Paritätskurs *m* (Fin) parity price
Paritätstabellen *fpl* (Bö) parity tables
Parität *f* (Fin) parity
(ie, offizielles Austauschverhältnis nationaler Währungen, bezogen auf gemeinsamen Nenner; statt Parität spricht man heute von ‚Leitkurs‘, wenn es sich um amtlich fixierte Wechselkursrelation handelt)
parken (Fin) to invest temporarily
Parkett *n*
(Bö) floor
– official market *(opp, Kulisse)*
Parkplatz *m*
(com) car park(ing facilities)
– (GB) car parking lot
(com) parking space
– (GB) parking bay
(Fin) temporary investment
Partei *f* **ergreifen** (com) to side (with/against)
Parteninhaber *m* (com) part owner of a ship

Partenreederei *f* (com) shipowning partnership, § 489 HGB
partiarischer Darlehensgeber *m* (Fin) lender with participation in debtor's profits
partiarisches Darlehen *n*
(Fin) profit participating loan
(ie, loan which entitles the creditor to a profit participation = Verzinsung abhängig vom Gewinn oder Ergebnis des Unternehmens; deshalb meist ergebnisunabhängige Mindestverzinsung)
Partie *f*
(com) consignment
(Bö) parcel
– lot
Partiehandel *m* (Bö) spot business
Partiekauf *m* (com) sale by lot
Partieware *f*
(com) job *(or* substandard) goods
– job lot
Partikulier *m* (com) independent barge-owner
Partikulierschiffahrt *f* (com) private inland waterway shipping
Partizipationsgeschäft *n* (com, Fin) joint transaction
Partizipationskonto *n* (Fin) joint account
Partizipationsschein *m* (Fin) participating receipt
Partnerwährung *f* (Fin) partner currency
passive Kreditbereitschaft *f* (Fin) readiness to borrow
passive Kreditgeschäfte *npl* (Fin) = Passivgeschäfte
passiver Verrechnungssaldo *m* (Fin) debit balance on inter-branch account, § 53 KWG
Passivfinanzierung *f* (Fin) liabilities-side financing
(ie, financing transaction expanding the volume of equity and outside capital; opp, Aktivfinanzierung)
Passivgelder *npl* (Fin) borrowings
Passivgeschäft *n* (Fin) deposit business

Passivkredit

(Fin) borrowing transaction *(ie, of banks)*

Passivkredit *m* (Fin) borrowing *(ie, by a bank)*

Passivstruktur *f* (Fin) structure of liabilities

Passivwechsel *m* (Fin) bill payable

Passivzinsen *mpl*

(Fin) deposit interest rates
– interest on deposits

Patentrezept *n* (com) = Patentlösung, qv

Patron *m* (Fin) issuer of a letter of comfort

Patronatserklärung *f*

(Fin) letter of comfort
– letter of awareness
– letter of intent
letter of responsibility
(ie, im Anleihe- od Kreditgeschäft: Erklärung e–r Konzernmutter, durch die e–m Kreditgeber e–r Tochtergesellschaft ein Verhalten in Aussicht gestellt wird, durch das sich die Befriedigungsaussichten des Kreditgebers verbessern; kein unmittelbarer Zahlungsanspruch gegen die Mutter; weder Bürgschaft noch Garantievertrag; Mutter muß der Tochter jedoch die notwendigen Mittel zuführen; andernfalls schadenersatzpflichtig; die juristische Bandbreite kann von weichen kaufmännischen Wohlwollenserklärungen bis zu harten Verpflichtungen mit garantieähnlichem Inhalt reichen: cf, Staudinger-Horn: BGB, 12. Aufl. 1982, Vorbem. zu §§ 765-778)

pauschal

(com) flat *(eg, amount, rate)*
– across-the-board *(eg, pay rise)*
– lump-sum

Pauschalabfindung *f* (com) lump-sum settlement *(or* compensation)

Pauschalangebot *n* (com) package offer *(or* deal)

Pauschalbeitrag *m* (com) lump-sum contribution

Pauschalbetrag *m* (com) lump sum

Pauschale *f*

(com) lump sum
– standard allowance
– flat charge

Pauschalentschädigung *f* (com) lump-sum compensation

pauschaler Beitrag *m* (com) flat-rate contribution

Pauschalfracht *f* (com) flat-rate freight

Pauschalgebühr *f* (com) flat charge *(or* fee)

Pauschalhonorar *n*

(com) flat (rate) fee
– lump-sum payment for professional services

pauschalieren (com) to set down as a lump-sum

Pauschalierung *f*

(com) consolidation into a lump sum

Pauschalkauf *m* (com) basket purchase *(ie, mostly ,Investitionsgüter = capital goods)*

Pauschalpreis *m*

(com) all-inclusive
– flat-rate
– lump-sum . . . price

Pauschalreise *f*

(com) package tour *(ie, all-expense tour)*

Pauschalreisender *m* (com) package tourist

Pauschalsatz *m* (com) all-in/flat . . rate

Pauschalvergütung *f* (com) fixed allowance

Pauschalwert *m*

(com) global value
– overall value

Pauschbetrag *m*

(com) flat amount
– lump sum

Pauschgebühren *fpl* (com) lump-sum fees

Pauschsatz *m* (com) lump-sum charge

Pauschvergütung *f* (com) flat-rate compensation

Pause *f* **einlegen** (com) to break off

pendeln (com) to commute *(ie, between home and work)*
Pendelverkehr *m* (com) local commuter travel *(eg, as a major source of Bundesbahn losses)*
Pendler *m* (com) commuter
Pensionsfonds *m* (Fin) retirement fund
Pensionsgeschäft *n* (Fin) security pension transaction
– repurchase operation
– repos
– buy-back
(ie, sale and repurchase scheme by which banks sell securities to the central bank for a limited period; syn, Wertpapierpensionsgeschäft)
Pensionsnehmer *m* (Fin) lender
Pensionsofferte *f* (Fin) tender from banks for a credit against securities
Pensionswechsel *m* (Fin) bill pledged *(ie, bill of exchange deposited with a bank as security for a loan)*
per Aval (Fin) ‚as guarantor‘ *(ie, of bill of exchange)*
per Erscheinen (Fin) when issued
Periodenvergleich *m* (com) period-to-period comparison
periodische Rückzahlung *f* **von Schulden** (Fin) periodic repayment of debt
– amortization of debt
per Kasse (Bö) cash
per Kasse kaufen (Bö) to buy spot
per Kasse verkaufen (Bö) to sell spot
per Nachnahme (com) charges collect *(or forward)*
Personal *n* (com) personnel
– employees
– staff
Personalabbau *m* (com) cut *(or cutback)* in employment *(or staff)*
– manpower reduction
– paring workforce
– reduction in personnel *(or in workforce)*

– slimming of workforce *(or manning levels)*
– staff reduction
Personal *n* **abbauen** (com) to slim
– to pare
– to trim ... workforce
– to reduce personnel
– to cut staff
Personalausweis *m* (com) identification *(or identity)* card
– ID card
Personal *n* **im Außendienst** (com) field staff
Personalkredit *m* (Fin) personal loan *(or credit)* *(ie, extended by bank on personal security only)*
Personendepot *n* (Fin) register of security deposit holders *(syn, persönliches Depotbuch, Verwahrungsbuch, [obsolete:] lebendes Depot; opp, Sachdepot)*
Personenfernverkehr *m* (com) long-distance passenger traffic
Personenfirma *f* (com) family-name firm *(ie, firm name of sole proprietorship, general commercial or limited partnership, §§ 18ff HGB; opp, Sachfirma)*
Personengesellschaft *f* (com) association without independent legal existence
– unincorporated firm
– *(roughly)* partnership
(ie, general category comprising OHG, KG, stille Gesellschaft, and BGB-Gesellschaft; opp, Kapitalgesellschaft)
Personennahverkehr *m* (com) short-distance passenger traffic
Personentarif *m* (com) passenger tariff
– rate scale for rail passengers
Personenverkehr *m* (com) passenger traffic
– transportation of passengers
persönliche Beteiligung *f* (Fin) personal investment *(or participation)*

persönliche Einrede *f* (WeR) personal defense
(ie, not good against a holder in due course, but against certain parties: all defenses not real or absolute)

persönliche Gegenstände *mpl* (com) personal-use items

persönlicher Barkredit *m* (Fin) personal loan

persönlicher Dispositionskredit *m* (Fin) personal drawing credit
(cf, Dispositionskredit)

persönlicher Kleinkredit *m* (Fin) loan for personal (non-business) use

persönliches Anschaffungsdarlehen *n* (Fin) personal loan
(ie, medium-term installment credit of DM2,000–25,000, extended to individuals and small businesses)

persönliches Depotbuch *n* (Fin) = Personendepot

persönliches Engagement *n* (com) personal commitment

persönliches Gespräch *n* (com, infml) head-to-head talk

persönliche Sicherheit *f* (Fin) personal security
(ie, guaranty for another person whose credit standing is insufficient to justify credit on his single name; there is simply the signature of some other person assuming financial responsibility, such as endorsement, guaranty, or surety; opp, dingliche Sicherheit = collateral security)

persönlich haftender Gesellschafter *m* (com) full
– general
– unlimited . . . partner
– personally liable partner
(ie, fully participating in the profits, losses and management of the partnership and fully liable for its debts)

per Termin handeln (Bö) to trade for future delivery

per Termin kaufen (Bö) to buy forward

Pfandbrief *m* (Fin) mortgage bond
(ie, festverzinsliche, unkündbare Schuldverschreibung e–s Kreditinstituts (Pfandbriefanstalt) zur Finanzierung von Hypothekarkrediten; gängige Laufzeiten 15–25 Jahre; heute auch schon ‚Kurzläufer' mit 10-jähriger Laufzeit; lombardfähig, mündelsicher und deckungsstockfähig; German mortgage bonds are backed by a pool of mortgages on German real estate; mortgage bank has a claim not only on the mortgaged properties but also on the other unpledged assets of the borrower himself; note that defaults or rescheduling of public sector domestic loans are a totally unknown phenomenon in Germany)

Pfandbriefabsatz *m* (Fin) sale of mortgage bonds

Pfandbriefanleihe *f* (Fin) mortgage-bond issue

Pfandbriefanstalt *f* (Fin) special mortgage bank (*or* institution)
(ie, arranges the issue of mortgage bonds and lends the money raised to house buyers, mostly organized under public law)

Pfandbriefausstattung *f* (Fin) terms of mortgage bonds

Pfandbriefdisagio *n* (Fin) mortgage bond discount

Pfandbriefemission *f* (Fin) mortgage bond issue

Pfandbriefmarkt *m* (Bö) mortgage bond market
(ie, part of fixed-interest securities market: key indicator of capital market situation)

Pfandbriefumlauf *m* (Fin) mortgage bonds outstanding

Pfanddepot *n*
(Fin) pledged-securities depot *(syn, Depot C)*
– pledged account

Pfandeffekten *pl* (Fin) pledged securities *(syn, Lombardeffekten)*

Pfandindossament *n* (WeR) pledging endorsement

(ie, made to deliver securities in pledge, esp instruments made out to order, Art. 19 WG)

Pfandleiher *m* (Fin) pawnbroker
(ie, lending money, usu in small sums, on security of personal property left in pawn)

Pfandverwahrung *f*
(Fin) pledging of securities to a ‚merchant‘ *(ie, who, upon becoming the lien creditor, has the rights and duties of a depositary, § 17 DepG)*

Pflichtaktie *f* (Fin) qualifying share

Pflichtbekanntmachung *f* (Bö) obligatory stock exchange notice

Pflichteinlage *f* (Fin) compulsory contribution to capital *(ie, payable by limited partner of KG)*

Pflichtmitgliedschaft *f* (com) compulsory membership

Pflichtreservesatz *m* (Fin) statutory reserve ratio

Phantasiewerte *mpl*
(Bö) bazaar securities
– cats and dogs *(ie, highly speculative stocks)*

Phantomfracht *f* (com) phantom freight

Pharmaindustrie *f* (com) = pharmazeutische Industrie

Pharmaunternehmen *n* (com) drug company

Phonotypistin *f* (com) audio-typist

physische Ware *f* (Bö) actuals *(syn, effektive Ware, qv)*

Pilotkunde *m* (com) launch customer *(syn, Erstbesteller, qv)*

Pilotprojekt *n* (com) pilot project

Placierung *f* (Fin) = Plazierung

Plafond *m*
(com) ceiling
– limit

plafondieren (Fin) to set a limit

Plafondierung *f*
(Fin) setting a limit
– ceiling control

Plagiat *n* **begehen**
(com) to plagiarize
– to lift

(eg, violate copyrights, as a copycat; eg, from a leading book on the subject, from this dictionary, etc; syn, plagiieren)

Plan *m*
(com) plan
– program
– budget
– scheme

Planabschnitt *m* (Fin) budget period

Plan *m* **aufschieben** (com) to suspend *(or shelve)* a plan

Plan *m* **bekanntgeben**
(com, infml) to unveil a blueprint *(for)*

Planbilanz *f* (Fin) budgeted balance sheet

planen
(com) to plan
– (infml) to figure ahead

planmäßige Tilgungen *fpl* (Fin) scheduled repayments

planmäßig
(com) on schedule *(eg, project goes ahead on schedule)*
– according to plan

Planung *f* **optimaler Kassenhaltung** (Fin) cash projection

Platzagent *m* (com) = Platzvertreter

Platzakzept *n* (Fin) local acceptance

platzen (Fin, sl) to bounce *(ie, check)*

platzen lassen (WeR) to dishonor *(ie, bill or check)*

Platzgeschäft *n*
(com) local transaction
– spot contract

Platzhandel *m*
(com) local trade
– spot business

Platzkarte *f* (com) seat reservation ticket

Platzkurs *m*
(com) spot rate
– spot market price

Platzmakler *m* (com) spot broker

Platzprotest *m* (WeR) protest for absence *(of drawer)* *(syn, Abwesenheitsprotest)*

Platzscheck *m* (Fin) local check

platzüberschreitender Effektenver-

287

kehr *m* (Bö) non-local securities transactions
(ie, may also be termed ‚supra-regional')

Platzüberweisungsverfahren *n* (Fin) local transfer procedure

Platzüberweisung *f* (Fin) local credit transfer

Platzusancen *pl* (Fin) local practice

Platzverkauf *m* (com) sale on the spot

Platzvertreter *m*
(com) local agent
– town traveller

Platzwechsel *m* (Fin) local bill *(opp, Distanzwechsel)*

Platzzahlungsverkehr *m* (Fin) local payments *(ie, between banks in towns with a Federal Bank office)*

plazieren
(com) to place *(ie, a product on the market)*
(Fin) to place *(ie, new securities: selling them to the public at large)*

Plazierung *f*
(com) placing *(ie, a product on the market)*
(Fin) placement *(ie, of securities in the market)*

Plazierung *f* **durch Konsortium** (Fin) syndication

Plazierung *f* **e–r Anleihe** (Fin) placement *(or* issue) of a loan

Plazierung *f* **e–r Emission** (Fin) placement of an issue

Plazierungsgeschäft *n* (Fin) security placing business

Plazierungskonsortium *n*
(Fin) issuing group *(syn, Begebungskonsortium, Verkaufsgruppe)*
– issuing syndicate
– selling . . . group/syndicate

Plazierungskurs *m* (Fin) placing price

Plazierungsprovision *f* (Fin) selling commission

Plazierungsvertrag *m* (Fin) placing agreement

Pleite *f*
(com) bankruptcy

– business failure
(com, infml) flop
– falling by the wayside
– going to the wall

pleite (com) = bankrott, qv

pleite gehen (com, infml) to go bust
– to go to the wall
– to cave in

Pleite *f* **machen**
(com, infml) to go bust
– to fall by the wayside
– to go to the wall

Plenumsdiskussion *f* (com) floor discussion

Plunderpapiere *npl* (Fin, infml) junk bonds

Plusankündigung *f* (Bö) share price markup

Pluskorrektur *f* (Bö) upward adjustment

Pluskorrekturen *fpl* **überwogen** (Bö) markups dominated

plus Stückzinsen (Fin) and interest

Podiumsdiskussion *f* (com) panel discussion

Point & Figure Chart *m* (Bö) point & figure chart
(ie, Instrument der technischen Aktienanalyse; dient der Darstellung der Kursentwicklung und als Prognoseinstrument)

politisches Risiko *n* (Fin, Vers) political risk

Pool *m*
(Fin) pooling of security-holdings

Poolkonsortium *n*
(Fin) pool syndicate
– pool management group

Portefeuille *n*
(Fin) portfolio
– holdings

Portefeuille-Analyse *f* (Fin) portfolio analysis
(ie, bezieht auch die Planung e–s Programms von Realinvestitionen unter Unsicherheit ein)

Portefeuille-Bewertung *f* (Fin) portfolio valuation

Portefeuille-Effekten *pl* (Fin) portfolio securities

Portefeuille-Strukturierung *f* (Fin) asset allocation
(ie, Phase der Portefeuille-Analyse: berücksichtigt neben Ertragserwartungen auch das Risiko)

Portefeuille-Umschichtung *f* (Fin) portfolio (*or* investment) switching

Portefeuille-Umschichtung *f* **auf höherverzinsliche Anleihen** (Fin) coupon switching

Portefeuille-Wechsel *m* (Fin) portfolio bill

Portfolioinvestition *f* (Fin) portfolio investment
(ie, Erwerb ausländischer Wertpapiere und von Beteiligungstiteln an Unternehmen; bestimmend sind Renditeüberlegungen, nicht Einfluß auf die Geschäftstätigkeit; opp, Direktinvestition)

Portfolio-Versicherung *f* (Fin) portfolio insurance
(ie, verschiedene Formen von Hedging-Strategien, um große Portfolios vor Kursverlusten zu schützen; im Rahmen des Programmhandels durch Optionen und Financial Futures)

Porto *n* (com) postage

portofrei
(com) postpaid
– (GB) post-free

Portogebühren *fpl* (com) postage charges (*or* fees)

Porto *n* **und Verpackung** *f* (com) postage and packing

Portozuschlag *m* (com) extra postage

Position *f*
(Fin) position *(syn, Wertpapierposition)*
(Bö) position *(ie, month in which futures contracts mature; eg, December position)*

Position *f* **glattstellen**
(Bö) to liquidate a position
– to close out a long position
(opp, Deckungskauf = covering, to close out a short position)

Positionsauflösung *f* (Fin) liquidation of commitments

Positionsbereinigung *f* (Bö) position squaring

Positionslimit *n* (Fin) position limit
(eg, as prescribed by SOFFEX)

Positionspapier *n* (com) position paper

Post *f*
(com) postal service
– (GB) Post Office
(com) mail
– (GB) post

Postabholer *m*
(com) caller for mail

Postabholung *f* (com) collection of mail

Postanschrift *f*
(com) mailing address
– (GB) postal address

Postantwortschein *m* (com) international reply coupon

Postanweisung *f* (Fin) postal remittance

Postausgang *m* (com) outgoing mail

Postbarscheck *m* (Fin) postal check

Postbote *m*
(com) mailman
– (GB) postman

Posteingang *m* (com) incoming mail

Posteinlieferungsschein *m* (com) post-office receipt

Posten *m*
(com) item
– entry
– lot

Postengebühr *f*
(Fin) item-per-item charge
– entry fee

Postfreistempler *m* (com) franking machine

Postgebühren *fpl*
(com) mailing charges
– (GB) postal charges

Postgeheimnis *n* (com) postal secrecy

Post-Giro *n* (com) postal giro transfer
(ie, new term for ‚Postscheckverkehr')

Postgiroamt *n*
(Fin) Postal Giro and Savings Office
– (GB) National Giro Centre

Postgiroguthaben *n*
(Fin) postal giro account balance
– deposit in postal giro account

Postgirokonto *n*
(Fin) postal check account
– (GB) national giro account

Postgiroscheck *m*
(Fin) postal transfer check
– (GB) National Giro Transfer Form

Postgiroteilnehmer *m* (Fin) postal giro account holder

Postgiroverkehr *m* (Fin) postal giro transfer system

postlagernd
(com) general delivery
– (GB) poste restante

postlagernder Brief *m* (com) letter to be called for

postlagernde Sendung *f* (com) poste restante mail

Postlaufkredit *m*
(Fin) mail credit
– mailing time credit

Postleitzahl *f*
(com) postal district code number
– (US) zip code (*ie, acronym for Zone Improvement Plan*)
– (GB) post-code

Postleitzahlverzeichnis *n* (com) zip code (*or* post-code) register

Post-Nachsendung *f* (com) mail re-routing
(*ie, to temporary address or to changed domicile*)

postnumerando (Fin) at the end of the period

postnumerando-Rente *f* (Fin) ordinary annuity

Postpaket *n*
(com) package
– (GB) packet

Postsendungen *fpl* (com) postal consignments

Postspardienst *m* (Fin) postal savings scheme

Postsparkasse *f* (Fin) postal savings bank

Postsparkassendienst *m* (Fin) postal savings bank service

Poststempel *m*
(com) date stamp
– postmark

Postübersendung *f* (com) transmission by mail (*or* post), § 375 BGB

Postüberweisung *f* (Fin) postal remittance (*or* giro transfer)

Postversandauftrag *m* (com) mail order

Postversandkatalog *m* (com) mail order catalog

Postverteilung *f* (com) routing of incoming mail

Postwagen *m*
(com) mail car
– (GB) postal van

postwendend
(com) by return mail
– (GB) by return post

Postwurfsendung *f*
(com) direct mail advertising
– unaddressed mailing
– bulk mail

Postzahlungsverkehr *m* (Fin) postal money transfer system

Postzustellbezirk *m* (com) postal delivery zone

Postzustellung *f* (com) postal delivery

potentieller Käufer *m*
(com) prospective buyer
– prospect

potentieller Kreditgeber *m* (Fin) potential lender

praenumerando (Fin) in advance

praenumerando-Rente *f* (Fin) annuity due

praenumerando-Zahlung *f* (Fin) payment beforehand

Präferenz-Seefrachtraten *fpl* (com) preferential rates

Praktikum *n* (com) traineeship
(*ie, 6-month period served in industry as part of an undergraduate course*)

praktische Zweckmäßigkeit *f* (com) practical expediency

praktizieren (com) to practice (*ie, a profession: doctors and lawyers*)

Prämienanleihe *f* (Fin) premium bond (*syn, Agioanleihe, qv*)

Prämienaufgabe *f* (Bö) abandonment
Prämienbrief *m* (Bö) option contract
Prämienerklärungstag *m* (Bö) option day
Prämienerklärung *f* (Bö) declaration of options
Prämiengeschäft *n*
(Bö) dealing in options
– option dealing
– stock exchange options
(ie, Form des bedingten Terminge-schäfts zur Risikominderung von Termingeschäften; Möglichkeit, zum Prämienkurs zu erfüllen od gegen Entrichtung der Prämie zurückzutreten; buyer or seller can withdraw from concluding the transaction by paying a premium agreed upon in advance)
(Bö) option bargain
Prämienhändler *m* (Bö) option dealer
Prämienkäufer *m* (Bö) option buyer
Prämienkurs *m* (Bö) option price (*or* rate)
Prämiennehmer *m* (Bö) taker of option money
Prämiensatz *m*
(Bö) option rate (*or* price)
Prämienschuldverschreibung *f* (Fin) premium bond
Prämienverkäufer *m* (Bö) taker of an option
Prämienwerte *mpl* (Bö) option stock
Prämienzahler *m* (Bö) giver of the rate
Prämie *f*
(Bö) option money
Präsentationsfrist *f* (WeR) time for (*or* of) presentment (*syn, Vorle-gungsfrist)*
Präsentieren *n* (WeR) presentment of bill of exchange *(ie, for accept-ance or payment)*
praxisbezogen (com) practical
Preis *m*
(com) price
– charge
– rate
– (infml) tab

Preis *m* **ab Erzeuger** (com) factory price
Preisänderungen *fpl* **vorbehalten** (com) prices subject to change without notice
Preisanfrage *f*
(com) price inquiry
Preisangabe *f*
(com) price
(com) quotation
Preis *m* **angeben** (com) to quote a price
Preisangebot *n*
(com) price quotation
– quotation
– quoted price
– quote
Preisanhebung *f* (com) price rise (*or* increase)
Preisanstieg *m*
(com) price increase
– upturn in prices
Preisaufschlag *m*
(com) extra price
Preisauftrieb *m*
(com) upward trend of prices
– upsurge of prices
Preis *m* **aushandeln** (com) to negoti-ate a price
Preisausschläge *mpl* (com) price fluc-tuations
Preisauszeichnung *f*
(com) price marking
– labeling
Preisbasis *f* (com) basis of quotation
Preis *m* **beeinflussen** (com) to affect a price
Preis *m* **bei Anlieferung** (com) landed price
Preis *m* **bei Barzahlung** (com) cash price
Preis *m* **bei Ratenzahlung**
(com) deferred payment price
– (GB) hire purchase price
Preis *m* **bei sofortiger Lieferung** (com) spot price
Preis *m* **berechnen** (com) to charge a price
Preis *m* **berichtigen** (com) to adjust a price

291

Preisberuhigung f (com) steadying of prices

Preisbeschluß m **fassen**
(com) to take a decision to raise or lower prices)

Preisbewegung f (com) price tendency

Preisbildung f
(com) pricing
– setting of prices

Preisbildungsfaktoren mpl (com) price determinants

Preisbrecher m
(com) price cutter
(com) price cutting article

Preisdifferenz f (com) price difference (or differential)

Preis-Dividenden-Rate f (Fin) price-dividend ratio

Preisdruck m (com) pricing pressure (eg, imposed by exporters)

Preise mpl **anheben**
(com) to increase
– to raise
– to lift . . . prices

Preise mpl **auszeichnen** (com) to mark articles with prices

Preise mpl **drücken**
(com) to run down prices
– (infml) to shave prices

Preise mpl **erhöhen**
(com) to increase
– to raise
– to lift
– to up
– to send up . . . prices

Preise mpl **explodieren**
(com) prices hit the roof
– prices go through the ceiling

Preise mpl **geben nach** (com) prices ease (or soften)

Preise mpl **gelten für** (com) prices are for . . .

Preise mpl **herabsetzen** (com) to take markdowns

Preise mpl **hochtreiben**
(com) to push up prices
(com) to bid up prices

Preiseinbruch m
(com) sharp dip in prices

– steep fall in prices
– steep slide of prices (ie, prices take a tumble)
– break in the market

Preisempfehlung f (com) price recommendation

preisempfindlicher Markt m (com) price-sensitive market

Preise mpl **niedrig halten** (com) to keep down prices

Preisentwicklung f (com) movement (or trend) in prices

Preiserhöhung f **durchsetzen** (com) to force/put . . . through a price rise

Preiserhöhungsspielraum m
(com) scope for raising prices

Preiserhöhung f
(com) price increase
– price rise
– price advance
– (infml) price hike

Preiserholung f (com) price recovery

Preisermittlung f (com) pricing

Preise mpl **senken**
(com) to decrease
– to cut
– to cut down
– to trim
– to pare down
– to reduce
– to slash . . . prices

Preise mpl **überwälzen** (com) to pass prices on to customers

Preise mpl **verfallen** (com) prices tumble precipitously

Preisexplosion f
(com) price explosion
– price jump
– (infml) fly-up of prices (eg, to meet the much higher market clearance level)

Preise mpl **ziehen an**
(com) prices rise
. . . improve
. . . look up

Preise mpl **zurücknehmen** (com) to roll back prices (ie, in order to cancel an earlier price hike)

Preis m **festsetzen**
(com) to fix

– to determine
– to set/cost . . . a price
Preisfestsetzung *f*
(com) price setting
– pricing
Preis *m* **frei Bestimmungshafen** (com)
landed price
Preis *m* **freibleibend**
(com) price subject to change
without notice
– price without engagement
Preis *m* **frei Haus**
(com) door-to-door price
– delivered price
*(ie, includes all costs incurred in
getting the goods to the buyer's premises)*
Preisgebot *n* (com) bidding
Preisgefälle *n* (com) price differential
Preisgestaltung *f* (com) pricing
Preis-Gewinn-Rate *f* (Fin) price-earnings ratio
Preisgleitklausel *f*
(com) price escalator (*or* escalation) clause
– escalator clause
– price redetermination clause
– rise-and-fall clause
Preisgrenze *f* (com) price limit (*or*
barrier)
preisgünstigster Anbieter *m* (com)
lowest bidder
preisgünstigstes Angebot *n* (com)
lowest bid
preisgünstig
(com) reasonably priced
– low-priced
Preis *m* **je Einheit**
(com) unit price
– price per unit
Preiskampf *m* (com) price war
Preisklausel *f* (com) price clause
Preisklima *n* (com) price climate
Preis-Kosten-Schere *f* (com) price-
cost gap
Preiskrieg *m*
(com) price cutting war
– prices war
– (US, infml) no-holds-barred
price cutting

Preislage *f*
(com) price range
(com, infml) (something) at about
the same price
Preisliste *f*
(com) price list
– scale of charges
Preis *m* **mit Gleitklausel** (com) escalation price
Preisnachlaß *m*
(com) price reduction
– discount
– allowance
– (infml) rake-off
Preisnachlaß *m* **gewähren**
(com) to grant a price reduction
– (infml) to knock off *(eg, from
total invoice amount)*
Preisnotierung *f*
(com) quotation of price
(Fin) direct quotation
*(ie, direct method of quoting for-
eign exchange: amount of domestic
currency payable for 100 units of
foreign currency; opp, Mengennotierung = indirect quotation)*
Preisobergrenze *f*
(com) highest price
– ceiling price
– price ceiling
Preisproblem *n* (com) price issue
Preisprüfung *f* (com) price auditing
Preisrisiko *n* (com) price risk
Preisrückgang *m*
(com) decline
– drop
– fall . . . in prices
Preisrückvergütung *f* (com) refunding of price
Preisschere *f* (com) price gap
Preisschild *n*
(com) price label
– price . . . tag/ticket
Preisschub *m*
(com) jump in prices
– very sharp price rise
– price surge
– surge in prices
– price boost
Preisschwäche *f* (com) weak prices

293

Preisschwankungen *fpl*
  (com) fluctuation in prices
  – price fluctuations
Preissenkung *f*
  (com) price cut
  – price reduction
  – reduction in price
  – markdown
Preisspanne *f*
  (com) price margin
Preisstaffel *f* (com) graduated price range
Preissteigerung *f* (com) price increase
Preisstellung *f*
  (com) pricing
  – quotation
Preisstellung *f* **frei Haus** (com) delivered pricing
Preissturz *m*
  (com) sharp drop-off (*or* tumble) in prices
  – slump in prices
Preisstützung *f*
  (com) pegging of prices
  – price maintenance
  – price support
Preistendenz *f*
  (Bö) market trend
  – trend in prices
Preistreiber *m* (com) price booster
Preistreiberei *f* (com) profiteering *(ie, deliberate overcharging)*
Preisverfall *m*
  (com) collapse of prices
  – deep plunge of prices
  – dramatic drop in prices
  – large-scale (*or* steep) slide of prices
  – shakedown in prices
  – tumbling down of prices
  – crumbling of prices
Preisverzeichnis *n*
  (com) schedule of prices
  – scale of charges
Preisverzerrung *f* (com) price distortion
Preiswelle *f* (com) wave of price increases
Preiszugeständnis *n* (com) price concession

Preis *m* **zurücknehmen**
  (com) to mark down
  – to pull back . . . a price
Pressemappe *f* (com) press kit
Pressemitteilung *f*
  (com) press release
  – press memo
  – handout
prima Bankakzept *n* (Fin) prime bankers' acceptance
Primadiskonten *pl* (Fin) = Privatdiskonten
Primapapiere *npl* (Fin) first-class money market paper
  (esp. Privatdiskonten = prime acceptances)
Primärgeschäft *n* (Bö) new issue business
Primärmarkt *m*
  (Bö) primary market
  – new issue market
  (ie, Markt für Erstabsatz e–s neu emittierten Wertpapiers; opp, Sekundärmarkt, dritter Markt)
Primärmetalle *npl* (com) primary (*or* virgin) metals *(ie, metals obtained directly from the ore, and not previously used; opp, Sekundärmetalle)*
Primawechsel *m* (WeR) first of exchange
Prioritäten *fpl* (Fin) = Prioritätsobligationen
Prioritätsaktien *fpl*
  (Fin) preferred stock
  – (GB) preference shares *(syn, Vorzugsaktien)*
Prioritätsobligationen *fpl*
  (Fin) preferred bonds
  – (GB) preference bonds
Privatanleger *m* (Fin) private investor *(syn, Privatinvestor)*
Privatanschluß *m*
  (com) private (telephone) extension
  – (infml) home phone
  (com) private railroad siding
Privatbahn *f* (com) private railroad
Privatbank *f* (Fin) private bank *(ie, organized under commercial law, as single proprietor, OHG, KG,*

GmbH, AG, etc.; opp, öffentliche Bank)

Privatbankier *m* (Fin) private banker *(ie, mostly run as single proprietor, OHG, KG)*

Privatbörse *f* (com) private exchange *(ie, an exchange-like gathering of private individuals)*

Privatdarlehen *n* (Fin) personal loan

Privatdiskont *m* (Fin) = Privatdiskontsatz

Privatdiskonten *pl*
(Fin) prime (bankers') acceptances
– private paper

privatdiskontfähige Bankakzepte *npl* (Fin) acceptances qualifying as prime paper

privatdiskontfähig (Fin) qualifying as prime acceptance

Privatdiskontmarkt *m* (Fin) prime acceptances market

Privatdiskontsatz *m* (Fin) prime acceptance rate

private Bautätigkeit *f* (com) private construction

private Geschäftsbanken *fpl* (Fin) private commercial banks

private Hypothekenbank *f* (Fin) private mortgage bank

private Kreditnachfrage *f*
(Fin) private credit demand

private Plazierung *f* (Fin) private placement

privater Anleger (Fin) private investor *(syn, Privatanleger, Privatinvestor)*

privater Frachtführer *m* (com) private carrier

privates Anlegerpublikum *n* (Fin) private investors

privates Bankgewerbe *n* (Fin) private banking industry

private Titel *mpl* (Fin) private paper

Privatgleisanschluß *m* (com) private (railway) siding

Privatgrundstück *n* (com) private property

Privatgüterwagen *m*
(com) private freight car
– (GB) private goods waggon

Privatindustrie *f* (com) private industry

Privatinvestor *m* (Fin) private investor *(syn, Privatanleger)*

Privatkapital *n* (Fin) private (equity) capital

Privatkonto *n*
(Fin) personal account

Privatkunde *m* (com) private customer

Privatkundenbetreuung *f* (Fin) servicing of private customers

Privatkundengeschäft *n* (Fin) retail banking *(opp, Firmenkundengeschäft = wholesale/corporate . . . banking)*

Privatkundenkredit *m* (Fin) retail loan

Privatkundschaft *f* (com) private customers

Privatmakler *m* (Bö) unofficial *(or* private) broker

Privatplacements *npl* (Fin) notes *(ie, issued by public-law institutions or industrial undertakings; minimum amount DM 50,000)*

Privatplazierung *f* (Fin) = private Plazierung

Privatpublikum *n* (Fin) private investors

Privatschulden *fpl* (Fin) personal debts *(ie, of a partner)*

privat unterbringen (Fin) to place privately

Privatunternehmen *n* (com) private firm *(or* undertaking)

Privilegien *npl*
(com) privileges
– vested . . . interests/rights
(syn, legitimierte Privilegien, Besitzstand)

Probe *f*
(com) sample
– specimen

Probeabonnement *n* (com) trial subscription *(eg, start a . . .)*

Probeauftrag *m* (com) trial order

Probedruck *m* (com) test print *(syn, Andruck)*

Probekauf *m*
(com) sale on approval
– sale by sample
Probekäufer *m* (com) trial buyer
Probelieferung *f* (com) trial shipment
Probenahme *f*
(com) sampling
– taking of samples
Proben *fpl* **nehmen** (com) to take samples
Probenummer *f* (com) specimen copy
Problemdarlehen *n* (Fin) problem loan
(ie, saddled with high risk: may turn out to be nonperforming)
Problemkredit *m* (Fin) troubled loan
Produkt *n* (com) product *(syn, Erzeugnis)*
Produkte *npl* (com) produce *(ie, agricultural products collectively)*
Produktenbörse *f*
(Bö) produce exchange
– (GB) mercantile exchange
(ie, a market in which future agricultural contracts are bought and sold; in Deutschland e–e Warenbörse, an der nur Effektivgeschäfte (Kassageschäfte) abgeschlossen werden)
Produktenhandel *m* (com) produce trade
Produktenmarkt *m* (com) produce market
Produkt *n* **führen** (com) to carry a product
Produktpalette *f* **erweitern** (com) to broaden product base
Produzent *m* (com) producer
Produzentenpreis *m* (com) producer-fixed price *(eg, set by a price leader)*
produzierendes Gewerbe *n* (com) producing sector *(ie, core of the nonfarming sector of the economy)*
Proformarechnung *f* (com) pro forma invoice
Programmhandel *m* (Fin) program trading
(ie, Handel mit großen Index-Portefeuilles; vor allem von institutionellen Großanlegern betrie-

ben; *Anwendung computergestützter Marktanalyseprogramme zur Vorbereitung von Kauf- od Verkaufsentscheidungen)*
progressive Verkaufskalkulation *f* (com) progressive method of determining sales price
(ie, standard method in retailing: cost price + selling and administrative expenses + profit markup = sales price; opp, retrograde Verkaufskalkulation)
prohibitive Zinsen *mpl* (Fin) inhibitory interest rates
Projekt *n*
(com) project
– scheme
Projekt *n* **ablehnen** (com) to turn down a project
Projekt *n* **durchführen** (com) to implement a project
Projekt *n* **entwickeln** (com) to develop a project
Projekt *n* **erweitern** (com) to expand a project
Projekt *n* **fallen lassen** (com) to abandon (*or* discard) a project
Projekt *n* **finanzieren**
(Fin) to fund a project
– to arrange funding for a project
Projektfinanzierung *f*
(Fin) project financing (*or* funding)
– production payment financing
(opp, general-purpose loans)
projektgebundene Ausleihungen *fpl* (Fin) project-linked (*or* project-tied) lendings
projektgebundene Investitionsfinanzierung *f* (Fin) project-tied investment funding
projektgebundenes Darlehen *n* (Fin) nonrecourse loan
(ie, tying repayment strictly to the revenues of a particular project)
Projekt *n* **geht schief** (com) project goes awry
Projektgruppe *f* (com) project team
Projekt *n* **in Gang setzen** (com) to launch a project

Projekt *n* **konzipieren** (com) to formulate a project

Projektkooperation *f* (com) contractual joint venture
(ie, vorübergehende Kooperation in der Investitionsgüterindustrie: Konsortium, Arbeitsgemeinschaft, Projektgemeinschaft; syn, Ad-hoc-Kooperation)

Projektkreditlinie *f* (Fin) project line
(ie, used in export credit financing)

Projektlagebericht *m* (com) project status report

Projekt *n* **macht Fortschritte** (com) project is taking shape

Projektreife *f* (com) preimplementation stage of a project

Projektstudie *f* (com) feasibility study

Projektträger *m* (Fin) project sponsor

Projektvorschlag *m* **vorlegen** (com) to submit a project proposal

Projekt *n* **zurückstellen** (com) to shelve a project

Prokuraindossament *n* (WeR) collection indorsement

Prolongation *f*
(com) extension
(WeR) renewal
(ie, idR durch Hingabe e-s Wechsels mit späterer Verfallzeit; cf, Prolongationswechsel)
(Bö) carryover *(ie, in forward deals)*

Prolongation *f* **e-s Wechsels** (WeR) renewal of a bill

Prolongationsgebühr *f* (WeR) renewal charge

Prolongationssatz *m* (Bö) carryover rate

Prolongationswechsel *m* (WeR) renewal bill *(or note)*

prolongierbarer Swap *m* (Fin) extendable swap *(opp, retractable swap)*

prolongieren
(com) to extend
(WeR) to renew a bill
(Bö) to carry over *(ie, from one settlement day to the next)*

pro Mengeneinheit (com) per volume unit

prompte Ware *f* (Bö) prompts

prompte Zahlung *f* (com) prompt payment *(ie, without delay; in US within 10 working days)*

Promptgeschäft *n* (Bö) sale for quick delivery *(opp, Lieferungsgeschäft)*

Propergeschäft *n* (Fin) trade for one's own account

Prospekt *m*
(com) prospectus
– leaflet
– folder

Prospekthaftung *f* (Fin) liability extending to statements made in issuing prospectus

prospektiver Kunde *m* (com) potential customer

Prospektzwang *m* (Fin) duty to publish an issuing prospectus

Protest *m* (WeR) act of protest, Art. 44, 79 WG

Protestanzeige *f* (WeR) notice of dishonor

Protestfrist *f* (WeR) statutory period for noting and protesting a bill

Protestgebühr *f* (WeR) protest fee

Protestkosten *pl* (WeR) protest charges

Protest *m* **mangels Annahme** (WeR) protest for non-acceptance

Protest *m* **mangels Zahlung** (WeR) protest for refusal of payment

Protesturkunde *f* (WeR) certificate of dishonor

Protestverzicht *m* (WeR) waiver of protest

Protestwechsel *m* (WeR) protested bill

Protokoll *n*
(com) minutes *(eg, of a meeting)*

Protokoll *n* **führen** (com) to take minutes

Protokollführer *m* (com) person taking minutes

protokollieren
(com) to take minutes *(eg, of a meeting)*
– to keep the minutes

Provenienz-Zertifikat

Provenienz-Zertifikat *n* (com) certificate of origin
(ie, evidencing origin or quality, esp of bulk commodities in world trade)
Provinzbörse *f* (Bö) regional exchange
Provision *f*
(com) commission
– brokerage
– fee
Provisionsagent *m* (com) = Provisionsvertreter
Provisionsaufwendungen *mpl* (Fin) commissions paid
Provisionseinnahmen *fpl* (Fin) commissions received
Provisionserträge *mpl* (Fin) commission earnings (*or* earned)
Provisionsforderungen *fpl* (Fin) commissions receivable
provisionsfrei (com) free of commission
Provisionsgeschäft *n* (com) business on a commission basis
provisionspflichtig (Fin) liable to pay commission
Provisionsschneiderei *f* (Bö) churning
(ie, make account of a client excessively active by frequent purchases and sales in order to generate commissions)
Provisionsüberschuß *m* (Fin) net commissions received
Provisionsvertreter *m* (com) commission agent
Prozentkurs *m* (Bö) percentage quotation
(ie, Preis e–r Aktie od Anleihe in % des Nennwertes od Nominalwertes; syn, Stückkurs)
Prozentnotierung *f* (Bö) percentage quotation
Prozentrechnung *f* (com) percentage arithmetic
(ie, problem of finding: Prozent vom Hundert, auf Hundert, im Hundert)
Prozentspanne *f* (com) percentage margin

prozentuale Preisänderung *f* (com) percentage change in price
Prozentzeichen *n*
(com) percent sign
Prüfattest *n* (com) certificate of inspection
prüfen
(com) to examine
– to check
– to inspect
– to scrutinize *(eg, projects)*
Prüfexemplar *n* (com) checking copy
Prüfungsbescheinigung *f* (com) test certificate
Prüfungszulassung *f*
(com) admission to an examination
Prüfung *f* **von Angeboten** (com) analysis of bids
Publikumsfonds *m*
(Fin) investment fund open to the general public
– retail fund
Publikumsgeschäft *n* (Fin) retail banking
Publikumskäufe *mpl* (Bö) public buying
Publikumspapier *n* (Fin) bond offered for general subscription
Publikumsverkehr *m* (com) personal callers *(ie, contacting administrative offices)*
Publikumswerte *mpl* (Bö) leading shares *(syn, führende Werte, Spitzenwerte)*
Puev (Fin) = platzüberschreitender Effektenverkehr
Punkt *m* **der Tagesordnung** (com) item on the agenda
pünktliche Lieferung *f* (com) on-time delivery
pünktliche Zahlung *f* (Fin) prompt payment
pünktlich liefern (com) to deliver on time
pünktlich zahlen (Fin) to pay promptly
Punktumkehr *f* (Fin) box reversal
(ie, in Point & Figure Charts; cf. Drei-Punkt-Umkehr)

Q

qualifiziertes Inhaberpapier *n* (WeR) restricted bearer instrument

qualitative Untersuchung *f* (com) qualitative analysis

Qualitätsabweichung *f* (com) off standard
– variation in quality

Qualitätserzeugnis *n* (com) high-quality product

Qualitätskonkurrenz *f* (com) = Qualitätswettbewerb

Qualitätsrisiko *n* (com) quality risk

Qualitätstypen *mpl* (com) commodity grades *(eg, middling fair, good middling, etc)*

Qualitätsvorschrift *f* (com) quality specification

Qualitätsware *f* (com) high-quality products

Qualitätswettbewerb *m* (com) quality competition
– competition on quality
– competition in terms of quality *(eg, not in terms of price = Preiswettbewerb)*

Qualitätszeugnis *n* (com) certificate of quality

Quantitätsnotierung *f* (Bö) = Mengennotierung

Quartalsdividende *f* (Fin) quarterly dividend

Quellenangabe *f* (com) reference

quellensteuerfreie Rendite *f* (Fin) no-withholding-tax yield

querschreiben (WeR) to accept a bill of exchange

Querverweis *m* (com) cross-reference

Quick-Pick *m* (com) quick service buffet car

quittieren (com) to receipt

quittiert (com) receipted

quittierte Rechnung *f* (com) receipted invoice

Quittung *f* (com) receipt

Quittung *f* **ausstellen** (com) to write out a receipt

Quorum *n* (com) quorum *(syn, beschlußfähige Anzahl, qv)*

Quotation *f* (Bö) = Notierung

Quote *f* (Fin) underwriting share

Quote *f* **der Innenfinanzierung** (Fin) internal financing ratio

Quotenaktie *f* (Fin) no-par-value share
– no-par stock
– (GB) nonpar share *(ie, lautet auf e–n bestimmten Anteil am Reinvermögen der Gesellschaft; eg, 1/10000; cf, § 8 AktG; in USA der Normaltyp; syn, Anteilsaktie, nennwertlose Aktie)*

Quotenkonsolidierungsverfahren *n* (Fin) pro rata consolidation procedure

quotieren (Bö) to be listed (*or* quoted)

Quotierung *f* (Bö) = Notierung

R

Rabatt *m* (com) rebate
– discount
– allowance
– deduction
– reduction

(Unterbegriffe: 1. Barzahlungsnachlaß bis zu 3% [Diskont] = cash discount; 2. (handelsüblicher) Mengenrabatt (als Waren- od Preisrabatt) = bulk or quantity or volume discount;

3. Sondernachlaß = special rebate or discount;
4. Treuerabatt (Treuevergütung) = loyalty rebate, esp. for branded goods)

Rabatt *m* **bei Mengenabnahme** (com) quantity (*or* volume) discount *(syn, Mengenrabatt)*

Rabatt *m* **für Barzahlung** (com) cash discount

Rabatt *m* **gewähren**
(com) to grant a rebate (*or* discount)

Rabattgewährung *f* (com) granting of rebate

Rabattstaffel *f*
(com) graduated discount scale
– discount schedule

Rabattvereinbarung *f* (com) rebate agreement

Rahmenbedingungen *fpl*
(com) general framework (*or* setting)

Rahmenkredit *m* (Fin) framework (*or* global) credit

Ramschverkauf *m*
(com) rummage sale
– (GB) jumble sale

Ramschware *f*
(com) job goods
– odds and ends
– (GB, sl) odds and sods

Random-Walk-Hypothese *f* (Fin) random walk hypothesis

Rangierbahnhof *m*
(com) switchyard
– marshalling yard
– (GB) shunting yard
(syn, Verschiebebahnhof)

Rangrücktrittsvereinbarung *f*
(Fin, US) subordination agreement
(cf, Nachrangdarlehen)

rascher Kursanstieg *m* (Bö) bulge
(ie, small and sudden, but unsustained, advance in security prices)

rasches Wachstum *n* (com) rapid (*or* accelerated) growth

Raster *m*
(com) grid

Rate *f*
(com) rate *(ie, in inland waterway shipping)*
(Fin) installment
– (GB) instalment
– part payment
(ie, part of payment spread over a period of time)

Ratenanleihe *f*
(Fin) installment loan

Ratenhypothek *f*
(Fin) installment mortgage
(ie, equal annual redemptions and falling interest payments)

Ratenkauf *m*
(com) installment sale
(syn, Abzahlungskauf, Teilzahlungskauf; see: Abzahlungsgeschäft)

Ratenkredit *m* (Fin) installment credit
(ie, Teilzahlungskredit im weiteren Sinne: extended to consumers and small businesses, repaid in fixed installments)

Ratenwechsel *m* (WeR) multi-maturity bill of exchange
(ie, one traveling with a sequence of maturity dates; not allowed under German law, Art. 33 II WG; German term sometimes used to describe ‚Abzahlungswechsel')

Ratenzahlung *f*
(Fin) payment by installments
(Fin) time payment

Ratenzahlungskredit *m* (Fin) = Teilzahlungskredit

ratierlich ansammeln (Fin) to accrue ratably *(eg, a reserve over a period of time)*

Ratings *pl* (Fin, US) ratings

Raumarbitrage *f* (Fin) arbitrage in space
ie, Unterbegriffe: Differenz– und Ausgleichsarbitrage)

Raumbedarf *m* (com) space requirements

Raumcharter *f* (com) tonnage affreightment

Raumfahrtindustrie f
  (com) aerospace industry
  – space industry
Raumfracht f (com) freight on measurement basis
Raumtarif m (com) bulk freight tariff *(opp, Stück- und Gewichtstarif)*
Räumungsverkauf m
  (com) liquidation sale
  – (GB) closing-down sale
real
  (com) real
  – in real terms
  – in terms of real value *(opp, nominell = in money terms)*
reale Kapitalerhaltung f (Fin) maintenance of equity
  (ie, preservation of corporate assets in real terms)
reale Nettorendite f (Fin) after-tax real rate of return *(ie, real = nach Abzug der Inflationsrate)*
Realertrag m (Fin) = Realverzinsung
Realisationsverkauf m (com) liquidating sale
realisierbare Aktiva npl (Fin) realizable assets
Realisierbarkeit f
  (com) feasibility
realisieren
  (com) to implement *(eg, plan, project)*
  – to carry out
  (Fin) to realize
  – to liquidate
  – to sell
  – to convert into money
  (Bö) to take profits
realisierte Gewinne mpl
  (Bö) realized price gains
Realisierung f
  (com) implementation
  – carrying out *(eg, of a project)*
  (Fin) realization
  – liquidation
  – sale
  (Bö) profit taking
Realkauf m (com) cash sale
  (ie, payment being made in full on receipt of goods; syn, Handkauf)

Realkredit m
  (Fin) collateral loan *(syn, Sachkredit)*
  (Fin) real estate loan
Realkreditgeschäft n (Fin) real estate loan business
Realkreditinstitut n (Fin) mortgage bank
Realverzinsung f
  (Fin) real yield
Realzins m
  (Fin) real rate of interest
  – interest rate in real terms
  (eg, derived from Umlaufrendite für Festverzinsliche + Veränderung des Preisindex für den privaten Verbrauch)
Rechenschaftsbericht m
  (com) report
  – accounting *(eg, to give an . . .)*
Rechenschaftspflicht f (com) accountability *(syn, Verantwortlichkeit)*
rechenschaftspflichtig (com) accountable
Rechenwerk n
  (com) set of figures
rechnen
  (com) to calculate
  – to compute
  (com) to bank on *(ie, rechnen mit)*
  – to expect
rechnergestütztes Handelssystem n
  (Bö) computer-assisted trading system
rechnerischer Diskont m (Fin) true discount
rechnerische Rendite f
  (Fin) accounting/approximated/ book-value /unadjusted . . . rate of return
  (ie, increase in expected future average annual stated net income to initial increase in required investment)
  (Fin) calculated yield
rechnerische Restlaufzeit f (Fin) computed remaining maturity
Rechnung f
  (com) check *(ie, in a restaurant)*
  – (GB) bill

Rechnung f **ausstellen**
(com) to make out an invoice
– to invoice
– to bill *(eg, send now and bill me later)*

Rechnung f **bearbeiten** (com) to process an invoice

Rechnung f **begleichen**
(com) to pay
– to settle
– (infml) to foot . . . a bill

Rechnung f **prüfen** (com) to check an invoice

Rechnung f **quittieren** (com) to receipt a bill

Rechnungsabschrift f (com) copy of an invoice

Rechnungsausstellung f
(com) invoicing
– billing

Rechnungsauszug m (Fin) statement of account *(syn, Kontoauszug)*

Rechnungsbeleg m
(com) charge (*or* sales) slip
– billing form *(ie, signed by credit card holder)*

Rechnungsbetrag m
(com) invoice amount
– amount appearing on an invoice

Rechnungsdatei f (com) billing file

Rechnungsdatum n
(com) date of invoice
– billing date

Rechnungseinheit f
(Fin) accounting unit
– unit of account, UA

Rechnungseinzugsverfahren n (Fin) direct debiting *(ie, by banks for trade accounts receivable)*

Rechnungsformular n (com) billhead

Rechnungskopie f
(com) copy of an invoice
– copy invoice

Rechnungspreis m (com) invoice price

Rechnungspreis m **des Lieferanten** (com) vendor's invoice price

Rechnungsprüfung f
(com) checking and audit of invoices

Rechnungsvordruck m (com) billhead

Rechnung f **über e–e Sendung** (com) invoice on a shipment

Rechnung f **vereinfachen** (com) to simplify computation

Recht n **auf Gewinnbeteiligung** (Fin) right to participation in profits

Rechte npl **und Pflichten** fpl
(com) rights and duties
– powers and responsibilities

rechtmäßiger Besitzer m
(com) lawful owner

rechtmäßiger Inhaber m (WeR) holder in due course, Art. 16 WG *(syn, legitimierter Inhaber)*

Rechtsformen fpl **der Unternehmung**
(com) legal forms of business organization
– forms of business entity

rechtzeitige Lieferung f (com) on-time delivery of an order

Redakteur m **im Studio**
(com) presenter
– commentator

Rediskont m (Fin) rediscount

Rediskonten pl
(Fin) rediscounts
– rediscounted paper

rediskontfähiger Wechsel m (Fin) eligible bill

rediskontfähige Wertpapiere npl (Fin, US) eligible paper *(ie, for rediscount at a Federal Reserve Bank; eg, notes, drafts, bills of exchange)*

rediskontfähig
(Fin) rediscountable
– eligible for rediscount

Rediskontfazilität f **e–r Zentralbank** (Fin) discount window

rediskontierbar (Fin) = rediskontfähig

rediskontieren (Fin) to rediscount

Rediskontierung f
(Fin) rediscounting ((*or* rediscount)
(ie, Weiterverkauf bereits diskontierter Wechsel an die Zentralbank; cf, 19 I 3 BBankG: gute Handels-

wechsel, Restlaufzeit bis zu 90 Tagen, drei gute Unterschriften; (US) discounting for a second time of commercial paper [notes, acceptances, and bills of exchange] by the Federal Bank for a member bank)

Rediskontkontingent n (Fin) rediscount quota
(ie, maximum level of trade bills which commercial banks can rediscount at the central bank)

Rediskontkontingente npl **festsetzen** (Fin) to set rediscount ceilings

Rediskontkredit m (Fin) rediscount credit

Rediskontlinie f (Fin) rediscount line

Rediskontobligo n (Fin) liability on rediscounts

Rediskontplafond m (Fin) rediscount ceiling

Rediskontrahmen m (Fin) rediscount line

Rediskontsatz m (Fin) rediscount rate

Rediskontstelle f (Fin) rediscount agency

Rediskontzusage f (Fin) rediscounting promise

reduzierte Kreditwürdigkeit f (Fin) impaired credit

reduzierte Ware f
(com) goods offered at reduced prices
– cut-price goods

Reeder m (com) shipowner, § 484 HGB

Reederei f (com) shipping company, § 489 HGB

Reedereibetrieb m (com) shipping business

Reedereivertreter m (com) shipping agent

Referenzen fpl (com) trade references

Referenzzinssatz m
(Fin) reference rate
(ie, auf den festgelegten R. wird über die Vertragslaufzeit ein Aufschlag von x Prozentpunkten erhoben; typische Referenzsätze sind:

Diskontsatz der Deutschen Bundesbank, LIBOR, FIBOR)

refinanzieren
(Fin) to refinance
– to finance loans

Refinanzierung f
(Fin) refinancing
(ie, paying off existing debt with funds secured from new debt)
(Fin) refunding
(ie, replacing outstanding bonds with new issue)

Refinanzierung f **des Aktivgeschäfts**
(Fin) refinancing of lendings *(ie, by banks)*

Refinanzierungsbasis f (Fin) refinancing potential

Refinanzierungsbedarf m (Fin) refinancing requirements

Refinanzierungsinstitut n **der letzten Instanz**
(Fin) lender of last resort *(ie, the central bank)*

Refinanzierungskosten pl (Fin) cost of funds *(ie, to a bank; syn, Einstandskosten)*

Refinanzierungskredit m (Fin) refinancing (or rediscount) loan

Refinanzierungslinie f (Fin) rediscount line

Refinanzierungsmittel pl (Fin) refinancing funds

Refinanzierungsplafond m (Fin) refinancing line

Refinanzierungszusage f (Fin) promise to provide refinancing

Reflektant m (com) prospective buyer

Reform f „an Haupt und Gliedern" (com) root-and-branch reform

Refundierungsanleihe f (Fin) refunding loan

Regalfläche f (com) shelf space

rege Investitionstätigkeit f (com) high capital spending

regelmäßig wiederkehrende Zahlungen fpl (Fin) periodically recurring payments

Regelsätze mpl (Fin) regular rates *(ie, in standard volume banking)*

Regelung *f* **aushandeln** (com) to negotiate a settlement

Regiearbeit *f* (com) scheduled work *(ie, work for which time and materials are charged)*

Regionalbank *f* (Fin) regional bank *(opp, Großbanken)*

Regionalbörse *f* (Bö) regional exchange

regionale Börse *f* (Bö) regional stock exchange

Registratur *f* (com) filing department

Registrierkasse *f* (com) cash register

regreßlose Exportfinanzierung *f* (Fin) nonrecourse export financing *(syn, Forfaitierung)*

Regreß *m* **nehmen** (WeR) to take recourse (against)

reguläre Bankgeschäfte *npl* (Fin) standard banking operations *(ie, lending and deposit business; opp, Finanzierungs- und Gründungstätigkeit, Effekten- und Depotgeschäft, Zahlungsverkehr, Inkassogeschäft)*

regulär (com) across the counter *(eg, sale; opp, under the counter)*

regulieren
(com) to settle
– to pay

Regulierung *f*
(com) settlement
– payment

Regulierungskurs *m* (Bö) settlement price

Reihenabschluß *m* (Bö) chain transaction *(ie, in forward commodity trading)*

Reihenregreß *m* (WeR) = Reihenrückgriff

Reihenrückgriff *m* (WeR) recourse sequence following chain of indorsers *(opp, Sprungrückgriff)*

Reihe *f* **von Maßnahmen ankündigen** (com) to announce a package of measures

Reindividende *f* (Fin) net dividend

reine Arbitrage *f* (Fin) pure arbitrage

Reinerlös *m* (Fin) net proceeds

reiner Verrechnungsdollar *m* (Fin) offset dollar

reiner Zahlungsverkehr *m* (Fin) clean payment *(ie, ohne zusätzliche sichernde Dienstleistungen der Zahlungsverkehrsmittler)*

reiner Zins *m* (Fin) pure interest

reines Akkreditiv *n* (Fin) clean credit *(ie, based on the terms „documents against payment")*

reines Bordkonnossement *n* (com) clean shipped on board bill

reines Konnossement *n* (com) clean bill of lading *(or B/L)* *(ie, containing no notation that goods received by carrier were defective)*

reine Stücke *npl* (Bö) good delivery securities *(ie, conforming to stock exchange usages)*

reine Termingeschäfte *npl* (Bö) outright transactions

reine Verladedokumente *npl* (com) clean documents

Reinfall *m* (Bö) plunge

Reingewinn *m*
(com) net margin

Reingewinn *m* **je Aktie** (Fin) net per share

Reingewinnzuschlag *m* (com) net profit markup

Reinschrift *f* (com) fair copy

Reinüberschuß *m* (Fin) net surplus

reinvestieren
(Fin) to reinvest
– to plow back (GB: plough back) profits into the business

Reinvestition *f*
(Fin) reinvestment
– plow back (GB: plough back)

reinzeichnen (com) to sign a clear bill of lading

Reisebüro *n* (com) travel agency *(or bureau)*

Reisecharter *f* (com) voyage charter

Reisefracht *f* (com) voyage freight

Reisehandel *m* (com) traveling salesman's trade *(ie, door-to-door canvassing of mail orders; syn, Ver-*

tretervertversandhandel, Detail-reisehandel)

Reisekostenerstattung *f* (com) refunding of travel expenses

Reisekostenpauschale *f* (com) travel allowance

Reisekostenvergütung *f* (com) reimbursement of travel expenses

Reisekostenzuschuß *m* (com) traveling allowance

Reisender *m* (com) traveling salesman
– commercial traveler

Reisespesenabrechnung *f* (com) travel expense statement

Reisespesen *pl* (com) travel expenses

Reisespesensatz *m* (com) per diem travel allowance

Reiseveranstalter *m* (com) tour operator

Reiseverkehr *m* (com) tourist travel *(syn, Fremdenverkehr, Tourismus)*

Reisevertrag *m* (com) tourist travel agreement
(ie, between travel agency or tour operator and traveler)

Reisevertreter *m* (com) = Reisender

Reitwechsel *m* (Fin) kite
– windmill

reißenden Absatz *m* **finden** (com) to sell briskly
– (infml) to sell like hot cakes

Reklamations-Abteilung *f* (com, US) query department

Rekordergebnis *n* (com) bumper... performance/results

Rekordhöhe *f* (com) record level *(eg, unemployment and layoffs are at ...)* (com) all-time high *(ie, prices reached an ...)*

Rekordzinsen *mpl* (Fin) record interest rates

Rektaindossament *n* (WeR) „not to order" indorsement
– restrictive indorsement

Rektaklausel *f* (WeR) nonnegotiable clause

Rektakonnossement *n* (com) straight bill of lading *(or B/L)*
(ie, made out to the name of carrier or captain, § 647 HGB)

Rektalagerschein *m* (WeR) warehouse receipt made out to a specified person

Rektapapier *n* (WeR) nonnegotiable *(or registered)* instrument
(ie, legitimiert ist nur der im Papier Benannte; direkt an ihn (‚recta') hat der Verpflichtete zu leisten; Übertragung des verbrieften Rechts durch Abtretung nach §§ 398, 413, 1153, 1154 BGB; das Eigentum am Papier geht nach § 952 II BGB auf den Erwerber über; „das Recht am Papier folgt dem Recht aus dem Papier"; der im Papier nicht benannte Erwerber muß sein Recht nachweisen; Form:
1. Hypothekenbrief;
2. Anweisung nach §§ 783 ff BGB;
3. Papiere des § 363 HGB ohne positive Orderklausel;
4. Wechsel und Namensscheck mit negativer Orderklausel;
5. Sparkassenbuch, siehe aber „hinkende Inhaber-" od „qualifizierte Legitimationspapiere")

Rektascheck *m* (WeR) check payable to named payee, Art. 5 I ScheckG

Rektawechsel *m* (WeR) nonnegotiable bill of exchange, Art. 11 WG
– „not to order" bill

relative Kursstärke *f* (Fin) elative price strength
(ie, mißt Aktienkursentwicklung zu der des Gesamtmarktes)

relative Stärke *f* (Fin) relative strength
(ie, in der technischen Aktienanalyse; Branchenindizes werden mit Gesamtindizes verglichen)

relevanter Zinsfuß *m* (Fin) relevant rate

Rembours *m* (Fin) payments by mean of documentary acceptance credit

Remboursauftrag *m* (Fin) order to open a documentary acceptance credit

Remboursbank *f* (Fin) accepting bank

Remboursermächtigung *f* (Fin) reimbursement authorization *(ie, authority to open a documentary acceptance credit)*

Remboursgeschäft *n* (Fin) financing by documentary acceptance credit

Rembourskredit *m* (Fin) documentary acceptance credit *(ie, besondere Form des Akzeptkredits im Außenhandel; idR mit e–m Akkreditiv gekoppelt; documentary letter of credit under which bills are drawn at a term other than sight)*

Rembourslinie *f* (Fin) acceptance credit line

Remboursregreß *m* (WeR) reimbursement recourse

Remboursschuldner *m* (Fin) documentary credit debtor

Rembourstratte *f* (Fin) documentary acceptance *(or* bill)

Remboursverbindlichkeit *f* (Fin) indebtedness on documentary acceptance credit

Rembourswechsel *m* (Fin) documentary draft

Remboursusage *f* (Fin) agreement to reimburse

Remittent *m* (WeR) payee, Art. 1, 75 WG *(syn, Wechselnehmer)*

Rendite *f*
(Fin) yield
(ie, the terms yield and return are often confused: yield is restricted to the net income from a bond if held to maturity, while return denotes current income derived form either an bond or a stock, without reference to maturity)
(Fin) effective yield *(or* rate) *(ie, on bonds)*
(Fin) annual rate of return
(ie, on capital employed, mostly expressed in percentage terms)

Renditeangleichung *f* (Fin) yield adjustment

Rendite *f* **auf die Investition** (Fin) return on investment

Rendite *f* **auf durchschnitliche Laufzeit** (Fin) yield to average life

Rendite *f* **auf Endfälligkeit** (Fin) yield to redemption

Rendite *f* **auf früheste Kündigung** (Fin) yield to early call

Rendite *f* **auf Kündigungstermin** (Fin) yield to call date

Rendite *f* **bei Langläufern** (Fin) yield on long-dated bonds – yield on longs

Rendite *f* **der Gewinnvergleichsrechnung** (Fin) accounting rate of return
(ie, average net income/average net book value over project life)

Rendite *f* **entsprechend der Laufzeit** (Fin) yield equivalent to life

Rendite *f* **e–r kündbaren Anleihe** (Fin) yield to call
(ie, on the assumption that the bond is redeemed prior to maturity)

Rendite *f* **e-r langfristigen Anlage** (Fin) maturity yield

Renditehäufigkeit *f* (Fin) yield frequency

Rendite *f* **nach Steuern** (Fin) after-tax yield

Renditegefälle *n* (Fin) yield differential *(or* gap)

Renditegefüge *n* (Fin) yield structure

Renditenspanne *f* (Fin) yield spread

Renditenstatistik *f* (Fin) statistics on yields

Renditenstruktur *f* (Fin) yield structure

Renditeobjekt *n* (Fin) income *(or* investment) property
(ie, type of property the primary purpose of which is to produce monetary income)

Renditespanne *f* (Fin) yield spread

Renditetabellen *fpl* (Fin) basic books

Renditevorsprung *m* (Fin) yield advantage *(over)*

Rendite *f* **vor Steuern**
(Fin) yield before taxes
– pretax yield

Renegotiationsklausel *f* (com) renegotiation clause
*(ie, in offshore transactions: per-
mits buyer to review prices within 3
years)*

rentabel (Fin) profitable

Rentabilität *f* **des Betriebes** (Fin)
operating return
*(ie, ratio of operating profit to
necessary operating capital = be-
triebsnotwendiges Kapital)*

Rentabilität *f* **des Betriebs** (Fin) =
Betriebsrentabilität, qv

Rentabilität *f* **des Eigenkapitals** (Fin)
equity return
*(ie, ratio of net profit to equity cap-
ital)*

Rentabilitätsanalyse *f*
(Fin) return on investment analysis
– RoI analysis
– profitability analysis

Rentabilitätsberechnung *f* (com) profitability calculation *(or estimate)*

Rentabilitätsfaktor *m* (com, *in retailing*) profitability factor *(ie, percentage gross proceeds minus inventory turnover/100)*

Rentabilitätsgesichtspunkte *mpl*
(com) profitability aspects *(or con-
siderations)*

Rentabilitätsindex *m*
(Fin) index of profitability
– benefit-cost ratio
*(ie, ratio of the sum of the present
value of future cash flows (künftige
Einzahlungen) to the initial cash investment; used in investment analysis = Investitionsrechnung)*

Rentabilitätskennzahl *f* (Fin) efficiency ratio
*(eg, Eigenkapital/Gesamtkapital
/Umsatz-Rentabilität od -Rendite)*

Rentabilitätslücke *f* (Fin) profitability
gap

Rentabilitätsrechnung *f*
(Fin) evaluation of investment alternatives

– investment appraisal
– preinvestment analysis
(syn, Wirtschaftlichkeitsrechnung)
(Fin) average rate of return (RoI)
method
(Fin) mathematics of finance *(ie,
dealing with corporation stocks,
bonds and other investment)*

Rentabilitätsschwelle *f* (Fin) breakeven point

Rentabilitätsvergleichsmethode *f*
(Fin) accounting method

Rentabilitätsvergleichsrechnung *f*
(Fin) average return method
*(ie, statische Methode der Investi-
tionsrechnung = preinvestment
analysis)*

Rentabilitätsverhältnisse *npl* (Fin)
profitability

Rentabilitätsziel *n* (Fin) target rate-
of-return goal

Rentabilität *f* **von Investitionen** (Fin)
return on investments *(ie, over to-
tal life of project)*

Rente *f* **ablösen** (Fin) to redeem an
annuity

Rente *f* **kapitalisieren** (Fin) to
capitalize an annuity

Rente *f* **mit unbestimmter Laufzeit**
(Fin) contingent annuity

Rentenablösung *f* (Fin) redemption/
commutation . . . of an annuity

Rentenanleihe *f* (Fin) annuity bond

Rentenbaisse *f* (Bö) slump in bond
prices

Rentenbarwert *m* (Fin) present value
of annuity

Rentenbestand *m* (Fin) bond holdings

Rentendauer *f* (Fin) term of annuity

Rentenempfänger *m*
(Fin) annuitant

Rentenendwert *m*
(Fin) amount of annuity
– accumulation/accumulated
amount . . . of annuity
– final value of annuity

Rentenflaute *f* (Bö) sluggish bond
market

Rentenfolge *f* (Fin) annuity series

Rentenfonds *m*
(Fin) annuity fund
(Fin) bond-based fund
(ie, mutual fund investing in bonds rather than stocks)
Rentenhandel *m* (Fin) bond ... dealings/trading
Rentenhändler *m* (Fin) bond dealer
(ie, Börsenhändler in Festverzinslichen)
Rentenhausse *f* (Bö) upsurge in bond prices
Rentenkurs *m* (Fin) bond price
Rentenleistungen *fpl*
(Fin) annuity payments
Rentenmarkt *m*
(Fin) bond market
– fixed-interest market *(cf, Bondmarkt)*
Rentenmarkt *m* **in Anspruch nehmen**
(Bö) to tap the bond market
Rentenmarkt *m* **versperren** (Bö) to close off the bond market
(eg, to most companies, due to high interest)
Rentennotierung *f* (Fin) bond ... price/quotation
Rentennotierungen *fpl* (Bö) bond prices
Rentenpapiere *npl* (Bö) = Rentenwerte
Renten *pl* (Bö) = Rentenwerte
Rentenportefeuille *n* (Fin) bond holdings
Rentenrate *f* (Fin) annuity payment
Rentenreihe *f* (Fin) annuity series
Rentenschein *m* (Fin) interest coupon *(syn, Zinsschein)*
Rentenschwäche *f* (Bö) weakness in bond prices
Rentenumlauf *m* (Fin) total bonds outstanding
Rentenumsätze *mpl* (Bö) bond turnover
Renten- und Aktienrendite *f* (Bö) stock market yield
Rentenverpflichtungen *fpl* (Fin) liabilities for annuity payments
Rentenvertrag *m* (Fin) annuity ... agreement/contract)

Rentenwerte *mpl*
(Fin) bonds
– fixed-interest securities
(syn, Festverzinsliche, Bonds)
rentieren (Fin) to pay off
rentierend (Fin) profitable
rentieren, sich (Fin) to be profitable
Reparaturauftrag *m* (com) repair order
repartieren
(Fin) to apportion
– to allot
– to scale down an allotment
Repartierung *f*
(Fin) allotment
– scaling down *(syn, Zuteilung)*
Report *m*
(Bö) delayed acceptance penalty
– (GB) contango
(ie, London Stock Exchange term: percentage of the selling price payable by the purchaser of shares for the privilege of postponing acceptance of their delivery; opp, Deport)
(Fin) premium
(ie, Aufschlag e–r Währung auf dem Devisenterminmarkt gegenüber dem Kurs auf dem Devisenkassamarkt; syn, Prämie)
Reportarbitrage *f* (Bö) commodity arbitrage *(syn, Warenarbitrage)*
Reportgeschäft *n*
(Bö) carryover business
(ie, continuation of forward transaction: sale and purchase of securities against payment of carryover price; opp, Deportgeschäft)
– contango
– continuation
Reportsatz *m*
(Bö) carryover rate
– contango rate
Reporttag *m* (Bö) contango (*or* continuation) day
Repräsentant *m*
(com) representative
Repräsentanz *f* (com) representative office
Repräsentationskosten *pl*
(com) promotional costs

repräsentativer Durchschnitt *m*
(com) representative cross-section

Reservefonds *m*
(Fin) reserve fund *(ie, of a cooperative)*

Reservehaltung *f* (Fin) reserve management

Reservemeldung *f*
(Fin) reserve statement
– reserve status report

reservepflichtige Verbindlichkeiten *fpl*
(Fin) liabilites subject to reserve requirements
– reserve-carrying liabilities

Reserve-Soll *n*
(Fin) required reserve
(ie, monthly average of a bank's domestic liabilities subject to reserve requirements)

reservieren
(com) to reserve
– (GB) to book
– (GB, *also*) to reserve

reservierter Liegeplatz *m* (com) accommodation/appropriated . . . berth *(ie, of a ship)*

Reservierung *f*
(com) reservation
– (GB) booking

Respekttage *mpl* (WeR) days of grace
(ie, not recognized under West German law, Art. 74 WG)

ressortieren
(com) to be handled by *(eg, coal liquefaction is . . . by the Federal Research Ministry)*

Restant *m*
(com) debtor in arrears
– defaulting debtor

Restanteil *m* (Fin) remaining share of profits

Restanten *mpl*
(com) debtors in default *(or arrears)*
– defaulters
– delinquent debtors
(Fin) securities called back for redemption but not yet presented

Restbetrag *m*
(com) (remaining) balance
– residual amount

Resteinzahlung *f* (Fin) residual payment

Restkapital *n*
(Fin) principal outstanding
– remaining investment

Restkaufgeld *n* (com) balance of purchase price

Restlaufzeit *f*
(com) remaining . . . life/term
– maturing within . . .
– remainder of the term
– unexpired term
– remaining time to maturity
– time/term . . . to maturity

restliche Sendung *f* (com) remainder of a consignment

restliche Tilgungsschuld *f* (Fin) remaining investment

Restriktion *f*
(Fin) = Kreditrestriktion

Restriktionen *fpl* **im Wertpapierverkehr** (Fin) restrictions *(or constraints)* on security transactions

Restschuld *f*
(com) balance due
(Fin) residual debt
– remaining debt
– unpaid balance in account

Retouren *fpl*
(com) (sales) returns
– returned sales *(or purchases)*
– goods returned
(Fin) bills and checks returned unpaid

retrograde Verkaufskalkulation *f*
(com) inverse method of determining purchase price
(ie, sales price less profit markup, selling and administrative expenses, and cost of acquisition; opp, progressive Verkaufskalkulation)

revolvierender Kredit *m* (Fin) revolving *(or continuous)* credit

revolvierendes Akkreditiv *n* (Fin) revolving letter of credit

Revolving-Akkreditiv *n* (Fin) revolving letter of credit

rezensieren
(com) to review *(eg, a book)*
– (GB *also*) to notice *(ie, which implies that the review is brief)*

Rezension *f* (com) book review *(syn, Buchbesprechung)*

Rezeption *f*
(com) reception desk
– front desk *(ie, at a hotel)*
– (GB) reception

rezessionssicher (com) recession-resistant *(eg, service business)*

reziproker Verzug *m* (Fin) cross default *(syn, Drittverzug)*

reziproke Verzugsklausel *f* (Fin) cross default … clause/provision *(ie, bei Roll-over-Krediten: Möglichkeit der Kündigung, falls der Schuldner gegenüber Dritten in Zahlungsverzug gerät; cf, Verzugsklausel)*

R-Gespräch führen (com) to call collect

R-Gespräch *n*
(com, US) collect call
– (GB) transferred charge call
– (GB, coll) reverse-charge call

Rhetorikkurs *m* **belegen**
(com) to join a public speaking course

Ricambio *m*
(Fin) redrafted bill
– redraft
– re-exchange
(syn, Ricambiowechsel, Rückwechsel)

Richtigkeit *f*
(com) accuracy

Richtigkeit *f* **der Abschrift wird beglaubigt** (com) certified to be a true and correct copy of the original

richtigstellen
(com) to rectify
– to straighten out

Richtigstellung *f*
(com) rectification

Richtpreis *m*
(com) recommended (*or* suggested) price

Richtungskämpfe *mpl*
(com) factional disputes
– factions feud

richtungsweisend (com) trendsetting

Riesenprojekt *n* (com) mega-projec *(eg, worth $ 300bn)*

Rimesse *f* (Fin) remittance

Rimessenbuch *n*
(Fin) book of remittance
– bill book

Ringbuch *n*
(com) loose-leaf notebook
– (GB) ring binder

Ringgeschäft *n* (com) circular for ward transaction

Rinnverlust *m* (com) leakage

Risikenzerlegung *f* (Fin) unbundling of risks *(ie, in e–m Finanzkontrakt werden ursprünglich aggregierte Risiken in ihre Elemente zerlegt)*

Risiko *n*
(com) risk
– hazard

Risiko *n* **abdecken**
(Fin) to hedge a risk

risikoarme Aktien *fpl* (Fin) defen sive/protective … stocks

risikobereites Eigenkapital *n* (Fin risk (*or* venture) capital

Risikobewertung *f*
(Fin) risk assessment (*or* ap praisal)

Risikodeckung *f* (Fin) risk cover

Risiko *n* **des Frachtführers** (com) car rier's risk

Risiko *n* **des Investors** (Fin) exposure

Risiko *n* **eingehen** (com) to run (*or* in cur) a risk

Risikokapital *n* (Fin) risk (*or* ven ture) capital

Risikokapital-Finanzierung *f* (Fin risk (*or* venture) capital financing

Risikomischung *f*
(Fin) risk spreading

Risikopapier *n* (Bö) risk paper *(ie shares and stocks)*

risikoreiche Adresse *f* (Fin) high-risk borrower

Risiko *n* **tragen** (com) to carry a risk

Risikotransformation f (Fin) shift in risk spreading

Risikoverteilung f (Fin) distribution of risk

Risikovorsorge f
(com) provision for risks
(Fin) provision for contingent loan losses

Risikozuschlag m
(Fin) risk . . . markup/premium

riskieren
(com) to risk
– to run a risk
– to take a chance on (eg, funds running out)

Rohgewinn m
(com) gross profit on sales
– gross margin
(ie, in trading: net sales less merchandise costs; syn, Warenrohgewinn, Warenbruttogewinn)

Rohstoffe mpl
(com) raw materials
– primary products
– (basic) commodities

Rohstoffgewinnungsbetrieb m (com) extractive enterprise

Rohstoffhändler m (com) commodity trader

Rohstoffindustrie f (com) natural resources industry

Rohstoffmarkt m (com) raw commodity market

Rohüberschuß m (com) = Rohgewinn

Rohzins m (Fin) pure interest

rollende Fracht f (com) freight in transit

rollende Ladung f (com) freight in transit

rollender Finanzplan m (Fin) moving budget

rollende Ware f (com) goods in rail or road transit (opp, schwimmende und fliegende Ware)

Rollenklischee n (com) role cliché ((or stereotype)
(ie, the idea is claimed by its supporters to imply a mind stubbornly unaware of enlightened modern trends and one incapable of critical judgment, while it is just another instance of inadequate reasoning to compelling conclusions)

Rollfuhrdienst m (com) cartage (or haulage) service

Rollfuhrunternehmer m (com) cartage (or haulage) contractor

Rollgeld n
(com) cartage
– (US) drayage
– (GB) carriage

roll on/roll off service (com) Huckepackverkehr m (syn, piggyback traffic, qv)

Rollover-Kredit m (Fin) roll over credit
(ie, der R. des Euromarktes ist im allg langfristig, die häufigsten Laufzeiten liegen zwischen 5 und 10 Jahren; Zinssatz wird von e–r Refinanzierungsperiode zur anderen neu festgelegt)

RoRo-Schiff n (com) roll-on-roll-off ship (or vessel)

Ruchti-Effekt m (Fin) = Lohmann-Ruchti-Effekt

Rückantwortschein m (com) reply coupon

rückdatieren
(com) to backdate
– to antedate

rückdatierter Scheck m (Fin) antedated check

Rückdatierung f (com) backdating

rückdiskontieren
(Fin) to rediscount

Rückdiskontierung f (Fin) rediscounting

rückerstatten
(Fin) to refund
– to reimburse

Rückerstattungsanspruch m
(com) claim for reimbursement
– right to refund

Rückerstattungsgarantie f (com) money back guarantee

Rückerstattung f
(Fin) refund
– reimbursement

311

Rückflug

Rückflug *m* (com) inward flight *(opp, Hinflug = outward flight)*

Rückflüsse *mpl* **e–r Investition** (Fin) net cash flow
(ie, periodische Nettoeinzahlungen: Differenz zwischen den nicht einmaligen Zahlungen und Auszahlungen e–r Teilperiode des Planungszeitraums)

Rückfluß *m* **auf das investierte Kapital** (Fin) return on capital employed *(or on investment)*

Rückfracht *f* **aufnehmen** (com) to pick up back cargo

Rückfracht *f*
(com) back freight
– freight . . . home/homeward
– homeward freight
– return . . . cargo/freight
(com, US) backhauling
– return trip carriage of goods
(ie, with what would otherwise have been an empty truck)

Rückführung *f* **e-s Kredits** (Fin) repayment of a loan

Rückgaberecht *n* (com) return privilege

Rückgang *m* **auf breiter Front** (Bö) widespread decline in prices

Rückgang *m*
(com) decline
– decrease
– drop
– fall
– falling off
– lowering
– setback *(eg, in prices)*

Rückgewährung *f*
(com) repayment
– return
– refunding
– reimbursement

Rückgewinnung *f* **des investierten Kapitals** (Fin) cost *(or* investment) recovery

Rückgriff *m* **mangels Annahme** (WeR) recourse for nonacceptance

Rückgriff *m* (com, Re, WeR) recourse (to, against) *(syn, Regreß)*

Rückindossament *n* (WeR) indorsement to prior indorser

Rückkaufangebot *n* (Fin) repurchase *(or* redemption) offer

Rückkaufdisagio *n* (Fin) redemption *(or* repurchase) discount

Rückkauf *m* **eigener Aktien** (Fin) repurchase of own shares

Rückkauffrist-Aufschub *m* (Fin) call provision
(ie, provision wirtten into stock and bond issues)

Rückkauffrist *f* (com) period for repurchase

Rückkaufgesellschaft *f* (com) repurchase company

Rückkaufklausel *f* (Fin) call provision *(ie, refers to bonds)*

Rückkaufkurs *m*
(Fin) redemption
– retirement
– call . . . price *(ie, of a bond)*

Rückkaufprämie *f* (Fin) call premium
(ie, due when a company calls security in for repurchase)

Rückkaufsdisagio *n* (Fin) repurchase discount
(ie, entsteht, wenn Obligationen zwecks Tilgung unter pari zurückgekauft werden: accruing when redeemable bonds must be repurchased below par, § 157 AktG)

Rückkaufsrecht *n* (com) right to repurchase

Rückkaufsvereinbarung *f* (Fin) repurchase agreement

Rückkaufswert *m*
(Fin) redemption value *(ie, of securities)*
– cash-in value

Rückkauf *m* **von Investmentanteilen** (Fin) cash-in

Rückkauf *m* **von Schuldverschreibungen** (Fin) bond redemption *(or* call-back)

Rückkaufzeitpunkt *m* (Fin) date at which bonds are callable

Rückkauf *m*
(com) buying back
– repurchase

312

(Fin) redemption *(ie, of bonds)*
- amortization
- retirement
- callback

(Fin) repurchase
(ie, of stocks)

Rückladung *f*
(com) return load
- backload
- back cargo

Rücklage *f* **e-r Bank** (Fin) bank reserve

Rücklagen *fpl* **angreifen** (Fin) to eat into reserves

Rücklagen *fpl*
(com, infml) nest egg
- rainy-day reserves

rückläufig
(com) declining
- decreasing
- dropping
- falling
- going down
- lowering *(ie, all general terms)*
- flagging *(ie, less stiff)*
- sagging
- softening
- weakening
- dipping *(ie, slightly)*
- slipping *(ie, smoothly)*
- plunging *(ie, suddenly)*
- plummeting *(ie, steeply and suddenly)*
- tumbling *(ie, rapidly)*

rückläufiger Aktienmarkt *m*
(Bö) shrinking
- receding
- soft . . . market

rückläufiger Markt *m* (com) receding market

rückläufige Tendenz *f* (com) declining trend

rückläufige Überweisung *f* (Fin) = Einzugsverfahren

rückläufige   Umsatzentwicklung *f*
(com) falling sales

Rücklieferung *f* (com) return delivery *(or* shipment*)*

Rücknahmegarantie *f* (Fin) repurchase guaranty

Rücknahmegebühr *f* (Fin) performance fee
(ie, von Investmentgesellschaften; an den Wertzuwachs gebunden)

Rücknahmekurs *m*
(Fin) redemption price
(Fin) cash-in *(or* call*)* price
(Fin) net asset value *(ie, in investmend funds)*

Rücknahmen *fpl* (Fin) repurchases

Rücknahmepreis *m*
(Fin, GB) bid price
- buying price
(ie, von Anteilen der ‚unit trusts‘)
(Fin) repo rate

Rücknahmesätze *mpl* (Fin) buying rates
(ie, paid by the Bundesbank for money market paper; opp, Abgabesätze)

Rücknahmewert *m* (Bö) bid value

Rücknahme *f*
(Fin) redemption
- repurchase

Rückporto *n* (com) return postage

Rückprämie *f* **mit Nachliefern** (Bö) put of more

Rückprämiengeschäft *n*
(Bö) put
(Bö) trading in puts

Rückprämienkurs *m* (Bö) put price

Rückprämie *f* **verkaufen** (Bö) to give for the put

Rückprämie *f*
(Bö) put
- put option
- premium for the put
- put premium

Rückrechnungen *fpl* (Fin) bookings of unpaid checks

Rückrechnung *f* **von brutto auf netto** (com) netback

Rückreise *f* **e-s Schiffes** (com) return voyage

Rückrufaktion *f*
(com) recall action *(eg, automobiles)*

rückrufen
(com) to call back *(ie, by phone)*
(com) to call in *(ie, defective parts)*

313

Rückruf

Rückruf *m*
(com) recall
– callback *(ie, of defective products)*
Rückscheckkonto *n* (Fin) returned checks account
Rückscheck *m* (Fin) returned check *(syn, Retourscheck)*
Rückschein *m*
(com) return receipt
– (GB) advice of receipt, A.R.
– advice of delivery
Rückschlag *m* **erleiden** (com) to suffer a setback
Rückschlag *m* (com) setback
Rückschleusung *f* **von Geldern** (Fin) recycling of funds
Rückseite *f*
(com) „on the reverse side"
– (GB) „overleaf"
Rücksendungen *fpl*
(com) returns
– sales returns
– returned sales *(or* purchases)
– goods returned
Rücksendung *f* (com) return cargo *(or* shipment)
Rückspesen *pl* (com) back charges
Rückstände *mpl* (Fin) arrears
rückständige Dividende *f* (Fin) dividend in arrears
rückständige Lieferung *f* (com) overdue delivery
rückständige Rate *f* (Fin) back installment
rückständige Tilgungszahlungen *fpl* (Fin) redemption arrears
rückständige Zinsen *mpl* (Fin) back interest
Rückstellung *f* **für Länderrisiko** (Fin) basket provision *(ie, fixed percentage of bank loans to all problem countries together)*
Rückstellung *f* **im Kreditgeschäft** (Fin) provision for possible loan losses
Rücktrittsklausel *f* (Fin) market-out clause
(ie, permitting withdrawal from a management group if there should

be a material adverse change in th secondary market)
Rückumschlag *m* (com) business re ply envelope
Rückvalutierung *f* (Fin) backvalua tion
rückvergüten
(com) to refund
– to reimburse
Rückvergütung *f*
(com) refund
– reimbursement
Rückwaren *fpl* (com) goods *(or* mer chandise) returned
Rückwechsel *m*
(Fin) redrafted bill
– redraft
– re-exchange
(syn, Ricambio, Ricambiowechsel
rückzahlbar
(Fin) refundable
– repayable
– redeemable
rückzahlen (com) to pay back
Rückzahlung *f* **aufschieben** (Fin) t defer repayment
Rückzahlung *f* **bei Endfälligkeit**
(Fin) final redemption
– redemption at term
Rückzahlung *f* **des Kapitals** (Fin) re payment of principal
Rückzahlung *f* **durch Auslosung** (Fin drawing
Rückzahlung *f* **e-r Anleihe** (Fin) re payment *(or* retirement) of a loan
Rückzahlung *f* **e-r Schuld** (Fin) extinction *(or* repayment) of debt
Rückzahlung *f* **in e-r Summe** (Fin) bullet repayment
(ie, Rückzahlungsmodus des Roll-over-Kredits)
Rückzahlung *f* **in gleichen Tilgungs-raten** (Fin) straight-line redemption
Rückzahlungsagio *n* (Fin) redemption premium
Rückzahlungsbetrag *m* (Fin) amount repayable
Rückzahlungsdisagio *n* (Fin) redemption discount

Rückzahlungsfrist *f* (Fin) deadline (*or* time) for repayment

Rückzahlungskurs *m* (Fin) = Rückkaufkurs

Rückzahlungsoption *f* (Fin) option of repayment

Rückzahlungsprämie *f* (Fin) redemption premium

Rückzahlungsprovision *f* (Fin) redemption commission

Rückzahlungsrendite *f* (Fin) yield to maturity
(ie, rate of return when investment is retained until maturity; proper calculation of annual return)

Rückzahlungstermin *m*
(Fin) date of repayment
– date of redemption
– deadline for repaying
– maturity date

Rückzahlungswert *m* (Fin) redemption value

Rückzahlung *f* **zum Nennwert** (Fin) redemption at par

Rückzahlung *f*
(com) refund
– repayment
(Fin) redemption
– payoff

– sinking
– amortization

Rufanlage *f* (com) paging system

Rufgerät *n*
(com) pager
– (infml) beeper (= Piepser)

Rufnummer *f*
(com) phone number
– dial sequence

ruhiger Verlauf *m*
(Bö) calm
– quiet
– thin ... trading

ruinieren
(com) to ruin
– (infml) to break

ruinöse Preise *mpl* (com) ruinously low prices

Rundschreiben *n*
(com) circular
– circular letter
– (infml) mail shot

Rund-um-die-Uhr-Handel *m*
(Bö) all day trading
– 24-hour trading ... system/link

run in *v* (com, GB) einfahren *(syn, to break in)*

Rüstungslieferant *m* (com) defense contractor

S

Sachanlageninvestition *f* (Fin) capital expenditure

Sachaufwand *m*
(Fin) operating expenses

Sachausschüttung *f* (Fin) distribution in kind

Sachdepot *n* (Fin) security deposit

Sachdepotbuch *n* (Fin) register of security deposits)

Sachdividende *f*
(Fin) dividend in kind
– asset
– commodity
– property ... dividend
(opp, Bardividende = cash dividend)

Sacheinlageaktie *f* (Fin) non-cash share

sachenrechtliche Übertragung *f* (WeR) transfer by agreement and delivery

sachenrechtliche Wertpapiere *npl* (WeR) securities evidencing property rights
(eg, mortgage deed, land charge deed)

Sachgebiet *n*
(com) functional area
– (special) field

Sachinvestition *f*
(Fin) real investment

Sachkapitalerhöhung *f* (Fin) increase

of noncash capital, §§ 183, 194, 205 ff AktG

Sachkonto n
(Fin) impersonal account

Sachkredit m (Fin) collateral loan *(opp, Personalkredit)*

Sachkunde f
(com) competence
– professional expertise
– technical expertise

Sachleistung f (com) allowance/benefit . . . in kind

Sachleistungen fpl
(com) payment in kind

sachliche Entscheidung f (com) objective decision

sachliche Richtigkeit f
(com) substantive accuracy (or correctness)

sachlich zuständig (com) functionally competent

Sachverstand m
⌐ (com) (analytic) expertise
– expert knowledge
– skill of an expert

Sachverständigenausschuß m (com) expert committee

Sachverständigen m **bestellen** (com) to appoint an expert

Sachverständigengutachten n
(com) expert opinion
– expert's report
– expertise

Sachverständigen m **hinzuziehen**
(com) to call in/consult . . . an expert
– to employ the services of an expert

Sachverständiger m
(com) expert
– outside expert
– special expert

Sachwert m
(com) physical (or tangible) asset
(Fin) intrinsic value

Sachwertanleihe f (Fin) commodity-based loan
(ie, secured by staples like potash, coal, timber, sugar; in Germany between 1922 and 1924)

Sachwertdividende f (Fin) = Sachdividende

Sachwerte mpl
(Fin) resource-based assets *(eg, investors sought . . .)*

Sachwertklausel f (com) = Warenpreisklausel

Sackgasse f
(com) dead end *(eg, come to a . . . in our efforts to reach an agreement)*
– deadlock
– impasse

Safe m/n **mieten** (Fin) to rent a safe deposit box

Safevertrag m (Fin) safe deposit box agreement

saftige Preise mpl (com, sl) fishy prices

Saftladen m (com, sl) dump
(ie, inefficiently run business establishment)

Saisonartikel mpl (com) seasonal goods (or articles)

Saisonausverkauf m (com) = Saisonschlußverkauf

Saisonkredit m (Fin) seasonal credit *(ie, granted to farming and fishery establishments, etc.)*

Saisonschlußverkauf m (com) end-of season clearance sale *(ie, at reduced prices)*

SAL-Pakete npl (com) SAL *(surface air lifted)* parcels

Sammelaktie f (Fin) multiple share certificate
(ie, evidencing large share holding, not widely used in Germany; syn, Globalaktie)

Sammelanleihe f (Fin) joint loan issue
(ie, floated by a number of municipalities)

Sammelanschluß m (com) private branch exchange

Sammelaufstellung f (com) collective list

Sammelauftrag m (Fin) bulk order

Sammelbestand m (Fin) collective security holding

Sammelbestellung *f*
(com) collective order
(com) multi-copy order *(ie, of books)*

Sammelbezeichnung *f* (com) catch-all category

Sammeldepot *n*
(Fin) collective custody account
(Fin) collective safe deposit

Sammeldepotkonto *n* (Fin) collective deposit account

Sammeleinkauf *m* (com) group buying

Sammelfaktura *f* (com) monthly billing

Sammelinkasso *n* (Fin) centralized/group ... collection

Sammelkonnossement *n*
(com) grouped
– omnibus
– collective ... bill of lading

Sammelkonto *n*
(Fin) suspense account *(cf, CpD-Konto)*

Sammelladung *f*
(com) consolidated shipment
– consolidation
– (GB) grouped/collective ... consignment
– (GB) grouped shipment
– mixed/pooled ... consignment
– joint cargo

Sammelladungen *fpl* **zerlegen** (com) to break bulk *(ie, said of consolidated shipments)*

Sammelladungs-Frachtraten *fpl* (com) groupage rates

Sammelladungs-Konnossement *n* (com) combined *(or* groupage) bill of lading

Sammelladungsspediteur *m* (com) grouped consignment forwarder, § 413 HGB

Sammelladungsspedition *f* (com) grouped consignment forwarding

Sammelladungsverkehr *m* (com) groupage traffic

Sammelladungs-Zustelldienst *m* (com) consolidated package-delivery service

Sammelmappe *f* (com) loose-leaf binder

Sammelrechnung *f* (com) unit billing

Sammelsendung *f* (com) combined shipment

Sammeltarif *m* (com) group rate

Sammeltransport *m* (com) collective transport

Sammelüberweisung *f* (Fin) combined bank transfer

Sammelurkunde *f* (Fin) global certificate

Sammelverwahrung *f*
(Fin) collective safekeeping of securities
– (US) bulk segregation
(opp, Streifbandverwahrung, Einzelverwahrung; cf, Wertpapiersammelbank)

Sammlverwahrung *f*
(Fin) collective safekeeping
– (US) bulk segregation

sanieren
(Fin) to reorganize
– (GB) to reconstruct
(com, infml) to refloat
– to reforge
– to reshape
– to revamp
– to revitalize
– to put new life into

saniertes Baugebiet *n* (com) rehabilitated *(or* upgraded) area

Sanierung *f*
(Fin) (capital reorganization
– (GB) (capital) reconstruction
(com, infml) rescue ... operation/package
*(ie, soll die Leistungsfähigkeit e–s Unternehmens wiederherstellen: reestablish the operational and/or productive capacity of that company;
1. buchmäßige Sanierung (reine Sanierung) ohne Mittelzuführung: bookkeeping measures without the injection of new funds; includes the reduction of capital; § 222 et seq AktG and § 58 GmbHG;
2. Sanierung mit Zuführung von*

Mitteln: measures involving the injection of new funds; cumulative deficit is eliminated by a reduction of capital, and then new capital is injected by the issue of new shares; vgl. auch den Terminus ‚Reorganisation' im Rahmen der Insolvenzrechtsreform)

Sanierungsbündel *n* (Fin) rescue package

Sanierungsdarlehen *n* (Fin) reorganization loan

Sanierungskonsortium *n* (Fin) backing/reconstruction ... syndicate *(syn, Auffangkonsortium)*

Sanierungskredit *m*
(Fin) reorganization loan
– (GB) reconstruction loan

Sanierungsplan *m* (Fin) financial rescue plan

Sanierungsprogramm *n*
(Fin) rescue package (*or* scheme)
– reorganization scheme

satte Gewinne *mpl*
(com, infml) bumper/lush ... profits

Sättigungspunkt *m*
(Bö) absorption point
(ie, at which market refuses to accept greater offerings without price concessions)

Satz *m*
(com) rate

Sätze *mpl* **unter Banken** (Fin) interbank money market rates

Satz *m* **für Tagesgeld** (Fin) call (*or* overnight) rate

Satz *m* **Verschiffungspapiere** (com) commercial set
(ie, invoice, draft, bill of lading, insurance policy)

säumiger Schuldner *m*
(com) debtor in arrears (*or* in default)
– defaulting debtor
– delinquent debtor *(syn, Restant)*

säumiger Zahler *m* (com, infml) tardy payer

säumig sein
(com) to default

säumig werden
(com) to fall (*or* get) behind *(eg, in mortgage payments on a house)*
(Fin) to default

säumig
(com) defaulting
– in default

Schachteldividende *f*
(Fin) dividend from an interrelated company
– intercompany dividend

Schaden *m* **beheben**
(com) to repair a damage
– to rectify (*or* remedy) a defect

Schaden *m* **durch inneren Verderb**
(com) damage by intrinsic defects

Schaden *m* **festsetzen** (com) to assess a damage

Schadenhöhe *f*
(com) amount of loss
– extent of damage

Schaden *m* **tragen** (com) to bear a loss

Schaden *m* **verursachen** (com) to cause loss (*or* damage)

schädlich
(com) detrimental
– harmful
– deleterious

Schadstoff *m*
(com) pollutant
– noxious substance
– contaminant

Schadstoffemission *f* (com) harmful emission

Schalterbeamter *m*
(com) cashier

Schaltergeschäft *n* (Fin) counter transactions
(eg, simultaneous purchase and cash payment ‚at the counter'; Leistung und Gegenleistung Zug um Zug; ushändigung effektiver Stücke; syn, Tafelgeschäft)

Schalterprovision *f* (Fin) selling commission
(ie, paid by a member of an underwriting syndicate to another for selling part of their securities quota to the public)

scharf ansteigen
(com) to soar
– to leap
– to shoot up
– to bounce up
– to increase sharply
scharfe Konkurrenz *f* (com) =
scharfer Wettbewerb
scharfer Kursrückgang *m* (Bö) bottom dropped out *(ie, creates a panicky condition)*
scharfer Wettbewerb *m*
(com) bitter
– fierce
– intense
– keen
– severe
– stiff... competition
scharf kalkuliert (com) with a low margin
scharf kalkulierter Preis *m* (com) close (*or* keen) price
Schatzanweisungen *fpl* (Fin) Treasury paper
(ie, kurz- und mittelfristige Schuldverschreibungen, von Gebietskörperschaften und Sondervermögen begeben; Laufzeit 6-24 Monate)
schätzen
(com) to estimate (at)
– to appraise
– to assess (at)
– to put (at) *(eg, putting the rise at 4%)*
– (infml) to guesstimate
Schätzer *m*
(com) appraiser
– valuer
– evaluator
– assessor
Schätzkosten *pl* (com) estimated cost
Schatzpapiere *npl* (Fin) treasury certificates
Schatzscheine *mpl* (Fin) cf, Schatzwechsel, unverzinsliche Schatzanweisungen
Schätzung *f*
(com) estimate
– appraisal
(com) estimation

– appraisement
– valuation
Schatzwechsel *m* (Fin) Treasury bill
(ie, Solawechsel des Bundes, der Länder und der Sondervermögen; Laufzeit 30-90 Tage; placed by the Bundesbank with the banks on a tap basis; normally held to maturity, but resold to the Bundesbank if liquidity is short)
Schätzwert *m*
(com) estimated value
– estimate
Scheck *m*
(Fin) check
– (GB) cheque
Scheckabrechnungsmaschine *f* (Fin) check processor
Scheckabrechnungsverkehr *m* (Fin) clearance of checks
Scheckabteilung *f* (Fin) check processing and collecting department
Scheck *m* **ausschreiben** (Fin) to write out a check
Scheck *m* **ausstellen** (Fin) = Scheck ausschreiben
Scheck *m* **ausstellen auf** (Fin) to make check payable to
Scheckaussteller *m* (Fin) maker (*or* drawer) of a check
Scheckbetrug *m*
(Fin) check fraud
– (infml) paperhanging
Scheckbetrüger *m* (Fin, infml) paperhanger
(ie, professional passer of bad checks)
Scheckbuch *n* (Fin) check register
Scheckbürgschaft *f* (Fin) guaranty for checks, Art. 25–27 ScheckG
Scheckdeckungsanfrage *f*
(Fin) check authorization (*or* verification)
Scheckdiskontierung *f* (Fin) discounting of checks
Scheckeinlösegebühr *f* (Fin) check encashment charge
Scheck *m* **einlösen**
(Fin) to cash a check
(Fin) to pay a check

Scheckeinlösung *f*
(Fin) encashment of a check
(Fin) payment of a check

Scheck *m* **einreichen** (Fin) to present a check

Scheckeinreichung *f* (Fin) presentation of a check

Scheckeinreichungsformular *n* (Fin) check paying-in slip

Scheckeinreichungsfrist *f* (Fin) time limit for presentation of a check

Scheck *m* **einziehen** (Fin) to collect a check

Scheckeinzug *m* (Fin) check collection *(syn, Scheckinkasso)*

Scheckfähigkeit *f* (WeR) capacity to draw or indorse checks, Art. 3, 60 ff ScheckG

Scheck *m* **fälschen** (Fin) to counterfeit a check

Scheckformular *n* (Fin) check form

Scheckheft *n* (Fin) check book

Scheckinhaber *m* (WeR) bearer of a check

Scheckinkasso *n* (Fin) check collection *(syn, Scheckeinzug)*

Scheckkarte *f* (Fin) check card

Scheckklausel *f* (Fin) check clause *(ie, statutory wording: „Zahlen Sie gegen diesen Scheck")*

Scheckleiste *f*
(Fin) counterfoil
– stub

Scheckmißbrauch *m* (Fin) = Scheckbetrug

Schecknehmer *m* (Fin) payee of a check

Scheck *m* **nicht einlösen** (Fin) to dishonor a check

Scheckreiterei *f* (Fin) check kiting

Scheckrückgabe *f* (Fin) return of an unpaid check

Scheckrückrechnung *f* (Fin) check return bill

Schecksortiermaschine *f* (Fin) check sorter

Schecksperre *f*
(Fin) stop payment order
– cancellation (*or* countermand) of a check

Scheck *m* **sperren** (Fin) to stop a check

Schecksperrung *f* (Fin) countermand

Scheckumlauf *m* (Fin) checks in circulation

Scheck-Unterschriftenmaschine *f*
(Fin) = Scheckzeichnungsmaschine

Scheckverkehr *m* (Fin) check transactions

Scheckverrechnung *f* (Fin) check clearing

Scheckzahlung *f* (Fin) payment by check

Scheckzeichnungsmaschine *f* (Fin) check signer *(syn, Scheck-Unterschriftenmaschine)*

Scheck *m* **zum Inkasso** (Fin) check for collection

Scheinanbieter *m* (com) by-bidder *(ie, employed to bid at an auction in order to raise the prices for the auctioneer or seller)*

Scheinangebot *n*
(com) level
– collusive
– dummy... tendering *(ie, aufgrund von Anbieterabsprachen)*

Scheinfirma *f*
(com) „paper" company *(ie, used as a training ground for apprentices and junior clerks; syn, Übungsfirma)*
(Fin, infml) front name
– nominee
– straw
– street name *(ie, used to hide the real owner)*

Scheingebot *n* (com) sham (*or* straw) bid

Scheingesellschafter *m*
(com) nominal
– ostensible
– quasi... partner
– (GB) holding-out partner

Scheinkurs *m* (Bö) fictitious security price *(syn, Ausweichkurs)*

scheitern
(com) to fail

– (infml) to fall flat
– to fall through (eg, plan, project)

Schemabrief m (com) standard letter (ie, identical wording, but addressed to individual persons or firms)

Schere f (com) gap (eg, between receipts and expenditures)

Schiedsstelle f (com) arbitrative board

Schienenverkehr m (com) rail traffic

Schiene/Straße-Güterverkehr m (com) „combined transport" freight traffic (ie, going partly by rail and partly by road)

Schiffahrt f (com) shipping

Schiffahrtsagent m (com) shipping agent

Schiffahrtsgesellschaft f (com) shipping company

Schiffahrtskonferenz f (com) freight conference (com) shipping conference (ie, kartellähnlicher Zusammenschluß mehrerer Linienreedereien in der Seeschiffahrt für bestimmte Gebiete od Routen; syn, Linienkonferenz)

Schiffahrtslinie f (com) shipping line

Schiffahrtswege mpl (com) ocean routes

schiffbare Gewässer npl (com) navigable waters

Schiffbauindustrie f (com) shipbuilding industry

Schiff n **chartern** (com) to charter (or freight) a ship

Schiffer m (com) master, §§ 511–555 HGB
– carrier (syn, Kapitän)

Schiffsabfahrtsliste f (com) sailing list

Schiffsabgaben fpl (com) ship's charges

Schiffsagent m (com) shipping agent

Schiffsbank f (Fin) ship mortgage bank

Schiffsdisponent m (com) shipping manager, § 492 HGB

Schiffseigentümer m (com) shipowner (ie, in ocean shipping)

Schiffseigner m (com) shipowner (ie, in inland waterway shipping)

Schiffsfracht f (com) freight
– cargo

Schiffshypothekenbank f (Fin) = Schiffspfandbriefbank

Schiffsliegeplatz m (com) loading berth (or wharf)

Schiffsliste f (com) sailing list

Schiffsmakler m (com) shipping agent
– ship broker

Schiffsmanifest n (com) ship's manifest

Schiffsmeßbrief m (com) tonnage certificate

Schiffspart m (com) share in a ship (ie, one of the shares of joint shipowners = Mitreeder)

Schiffspfandbriefbank f (Fin) ship mortgage bank

Schiffsverladekosten pl (com) lading charges

Schiffszettel m (com) shipping note

Schlagzeilen fpl **machen** (com) to hit the headlines

schlampig arbeiten (com) to do slipshod (or shoddy or sloppy) work
– (infml) to quit on the job

schlechte Adressen fpl (Fin) marginal accounts

schlechter Kauf m (com) bad buy

schleichende Übernahme f (com) creeping takeover

schleppende Nachfrage f (com) sagging demand

schleppender Absatz m (com) poor market

schleppender Zahlungseingang m (Fin) stretching out of accounts receivable (ie, customers pay more slowly)

Schleuderpreis m (com) give-away
– knock-out
– slaughtered . . . price

Schleuderverkauf m (com) selling at knock-out prices

schließen
(com) to close down
- to shut down
- to discontinue
- (infml) to board up *(ie, unprofit-able store)*

Schließfach *n*
(com) P.O. box
- post office box
(Fin) safe deposit box
- *(also)* safety deposit box

Schließfachmiete *f* (com) safe deposit box rental

Schlüsselbranche *f* (com) = Schlüsselindustrie

Schlüsselfrage *f*
(com) key question

Schlüsselindustrie *f*
(com) key industry
- (infml, US) bellwether industry *(eg, autos, chemicals, steel, food, information processing, machinery, oil, paper)*

Schlüsselwährung *f* (Fin) key currency *(syn, Leitwährung)*

Schlußabnahme *f* (com) final acceptance

Schlußabrechnung *f*
(com) final account
- final billing

Schlußabstimmung *f* (com) final vote

Schlußbericht *m*
(com) final report
(com) exit presentation *(eg, submitted by outside expert)*

Schlußbrief *m*
(com) commodity contract *(ie, gebräuchlich bei nicht börsenmäßig gehandelten Waren)*
(Bö, *commodity trading, US)* purchase and sale memorandum
(com) fixing letter *(ie, in chartering)*

Schlußdividende *f*
(Fin) final dividend

Schlußformel *f* (com) complimentary close *(ie, in Geschäftsbriefen = in business letters)*

Schlußkurs *m*
(Bö) closing price

- closing/final/last . . . quotation
- the last

Schlußkurs *m* **des Vortrages**
(Bö) previous-day closing price
- previous quotation

Schlußnote *f*
(Bö) bought and sold note
- (broker's) contract note, §§ 94, 102 HGB
- *(security trading, US)* confirmation slip
- *(commodity trading, US)* purchase and sale memorandum *(syn, Schlußschein)*

Schlußnotierung *f*
(com) closing price *(or* quotation)
(Bö) = Schlußkurs

Schlußschein *m*
(Bö) bought/contract . . . note
- (US) confirmation slip

Schlußtendenz *f* (Bö) final tone

Schlußtermin *m*
(com) final date
- time limit

Schlußverkauf *m* (com) end-of-season sale *(syn, Saisonschlußverkauf)*

Schlußzahlung *f* (Fin) final/terminal . . . payment

Schmerzgrenze *f*
(com) pain threshold *(eg, inflationary)*

schmieren (com) = bestechen, qv

Schmierpapier *n* (com, infml) scratch paper

Schnellbahn *f* (com) fast-rail system *(or* service)

schnelle Abfertigung *f* (com) prompt *(or* speedy) dispatch

Schnellhefter *m*
(com) flat file

Schnittstelle *f* (com) interface *(ie, place at which two different systems or subsystems meet and interact with each other)*

Schreibmaschine *f* (com) typewriter

Schriftenreihe *f* (com) publication series

Schriftführer *m* (com) keeper of the minutes

Schriftgut *n* (com) documents and records

schriftlich (com) in writing

schriftlich einreichen (com) to submit
in writing

schriftliche Stellungnahme *f* (com)
comments in writing

schriftlich fixieren
(com) to put in writing
– (fml) to reduce to writing

Schriftträger *mpl* (com) written records

Schriftverkehr *m* (com) correspondence

Schriftwechsel *m*
(com) correspondence
– exchange of letters

Schrittmacher *m*
(com, infml) pacemaker
– pacer
*(ie, anything that has influence on
the rate of a process or a reaction)*

schröpfen (com) to bleed *ie, sb for)*

Schrotthandel *m* (com) scrap trade
(or business)

Schrotthändler *m* (com) scrap merchant

Schrottplatz *m* (com) junkyard

schrumpfende Gewinne *mpl* (com)
shrinking profits

Schrumpfung *f* **der Auftragsbestände**
(com) reduction of orders on hand
– falling orders

Schub *m*
(com) jump
– wave *(eg, of prices, interest
rates)*

Schubladenplanung *m* (com) conting-
ency/alternative ... planning *(syn,
Alternativplanung)*

Schufa *f* (Fin) = Schutzgemeinschaft
für allgemeine Kreditsicherung, qv

Schuhindustrie *f* (com) footwear industry

Schuldbefreiung *f* (Fin) discharge of
debt

Schuld *f* **begleichen**
(Fin) to pay
– to discharge
– to settle ... a debt

Schuld *f* **eingehen**
(Fin) to contract a debt
– to incur a liability

Schulden *fpl*
(com) debts
– indebtedness

Schulden *fpl* **abtragen** (com) to pay
off debts

Schulden *fpl* **abzahlen** (com) to pay
off debts

Schuldenberg *m* (Fin) mountain of
debt

Schuldenbombe *f* (Fin, infml) debt
bomb
*(ie, potential explosive repercus-
sions of a default by a major international debtor on the Western financial system)*

Schuldendienst *m*
(Fin) debt service *(or servicing)*
– debt service bill
– debt servicing charges
– repayment and service of existing debt
*(ie, interest and principal repay-
ments)*

Schuldendienstquote *f*
(Fin) debt-service ratio
*(ie, interest outlay to sum total of
public spending)*

Schulden *fpl* **erlassen** (Fin) to waive
debt repayment

Schuldenerlaß *m*
(Fin) debt ... relief/forgiveness
*(ie, release of obligation to repay
loans)*

schuldenfrei
(com) free from debt *(or obligation)*
(com) clear
– free and clear *(eg, house is clear
of mortgages)*

Schulden *fpl* **konsolidieren** (Fin) to
consolidate debt

Schuldenkonsolidierung *f*
(Fin) consolidation of debt
debt consolidation

Schulden *fpl* **machen**
(com, infml) to load up with debt
– to contract debts

Schuldenmoratorium

Schuldenmoratorium *n* (Fin) deferral of debt repayment

Schuldenquotient *m* (Fin) debt-gross assets ratio

Schuldenrahmen *m* (Fin) borrowing ceiling *(syn, Verschuldungsgrenze)*

Schuldenrückzahlung *f*
(Fin) debt repayment
– debt redemption
– debt retirement

Schuldenstand *m* (Fin) debt position

Schuldenswap *m* (Fin) debt-for-equity swap
(ie, Umschuldungstechnik: Forderungen von Kreditinstituten an problematische Schuldnerländer werden in Beteiligungskapital umgewandelt)

Schulden *fpl* **tilgen** (Fin) to repay debt

Schuldentilgung *f* (Fin) repayment of debt

Schuldentilgungs-Fähigkeit *f* (Fin) debt repaying capability

Schuldentilgungsfonds *m* (Fin) sinking fund

Schuldenüberhang *m* (Fin) excess of debt over assets

Schulden *fpl* **übernehmen** (Fin) to assume debt

Schulden *fpl* **zurückzahlen** (Fin) to pay off debt

Schuldformen *fpl* (Fin, FiW) types of borrowing
(eg, interne/externe Verschuldung)

Schuldneranalyse *f* (Fin) = Kreditprüfung, qv

Schuldnerarbitrage *f* (Fin) debtor arbitrage

schuldrechtliches   Wertpapier *n* (WeR) debt instrument

schuldrechtliche   Übertragung *f* (WeR) transfer by assignment and delivery

schuldrechtliche   Wertpapiere *npl* (WeR) debt securities

Schuldschein *m*
(Fin) note
– DM-denominated promissory note

(ie, qualifies as security but not as evidence of claim; issued in large denominations of not less than DM500,000; issued by public or private borrowers of top-rate standing; purchase or sale by assignment)

Schuldscheindarlehen *n*
(Fin) (borrowers') note loan
(ie, Kredite von Kapitalsammelstellen, die durch Vermittlung e–s Finanzmaklers od e–r Bank zustandekommen, von dieser bei Großanlegern plaziert werden und idR besonders besichert sind; long-term direct credit where lender is entitled to fixed interest till maturity and to repayment. Transfer of title by written assignment. Notes not being deemed securities, interest is paid without deduction of 25 percent withholding tax.)

Schuldtitel *m*
(Fin) debt issue
– note *(cf, Note Issuance Facility)*

Schuldumwandlung *f*
(Fin) conversion of debt

Schuldverschreibung *f* (Fin) bond
(syn, Anleihe, Obligation; ie, im engeren Sinne Teilschuldverschreibungen von Betrieben; Sonderformen:
1. Gewinnschuldverschreibung = income bond, qv;
2. Wandelschuldverschreibung = convertible bond, qv;
3. Optionsschuldverschreibung = bond with warrant, qv;
ie, security evidencing an interest-bearing debt, if the instrument is (1) made out to bearer, (2) transferable by indorsement, (3) made out in serial form, or (4) equipped with interest coupons, § 12 KVStG)

Schuldverschreibung *f* **auf den Inhaber** (Fin) bearer bond

Schuldverschreibung *f* **mit variabler Rendite** (Fin) variable yield bond

Schuldzinsen *mpl*
(Fin) debt interest

– interest on debt (*or* indebtedness)
– interest on borrowing
Schulung *f*
(com) training
– education
Schulungsprogramm *n* (com) training program
Schulungszentrum *n* (com) training center
Schund *m* (com, infml) inferior merchandise
Schütt-aus-Hol-zurück-Politik *f* (Fin) pay out/take back policy
Schüttgüter *npl*
(com) bulk/loose . . . material
– material in bulk
Schutzgebühr *f* (com) nominal charge (*or* fee)
Schutz *m* **von Minderheitsaktionären** (Fin) protection for minority shareholders
schwach beginnen (Bö) to get off to a sluggish start
Schwächeanfall *m* (com) bout of weakness (*eg, of $ or DM*)
schwächerer Auftragseingang *m* (com) thinner order books
schwache Umsätze *mpl* (Bö) low level of trading activity
– light trading
schwankender Zins *m* (Fin) floating interest rate
Schwankungsmarkt *m* (Bö) variable-price market (*syn, variabler Markt; opp, Einheitsmarkt*)
Schwankungswerte *mpl* (Bö) variable-price securities
schwänzen (Bö) to corner
Schwänze *f* (Bö) corner
(*ie, in forward transactions; möglichst restloser Aufkauf e-r bestimmten Warengattung; eg, make a fortune from a corner in wheat*)
Schwarzarbeit *f*
(com) unrecorded employment
– employment off the books
– double (*or* multiple) jobbing
– moonlighting
(*ie, type of clandestine work; per-*

formed illegally and going undeclared and untaxed)
schwarzarbeiten
(com, infml) to work off the books
– to go black
Schwarzarbeiter *m*
(com) moonlighter
– (infml) fly-by-night worker
schwarze Liste *f*
(com) black list
– denied list (*ie, companies are put on the . . .*)
schwarzes Brett *n* (com) notice/bulletin . . . board
(*eg, to put sth up on the . . .; syn, Anschlagtafel*)
schwarze Zahlen *fpl* **schreiben** (Fin) to write black figures
– to operate in the black
schwebende Verrechnungen *fpl* (Fin) items in course of settlement
schwer absetzbare Ware *f* (com) slow moving merchandise
schwer absetzbare Wertpapiere *npl* (Fin) deadweights
schwere Papiere *npl* (Bö) heavy-priced shares
schwerer Kursverlust *m* (Bö, infml) falling out of bed
(*ie, refers to a stock that suffers sudden and serious decline*)
Schwerfahrzeug *n* (com) heavy duty vehicle
Schwergut *n* (com) heavy/deadweight . . . cargo
(*ie, charged by weight*)
Schwergutladefähigkeit *f* (com) deadweight cargo capacity
Schwergutschiff *n* (com) heavy-lift ship
Schwergut-Transportunternehmer *m* (com) heavy hauler
Schwerindustrie *f*
(com) heavy industry
(com) heavy capital goods industry
Schwermaschinenbau *m*
(com) construction of heavy machinery
Schwermetalle *npl* (com) heavy metals

Schwerpunkt *m* **verlagern**
(com) to shift the focus of activities towards

schwer verkaufen, sich (com) to sell hard

schwer verkäufliche Ware *f* (com) slow selling merchandise

Schwesterbank *f* (Fin) sister institution

Schwesterinstitut *n* (com) affiliated organization

schwierige Geschäftslage *f* (Fin) difficult banking conditions

Schwierigkeiten *fpl* (com, infml) troubled waters

schwimmende Ware *f*
(com) goods afloat
– afloats

Schwund *m*
(com) shrinkage
– leakage
– ullage

Schwundsatz *m* (com) rate of shrinkage (*or* waste)

Sechsmonatsgeld *n* (Fin) six-month money

Seefracht *f* (com) ocean freight

Seefrachtbrief *m* (com) ocean bill of lading

Seefrachtgeschäft *n*
(com) ocean shipping trade, §§ 556–663 HGB
– affreightment
– carriage of goods by sea

Seefrachtrate *f* (com) shipping rate

Seefrachtvertrag *m* (com) contract of affreightment

Seefunkverkehr *m* (com) marine radio service

Seegebiet *n* (com) waters

Seegefahr *f*
(com) marine risk
– maritime peril

Seehafenplatz *m* (com) seaport town

Seehafenspediteur *m*
(com) shipping agent
– (GB) land agent

Seehandel *m*
(com) maritime (*or* sea) trade
– ocean commerce

Seehandelskredit *m* (Fin) maritime commerce credit

Seeladeschein *m* (com) ocean bill of lading
(syn, Konnossement)

seemäßige Verpackung *f*
(com) seaworthy/ocean ... packing
– cargopack

seemäßig verpackt (com) packed for ocean shipment

Seeschiff *n* (com) ocean going vessel

Seeschiffsverkehr *m* (com) ocean going traffic

Seetransport *m* (com) ocean (*or* marine) transport

Seetransportgeschäft *n*
(com) shipping trade
– marine transport

seetüchtiges Schiff *n* (com) seaworthy vessel

Seeverpackung *f* (com) seaworthy packing

Seewarentransport *m* (com) carriage of goods by sea

Segmentationstheorie *f* (Fin) segmentation theory *(ie, tries to explain the interest rate structure)*

Sekundärgeschäft *n* (Bö) trading in existing (*or* secondary market) securities

Sekundärmarkt *m* (Bö) secondary/ after ... market
(ie, Markt für umlaufende, bereits plazierte Wertpapiere: market for transactions in existing securities; opp, Primärmarkt, dritter Markt)

Sekundärmetalle *npl* (com) secondary metals
(ie, metals recovered from scrap, as distinguished from primary metals, which are obtained direct from the ore)

Sekundawechsel *m* (Fin) second of exchange

selbständig Erwerbstätige *pl* (com) self-employed persons

Selbständiger *m*
(com) self-employed
– independent

selbständige Tätigkeit f (com) self-employment

Selbstbedienungsladen m (com) self-service store (or establishment)

Selbstbedienungsstation f (com) self-service station (eg, gas, petrol)

Selbsteintritt m
(Bö) dealing/trading... for own account (ie, grundsätzlich untersagt)

Selbstfinanzierung f
(Fin) self-financing
– auto financing
– internal generation of funds
(ie, retention of earnings for use in the business; syn, GB, sometimes: auto-financing; rarely: self-financing)

Selbstfinanzierungsmittel pl
(Fin) internally generated funds
– internal equity
– finance provided out of company's own resources
(syn, eigenerwirtschaftete Mittel, qv)

Selbstfinanzierungsquote f
(Fin) self-financing ratio
– retention rate
– internal financing ratio
(ie, proportion of cost met from a company's own funds; a more precise term is ,Innenfinanzierungsquote', covering both ,Selbstfinanzierung' und ,Finanzierung aus Abschreibungen')

Selbstwählferndienst m
(com) direct distance dialing, DDD
– (GB) subscriber trunk dialling

senden
(com) to send (off)
– to ship
– to forward
– to address

Sendung f
(com) consignment
– shipment

senken
(com) to decrease
– to reduce

– to bring/level... down (eg, prices)
– to shave (eg, costs)
– to cut out (eg, the use of copper by 75%)
– to trim (eg, discount rate)
– to slash (eg, discount rate by a full point)

Serienanleihe f (Fin) serial bonds issue

Serienfälligkeit f (Fin) serial maturity

Shell-Zweigstelle f (Fin) Offshore-Zweigstelle, qv

sichere Anlage f (Fin) sound investment

sichere Mehrheit f (com) comfortable majority

Sicherheit f
(Fin) security
– collateral

Sicherheit f **bieten** (Fin) to offer security (or collateral)

Sicherheitenspiegel m (Fin) collateral sheet

Sicherheit f **leisten** (Fin) to furnish security

Sicherheitseinschuß m (Fin) margin (cf, Einschuß)

Sicherheitswechsel m (Fin) collateral bill

Sicherheitszuschlag m
(com) margin of safety

sichern
(com) to hedge (eg, against rising costs)
(com) to provide security

Sicherung f
(com) protection
– safeguarding
(com) hedging

Sicherung f **gegen Verlust** (com) cover against loss

Sicherungsformen fpl (Fin) security arrangements

Sicherungsgelder npl (Fin) funds pledged as security

Sicherungsgeschäft n
(Bö) hedge

Sicherungsgrenze f (Fin) protection ceiling

Sicherungsinstrument

Sicherungsinstrument *n* (Fin) hedging tool

Sicherungskäufe *mpl* (Bö) hedge buying

Sicherungsklausel *f* (Fin) safeguarding clause

Sicherungskoeffizient *m* (Bö) hedge ratio *(ie, gleich Delta e–r Option)*

Sicherungsreserve *f* (Fin) deposit security reserve *(ie, set up by the Landesbanken and the Central Giro Institutions)*

Sichtakkreditiv *n* (Fin) clean credit *(ie, based on the terms ,documents against payment')*

Sichtanweisung *f* (Fin) cash order, C/O

Sichtdepositen *pl* (Fin) = Sichteinlagen

Sichteinlagen *fpl* (Fin) sight/demand . . . deposits *(syn, Sichtdepositen; opp, Termineinlagen: Kündigungsgelder und feste Gelder)*

Sichteinlagenkonto *n* (Fin) sight deposit account

Sichtguthaben *n*
(Fin) credit balance payable at call
– call deposit
(ie, repayable by bank at call)

Sichtkurs *m* (Fin) sight *(or* demand) rate
(ie, currency rate for short-term means of payments, esp. checks, telegraphic transfers, sight bills)

Sichtpackung *f* (com) blister package

Sichttratte *f* (WeR) sight draft, Art. 2 WG

Sichtverbindlichkeiten *fpl* (Fin) demand liabilities

Sichtverkauf *m* (com) display selling

Sichtwechsel *m*
(WeR) bill on demand, Art. 2 WG
– bill payable at sight
– bill payable on demand

Silvesterputz *m* (Fin) year-end window dressing

sinken
(com) to decline
– to decrease

– to dip
– to drop
– to fall
– to sag *(eg, prices)*
(syn, fallen, zurückgehen)

sinkende Gewinne *mpl* (Fin) falling profits *(or* profitability!)

sinkende Rentabilität *f* (Fin) sagging profitability

Sitz *m*
(com) headquarters *(eg, headquartered or based at . . .)*
– main office

Sitzung *f*
(com) meeting
(Bö) session

Sitzung *f* **abbrechen** (com) to break off a meeting

Sitzung *f* **anberaumen** (com) to fix *(or* schedule) a meeting

Sitzung *f* **aufheben**
(com) to close
– to end
– to terminate . . . a meeting

Sitzung *f* **einberufen**
(com) to call a meeting
– (fml) to convene a meeting

Sitzung *f* **leiten**
(com) to chair *(or* preside over) a meeting

Sitzungsgeld *n* (com) meeting attendance fee

Sitzungsprotokoll *n* (com) minutes of a meeting

Sitzungsunterlagen *fpl*
(com) meeting documents

Sitzung *f* **vertagen** (com) to adjourn a meeting *(for, till, until)*

skalieren (com) to scale

Skonto *m/n* (Fin) cash discount *(syn, Barzahlungsrabatt)*

Skontration *f*
(Fin) clearing

Sofortabbuchung *f* (Fin) online debiting

sofort fällige Rente *f* (Fin) immediate annuity

sofortige Lieferung *f*
(com) prompt delivery
(Bö) spot delivery

sofortige Zahlung *f* (com) immediate payment

sofort lieferbare Ware *f* (Bö) prompts

Sofort-Liquidität *f* (Fin) spot cash

sofort nach Eröffnung (Bö) within moments of opening

Sofortprogramm *n* (com) crash program

sofort verfügbar (com) immediately available
(Fin) at call

Solawechsel *m* (WeR) promissory note
(syn, Eigenwechsel)

Sollzahlen *fpl* (com) target figures

Sollzins *m* (Fin) borrowing rate *(opp, Habenzins = lending rate)*

Sollzinsen *mpl*
(Fin) debtor interest
– debit rate
– interest charges *(or* expenses)
– interest rate charged

Sollzinsen *mpl* **der Banken** (Fin) bank lending rates

Sollzinssatz *m*
(Fin) borrowing rate
– debtor interest rate *(opp, Habenzinssatz = creditor interest rate)*

Solo-Terminkurs *m* (Bö) outright price

solvent
(Fin) solvent
– liquid
– able to pay one's debt

Solvenz *f*
(Fin) ability/capacity . . . to pay
– debt paying ability
– solvency
(syn, Zahlungsfähigkeit; opp, Zahlungsunfähigkeit, Insolvenz)

Sommerloch *n*
(com, infml) midsummer sluggishness
– summertime blues *(ie, in business activity; syn, Sommerflaute)*

Sommerpreise *mpl* (com) graduated summer prices

Sommerschlußverkauf *m* (com) summer sales *(ie, at knockdown prices)*

Sonderangebot *n*
(com) bargain sale
– premium offer
– special bargain

Sonderauftrag *m* (com) special order

Sonderausschüttung *f* (Fin) extra distribution

Sonderbestellung *f* (com) special order

Sonderdarlehen *n* (Fin) special-term loan

Sonderdepot *n* (Fin) special securities deposit

Sonderdividende *f*
(Fin) extra *(or* special) dividend
– bonus

Sonderermäßigung *f* (com) special price reduction

Sondergebühr *f*
(com) extra/special . . . fee
(Fin) praecipuum
(ie, portion of a special fee for arranging a syndicated loan; paid by a borrower in a Eurocredit transaction; retained by the lead manager)

Sondergutachten *n*
(com) special expert opinion
– special report

Sonderkonto *n* (Fin) special account
(syn, Separat-, Unter-, ‚Wegen'-Konto)

Sonderkredit *m* (Fin) special credit

Sonderkurs *m* (Bö) put-through price

Sonderlombardkredit *m* (Fin) special Lombard loan

Sondernachlaß *m* (com) special discount *(or* rebate)
(ie, granted to special groups of final consumers)

Sonderpfanddepot *n* (Fin) special pledged-securities deposit *(syn, Depot D)*

Sonderposten *m* (com) off-the-line item

Sonderpreis *m*
(com) special
– exceptional
– preferential . . . price *(ie, granted to special groups of final consumers)*

329

Sonderrabatt *m* (com) special rebate
(eg, Personalrabatt, Vereinsrabatt)
Sondersitzung *f* (com) special
meeting
Sonderverwahrung *f* (Fin) individual
safe custody of securities, § 2
DepG
(syn, Streifbanddepot)
Sonderzins *m* (Fin) special interest
Sondierungsgespräche *npl* (com) exploratory talks
Sorte *f*
(com) grade
– quality
– variety
(com) brand
– make
Sorten *fpl* (Fin) foreign notes and
coin
Sortenabteilung *f* (Fin) foreign currency department
Sortenankaufskurs *m* (Fin) currncy
buying rate
Sortengeschäft *n* (Fin) = Sortenhandel
Sortenhandel *m* (Fin) dealings in
foreign notes and coin
Sortenkurs *m* (Bö) exchange rate for
foreign notes and coin
Sortimenter *m* (com) retail book-
seller
Sortimentsabteilung *f* (com) new
book department
Sortimentsbuchhandel *m* (com) retail
bookselling
Sortimentsbuchhändler *m* (com) re-
tail bookseller
Sortimentshandel *m*
(com) single-line trade
– wholesale trade
Spanne *f*
(Fin) margin
(Bö) spread
Spanne *f* **zwischen Ausgabe- und
Rücknahmekurs** (Bö) bid-offer
spread
Spanne *f* **zwischen Geld und Brief**
(Bö) price (*or* bid-ask) spread
Spannungskurs *m* (Bö) quote *(ie, des
Marktmachers, qv)*

Spannungspreis *m* (Bö) spread price
Sparanreiz *m* (Fin) incentive to save
Sparaufkommen *n*
(Fin) total savings
– volume of savings
Sparbildung *f* (Fin) formation of sav-
ings
Sparbrief *m*
(Fin) bank savings bond
– savings certificate
Sparbuch *n* (Fin) passbook
Spareckzins *m* (Fin) basic savings
rate
*(ie, fixed for savings deposits at
statutory notice = mit gesetzlicher
Kündigungsfrist; syn, Eckzins)*
Spareinlagen *fpl* (Fin) savings de-
posits
Spareinlagen *fpl* **mit gesetzlicher
Kündigungsfrist** (Fin) savings deposits at statutory notice
Spareinlagenzuwachs *m* (Fin) growth
in savings deposits
sparen
(com) to economize
– to save
(com, infml) to put aside/by
– to put away in savings
– to squirrel away *(eg, for retirement)*
Spargelder *npl* (Fin) total volume of
savings *(opp, Geldmarktgelder,
Kontokorrenteinlagen)*
Spargeschäft *n* (Fin) savings business
Spargiroverkehr *m*
(Fin) transfer of funds via the savings banks
– savings banks' giro system
Sparguthaben *npl* (Fin) savings deposits
Sparinstitut *n* (Fin) savings institution
Sparkassen *fpl*
(Fin) savings banks
*(ie, owned and run by local au-
thorities; huge countrywide net-
work*
– (US) thrift institutions
– (GB) Trustee Savings Banks
Sparkassenbrief *m* (Fin) savings bank

certificate *(ie, in denominations of DM1,000, 5,000 and 10,000)*

Sparkassenbuch *n* (Fin) = Sparbuch

Sparkassenprüfung *f* (Fin) statutory audit of savings banks

Sparkassenrevision *f* (Fin) = Sparkassenprüfung

Sparkassenstatistik *f* (Fin) savings bank statistics

Sparkassen- und Giroverband *m* (Fin) savings banks and their clearing association

Sparkonto *n* (Fin) savings account

Sparleistung *f* (Fin) net savings *(ie, new savings deposits less withdrawals)*

Sparmaßnahme *f*
(com) savings measure
(Fin, infml) belt-tigthening measure

Sparprämiengesetz *n* (Fin) Savings Premium Law *(ie, law on premiums paid by the government on certain savings and investments of resident individuals)*

sparsam
(com) economical
– economizing
– saving
– thrifty

Sparsamkeit *f*
(com) economy
– economizing
– thrift(iness)
– thrifty management

sparsam wirtschaften (com) to economize

Sparschuldverschreibung *f* (Fin) savings bond

Sparte *f*
(com) line of business

Spar- und Darlehnsbanken *fpl* (Fin) savings and loan banks *(ie, rural credit cooperatives)*

Sparvertrag *m* (Fin) savings agreement

Sparvolumen *n* (Fin) total volume of savings

Sparzinsen *mpl* (Fin) interest on savings deposits

spätestens bis (com) on or before *(ie, a specified date)*

Spätestens-Klausel *f* (com) „not-later-than" clause *(ie, amount payable upon signing the contract or not exceeding a certain date after shipment)*

Spediteur *m*
(com) forwarding agent
– (freight) forwarder
– carrier
– transport company
(ie, acting on instructions of a shipper or consignee, § 407 HGB)

Spediteurbedingungen *fpl* (com) = Allgemeine Deutsche Spediteurbedingungen, ADSp

Spediteurbescheinigung *f* (com) carrier's receipt

Spediteurdokumente *npl* (com) forwarder's documents

Spediteurdurchkonnossement *n* (com) forwarder's through bill of lading *(or B L)*

Spediteurgeschäft *n*
(com) forwarding business
(com) conclusion of a forwarding contract

Spediteurkonnossement *n* (com) house bill *(ie, made out by forwarder: neither document of title [= Traditionspapier] nor a genuine bill of lading)*

Spediteurofferte *f* (com) forwarder's offer

Spediteurrechnung *f* (com) forwarder's note of charges

Spediteursammelgutverkehr *m* (com) forwarding agents' collective shipment

Spediteur-Übernahmebescheinigung *f* (com) forwarder's receipt
– *(international:)* Forwarding Certificate of Receipt, FCR

Spedition *f*
(com) forwarding trade
– freight forwarding
(com) = Spediteur

Speditionsagent *m* (com) forwarder's agent

Speditionsauftrag

Speditionsauftrag *m* (com) forwarding order *(syn, Speditionsvertrag, Verkehrsauftrag)*

Speditionsbüro *n*
(com) forwarding office
– shipping agency

Speditionsgeschäft *n* (com) forwarding business (*or* trade)

Speditionsgesellschaft *f* (com) forwarding company

Speditionsgewerbe *n* (com) forwarding industry

Speditionsprovision *f* (com) forwarding commission

Speditionsunternehmen *n* (com) freight forwarder

Speditionsvertrag *m* (com) forwarding contract *(syn, Speditionsauftrag, Verkehrsauftrag)*

Spekulant *m*
(Fin) speculator
(Bö) operator
– stock exchange gambler

Spekulation *f*
(Bö) speculation
– stock exchange gambling

Spekulationsaktien *fpl* (Fin) speculative shares

spekulationsbedinge Kursschwankungen *fpl* (Bö) speculative price swings

spekulationsbedingte Pluskorrekturen *fpl* (Bö) speculative markups

Spekulationsbewegung *f* (Bö) speculative movement

Spekulationsdruck *m* (Bö) speculative pressure

Spekulationsfieber *n* (Bö) speculative frenzy

Spekulationsgelder *npl* (Bö) speculative funds

Spekulationsgeschäft *n*
(com) speculative transaction
(Bö) speculative bargain

Spekulationshandel *m* (Bö) speculative trading *(opp, Effektivhandel)*

Spekulationskapital *n* (Fin) venture capital

Spekulationskäufe *mpl* (Bö) speculative buying

Spekulationspapiere *npl* (Bö) speculative securities

Spekulationswelle *f* (Bö) speculative surge

Spekulationswert *m* (Fin) = Spekulationsgewinn

Spekulationswerte *mpl* (Bö) hot issues

spekulative Anlage *f* (Fin) speculative investment

spekulative Gewinne *mpl* (Fin) paper profits

spekulative Kapitalbewegungen *fpl* (Fin) speculative capital flows (*or* movements)

spekulative Käufe *mpl* (Bö) speculative buying

spekulative Nachfrage *f* (Bö) speculative demand

spekulative Zinsarbitrage *f* (Fin) uncovered arbitrage

spekulieren
(Fin) to speculate
– to gamble
– to play the market

spenden
(com) to make a donation
– to contribute

Sperrauftrag *m* (Fin) stop order

Sperrdepot *n* (Fin) blocked security deposit

sperren
(Fin) to block
– to countermand
– to freeze
– to stop

Sperrfrist *f*
(Fin) qualifying period

Sperrguthaben *n* (Fin) blocked ... account/deposit

sperrige Güter *npl* (com) bulk/bulky ... goods

sperrige Ladung *f* (com) bulky cargo

Sperrkonto *n* (Fin) blocked account

Sperrliste *f* (Fin) black list

Sperrminorität *f* (com) blocking ... minority/stake
(ie, Anzahl von Minderheitsstimmrechten, die die Fassung satzungsändernder Beschlüsse verhindert;

332

mindestens 25,01%; legal minimum required to block a change in the statutes of a German company)

Sperrstücke *npl* (Fin) blocked securities *(ie, not freely disposable)*

Sperrung *f*
(Fin) blockage
– stoppage
– freeze

Sperrvermerk *m*
(com) blocking note
(Fin) nonnegotiability clause

Spesenabrechnung *f* (com) expense report

spesenfrei (com) free of expense

Spesenkonto *n* (com) expense account

Spesenpauschale *f* (com) expense allowance

Spesen *pl*
(com) expenses
– out-of-pocket expenses
(Fin) bank charges

Spesenrechnung *f* (Fin) note of expenses
(ie, sent out by bank buying and selling securities for account of customer; eg, broker's fee, capital transfer tax, commission)

Spesensatz *m* (com) daily expense allowance

Spezialbanken *fpl* (Fin) special-purpose banks

Spezialbörse *f* (Bö) special exchange

Spezialerzeugnis *n* (com) specialty product

Spezialfonds *m* (Fin) specialized fund
(ie, Anteile sind bestimmtem Erwerberkreis vorbehalten = units reserved for specific group of purchasers)

Spezialfracht *f* (com) special cargo
(ie, requires special handling or protection)

Spezialgebiet *n*
(com) special field (*or* line)
– speciality

Spezialgroßhandlung *f* (com) specialized wholesaler

Spezialist *m*
(com) specialist
– expert
– hotshot *(eg, computer hotshot)*

Spezialkreditinstitut *n* (Fin) specialized bank

Spezialmärkte *mpl* (com) specialized markets

Spezialwert *m*
(Bö) special stock
– specialty

Spezifikation *f* (com) specification

Spezifikationspaket *n* (com) specification package

spezifizieren
(com) to give full particulars
– to itemize
– to particularize
– to specify

Spezifizierung *f*
(com) specification
– itemization
– detailed statement

Spielgeschäft *n* (Bö) gambling in futures *(syn, Differenzgeschäft)*

Spielraum *m*
(com) freedom
– leeway *(eg, each dealer has a few days' . . .)*
– maneuvering (GB: manoeuvring) room

Spielraum *m* **verlieren** (com) to run out of scope
(eg, for productivity gains)

Spitzen *fpl*
(Fin) net claims *(eg, are settled by transfers of central bank money)*
(Bö) fractional shares
– fractions

Spitzenanlage *f* (Fin) first-class investment

Spitzenausgleich *m*
(Fin) settlement of balance
– evening-out of the peaks

Spitzenbedarf *m*
(com) peak demand *(eg, of coal)*
(com) peak requirements
– marginal requirements

Spitzenbeträge *mpl* (Fin) residual amounts

333

Spitzenfinanzierung *f* (Fin) provision of residual finance

Spitzengespräch *n*
(com) high-level consultations
– top-level discussions (*or* talks)

Spitzenorganisation *f*
(com) umbrella (*or* central) organization
– federation

Spitzenpapier *n* (Bö) leading stock

Spitzenpreis *m* (com) peak price

Spitzenprodukt *n*
(com) high technology product
– high tech product
(syn, Produkt der Spitzentechnik, spitzentechnisches Produkt)

Spitzenqualität *f*
(com) best
– prime
– top . . . quality

Spitzenregulierung *f* (Bö) settlement of fractions

Spitzenreiter *m* (com, Bö) market leader

Spitzenrendite *f* (Fin) top yield

Spitzentechnik *f* (com) = Spitzentechnologie

Spitzentechnologie *f*
(com) high
– advanced
– top-flight
– state-of-the-art . . . technology
(syn, Hochtechnologie)

Spitzenverkauf *m* (com) peak sales

Spitzenvertreter *m* (com) top-level representative

Spitzenwerte *mpl*
(Bö) leaders
– leading equities (*or* shares)
– high fliers

Sponsor *m*
(Fin) sponsor
– backer

Spotgeschäft *n* (Bö) spot transaction
(opp, Termingeschäft)

Spottpreis *m*
(com) very small price
– (infml) song
(eg, . . . bought the ailing company for a song)

Sprungbrett *n* (com, infml) launching pad

sprunghaft ansteigen
(com) to rocket (*eg, prices*)
– to soar
– to scoot up
– to shoot up
– to skyrocket
– to zoom

sprunghafter Preisanstieg *m* (com) steep increase in prices

Sprungregreß *m* (WeR) = Sprungrückgriff

Sprungrückgriff *m* (WeR) recourse against one of the previous indorsers
(ie, other than the last-preceding one, Art. 47 II WG, Art. 44 II ScheckG; syn, Sprungregreß)

staatliche Bank *f* (Fin) state-owned bank

staatliche Beteiligung *f* (Fin) government shareholding

staatliche Kreditbürgschaft *f* (Fin) state loan guaranty

staatliche Kreditgarantie *f* (Fin) state (*or* government) loan guaranty

staatlicher Schuldner *m* (Fin) sovereign borrower

Staatsschuldverschreibung *f* (Fin) government bond

Stabilisierung *f* **der Märkte** (com) stabilization of markets

Stabilisierungsfonds *m* (Fin) stabilization fund

Stadtsparkasse *f* (Fin) savings bank run by a municipality

Staffelanleihe *f* (Fin) graduated-interest copon bond
(ie, Zinsfuß ändert sich zu fest vorgegebenen Terminen)

Staffelgebühren *fpl* (com) differential rates

staffeln
(com) to graduate
– to scale

Staffelpreise *mpl* (com) graduated (*or* staggered) prices

Staffelung *f*
(com) differentiation

– graduation
– scaling
Staffelung f **der Laufzeiten** (Fin)
spacing out terms to maturity
Staffelzinsen mpl (Fin) graduated interest
Staffelzinsrechnung f (Fin) calculation of interest on a day-today basis
Stahlaktien fpl
(Bö) steel shares
– steels
Stahlkammer f (Fin) safe deposit vault
(syn, Tresor, Panzergewölbe)
Stammaktie f
(Fin, US) common . . . stock/share/ equity
– share of common stock
(Fin, GB) ordinary share
(ie, Normaltyp der Aktie; in der Regel Inhaberpapier = bearer instrument; opp, Vorzugsaktie = (US) preferred stock, (GB) preference share, qv)
Stammaktien-Äquivalent n
(Fin, US) common stock equivalent, CSE
(ie, Wertpapier, das zur Berechnung des Gewinns je Aktie – earnings per share, EPS – dieser gleichgesetzt wird; eg, convertible bonds, warrants)
Stammaktionär m
(Fin) common stockholder
– (GB) ordinary shareholder
Stammdividende f
(Fin, US) common stock dividend
(ie, may be payable in cash or in stock)
– (GB) ordinary dividend
(ie, dividend payable on equity shares)
Stammeinlage f
(Fin) original capital contribution
(ie, paid to a GmbH)
– participating share
– participation
– part
(Fin) original investment

Stämme mpl
(Bö) shares of common stock
– (GB) ordinary shares
– *(syn, Stammaktien)*
Stammkapital n (Fin) share (*or* nominal) capital of a GmbH
(ie, Nominalkapital der Gesellschaft mit beschränkter Haftung; total value of all ‚Stammeinlagen‘; minimum DM 50 000; minimum contribution of each member is DM 500; do not confuse with ‚Grundkapital‘ of AG)
Stammkunde m
(com) regular customer
– regular patron
– (infml) regular
Stammkundschaft f
(com) regular customers
– established clientele
Stammprioritäten fpl (Fin) = Vorzugsaktien
Stammsitz m (com) group headquarters
Standardbrief m (com) standard letter
Standardfinanzierung f (Fin, infml) ready-to-wear financial pattern
Standardprodukt n
(com) standard product
– (infml) run-of-the-mill product
Standardqualität f (com) standard quality
Standardwerte mpl (Bö) leaders
Standgeld n (com) demurrage
(ie, Tarifgebühr für Inanspruchnahme des Laderaumes e–s Eisenbahnwaggons über die zulässige Zeit hinaus = charge assessed for detaining a freight car beyond the free time stipulated for loading or unloading)
ständige Einrichtung f (com) permanent institution
Stapelgüter npl (com) = Stapelwaren
Stapelsystem n
(Fin, US) block/batch . . . system
– batch proof
(ie, used in clearinghouse departments of banks for sorting checks;

Stapelwaren

a block consists of a group of checks, usually from 100 to 400)

Stapelwaren *fpl* (com) staple commodities

starke Kursausschläge *mpl*
(Bö) wild fluctuations of prices (*or* rates)
– gyrations

starke Schwankungen *fpl* (com, infml) big swings
(eg, in traditional manufacturing business)

stark überbewertet (Bö) strongly overvalued

stark unterbewertet (Bö) strongly undervalued

starre Preise *mpl* (com) inflexible prices

statische Methoden *fpl* (Fin) static techniques
(ie, of investment evaluation: Kostenvergleich, Gewinnvergleich, Rentabilitätsrechnung, Amortisationsrechnung)

stattgeben
(com, fml) to accede
– to grant
(eg, to a request, application)

stauen, sich
(com) to back up *(eg, orders are backing up because of a prolonged strike)*

steigen
(com) to increase
– to rise
– to climb
– to soar
– to jump
– to shoot up
– to surge

Steigen *n* **auf breiter Front** (Bö) broad advance *(eg, broad equity advance)*

steigende Annuität *f* (Fin) rising annuity

steigende Kosten *pl* (com) rising costs

steigende Nachfrage *f* (com) rising demand

Steigen *n* **der Aktienkurse auf breiter Front** (Bö) broad equity advance

steigern
(com) to increase *(eg, prices, wages)*
– to raise
– to advance
– to lift
(com, infml) to boost
– to bump up
– to hike up
– to step up *(cf, erhöhen)*

Steigerung *f* (com) run-up *(ie, in interest rates)*

Steigerungsbetrag *m* (com) increment

Steigerungsrate *f* (com) rate of escalation *(eg, in material prices)*

Steinkohlenwirtschaft *f* (com) hard coal mining industry

Stellage *f*
(Bö) put and call
– straddle

Stellagegeber *m* (Bö) seller of a spread

Stellagegeschäft *n* (Bö) put and call option
(ie, der Stellagekäufer hat das Recht, zum oberen Stellagekurs zu beziehen od dieselbe Stückzahl des Wertpapieres zum unteren Stellagekurs zu liefern; Prämienzahlung gibt es nicht; special kind of the option business: buyer obtains the right to demand delivery of securities at a higher price agreed upon when the contract was made, or to deliver them at a specified lower price)

Stellagekurs *m* (Bö) put and call price

Stellagenehmer *m* (Bö) buyer of a spread

Stelle *f* **besetzen** (com) to fill a job (*or* vacancy)

Stellgeschäft *n* (Bö) = Stellagegeschäft

Stellkurs *m* (Bö) put and call price

Stellungnahme *f* **abgeben**
(com) to make
– to issue
– to submit . . . comments

Stellungnahme *f* **verweigern** (com) to decline comment

stellvertretend
(com) acting (for)
– deputizing

Stellvertreter *m*
(com) deputy
– substitute
– standby person
(Fin) proxy

Stellvertretung *f*
(Fin) proxy

Sterling-Auslandsanleihe *f* (Fin, GB) bulldog

Steuerabwälzung *f*
(Fin) tax burden transfer clause
(ie, in loan agreements)

steuerbegünstigtes Darlehen *n* (Fin) tax-supported loan

Steuermannsquittung *f* (com) mate's receipt

Steuerung *f* **der Geldmenge** (Fin) control of money supply

Stichkupon *m*
(Fin) renewal coupon

Stichprobe *f*
(com) spot check

Stichprobe *f* **hochrechnen**
(com) to extrapolate
– to blow up
– to raise . . . a sample

Stichtag *m*
(com) key
– target
– effective
– relevant . . . date
(Fin) call date

Stichtagskurs *m*
(Bö) current price
– market price on reporting date

Stichzahl *m* (Fin) test key (*or* number)
(ie, secret code which banks provide to their customers to safeguard against fraudulent telexes)

stiller Gesellschafter *m* (com) dormant partner *(see: ‚stille Gesellschaft')*

stiller Teilhaber *m* (com) = stiller Gesellschafter

stilles Factoring *n*
(Fin) non-notification factoring
– confidential factoring
(ie, Kunden zahlen weiterhin an den Lieferanten, der Zahlungen an das Factoring-Institut weiterleitet; syn, nichtnotifiziertes Factoring; opp, offenes Factoring, qv)

Stillhalteabkommen *n*
(Fin) standby agreement

stillhalten
(Fin) to grant a moratorium
– to postpone enforcement of claims

Stillhalter *m* (Bö) = Stillhalter in Geld, Stillhalter in Wertpapieren, qv

Stillhalter *m* **in Geld** (Bö) = Verkäufer e–r Verkaufsoption, qv

Stillhalter *m* **in Wertpapieren** (Bö) = Verkäufer e–r Kaufoption, qv

stimmberechtigte Aktie *f* (Fin) voting share (*or* stock)

stimmberechtigter Aktionär *m* (Fin) voting shareholder

stimmberechtigtes Kapital *n* (Fin) voting capital

stimmberechtigte Stammaktien *fpl* (Fin) ordinary voting shares

Stimmenthaltungen *fpl* (com) abstentions

Stimmrecht *n* (com) voting right, § 12 AktG

Stimmrechtsaktie *f* (Fin) voting stock (*or* share)

Stimmrechtsausübung *f* **durch Vertreter** (com) voting by proxy

stimmrechtslose Aktie *f* (Fin) nonvoting share

stimmrechtslose Vorzugsaktie *f* (Fin) nonvoting preferred stock (*or* GB: preference share)

Stimmung *f* (Bö) tone of the market

Stockdividende *f*
(Fin) stock dividend
– (GB) free issue of new shares

Stop-loss-Order *f*
(Bö) stop loss order
– cutting limit order
(ie, instructs a bank or broker to

sell securities ‚at best' if the price of the security falls below a specified limit)

Stoppkurs *m* (Bö) stop price *(ie, applied between 1942 and 1948)*

Stopptag *m* (Fin) record date *(ie, set for transfer of registered securities)*

Störanfälligkeit *f*
(com) susceptability to... breakdown/failure

störanfällig
(com) susceptible to breakdown
– breaking down easily

stornieren
(com) to cancel *(eg, an order)*

Stornierung *f* **e–s Auftrages** (com) cancellation of an order

Stornorecht *n* (Fin) right *(of bank)* to cancel credit entry

Störung *f*
(com) breakdown
– disturbance
– failure
– fault
– malfunction
– trouble

Strafzinsen *mpl*
(Fin) penalty interest
– penalty rate
(ie, due to early withdrawal of deposits)

Strafzins *m* **für Rückzahlung vor Fälligkeit** (Fin) repayment with penalty

Straßengüterverkehr *m* (com) road haulage

Straße-Schiene-Verbund *m* (com) road-rail link

Straße-Schiene-Verkehr *m* (com) surface *(or* ground) transportation *(ie, trucking and rail)*

strecken (Fin) to extend maturity date

Streckenfracht *f* (com) freightage charged for transportation between two railroad stations

Streckengeschäft *n*
(com) transfer orders
(ie, sale where seller agrees to ship the goods to buyer's destination at
the latter's risk, § 447 BGB; basis of transaction may be sample, catalog, or indication of standard quality)
(com) drop shipment business

Streckenhandel *m* (com) = Streckengeschäft

Streckung *f* (com) stretch-out
(eg, in the buildup of expenditures)

Streckungsdarlehen *n*
(Fin) credit granted to cover the discount deducted from a mortgage loan
(ie, which is paid out 100 percent; redemption of loan does not start until discount has been repaid)

streichen (com) to cancel
– to cut
– to discontinue
(com) to strike off *(eg, somebody's name)*
– to delete *(eg, a topic from the agenda)*

Streifbanddepot *n*
(Fin) individual deposit (of securities)
– individual securities account
– (US) segregation
(syn, Einzelverwahrung)

Streifbandgebühr *f* (Fin) individual deposit fee

Streifbandverwahrung *f* (Fin) jacket custody
(ie, Einzelverwahrung von Wertpapieren; opp, Girosammelverwahrung; cf, Wertpapiersammelbank)

Streitfrage *f* (com) contentious issue

streng vertraulich
(com) strictly confidential
– in strict confidence

Streubesitz *m* (Fin) portfolio investment
(ie, including stock interest of individuals)

Streubreite *f*
(Fin) spread *(eg, of interest rates)*

streuen
(Fin) to spread
– to diversify

Streuung *f* **der Aktien** (Fin) distribution of shares

Streuung *f* **der Anlagepalette** (Fin) diversification of investments

Streuung *f* **von Anlagen** (Fin) spreading of investments

Strichcode-Kennzeichnung *f* (com) bar code marking

Strichcodeleser *m* (com) bar code scanner

strichcodierte Artikelnummer *f* (com) bar coded identification number

strittige Forderung *f* (Fin) disputed receivable

Strohmann-Aktienbeteiligung *f* (Fin) nominee shareholding

strukturelles finanzielles Gleichgewicht *n* (Fin) structural financial equilibrium

Stückaktie *f* (Fin) individual share certificate

Stückdepot *n* (Fin) deposit of fungible securities
(ie, German term replaced by ,Aberdepot')

Stückdividende *f* (Fin) dividend per share

Stückekonto *n* (Fin) = Stückedepot

stückeln (Fin) to denominate

stückelose Anleihe *f* (Fin) no-certificate loan

stückelose Lieferung *f* (Fin) delivery of securities with no transfer of certificates

stückeloser Verkehr *m* (Bö) trading in securities with no transfer of certificates

Stückelung *f* (Fin) denomination
(ie, standard of value, esp. of banknotes, stocks, and bonds)

Stückemangel *m* (Fin) shortage of offerings

Stücke *npl* **per Erscheinen** (Fin) negotiable after rceipt of certificate

Stückeverzeichnis *n* (Fin) schedule of deposited securities

Stückezuteilung *f* (Fin) allotment of securities

Stücke *npl*
(Fin) securities
– denominations

Stückgebühr *f*
(Fin) charge per item

Stückguttarif *m* (com) LCL rates

Stückgutversand *m* (com) shipment as LCL lot

Stückgutvertrag *m* (com) bill of lading contract *(ie, in ocean shipping)*

Stückgut *n*
(com) general/mixed ... cargo
– less-than-cargo lot, l. c. l. *(opp, Waggonladung)*

Stückkurs *m*
(Bö) unit quotation
– quotation per share
(syn, Stücknotierung; opp, Prozentkurs)

Stücknotierung *f* (Bö) unit quotation *(ie, Notierung in Stück pro Aktie statt in %; im Ausland Regelnotierung; syn, Stücknotiz, Stückkurs)*

Stücknummer *f*
(Fin) share certificate number
(Fin) bond certificate number

Stückpreis *m* (com) unit price

Stückwertaktie *f* (Bö) share quoted per unit

Stückzinsenberechnung *f* (Fin) calculation of accrued interest

Stückzinsen *mpl* (Fin) accrued interest
(ie, Zinsen vom letzten eingelösten Kupon bis zum Tag der Veräußerung Festverzinslicher; werden dem Kaufpreis zugeschlagen; earned but not yet due; accrues on notes, fixed-interest bonds and debentures; syn, aufgelaufene Zinsen)

Stufenpreise *mpl* (com) staggered prices

Stufenrabatt *m*
(com) chain discount

stunden
(Fin) to allow delayed debt repayment
– to defer
– to grant a respite

Stundung *f*
  (Fin) deferral (*or* prolongation) of debt repayment
Stundung *f* **gewähren**
  (com) to grant delay in payment
  – to grant a respite
Stundungsantrag *m* (Fin) request for deferring debt repayment
Stundungsgesuch *n*
  (Fin) application for a respite
  – request for an extension of time
Stundung *f* **von Forderungen** (Fin) prolongation of debts
Stützkurs *m* (Bö) supported price
Stützpreis *m* (com) supported price
Stützungsfonds *m* (Fin) deposit guaranty fund (*ie, set up by the German Giro associations*)
Stützungskäufe *mpl*
  (Fin) support . . . buying/operations
  (Bö) backing
Stützungskonsortium *n* (Fin) backing/support . . . syndicate
Stützungskredit *m*
  (Fin) emergency credit
  – stand-by credit
Stützungslinie *f* (Fin) backup line (*ie, Verfügbarkeitszusage e–r Bank*)
Stützungsverpflichtungen *fpl* (Fin) support commitments
Submission *f*
  (com) invitation to bid (*or* tender)
  – requests for bids
  (*ie, published notice that competitive bids are requested; syn, Ausschreibung*)
Submissionsangebot *n*
  (com) bid
  – tender
Submissionsbedingungen *fpl* (com) tender terms
Submissionsbewerber *m*
  (com) bidder
  – tenderer
Submissionsgarantie *f*
  (com) tender guaranty
  – bid bond
Submissionspreis *m* (com) contract price

Submissionsschluß *m* (com) bid closing date
Submissionstermin *m* (com) opening date
Submissionsverfahren *n*
  (com) tender procedure
  – competitive bidding procedure
  (Fin) public tender
Submissionsvergabe *f* (com) award of contract
Submissionsvertrag *m* (com) tender agreement
Submittent *m*
  (com) bidder
  – tenderer
Subskription *f*
  (Fin) subscription to new securities issue
substantielle Kapitalerhaltung *f*
  (Fin) maintenance of equity
Substanzwert *m*
  (Fin) intrinsic value
Substitutionskredit *m* (Fin) substitution credit (*ie, any form of credit which a bank grants on its own standing; eg, Avalkredit, Akzeptkredit*)
Subunternehmervertrag *m* (com) subcontract
subventionierte Kreditfinanzierung *f*
  (Fin) subsidized credit financing
Summentabelle *f* (com) cumulative table
Summenverwahrung *f* (Fin) deposit of fungible securities
  (*ie, bank need only return paper of same description and quantity*)
Superdividende *f*
  (Fin) superdividend
  (Fin) surplus dividend (*syn, Überdividende*)
Supplementinvestition *f* (Fin) = Differenzinvestition
supranationale Anleihe *f* (Fin) supranational bond (*eg, World Bank, ECSC, etc.*)
Swap *m*
  (Fin) swap
  (*ie, heute zunehmend benutzt, um bereits bestehende Forderungen*)

und Verbindlichkeiten umzustrukturieren; cf, Zinsswap, Währungsswap, integrierter Swap, Basisswap, Swap der 2. Generation)
(Bö) swap
(ie, selling one issue and buying another)
Swap-Finanzierung *f* (Fin) swap financing
Swapgeschäft *n* (Fin) swap transaction (*or* operation)
(ie, Form des Devisentauschgeschäfts, bei dem ein Partner e–m anderen sofort Devisen zur Verfügung stellt (Kassageschäft) und gleichzeitig Rückkauf zu festem Termin und Kurs vereinbart wird (Termingeschäft); abgeschlossen zur Kurssicherung vor allem von Finanzkrediten)
Syndikat *n*
(Fin) syndicate
– consortium

Syndikatsvertrag *m* (Fin) consortium (*or* underwriting) agreement
syndizierte Anleihe *f* (Fin) syndicated loan
syndizierte Bankfinanzierung *f* (Fin) syndicated bank financing
syndizierter Eurowährungskredit *m* (Fin) syndicated Eurocurrency loan
Syndizierung *f*
(Fin) syndication
Systemanbieter *m* (com) systems seller
System *n* **der Frachtparitäten** (com) basing-point system
System *n* **gespalteter Wechselkurse** (Fin) two-tier exchange rate system
– split currency systemy system
(ie, separate rates for commercial and official transactions; eg, the Belgian system of Handelsfranc and Finanzfranc)

T

Tabakbörse *f* (Bö) tobacco exchange
Tafelgeschäft *n* (Fin) over-the-counter selling
(ie, Leistung und Gegenleistung Zug um Zug; zB Barzahlung od Aushändigung der Wertpapiere; simultaneous purchase and cash payment ‚at the counter‘; syn, Schaltergeschäft)
Tag *m* **der Lieferung** (com) date of delivery
Tag *m* **des Geschäftsabschlusses** (com) contract date
tagen (com) to hold a meeting
Tagesauftrag *m* (Bö) order valid today
Tagesauszug *m* (Fin) daily statement
Tagesendliste *f* (Fin) end of day report
Tagesgeld *n* (Fin, US) night money
– day-to-day money
– overnight money

(ie, Festgeld mit vereinbarter Laufzeit von e–m Tag: repayable within 24 hours)
(Fin, US) federal funds
– available
– cleared
– collected . . . funds
(ie, non-interest bearing deposits held by member banks at the Federal Reserve; standard unit of trading among the larger banks is $1 million or more; the straight one-day transaction is unsecured)
Tagesgeldmarkt *m*
(Fin) overnight money market
(Fin, US) federal funds market
– call money market
Tagesgeldsatz *m*
(Fin) overnight rate
(Fin, US) federal funds rate
(ie, currently pegged by the Federal Reserve through open-market ope-

rations; *Schlüsselrate des Geld-marktes; meist als Alternative zu Libor angesehen)*
– (banker's) call rate

Tagesgeld *n* **unter Banken** (Fin) interbank call money

Tagesgeschäft *n*
(Bö) day order
– today only order *(syn, Tages-kauf)*

Tageskauf *m* (Bö) = Tagesgeschäft

Tageskurs *m*
(Fin) current rate of exchange
(Bö) daily quotation
– current *(or* going) price
(ie, Kurs des Ausführungstages)

Tagesnotierung *f* (Bö) daily quotation

Tagesordnung *f*
(com) agenda
– order of the day
– business to be transacted

Tagesordnungspunkt *m* (com) item on the agenda

Tagesordnung *f* **vorbereiten** (com) to prepare the agenda

Tagespreis *m* (com) current *(or* ruling) price

Tagesschwankungen *fpl* (com, Bö) intraday fluctuations

Tagesspesen *pl* (com) per-diem charges

Tagesumsatz *m*
(com) daily sales
– (GB) daily turnover
(Bö) daily (trading) volume

Tageswechsel *m*
(Fin) = Tagwechsel

tageweise Verzinsung *f* (Fin) continuous compounding *(ie, on a daily basis)*

tägliches Geld *n* (Fin) call money *(ie, Kredit darf frühestens e–n Tag nach Vertragschluß gekündigt werden; Laufzeit also mindestens zwei Tage; cf, Tagesgeld)*

täglich fällige Einlagen *fpl*
(Fin) deposits payable on demand
– demand deposits

täglich fällige Forderungen *fpl* (Fin)

immediately realizable claims *(eg, against the central bank)*

täglich fällige Gelder *npl* (Fin) deposits at call

täglich fällige Guthaben *npl*
(Fin) current accounts
– demand deposits
(ie, kept with commercial banks)

täglich fällige Verbindlichkeiten *fpl* (Fin) liabilities payable on demand

täglich fällig (Fin) due at call *(or* on demand)

täglich kündbare Kredite *mpl* **aufnehmen** (Fin) to borrow at call

täglich kündbar (Fin) subject to call

Tagung *f*
(com) meeting
– conference
– (infml) get-together

Tagung *f* **abhalten** (com) to hold a meeting

Tagung *f* **einberufen** (com) to call a meeting

Tagungsbericht *m* (com) proceedings

Tagungsort *m* (com) meeting place

Tagungsteilnehmer *m* (com) participant in a meeting

Tagwechsel *m* (Fin) bill payable at a specified date
(syn, Datumswechsel, Tageswechsel; opp, Sichtwechsel)

Talon *m*
(Fin) renewal coupon
– coupon sheet
(syn, Erneuerungsschein, Leiste, Leistenschein)

Tarif *m*
(com) scale of charges
(com) freight tariff *(or* rates) *(ie, in railroad and air traffic)*

tarifbesteuerte Wertpapiere *npl* (Fin) fully-taxed securities *(opp, steuerfreie od steuerbegünstigte Wertpapiere)*

Tarifhoheit *f*
(com) right to authorized railroad rates

Tarifwerte *mpl* (Bö) utilities

Tatbestand *m*
(com) fact of the matter

Tätigkeitsbereich *m* (com) area (*or* field) of operation

Tätigkeitsbericht *m* (com) activity (*or* progress) report

Tauschdepot *n* (Fin) exchangeable securities deposit, §§ 10 ff DepG (*syn, Tauschverwahrung*)

Tauschoperationen *fpl* (Fin) swap operations

Tauschtransaktion *f* (Bö) equity switching

Tauschverwahrung *f* (Fin) = Tauschdepot

Tausch *m* **von Vermögenswerten** (Fin) asset swap

Taxe *f*
(com) appraisal fee

Taxkurs *m* (Bö) estimated price (*or* quotation)

Techniker *m*
(com) technical man

technische Aktienanalyse *f* (Bö) technical analysis
(*ie, stützt sich auf Kurs- und Umsatzverläufe = prices and volume data; opp, Fundamentalanalyse = fundamental analysis*)

technische Aktientrendanalyse *f* (Bö) technical analysis of stock trends

technische Analyse *f*
(Bö) chart analysis (*syn, Chart-Analyse*)

technische Beratung *f*
(com) technical consulting
– advisory services of a technical nature

technische Beratungsfirma *f* (com) consulting engineers

technische Einzelheiten *fpl*
(com) technical details
– technicalities

technische Güter *npl* (com) technical goods

technisch einwandfrei (com) conforming to specification

technische Kundendienstleistungen *fpl* (com) after-installation service

technische Kurserholung *f* (Bö) technical rally

(*ie, turnaround in a generally declining market*)

technische Lieferbedingungen *fpl* (com) engineering specifications

technische Reaktion *f* (Bö) technical reaction
(*ie, geringe Kurssenkung nach größeren Kurssteigerungen*)

technischer Fortschritt *m*
(com) technical progress
– technological . . . progress/advance /improvement)
– engineering progress

technischer Kundendienst *m*
(com) customer engineering
– after-installation service
– engineering support
– customer technical support

Technologie-Werte *mpl* (Bö) technology equities

Teilakzept *n*
(WeR) partial acceptance, Art. 26 I WG

Teilannahme *f* (WeR) = Teilakzept

teilbares Akkreditiv *n* (Fin) divisible credit

Teilbetrag *m* (com) partial amount

Teilbetrag *m* **des Eigenkapitals** (Fin) portion of equity

Teilbetriebsergebnis *n*
(Fin) surplus on interest earnings and on commission business (*of a bank*) less administrative expense

teileingezahlte Aktien *fpl* (Fin) partly paid shares (*or* stock)

Teilemission *f* (Fin) partial issue

Teilfinanzierung *f* (Fin) part financing

Teilhaberpapiere *npl* (Fin) variable-income securities (*ie, evidencing membership rights*)

Teilindossament *n* (WeR) partial indorsement (*ie, legally ineffective, Art. 12 WG*)

Teillieferungen *fpl*
(com) part shipments

Teilliquidation *f*
(Fin) partial withdrawal (*ie, von Investmentanteilen*)
(Bö) partial settlement

Teilnehmer *m*
(com) participant
– person taking part
(ie, Teilnehmer im Sinne von An-wesende: Present: . . .)

Teilnehmer *m* **am Abrechnungsver-kehr** (Fin) participating bank

Teilschnitt *m* (com) part sectional elevation

Teilschuldverschreibung *f*
(Fin) bond
– (GB) debenture
(ie, einzelnes Stück e–r Anleihe)

teilweise eingezahlte Aktie *f* (Fin) partly paid-up share

Teilzahlung *f*
(com) part (*or* partial) payment
(Fin) installment

Teilzahlungsbank *f*
(Fin) installment sales financing institution

Teilzahlungsfinanzierung *f* (Fin) in-stallment financing

Teilzahlungsforderungen *fpl* (Fin) in-stallment debtors

Teilzahlungskredit *m*
(Fin) = Ratenkredit
(ie, extended by Teilzahlungsban-ken, Kreditbanken and Spar-kassen)
(Fin) installment loan *(ie, available as A-Geschäft, B-Geschäft, and C-Geschäft)*

Teilzahlungskreditgeschäft *n* (Fin) in-stallment lending

Teilzahlungskreditinstitut *n* (Fin) in-stallment credit institution (*or* or-ganization)

Teilzahlungsplan *m* (Fin) installment plan

Telearbeit *f* (com) telework
(ie, Bürotätigkeiten werden aus dem Betrieb ausgegliedert: Sachbe-arbeiter, Schreibkräfte, Program-mierer, Redakteure; Typen: Heimarbeitsplätze, Nachbar-schaftsbüros, Regionalbüros, Satel-litenbüros)

Telefonhandel *m* (Bö) = Telefonver-kehr

Telefonverkehr *m*
(Bö) interoffice trading (*or* deal-ings)
(ie, 1. außerbörsliche Geschäfte zwischen Banken in Wertpapieren, auch Handel in unnotierten Werten genannt, trading in unlisted se-curities); 2. (selten) außerbörs-licher Handel per Telefon in Effek-ten aller Art)

telegrafische Auszahlung *f*
(Fin) telegraphic transfer, T.T.
– cable transfer *(ie, of money amounts)*

telegrafisch überweisen
(Fin) to remit by telegraphic transfer
– to cable money

Telekonferenz *f* (com) teleconference

Telex *n* **mit Stichzahl** (Fin) tested telex *(cf, Stichzahl)*

tel quel
(com) sale as is
– sale with all faults
– run-of-mine
(ie, purchaser must take article for better or worse, unless seller con-trives to conceal any fault)

Telquel-Kurs *m* (Bö) tel quel rate *(ie, in foreign exchange trading)*

Tendenz *f*
(com) tendency
– trend
– general thrust of developments

Tendergruppe *f* (Fin) tender panel, TP

Tendertechnik *f* (Fin) offer for sale by tender

Termin *m*
(com) appointment
– (infml) time *(eg, let she give you a time to see me)*
(com) deadline
– time limit
– appointed . . . day/time
– target date

Terminabschlag *m* (Bö) forward dis-count

Terminabschluß *m* (Bö) forward con-tract

Terminaufgeld *n* (Bö) forward premium

Terminauftrag *m*
(Bö) forward order

Termin *m* **ausmachen** (com) to arrange an appointment
(eg, for me with the sales manager)

Terminbestand *m* (Fin) portfolio of forward material
(ie, dient der kurzfristigen Liquiditätsdisposition; in der Regel nicht über 24 Monate)

Terminbörse *f* (Bö) forward exchange *(or* market)

Termindevisen *pl* (Bö) forward exchange
(ie, in Deutschland nicht an den Devisenbörsen, sondern im Telefonverkehr gehandelt)

Termindollars *mpl* (Fin) forward dollars

Termineinlagen *fpl* (Fin) time deposits
(ie, feste Gelder od Festgelder + Kündigungsgelder, ohne Spareinlagen; opp, Sichteinlagen)

Terminengagements *npl* (Bö) commitments for future delivery

termingebundene Bankguthaben *npl* (Fin) time balances at banks

Termingeldanlagen *fpl* (Fin) time deposit investments

Termingelder *npl* **unter 4 Jahren** (Fin) time deposits and funds borrowed for less than four years

Termingeldkonto *n*
(Fin) time deposit account
– term/fixed . . . account

Termingeldsatz *m* (Fin) time deposit rate

Termingeldzinsen *mpl* (Fin) interest rates on time deposits

termingemäß (com) on schedule *(eg, plans are going ahead . . .)*

termingerecht (com) (completed) on schedule

Termingeschäfte *npl* **in Aktienindizes** (Fin) stock index futures trading
(ie, organized futures contract trading based on prices of selected stock
levels, together with the usual features of commodity futures trading)

Termingeschäft *n* **in Aktienindizes** (Bö) stock index futures trading
(ie, organized futures contract trading based on prices of selected stock index levels, together with the unusual features of commodity futures trading, including contract unit, minimum price change, daily price change limit (if any), specified delivery months, minimum customer margins, speculative limits (if any), and maturing contract trading termination and settlement)

Termingeschäft *n*
(Bö) dealing in futures
– (GB) dealings for the account
(Bö) forward exchange transaction
(Bö) financial futures
(Bö) commodity futures

Terminhandel *m*
(Bö) futures trading
– trading in futures *(ie, mostly in commodities)*

Terminkauf *m*
(Bö) forward buying
– purchase for forward delivery

Terminkäufer *m* (Bö) forward buyer

Terminkaufs-Deckungsgeschäft *n* (Bö) long hedge

Terminkauf *m* **tätigen** (Bö) to buy forward

Terminkommissionär *m* (Bö) futures commission broker

Terminkonten *npl* (Fin) time accounts

Terminkontrakt *m*
(Bö) futures contract
– contract for future delivery
– (pl) futures
(ie, geht auf Waren od Finanztitel als Basisgröße; Teilnehmer sind Spekulanten und Hedger)

Terminkontrakt *m* **auf Aktienindizes** (Bö) = Aktienindex-Terminkontrakt, qv

Terminkontrakte *mpl* **auf Börsenin-**

dizes (Bö) stock index futures contract

Terminkontrakthandel *m* (Bö) futures trading

Terminkontrakt *m* **liquidieren** (Bö) to liquidate a futures contract

Terminkontraktmarkt *m* (Bö) futures market
(ie, Typen:
1. Warenterminkontrakte = commodity futures;
2. Finanzterminkontrakte = financial futures;
3. Kontrakte in Devisen = currency futures;
4. Kontrakte in Geldmarktpapieren und Anleihen = interest rate futures;
5. Kontrakte in Aktienindizes = stock index futures;
6. Kontrakte in Edelmetallen = precious metal futures)

Terminlieferung *f* (Bö) future delivery

Terminmarkt *m* (Bö) forward (*or* futures) market

Terminmaterial *n* (Bö) forward commodity

Terminnotierung *f*
(Bö) forward (*or* futures) quotation
– quotation for forward delivery

Terminpapiere *npl* (Bö) forward securities

Termin-Pfund *n* (Bö) future sterling

Terminplan *m*
(com) time (*or* due date) schedule

Terminposition *f* (Fin) official commitment
(ie, of monetary authorities from intervention in the futures market)

Terminpositionen *fpl* (Bö) forward commitments

Terminsicherung *f*
(Bö) futures hedging
– forward cover
– hedging in the forward market

Terminspekulation *f*
(Bö) forward speculation
– speculation in futures

Termin *m* **überschreiten** (com) to miss a deadline

Terminüberwachungsliste *f*
(com) deadline control list
(Fin) maturities control list

Terminüberwachung *f*
(com) progress control
(Fin) tracing of maturities

Terminverbindlichkeiten *fpl* (Fin) time liabilities

Terminverkauf *m*
(Bö) forward sale
– (GB) sale for the account

Terminverkäufer *m* (Bö) forward seller

Terminverkaufs-Deckungsgeschäft *n* (Bö) short hedge

Terminware *f* (Bö) future commodity

Terminwechsel *m* (Fin) = Datenwechsel, qv

teuer
(com) expensive
– (US) high-priced
– (GB) dear
– (GB, infml) pricy/pricey

teures Geld *n* (Fin) dear money
(ie, obtainable only at high interest rates)

Textilindustrie *f* (com) textile industry

Textilmesse *f* (com) textile goods fair

Textilwerte *mpl* (Bö) textiles

Textilwirtschaft *f* (com) textile industry

Theorie *f* **der ausleihbaren Fonds** (Fin) theory of loanable funds

Theorie *f* **der zeitlichen Zinsstruktur** (Fin) term structure theory of interest rates

thesaurierte Gewinne *mpl*
(Fin) earnings (*or* net income *or* profits) retained for use in the business
– retained earnings
– profit retentions
– undistributed profits
– (GB) ploughed-back profits

Thesaurierungsfonds *m*
(Fin) cumulative
– growth

– non-dividend... fund *(syn, Wachstumsfonds; opp, Einkommensfonds)*

Tiefbau *m* (com) civil engineering *(ie, planning, design, construction, and maintenance of fixed structures and ground facilities; opp, Hochbau = building construction)*

Tiefbauprojekte *npl* (com) civil engineering projects

tief gegliedert
(com) highly structured

Tiefstand *m*
(com) bottom
– low

Tiefstand *m* **erreichen** (com) to hit a low

Tiefstkurs *m*
(Bö) lowest price
– all-time low
– low

Tiefstpreise *mpl*
(com) bottom
– lowest
– rock-bottom... prices

Tiefstpunkt *m* (com) nadir
(ie, lowest point)

Tiefstwert *m* (Bö) low

tilgbar
(Fin) amortizable
– redeemable
– repayable

tilgen
(Fin) to amortize
– to pay back
– to pay off
– to redeem
– to repay
– (infml) to wipe off a debt

Tilgung *f*
(Fin) amortization
– paying back/off
– redemption
– repayment
– sinking

Tilgung *f* **durch jährliche Auslosungen** (Fin) redemption by annual drawings

Tilgung *f* **e-r Anleihe** (Fin) redemption of a loan˙

Tilgung *f* **e-r Hypothek** (Fin) repayment of a mortgage

Tilgung *f* **in gleichen Raten** (Fin) straight-line redemption

Tilgungsabkommen *n* (Fin) redemption agreement

Tilgungsaufforderung *f* (Fin) call for redemption

Tilgungsaufgeld *n* (Fin) redemption premium

Tilgungsaufschub *m* (Fin) deferral of redemption payments

Tilgungsaussetzung *f* (Fin) suspension of redemption payments

Tilgungsbedingungen *fpl* (Fin) terms of amortization

Tilgungsdarlehen *n* (Fin) redeemable loan

Tilgungsdauer *f* (Fin) payback period

Tilgungsdienst *m* (Fin) redemption service

Tilgungserlös *m* (Fin) redemption yield

Tilgungsfälligkeit *f* (Fin) date of redemption

Tilgungsfonds *m*
(Fin) redemption
– sinking
– amortization... fund *(ie, set aside at regular intervals; syn, Amortisationsfonds)*

Tilgungsfondskredit *m* (Fin) sinking fund loan

tilgungsfreie Jahre *npl*
(Fin) redemption-free period
– capital repayment holiday

tilgungsfreie Zeit *f* (Fin) grace period for repayment of principal

Tilgungsgewinn *m* (Fin) gain on redemption

Tilgungshypothek *f*
(Fin) redemption mortgage
– (US) level-payment mortgage
(ie, mit gleichbleibenden Leistungen: Annuitäten bestehdna aus Tilgung und Zinsen; provides for equal monthly payments covering both principal and interest during the term of the mortgage; part of each payment is applied to interest

347

Tilgungskapital

as earned, and the rest is credited to *principal; syn, Annuitätenhypothek, Amortisationshypothek; cf, Verkehrshypothek)*

Tilgungskapital *n* (Fin) sinking-fund capital
(ie, long-term borrowed capital repayable through depreciation or self-financing facilities)

Tilgungskredit *m* (Fin) amortizable loan

Tilgungskurs *m* (Fin) redemption price (*or* rate)

Tilgungsleistung *f* (Fin) redemption payment

Tilgungsmittel *pl* (Fin) redemption funds

Tilgungsmodalitäten *fpl*
(Fin) terms of redemption
– repayment terms

Tilgungsplan *m*
(Fin) call/redemption/amortization... schedule

Tilgungsrate *f*
(Fin) redemption
– amortization
– sinking fund... installment

Tilgungsrecht *n*
(Fin) call right
– right of redemption

Tilgungsrücklage *f*
(Fin) sinking fund/redemption... reserve

Tilgungsstreckung *f* (Fin) repayment deferral

Tilgungsstreckungsantrag *m*
(Fin) request for repayment deferral

Tilgungstermin *m* (Fin) repayment date

Tilgungs- und Zinslast *f*
(Fin) debt-servicing burden
– repayment and service of existing debt

Tilgungsvereinbarung *f* (Fin) redemption agreement

Tilgungsverpflichtungen *fpl* (Fin) redemption commitments

Tilgungsvolumen *n* (Fin) total redemptions

Tilgungszahlung *f* (Fin) redemption payment

Tilgungszeit *f* (Fin) payback period

Tilgung *f* **von Verbindlichkeiten** *f*
(Fin) payment of debts

Tochtergesellschaft *f*
(com) (majority-owned) subsidiary
– (infml) offshoot of a company
– daughter company

Tochtergesellschaft *f* **100%** (com) wholly-owned subsidiary

Tochtergesellschaft *f* **im Mehrheitsbesitz** (com) majority-owned subsidiary

Tochtergesellschaft *f* **unter 50%**
(com) affiliate
– affiliated company

Tochterinstitut *n* (Fin) banking subsidiary

Tonnenfracht *f*
(com) ton freight
– freight charged by the ton

Tonnenkilometer *m* (com) ton kilometer

Totalausverkauf *m* (com) going-out-of-business sale

totes Kapital *n* (Fin) idle funds

totes Papier *n* (Bö) inactive security

Traditionspapiere *npl* (WeR) documents of title *(syn, Dispositionspapiere)*

tragbares Telefon *n* (com) cellular (tele)phone

Träger *m*
(com) sponsoring agency

Trampgeschäft *n*
(com) tramping
– tramp shipping

Trampreeder *m* (com) tramp owner

Trampschiff *n* (com) tramp (steamer)

Trampschiffahrt *f* (com) tramp navigation
(syn, Charterschiffahrt)

Trampverkehr *m* (com) tramping trade

Tranche *f* (Fin) tranche
(ie, Teilbetrag e–r Wertpapieremission)

Tranche f **e–r Anleihe** (Fin) tranche
of a bond issue
Transaktion f
(com) transaction
– operation
– deal
Transaktionszeit f (Fin) transaction
time
transferieren (Fin) to transfer
Transferkosten pl (Fin) cost of transfer (eg, capital, profits)
Transferlockerung f (Fin) relaxation
of transfer restrictions
Transitfracht f (com) through freight
Transitgüter npl
(com) goods in transit
– afloats
Transithafen m
(com) port of transit
– intermediate port
Translationsrisiko n (Fin) accounting
risk
(ie, bei der Forderungsfinanzierung)
Transport m
(com, US) transportation
– (GB) transport
– carriage
– conveyance
– haulage
– shipping
Transportart f (com) means of transport (ation)
Transportbedingungen fpl
(com) terms of transportation
– freight terms
Transportbehälter m (com) container
Transportgeschäft n
(com) transport business
– shipping trade
Transportgewerbe n
(com) carrying
– haulage
– transport (ation)... industry
(or trade)
Transportgut n (com) cargo
Transportgüter npl (com) goods in
transit
transportintensive Güter npl (com)
transport-intensive goods

Transportkapazität f (com) transport
capacity
Transportkosten pl
(com) cost of transport
– carrying charges
– carriage
Transportmakler m (com) freight
broker
Transportmittel n (com) means of
transportation (or conveyance)
Transportpapiere npl (com) shipping
papers (eg, Konnossement,
Frachtbrief, Ladeschein)
Transportraum m (com) cargo space
Transportrisiko n (com) transport
risk
Transportsachverständiger m (com)
transportation expert
Transportschaden m
(com) transport damage (or loss)
– damage in transit
Transportunternehmer m
(com) carrier
– transport contractor
– haulier
Transportvertrag m (com) contract
of carriage
Transportvolumen n
(com) total transports
– freight volume
Transportvorschriften fpl (com) forwarding (or shipping) instructions
Transportweg m (com) transport
route
Transportwesen n (com) transportation
Trassant m (WeR) drawer
Trassat m (WeR) drawee (cf, Akzeptant)
trassiert-eigener Scheck m (WeR)
check where the drawer names
himself as the drawee, Art. 6 III
ScheckG)
trassiert-eigener Wechsel m (WeR)
bill of exchange where the drawer
is identical with the drawee, Art, 3
II WG
Trassierungskredit m
(Fin) documentary acceptance
credit

Tratte

- draft credit
- drawing credit
- reimbursement credit

Tratte *f* (WeR) draft

Tratte *f* **ohne Dokumente** (Fin) clean draft

Trendumkehr *f* (Bö) trend reversal *(ie, in der technischen Aktienanalyse)*

Treppenkredit *m* (Fin) graduated-interest loan

Tresor *m* (Fin) safe deposit vault *(syn, Stahlkammer)*

Treugiroverkehr *m* (Fin) = Treuhandgiroverkehr

Treuhänderdepot *n* (Fin) third-party security deposit

Treuhandgelder *npl* (Fin) trust funds *(or deposits or monies)*

Treuhandgiroverkehr *m* (Fin) accounts receivable clearing transactions *(syn, Treugiroverkehr)*

Treuhandkonto *n*
(Fin) escrow/trust . . . account
- (US) agency account
(ie, held in a bank by a trustee on behalf of third-party assets; nicht jedes Treuhandkonto ist ein Anderkonto)

Treuhandkredite *mpl*
(Fin) loans in transit
- loans for third-party account

- conduit credits *(syn, durchlaufende Kredite)*

Treuhandsonderkonto *n* (Fin) special trust account

Treuhandvermögen *n*
(Fin) trust assets *(or estate or fund or property)*
(Fin) trust fund

Treurabatt *m*
(com) loyalty discount *(or rebate)*
- fidelity rebate

Triple-A-Adresse *f* (Fin) triple A *(ie, zweifelsfreie Bonität; according to Standard & Poor's rating)*

trockener Wechsel *m* (WeR) promissory note *(syn, eigener Wechsel, Solawechsel)*

trockene Stücke *npl* (Fin) mortgage bonds in circulation

trübe Aussichten *fpl* (com) bleak outlook

turbulente Woche *f* (Bö, US) mixed and crazy week

typischer stiller Gesellschafter *m* (com) typical dormant partner *(opp, atypischer stiller Gesellschafter)*

TZ-Buchkredit *m* (Fin) installment book credit

TZ-Wechselkredit *m* (Fin) installment credit backed by promissory notes

U

überbewerten
(Bö) to overprice

überbewertete Aktien *fpl* (Bö) overpriced *(or top-heavy)* shares

überbewerteter Dollar *m* (Fin, infml) overblown dollar

Überbewertung *f*
(Bö) overpricing *(ie, of securities)*
(Fin) overvaluation *(ie, of a currency)*

überbieten
(com) to outbid
- to overbid

Überbietung *f*
(com) outbidding
- overbidding

Überbord-Auslieferungsklausel *f*
(com) overside-delivery clause

überbringen (com) to deliver acceptance to

Überbringerklausel *f* (WeR) bearer clause

Überbringerscheck *m*
(WeR) bearer check
- check to bearer

Überbringer *m* (WeR) bearer *(cf, Inhaber)*

iberbrücken
(com) to bridge
– to tide over

Überbrückungsfinanzierung *f* (Fin)
bridging *(or* interim) financing

Überbrückungskredit *m*
(Fin) bridging/interim/intermediate . . . loan
– (infml) bridge over

iberbuchen (com) to overbook
(ie, issue reservations in excess of available space)

Überdeckung *f*
(Fin) excess *(or* surplus) cover

Überdividende *f*
(Fin) superdividend
(Fin) surplus dividend *(syn, Superdividende)*

iberdurchschnittliche Abgaben *fpl*
(Bö) oversold positions

iberdurchschnittlich
(com) above average
– higher than average

ibereinstimmen (mit)
(com) to be in agreement with
– to conform to
– to be conformable to
– to answer to

Übereinstimmung *f*
(com) agreement
– conformity

Überemission *f*
(Bö) overissue of securities
– undigested securities

iberfällige Forderungen *fpl*
(Fin, US) delinquent accounts receivables
– (GB) overdue account
– claims past due
(Fin) stretched-out receivables *(ie, customers paying more slowly)*

iberfälliger Betrag *m* (Fin) amount overdue

iberfällig (com) past due

Überfracht *f*
(com) extra freight

Übergabebescheinigung *f* (com) receipt of delivery

Übergangslösung *f*
(com) provisional solution
– temporary arrangement

Übergangszeit *f* (com) transitional period

übergeben
(com) to deliver
– to turn over
– to hand over
– to transfer

Überhitzung *f*
(Bö) wave of heavy selling

überhöhter Preis *m*
(com) excessive
– heavy
– stiff . . . price

Überholung *f*
(com) overhaul *(ie, through inspection and repair)*

überkapitalisieren (Fin) to overcapitalize

überkapitalisiert
(Fin) overcapitalized
– (infml) top heavy

Überkapitalisierung *f* (Fin) overcapitalization *(opp, Unterkapitalisierung)*

über Kassakurs (Bö) over spot

Überkreuzmandat *n* (com) = Überkreuzverflechtung, qv

Überkreuzverflechtung *f*
(com) interlocking directorate, § 100 AktG
– (corporate) interlock *(syn, Überkreuzmandat)*

überladen (com) to overload

Überladung *f* (com) overloading

überlagern
(com) to conceal
– to fog over

Überlebensrente *f* (Fin) joint and survivor annuity

Überliquidität *f* (Fin) excess liquidity

Übernahmeangebot *n*
(com) takeover . . . bid/solicitation
– corporate takeover proposal
– tender offer
– tender solicitation
(ie, Form des Beteiligungserwerbs außerhalb der Börse: in der

Wirtschaftspresse wird ein Angebot zum Aufkauf unterbreitet; opp, öffentliches Abfindungsangebot nach § 305 AktG)

Übernahme *f* **des Ausfallrisikos** (Fin) assumption of credit risk

Übernahmegarantie *f* (Fin) underwriting guaranty

Übernahmegewinn *m*
(Fin) gain on takeover
– take-over profit

Übernahmekandidat *m*
(com) takeover target
– target *(syn, Zielgesellschaft)*

Übernahmekonsortium *n*
(Fin) underwriting . . .group/syndicate
– purchase group
– purchasing syndicate

Übernahmekriterien *npl* (com) acquisition criteria

Übernahmekurs *m*
(Fin) takeover price
(Fin) underwriting price

Übernahmeofferte *f* (com) = Übernahmeangebot

Übernahmepreis *m* (Fin) = Übernahmekurs

Übernahmeprovision *f* (Fin) underwriting commission *(syn, Konsortialnutzen)*

Übernahmeverpflichtungen *fpl*
(Fin) underwriting commitment

Übernahmevertrag *m*
(com) acquisition/takeover . . . agreement
(Fin) underwriting/subscription . . . agreement
– purchase contract
(ie, relating to securities issue)

Übernahme *f*
(com) takeover
– acquisition
– purchase
– *(also)* merger
– *(infml)* corporate marriage
– *(infml)* tie-up
(com) absorption *(eg, cost, freight)*
– payment
(Fin) underwriting *(ie, of a loan)*

übernehmende Gesellschaft *f*
(com) acquiring
– purchasing
– absorbing
– transferee . . . company
(ie, beim Unternehmenskauf = i an M&A *(merger & acquisition transaction; syn, erwerbend Gesellschaft)*

übernommene Gesellschaft *f*
(com) acquired
– purchased
– transferor . . . company
(opp, übernehmende Gesellschaf = acquiring company)

Überpari-Emission *f* (Fin) issue above par *(or* at a premium)

über pari
(Fin) above par
– at a premium

Überprüfung *f*
(com) audit
– check
– review

überreden
(com) to persuade *(ie, doing th)*
– *(infml)* to talk into *(eg, doing sth)*
– *(infml)* to argue into *(eg, doing sth)*
– to entice *(ie, zu = to)*

Überschlagsrechnung *f* (com) rough estimate

Überschreitung *f* (Fin) overrun

Überschuldung *f* (Fin) debt overload
– (GB) absolute insolvency
(ie, financial position where liabilities exceed assets)

Überschuß *m* **aus Zinsen und Provisionen** (Fin) net income from interest and commissions

Überschuß *m* **des Kaufpreises e-s Unternehmens über seinen Buchwert** (Fin) acquisition excess

Überschußdividende *f* (Fin) surplus dividend

Überschußfinanzierung *f* (Fin) cash flow financing
(ie, German term introduced by Hasenack)

Überschußgelder *npl* (Fin) surplus funds

Überschußreserve *f* (Fin) excess reserve

(ie, von den Banken über Mindestreserven hinaus gehaltene Zentralbankguthaben)

Überschuß-Risiko-Kriterium *n* (Fin) excess return risk criterion

übersendende Bank *f* (Fin) remitting bank

übersenden
(com) to send
– to transmit

Übersender *m*
(com) sender
– consignor

übersetzen
(com) to translate
(ie, texts from a source language into a target language)

Überspekulation *f* (Bö) overtrading

übertragbares Akkreditiv *n* (Fin) transferable letter of credit

übertragbares Wertpapier *n* (WeR) transferable/assignable... instrument
(ie, Rektapapier/Namenspapier; opp, begebbares Wertpapier = negotiable instrument, qv)

Übertragbarkeit *f*
(WeR) transferability
(WeR) negotiability *(ie, of order and bearer instruments only)*

übertragbar
(WeR) transferable
(WeR) negotiable

übertragen
(WeR) to transfer *(ie, by assignment)*
(WeR) to negotiate *(ie, by consent and delivery)*

Übertragung *f* **durch Begebung** (WeR) transfer by negotiation

Übertragungsstelle *f* (Fin) transfer agent

Übertragungsvermerk *m* (WeR) indorsement

Übertragung *f*
(WeR) transfer *(ie, by assignment)*

(WeR) negotiation *(ie, by consent and delivery)*

übertreffen
(com) to beat
– to get ahead of
– to leave behind
– to outdistance
– to outperform
– to outstrip

Überversorgung *f* (Fin) superabundance *(eg, of international liquidity)*

überwälzen (auf)
(com, StR) to pass on to
– to pass along to *(ie, prices, taxes)*

überweisen
(Fin) to remit
– to transfer

Überweisung *f* **durch Sammelverkehr** (Fin) bank giro

Überweisungsabteilung *f* (Fin) giro department

Überweisungsauftrag *m*
(Fin) transfer instruction
– (GB) bank giro credit

Überweisungsempfänger *m* (Fin) credit transfer remittee

Überweisungsformular *n* (Fin) credit transfer form

Überweisungsgebühr *f* (Fin) remittance *(or* transfer) charge

Überweisungsscheck *m* (Fin) transfer check
(ie, transfer instruction in Bundesbank transactions; no check in its legal sense)

Überweisungstermin *m* (Fin) transaction date
(eg, für Überweisung an e–e Clearingzentrale)

Überweisungsträger *m* (Fin) transfer slip

Überweisungsverkehr *m*
(Fin) bank/cashless... transfer payments
– giro credit transfers
– money transmission service
(syn, Giroverkehr)

Überweisung *f*
(Fin) remittance
– transfer

353

überwiegend schwächer (Bö) predominantly lower

überzeichnen (Bö) to oversubscribe *(ie, an issue)*

überzeichnete Emission *f* (Bö) oversubscribed issue
(ie, there are applications for more shares than the total number in the issue)

Überzeichnung *f* (Bö) oversubscription

überziehen (Fin) to overdraw an account

Überziehungskredit *m* (Fin) overdraft facility (*or* loan)

Überziehungsprovision *f* (Fin) overdraft commission (*or* fee)

Überziehung *f* (Fin) overdraft

UCIT
(Fin) = Undertaking for Collective Investment in Transferable Securities

Ultimo *m* (Bö) last trading day of a month

Ultimoauschläge *mpl* (Bö) end-of-month fluctuations

Ultimoausschläge *mpl* (Bö) end-of-month fluctuations

Ultimodifferenz *f* (Bö) difference between forward and settlement rate

Ultimogeld *n* (Bö) end-of-month settlement loan

Ultimogeschäft *n*
(Bö) transaction for end-of-month settlement
(Bö) last-day business

Ultimoglattstellung *f* (Bö) squaring of end-of-month position

Ultimohandel *m* (Bö) = Ultimogeschäft

Ultimokurs *m* (Bö) end-of-month quotation

Ultimoregulierung *f* (Bö) end-of-month settlement

Umbaufinanzierung *f*
(Fin) financing the re-modelling of a property

umdisponieren
(com) to modify arrangements
– to rearrange

Umdisposition *f* (com) rearrangement

umfangreiche Abgaben *fpl* (Bö) spat of selling

umfassende Erfahrungen *fpl* (com) broadly-based experience

umfassende Reform *f* (com) top-to-bottom reform

umfassende Vollmacht (com) broad authority
(eg, ausstatten mit = to invest with ...)

umfinanzieren
(Fin) to refinance
– to refund
– to switch funds

Umfinanzierung *f*
(Fin) switch-type financing
(ie, extension, substitution, and transformation of funds; opp Neufinanzierung)
– refunding
– refinancing
(Fin) = Umschuldung

umgedrehter Wechsel *m* (Fin) = Akzeptantenwechsel, qv

umgestalten (com) to reorganize *(eg, an accounting system)*

Umkehrchart *n* (Bö) reversal chart *(ie, in der Chartanalyse)*

Umkehrpunkt *m*
(Bö) reversal point *(ie, in der Chartanalyse)*

Umkehrwechsel *m* (Fin) = Akzeptantenwechsel, qv

Umlauf *m*
(com) please circulate
(Fin) bonds outstanding

Umlauf *m* **an Anleihen** (Fin) bonds outstanding

umlaufende Aktien *fpl* (Fin) shares outstanding

umlaufende festverzinsliche Wertpapiere *npl*
(Fin) bonds outstanding

umlauffähiges Wertpapier *n* (WeR) negotiable instrument

Umlauffähigkeit *f*
(Fin) marketability
– negotiability

umlauffähig
(Fin) negotiable
– marketable

Umlaufgrenze f (Fin) issuing limit

Umlaufmarkt m
(Bö) market for securities outstanding
– secondary market
(ie, Markt der umlaufenden Wertpapiere nach Erstabsatz; opp, Emissionsmarkt, Primärmarkt)

Umlaufsrendite f (Fin) running (*or* flat) yield
– yield on bonds outstanding
(ie, Rendite Festverzinslicher im Umlauf; coupon payments on a security as a percentage of the security's market price; in many instances the price should be gross of accrued interest = Stückzinsen; opp, Emissionsrendite)

Umleitung f e-r Sendung (com) reconsignment

umrechnen (Fin) to convert

Umrechnungsgewinn m (Fin) gain on currency translation

Umrechnungskurs m (Fin) conversion rate
(ie, fester Devisenkurs, zu dem Börsenkurse in eigene Währung umgerechnet werden)

Umrechnungssätze mpl (Bö) conversion rates

Umrechnungstabelle f (Fin) table of exchange rates

Umrechnung f von Fremdwährungen
(Fin) foreign currency translation
(ie, term is not synonymous with ‚conversion' which is the physical exchange of one currency for another)

Umsatz m
(com) business
– sales volume
– volume of trade
– (GB) turnover
– billings
(Bö) activity
– dealings
– turnover

(Bö) trading volume
– volume of trade

Umsatzbelebung f (com) increase in turnover

umsatzbezogene Kapitalrentabilität f
(Fin) sales-related return on investment *(ie, pretax operating income to sales)*

Umsatz m **bringen** (com) to pull in sales *(eg, product pulls in over DM 500 m worth of sales this year)*

Umsatzeinbuße f (com) drop in sales

Umsätze mpl **in Kurzläufern** (Bö) dealings in shorts

Umsatzergiebigkeit f (Fin) = Umsatzrentabilität

Umsätze mpl **steigen** (com) sales are perking up

Umsätze mpl
(com) sales
– (GB) turnover
(Fin) movements
(Bö) trading

Umsatzgewinnrate f (Fin) = Umsatzrentabilität

Umsatzgigant m (com) sales giant

Umsatz-Leverage n (Fin) operating leverage

umsatzloser Markt m (Bö) flat (*or* inactive) market

Umsatzprovision f
(com) sales commission
(Fin) account turnover fee

Umsatzrendite f (Fin) = Umsatzrentabilität

Umsatzrentabilität f
(Fin) percentage return on sales
(ie, component of RoI ratio system)
(Also:)
– net income percentage of sales
– net operating margin
– profit on sales
– profit percentage
– profit margin
– (GB) profit-turnover ratio
(syn, Umsatzrendite, Umsatzgewinnrate, Gewinn in % des Umsatzes)

Umsatzrückgang m
(com) decline

– drop
– slump ... in sales
– faltering sales
umsatzschwacher Markt *m* (com) inactive market
Umsatzspitzenreiter *m* (Bö) volume leader
umsatzstärkstes Produkt *n*
(com) top seller
– top-selling product
Umsatz *m* **steigern**
(com) to increase
– to boost
– to lift
– (infml) to beef up ... sales (GB: turnover)
– to expand *(eg, from DM1bn to DM12bn in sales)*
Umsatzsteigerung *f*
(com) increase
– advance
– upswing ... in volume sales
– (GB) turnover growth
Umsatzüberschußrechnung *f* (Fin) cash flow statement
Umsatzüberschuß *m*
(Fin) funds from operations
(ie, item in funds statement = Kapitalflußrechnung)
(Fin) cash flow
(ie, Geldzufluß aus Umsatz, if liquid funds are subtracted)
Umsatzvolumen *n*
(com) sales volume
– volume of trade
– (GB) turnover
– (Bö) trading volume
umschichten
(Fin) to shift
– to switch
Umschichtung *f*
(Fin) shifting
– switching
Umschichtungsfinanzierung *f* (Fin) debt restructuring *(or* rescheduling) *(ie, converting short-term into long-term debt)*
Umschichtung *f* **von Verbindlichkeiten** (Fin) liability management *(ie, enables depository institutions*

to raise additional funds in wholesale markets, when they wish to increase their lending; opp, Vermögensverwaltung = asset management)
Umschlagdauer *f* **von Forderungen** (Fin) days of receivables
(syn, Debitorenumschlag)
Umschlagdauer *f* **von Verbindlichkeiten** (Fin) days of payables
Umschlagkennziffer *f* **der Debitoren** (Fin) accounts receivable turnover ratio
(ie, average receivables outstanding to average daily net sales)
umschreiben
(Fin) to transfer *(ie, securities)*
Umschreibung *f*
(Fin) transfer *(ie, of securities)*
umschulden
(Fin) to reschedule
– to restructure
– to roll over ... debt
(Fin) to fund
– to refinance
Umschuldung *f*
(Fin) debt ... rescheduling/restructuring
(ie, postponing payments of future debts)
(Fin) debt refunding *(or* conversion)
Umschuldungsaktion *f*
(Fin) rescheduling operation
(Fin) funding operation
Umschuldungsanleihe *f* (Fin) refunding bond issue
Umschuldungskredit *m* (Fin) refunding credit
umsonst
(com) gratuitous
– at no charge
– (infml) for nothing
Umstände *mpl* **liegen vor** (com) circumstances are present
umsteigen (Fin, com) to switch *(ie, into/out of)*
umstempeln (Fin) to restamp *(ie, share certificates; eg, as worth only DM 50)*

Umstempelung *f* (Fin) restamping of share certificates

umstrittene Frage *f* (com) contentious issue

Umstrukturierung *f*
(com) restructuring of operations
– restructuring and adjustment
– structural transformation
– shake-up in the structure *(eg, of the electricity supply industry)*
– „corporate surgery" *(ie, to eliminate loss-making operations)*

Umstrukturierung *f* **des Gebührensystems** (Fin) restructuring of service charge pattern

Umstrukturierung *f von Anleihen* (Fin) repackaging of bonds

umstufen (com) to reclassify

Umstufung *f*
(com) reclassification
– regrading

Umtausch *m* (Fin) exchange *(ie, of shares)*

Umtauschaktionen *fpl* (Fin) swap transactions

Umtauschangebot *n*
(Fin) exchange
– conversion
– tender . . . offer

umtauschen
(Fin) to change *(eg, money)*
– (more fml) to exchange *(eg, DM for $)*
– (fml) to convert *(ie, foreign currency)*

Umtauschobligationen *fpl* (Fin) refunding bonds

Umtauschoperation *f* (Fin) repurchase operation

Umtauschrecht *n*
(Fin) conversion . . . right/privilege
– option to convert
– right of exchange
(ie, von Schuldverschreibungen in Aktien)
(Fin) exchange privilege *(ie, bei Investmentanteilen)*

Umtauschverhältnis *n*
(Fin) exchange ratio
(Fin) conversion ratio

Umwandlungsgeschäft *n* (Fin) reorganization business
(ie, of banks cooperating in changes of corporate legal forms)

Umwandlungsrecht *n* (Fin) commutation right

Umwandlungsrisiko *n* (Fin) transaction risk
(ie, bei der Forderungsfinanzierung)

unabhängige Banken *fpl* (Fin) independent operators

unabhängiger Berater *m* (com) outside consultant

unabhängiger Händler *m* (com) independent trader

unbarer Zahlungsverkehr *m* (Fin) cashless money transfers *(or payments)*

unbedingte Annahme *f* (WeR) absolute acceptance

unbedingtes Indossament *n* (WeR) absolute endorsement
(ie, Indossatar hat nur bei Ausfall der Vormänner zu zahlen)

unbeschädigte Ladung *f* (com) sound cargo

unbeschädigt (com) undamaged

unbeschränkt konvertierbare Währung *f* (Fin) free currency

unbestätigtes Akkreditiv *n* (Fin) unconfirmed letter of credit

unbestätigtes unwiderrufliches Akkreditiv *n* (Fin) unconfirmed irrevocable letter of credit

unbestellte Sendung *f* (com) unsolicited consignment

unbestellte Ware *f* (com) unordered merchandise

unbezahlte Rechnungen *fpl* (Fin) unpaid bills

UND-Konto *n* (Fin) joint account *(ie, with the instruction „both or all to sign")*

unechtes Factoring *n*
(Fin) partial factoring
– recourse factoring
(ie, Delcredere wird nicht vom Factor übernommen; für Zahlungsausfälle wird vielmehr die Firma in

Anspruch genommen; opp, echtes Factoring, qv)

uneingeschränktes Akzept *n*
(WeR) general
– unconditional
– unqualified... acceptance

uneinheitlich (Bö) mixed

uneinheitlich tendieren (Bö) to tend mixed

unentgeltlich
(com) free
– free of charge
– at no charge
– without payment

unerfahrener Spekulant *m*
(Bö) inexperienced speculator
– (infml) lamb

unerledigte Aufträge *mpl*
(com) active backlog of orders
– unfilled orders

unerledigter Auftrag *m*
(com) back
– open
– outstanding
– unfilled... order

unerledigte Tagesordnungspunkte *mpl* (com) unfinished business

unerschlossene Grundstücke *npl*
(com) raw (*or* undeveloped) land

unerwarteter Gewinn *m*
(com) unexpected (*or* windfall) profit

unfrankiert (com) postage unpaid

unfrankierter Brief *m* (com) unpaid letter

unfrei
(com, US) freight collect (*or* forward)
– (GB) carriage forward, C/F
(com) postage not prepaid

unfreundliche Übernahme *f* (com) hostile takeover
(ie, unabgestimmter Übernahmeversuch)

unfundierte Schulden *fpl* (Fin, FiW) unconsolidated (*or* floating) debt

ungebundener Wechselkurs *m* (Fin) freely fluctuating (*or* flexible) exchange rate

ungedeckte Kreditlinie *f* (Fin) open

line of credit *(syn, offene Kreditlinie)*

ungedeckte Option *f* (Bö) naked option
(ie, grantor of option does not have the underlying asset or shares in case the option is exercised)

ungedeckter Blankovorschuß *m* (Fin) uncovered advance

ungedeckter Kredit *m* (Fin) open (*or* unsecured) credit

ungedeckter Scheck *m*
(Fin) bad
– uncovered
– false
– (infml) bum
– (infml) rubber... check
– (GB, infml) dud cheque

ungedeckter Wechsel *m* (Fin) uncovered bill of exchange

ungedeckte Zinsarbitrage *f* (Fin) uncovered interest arbitrage

ungeeignet
(com) unfit
– unsuitable
– unsuited
– unworkable *(eg, proposal)*

ungenutztes Kapital *n* (Fin) dead capital

ungeregelter Freiverkehr *m* (Bö) offboard trading
(ie, unterstes Börsensegment, das häufig mit Telefonhandel verwechselt wird; Handel findet – entgegen verbreiteter Ansicht – wie der geregelte Freiverkehr an der Börse statt)

ungesichert (Fin) unhedged

ungesicherte Anleihe *f* (Fin) plain (*or* unsecured) bond issue

ungesicherter Kredit *m* (Fin) unsecured credit

ungesicherter Schuldschein *m* (Fin) straight note

ungesicherte Schuldverschreibung *f* (Fin) unsecured bond
– (GB) unsecured (*or* naked) debenture

ungesichertes Darlehen *n* (Fin) unsecured loan

ungesicherte Tratte *f* (Fin) unsecured (*or* clean) draft

ungesicherte Verbindlichkeit *f* (Fin) unsecured liability

ungetilgte Obligationen *fpl* (Fin) outstanding bonds

ungewaschenes Geld *n* (com, infml) dirty money *(cf, laundered money)*

ungünstige Bedingungen *fpl* (com) unfavorable (*or* disadvantageous) terms

Unikat *n* (com) unique copy

Universalbank *f* (Fin) universal/all-purpose ... bank *(ie, befaßt sich mit allen Zweigen des Bankgeschäfts, außer Notenemission und Hypothekengeschäft; Spezialbankprinzip in GB, USA, Frankreich, Japan: Trennung von commercial banking und investment banking)*

Universalbanksystem *n* (Fin) universal banking system
– unibanking

Unkosten *pl* (com) charges
– expenses

unkündbare Rente *f* (Fin) non-terminable (*or* irredeemable) annuity

unkündbares Darlehen *n* (Fin) uncallable loan

unkündbare Wertpapiere *npl* (Fin) noncallable (*or* uncallable) securities

unkündbar (Fin) non-redeemable
– irredeemable

unlauteres Geschäftsgebaren *n* (com) dishonest (*or* dubious) business practices

unlimitierter Auftrag *m* (Bö) market order *(ie, executed at the best price available)*
– order at best

unmittelbare Ausfuhr *f* (com) direct export

unmittelbare Beteiligung *f* (com) direct participation

unmittelbare Kreditvergabe *f* **an den Kunden** (Fin) straight lending

unnotierte Werte *mpl* (Bö) unlisted (*or* unquoted) securities

unparteiischer Gutachter *m* (com) nonpartisan expert

unplanmäßige Tilgung *f* (Fin) unscheduled redemption

unproduktiv (com) unproductive
– idle

unquittierte Rechnung *f* (com) unreceipted bill (*or* invoice)

unreines Konnossement *n* (com) foul
– dirty
– claused ... bill of lading (*or* B/L) *(ie, containing notation that goods received by carrier were defective)*

unrentabel (com) unprofitable

unrichtige Angaben *fpl* (com) incorrect statements

Unruhe *f* **auf den Geldmärkten** (Fin) volatility in the money markets

unsachgemäße Verwendung *f* (com) misuse

unsichere Sache *f* (com, infml) iffy proposition *(ie, mit wenn und aber)*

unsicheres Darlehen *n* (Fin) iffy loan *(eg, to a shaky borrower)*

Unsicherheitsmarge *f* (com) margin of uncertainty

Unterakkreditiv *n* (Fin) back-to-back credit

Unterauftrag *m* (com) subcontract

Unteraufträge *mpl* **vergeben** (com) to subcontract
– to farm out work

Unterbestellung *f* (com) suborder

Unterbeteiligung *f* (com) subparticipation
– accessory participation
– participation in another's partnership

Unterbeteiligungsvertrag *m* (Fin) subunderwriting agreement *(ie, in a syndicate group)*

Unterbevollmächtigter *m* (com) subagent

359

unterbewerten
(Bö) to underprice

Unterbewertung f
(Bö) underpricing *(ie, of securities)*
(Fin) undervaluation *(ie, of a currency)*

unterbieten
(com) to undercut
– to undersell
(eg, a producer by unfairly low-priced imports)
(com) to underbid

Unterbietung f
(com) undercutting
– underselling
– underbidding

unterbringen (com, Fin) to place *(eg, purchase order, securities issue)*

Unterbringung f (com) accommodation *(eg, hotel accommodation)*

Unterbringung f **beim Publikum** (Fin) public placement *(or* placing*)*

Unterbringung f **von Aufträgen** (com) placing orders

unterbrochene Rente f (Fin) noncontinuous annuity

unterdotiert (Fin) insufficiently funded *(eg, company pension plan)*

unterdurchschnittlich
(com) belowaverage
– lower than average *(eg, growth)*

unterer Interventionspunkt m
(Fin) bottom
– floor
– lower . . . support point
– floor

Unterfinanzierung f (Fin) *(wrongly used instead of = Illiquidität)*

Unterfrachtvertrag m
(com) subcontract of affreightment
– subcharter
– subchartering contract

Unterhaltung f
(com) maintenance
– upkeep

Unterhaltungsindustrie f (com) entertainment industry

Unterhaltungskosten pl (com) maintenance expenses

Unterhaltungselektronik f (com) consumer electronics

Unterholding f (com) subholding

unterkapitalisiert (Fin) undercapitalized

Unterkapitalisierung f (Fin) undercapitalization

unter Kassakurs (Bö) under spot

Unterkonsorte m (Fin) sub-underwriter

Unterkonsortium n (Fin) sub-syndicate

Unterlagen fpl
(com) documents
– data and information
– papers
– material

Unterlagen fpl **einreichen** (com) to file documents

Unterlieferant m (com) subcontractor

Unternachfrage f
(com) shortfall in demand

Unternehmen n
(com) business enterprise
– business firm
– business undertaking
– firm
– undertaking
– concern *(ie, any economic unit!)*
– (infml) company
(ie, this informal term does not necessarily connote incorporation in AmE or BrE; it often stands for a partnership or even a sole proprietorship)

Unternehmen n **der gewerblichen Wirtschaft** (com) commercial enterprise

Unternehmen n **der Spitzentechnologie** (com) high-tech enterprise *(syn, Hochtechnologie-Unternehmen)*

Unternehmen n **gründen**
(com) to form
– to organize
– to create
– to set up
– to establish . . . a business

Unternehmen n **mit hohem Fremdkapitalanteil**

(Fin) highly levered company
– (GB) highly geared company
Unternehmen *n* **mit hoher Dividendenausschüttung** (Fin) high payout firm
Unternehmen *n* **mit niedriger Gewinnausschüttung** (Fin) low payout firm
Unternehmensberater *m*
(com) management/business . . . consultant
– consultant to management
– management/business . . . counselor
Unternehmensberatung *f*
(com) mangement . . . consulting/consultancy
– business consulting firm
(com) business intelligence consulting
(ie, durch Informationsbeschaffung)
Unternehmensbeteiligungsgesellschaft *f* (Fin) = Kapitalbeteiligungsgesellschaft, qv
Unternehmensfinanzierung *f*
(Fin) company
– corporate
– enterprise . . . finance
– company funding
Unternehmensformen *fpl* (com) forms of business organization
Unternehmensgewinn *m* (Fin) business/corporate . . . profit
Unternehmenskapital *n* (Fin) total capital *(ie, equity capital + outside capital)*
Unternehmenskauf *m* (com) mergers and acquisitions, M&A
(ie, durch Kauf von Wirtschaftsgütern und Kauf von Anteilen = purchase of assets and purchase of shares)
Unternehmenskaufvertrag *m* (com) acquisition agreement
Unternehmensliquidität *f* (Fin) corporate liquidity
Unternehmenssprecher *m* (com) company spokesman *(syn, Firmensprecher)*

Unternehmensübernahme *f*
(comn) acquisition
– takeover
– merger *(ie, also as a general term)*
– tie-up
Unternehmensverschuldung *f* (Fin) corporate indebtedness
Unternehmenszusammenschluß *m*
(com) business combination
– *(as a general term also)* merger
– (infml) tie-up
(ie, je nach Bindungsintensität gibt es:
1. stillschweigende Kooperation = tacit cooperation;
2. Agreement = agreement;
3. Konsortium = consortium/syndicate;
4. Wirtschaftsverband = trade association;
5. Kartell = cartel;
6. Gemeinschaftsunternehmen = joint venture;
7. Konzern = group of companies;
8. Verschmelzung = merger and consolidation)
Unternehmen *n* **voll ausbauen** (com, infml) to fully-fledge a company *(eg, it took 18 months to raise the capital needed . . .)*
Unternehmer *m*
(com) businessman
– contractor
unternehmerfeindlich (com) antibusiness
Unternehmerin *f* (com) businesswoman
Unternehmerverband *m* (com) trade association
Unternehmung *f* (com) = Unternehmen
Unternehmungsberater *m* (com) = Unternehmensberater
Unternehmungsformen *fpl* (com) forms of business organization
Unternehmungsrentabilität *f* (Fin) overall return *(ie, ratio of net profit + interest on borrowed capital to total capital employed)*

Unternehmungszusammenschluß

Unternehmungszusammenschluß *m*
(com) = Unternehmenszusammenschluß
unter Nennwert
(Fin) below par
– at a discount
Unterordnungskonzern *m*
(com) group of subordinated af-
filiates
– vertical group
*(ie, unter der Leitung e–s
herrschenden Unternehmens; cf,
§ 18 I AktG; opp, Gleichordnungs-
konzern)*
unter pari
(Fin) below par
– at a discount
Unterpari-Emission *f* (Fin) issue below par *(or* at a discount)
unterschreiben
(com) to sign
– to undersign
– to subscribe
Unterschreitung *f* (Fin) underrun
Unterschriftsberechtigter *m* (com)
person lawfully authorized to sign
Unterschriftsberechtigung *f* (com)
authority to sign
Unterschriftsprobe *f* (com) specimen
signature
Unterschriftsstempel *m* (com) signature stamp
Unterschriftsverzeichnis *n* (com) list
of authorized signatures
Unterschriftsvollmacht *f* (com) authority to sign documents
unterstützen
(com) to support
– to throw support behind
Unterstützungslinie *f* (Bö) support
line *(ie, in chart analysis)*
Unterstützung *f* (com) support
– backing
– promotion
– patronage
(com) aid
– assistance
untersuchen
(com) to examine
– to analyze

– to study
– to investigate
– to scrutinize *(ie, examine in detail)*
– to inquire (into)
– to probe (into)
– to search (into)
– (infml) to take a look (at) *(adj:
careful, close, good, hard, long)*
Untersuchung *f*
(com) examination
– analysis
– study
– investigation
– scruting
– inquiry
– search
Untertasse *f* (Bö) saucer *(ie, in chart
analysis)*
Unterunternehmer *m* (com) subcontractor *(syn, Subunternehmer)*
Untervergabe *f*
(com) subcontracting
– farming out
Untervertreter *m* (com) subagent
Untervertretung *f* (com) subagency
unterwegs befindliche Güter *npl*
(com) goods in transit
unterwertige Münze *f* (Fin) minor
coin
unter Wert verkaufen (com) to sell
below value
unterzeichnen
(com) to sign
– to subscribe *(ie, one's name to)*
– (infml) to write one's name on
the dotted line
– (fml) to affix one's signature to
Unterzeichner *m* (com) signer
Unterzeichneter *m* (Re) undersigned
unverändert fest (Bö) continued firm
unverarbeitetes Rohöl *n*
(com) virgin crude oil
– straight-run stock
unverbindlich
(com) not binding
– non-committal
– without engagement
unverbindliche Antwort *f* (com) non-
committal . . . answer/reply

362

unverhältnismäßige Kosten *pl* (com) unreasonable expense

unverkäufliche Aktien *fpl* (Fin) sour stock

unverkäufliche Bestände *mpl* (com) dead stock

unverkäuflicher Artikel *m* (com) unsalable . . . article/item

Unverkäuflichkeit *f* (com) unsalability

unverkäuflich
(com) unsalable
– not for sale

unverlangtes Angebot *n* (com) unsolicited offer

unverlangte Sendung *f* (com) unsolicited consignment

unvermeidbares Risiko *n* (Fin) unavoidable (*or* systematic) risk

unverzinslich
(Fin) bearing (*or* earning) no interest
– non-interest-bearing

unverzinsliche Einlagen *fpl* (Fin) non-interest-bearing deposits

unverzinslicher Kredit *m* (Fin) interest-free credit

unverzinsliche Schatzanweisungen *fpl* (Fin) Treasury discount paper

unverzinsliche Schuldverschreibungen *fpl* (Fin) interest-free bonds

unverzinsliches Darlehen *n*
(Fin) interest-free loan
– non-interest bearing loan

unverzollt (com) duty unpaid

unverzollte Waren *fpl* (com) uncleared goods

unvollständige Lieferung *f* (com) short delivery

unwiderruflich (com) irrevocable

unwiderrufliches Akkreditiv *n* (Fin) irrevocable letter of credit

unwirtschaftlich
(com) uneconomical
– inefficient

unwirtschaftliche Frachtraten *fpl* (com) uncommercial rates

Unwirtschaftlichkeit *f* (com) inefficiency

(ie, implies wasting scarce resources in all areas of economic activity; syn, Ineffizienz)

unzureichende Deckung *f* (Fin) small/ thin/shoestring . . . margin
(ie, narrow or insufficient margin that leaves the speculator's account in a precarious condition if the market declines)

unzustellbar
(com) undeliverable
– undelivered *(eg, if . . . return to)*

unzustellbarer Brief *m* (com) dead letter

ursprünglicher Kapitaleinsatz *m* (Fin) initial investment *(ie, in preinvestment analysis)*

Ursprungsangabe *f* (com) statement of origin

Ursprungsbescheinigung *f* (com) = Ursprungsangabe

Ursprungsbezeichnung *f*
(com) mark of origin

Ursprungsfinanzierung *f* (Fin) initial finance

Ursprungskapital *n* (Fin) initial capital

Ursprungsland *n* (com) country of origin

Ursprungsnachweis *m* (com) documentary evidence of origin

Ursprungswert *m* (com) original value

Ursprungszeugnis *n* (com) certificate of origin

Usance *f*
(com) trade
– business
– commercial
– mercantile . . . usage
– custom of the trade
– mercantile custom
– usage of the market (*or* trade)
(Bö) rules and regulations

Usancenhandel *m* (Bö) cross dealing

Usancenkredit *m* (Fin) usage credit

Usancenkurs *m* (Fin) cross rate

U-Schätze *mpl* (Fin) = unverzinsliche Schatzanweisungen

V

vagabundierende Gelder *npl*
(Fin) hot money
– footlose funds *(eg, marshaled by the oil exporting countries; syn, heißes Geld)*

vakuumverpackt (com) vacuum packed

Vakuumverpackung *f* (com) vacuum packing

Valoren *pl* (Fin) securities *(ie, including bank notes)*

Valuta *f*
(Fin) currency
(Fin) loan proceeds
(Fin) value date

Valutaakzept *n* (Fin) foreign currency acceptance

Valutaanleihe *f* (Fin) foreign currency loan *(ie, floated by German issuer; syn, Valutabond, Auslandsbond)*

Valuta-Exporttratte *f* (Fin) export draft in foreign currency

Valutageschäft *n* (Fin) fixed settlement date
(Fin) foreign currency (*or* exchange) transaction

Valutagewinn *m* (Fin) gains on foreign exchange

Valutaguthaben *n* (Fin) foreign currency holding

Valutaklausel *f* (Fin) foreign currency clause *(syn, Währungsklausel)*

Valutakonto *n* (Fin) foreign currency account *(syn, Währungskonto)*

Valutakredit *m* (Fin) foreign currency loan *(syn, Devisenkredit, Währungskredit)*

Valutakupon *m* (Fin) foreign currency coupon

Valutanotierung *f* (Fin) quotation of exchange

Valutapapiere *npl* (Fin) foreign currency securities

Valutarisiko *n* (Fin) exchange risk

Valutaschuld *f* (Fin) foreign currency debt, § 244 BGB

Valutatag *m* (Fin) value date *(ie, on which bank account entry becomes effective)*

Valutatrassierungskredit *m* (Fin) foreign currency acceptance credit

Valutawechsel *m* (Fin) foreign exchange bill

Valutenarbitrage *f* (Fin) currency arbitrage

Valutengeschäft *n* (Fin) dealing in foreign notes and coin

Valutenkonto *n* (Fin) currency account

Valuten *pl* (Fin) foreign currencies

valutieren
(Fin) to fix (*or* state) the value date
(Fin) to extend a loan

Valutierung *f*
(Fin) fixing (*or* stating) the value date
(Fin) extension of a loan

Valutierungsgewinn *m* (Fin) = Wertstellungsgewinn, qv

Valutierungstermin *m*
(Fin) value date
(Fin) date of loan extension

variabel verzinslich (Fin) on a floating rate basis

variabel verzinsliche Anleihe *f* (Fin) floating rate note, FRN
(ie, medium to long term, evidence by negotiable bearer notes – begebbare Inhaberschuldscheine – in denominations of a least $1,000, and with a coupon consisting of a margin usually over Libor for 3 or 6 months deposits, paid at the end of each interest period and then adjusted in line with current rates for the next period; market almost entirely by telephone or telex; Zinssatz wird alle 3 od 6 Monate der Rendite kurzfristiger Mittel am Eurogeldmarkt angepaßt; Bezugsgröße ist der Liborsatz, zu dem Termineinlagen unter Banken am

Eurogeldmarkt verzinst werden; syn, variable verzinslicher Schuldtitel)

variable Notierung *f*
(Bö) variable prices
– floating quotation

variabler Handel *m* (Bö) variable-price trading

variabler Markt *m* (Bö) variable-price market

variable Werte *mpl* (Bö) variable-price securities

variable Zinsen *mpl* (Fin) variable *(or* floating) rate

verabreden (com) to make an appointment

Verabredung *f* (com) appointment *(eg, I have an appointment to see Mr X)*

veraltend (com) obsolescent

veraltet (com) obsolete

Veränderungsrate *f* (com) rate of change

veranlassen (com) to prompt *(eg, management to shut down a subsidiary)*

veranschlagen (com) to estimate

Verantwortlichkeit *f*
(com) responsibility
– accountability

verarbeitende Industrie *f* (com) manufacturing *(or* processing) industry

verarbeitendes Gewerbe *n* (com) manufacturing sector

Verausgabung *f* **von Mitteln** (Fin) disbursement of funds

veräußern
(com) to sell
– to dispose of

Veräußerungs- und Zahlungsverbot *n* (Fin) order prohibiting disposals and payments, § 46a KWG

Veräußerung *f* **von Beteiligungen**
(Fin) sale of share holdings
– (GB) sale of trade investments

Veräußerung *f*
(com) sale
– realization
– disposal/disposition *(ie, for a consideration)*

Verband *m* **der Chemischen Industrie** (com) Chemical Industry Federation

verbilligter Kredit *m* (Fin) subsidized credit

verbindliches Angebot *n* (com) firm/ binding... offer/tender/bid /proposal

Verbindlichkeiten *fpl* **eingehen** (Fin) to incur *(or* contract) debts

Verbindlichkeiten *fpl* **erfüllen** (Fin) to repay debt

Verbindlichkeiten *fpl* **mit unbestimmter Fälligkeit** (Fin) indeterminate-term liabilities

Verbindlichkeit *f* **mit kurzer Restlaufzeit** (Fin) maturing liability

Verbindung *f* **aufnehmen**
(com) to contact
– to liaise *(ie, to make or keep connection with/about)*

Verbot *n* **der Werbung** (com) prohibition to advertise

Verbrauch *m* (com) consumption

verbrauchen
(com) to consume
– to use up

Verbraucherkredit *m* (Fin) consumer credit

Verbrauchsgüter *npl* (com) consumer *(or* consumption) goods *(ie, either durables or nondurables)*

verbriefen
(WeR) to embody
– to evidence ownership
(ie, Namens-/Rektapapiere = registered instruments; cf, verkörpern)

verbriefter Anteil (Fin) evidenced share

Verbriefung *f* **von Kreditbeziehungen** (Fin) securitization
(1. Kreditinstitute vergeben zunehmend ,Wertpapierkredite' anstelle traditioneller unverbriefter Kredite; sie übernehmen von Nichtbankenschuldnern emittierte Wertpapiere ins eigene Portefeuille;
2. Finanzierungsinstitute werden umgangen: Schuldner ersetzen unverbriefte Bankkredite durch di-

365

rekte Plazierung von Wertpapieremissionen bei den Nichtbankenanlegern;
3. *Wachstum des Verbriefungselements auch im Passivgeschäft der Banken: über verstärkte Eigenemissionen oder die Schaffung verbriefter Einlageformen)*

verbuchen
(Bö) to register *(eg, price gains)*

Verbunddarlehen *n* (Fin) joint loan extension

verbunden mit (com) through to *(eg, New York)*

verdecktes Factoring *n* (Fin) nonnotification factoring

verdecktes Nennkapital *n* (Fin) hidden nominal capital
(ie, Vergütungen hierfür gelten als verdeckte Gewinnausschüttungen)

verdienen
(com) to earn
– to gain
– (US, infml) to sack up

verdrängen
(com) to drive
– to eliminate
– to put out of
– to squeeze
– (inmfl) to freeze *(ie, rivals out of the market)*
– *to put out of business*
(Fin) to crowd out

Verdrängungswettbewerb *m*
(Fin) crowding-out competition
(ie, on the capital market: between government and private business)

Veredelungswirtschaft *f* (com) processing industry

vereinbarter Zinssatz *m* (Fin) contract rate of interest

Vereinbarungsdarlehen *n* (Fin) contractual loan

Vereinbarung *f* **treffen** (com) to reach *(or* to conclude*)* an agreement

Verein *m* **Deutscher Maschinenbau-Anstalten** (com) *(Frankfurt-based)* Association of German Machinery Manufacturers, VDMA

Verein *m* **Deutscher Werkzeugmaschinenfabriken** (com) Association of German Machine Tool Makers

vereinfachte Kapitalherabsetzung *f* (Fin) simplified capital reduction *(ie, no repayment to shareholders)*

vereinfachter Scheck- und Lastschrifteinzug *m* (Fin) simplified check and direct debit collection procedure

Vereinsbörsen *fpl*
(Bö) securities exchanges set up and maintained by private-law associations which act as institutional carriers: Bremen, Düsseldorf, Hannover, München, Stuttgart; opp, Kammerbörsen

vereinzelte Kursgewinne *mpl* (Bö) scattered gains

vereiteln
(com) to prevent
– to thwart
– to frustrate
– (US, infml) to zap *(eg, a project)*

Verengung *f* **des Geldmarktes** (Fin) tight money market

Verfahren *n*
(com) method
– technique
– operation
– process

Verfall *m*
(Fin) maturity

verfallen
(Fin) to mature
– to fall *(or* become*)* due
(Bö) to collapse
– bottom drops out of *(eg, market, prices)*

verfallener Scheck *m* (Fin) stale check

Verfallklausel *f*
Fin) expiration clause
(Fin) acceleration clause
(ie, Klausel über die Vorverlegung der Fälligkeit; calls for earlier payment of the entire balance due because of breach of some specified condition; in a loan contract, a note, bond, mortgage)

Verfallmonat *m* (Bö) expiration
month
Verfallsdatum *n* (Bö) expiration date
*(ie, letztmöglicher Zeitpunkt der
Optionsausübung)*
Verfallstag *m* (Bö) expiry date
Verfallstermin *m* (Bö) expiry date
Verfalltag *m*
(com) date of expiration (*or* expiry)
– cut-off date
– due date
– expiring date
– date of maturity
Verfassung *f* (Bö) tone of the market
verflachen
(Bö) to level off
– to slacken
verflechten
(com) to interlink
– to interlace
– to interpenetrate
Verflechtung *f*
(com) interdependence
– interlacing
– interlinking
– interpenetration
– linkage
– mutual dependence *(eg,
global . . . of financial markets)*
verflüssigen
(Fin) to sell
– to liquidate
– to realize
verfrachten
(com) to freight (goods)
– to send as freight
Verfrachter *m* (com) ocean carrier
*(ie, called ‚Frachtführer‘ in river
and land transport)*
Verfrachtung *f*
(com) ocean transport
– (GB) carriage of goods by sea
Verfrachtungsvertrag *m* (com) contract of affreightment
verfügbare Mittel *pl* **ausgeben** (Fin)
to disburse available funds
verfügbare Mittel *pl*
(Fin) available cash
– liquid funds

Verfügbarkeitsklausel *f* (Fin) availability clause
*(ie, Banken schützen sich gegen das
Risiko der grundlegenden Markt-
störung bei Roll-over-Krediten ex
Euromarkt; Kredit wird auf e–r
anderen Basis weitergewährt; syn,
Marktstörungsklausel)*
Verfügungsberechtigung *f* (Re) authorization to draw
Verfügungsbetrag *m* (Fin) payout
amount *(ie, of a loan: nominal
amount less loan discount)*
Vergabe *f*
(com) award of contract
(com) placing an order
(Fin) extension of a credit
Vergabe im Submissionsweg *f* (com)
allocation by tender
vergleichbare Waren *fpl* (com) comparable products
Vergleichbarkeit *f*
(com) comparability *(ie, with/to)*
vergleichen
(com) to compare *(ie, with/to, qv)*
– to collate
– to contrast
– to set side by side
– to set against
(com) to liken
– to equate
– to match
Vergleichsbasis *f*
(com) basis of comparison
– base-line comparison
Vergleichsmuster *n* (com) reference
sample
Vergleichs- und Schiedsordnung *f*
(com) Rules of Conciliation and
Arbitration
*(ie, laid down by the Paris-based
International Chamber of Commerce, ICC)*
vergriffen
(com) out of stock
– sold out
(com) out of print *(ie, said of
books)*
vergrößern
com) to enlarge

vergüten

   – to increase
   – to augment
   – to add to *(cf, steigern)*

vergüten
   (com) to compensate
   – to remunerate
   (com) to reimburse
   – to refund
   (com) to indemnify

Vergütung *f*
   (com) pay
   – fee
   – compensation
   – remuneration
   (com) reimbursement
   – refunding
   (com) indemnity

Verhältnis *n* **Gewinn/Dividende** (Fin) times covered, qv

Verhältnis *n* **Reingewinn zu Festzinsen und Dividenden** (Fin) fixed interest cover

verhandeln
   (com) to discuss
   – to debate
   (com) to negotiate (about/on)
   – to bargain (for/about)

Verhandlungen *fpl*
   (com) discussions
   – talks
   – bargaining
   – negotiations

Verhandlungen *fpl* **abbrechen** (com) to break off negotiations

Verhandlungen *fpl* **beenden** (com) to terminate negotiations

Verhandlungen *fpl* **beginnen**
   (com) to start
   – to commence
   – to open ... negotiations (*or* talks)

Verhandlungen *fpl* **finden statt** (com) negotiations are under way

Verhandlungsangebot *n* (com) offer to negotiate

Verhandlungsauftrag *m* (com) negotiating mandate

Verhandlungsgrundlage *f* (com) negotiating basis (*or* platform)

Verhandlungsmacht *f* (com) bargaining power

Verhandlungsmandat *n* (com) authority to negotiate

Verhandlungsniederschrift *f* (com) minutes of meeting

Verhandlungspaket *n* (com) package deal

Verhandlungspartner *m* (com) negotiating party

Verhandlungsposition *f* (com) negotiating position

Verhandlungsposition *f* **schwächen** (com) to weaken someone's bargaining hand

Verhandlungsrunde *f* (com) round of negotiations

Verhandlungsspielraum *m*
   (com) negotiating range
   – room to negotiate

Verhandlungsstärke *f*
   (com) negotiating strength

Verhandlungsteam *n* (com) negotiating team

Verhandlungsvollmacht *f* (com) authority to negotiate

verkalkulieren (com) to miscalculate

Verkauf *m* (com) sale

Verkauf *m* **auf Abruf** (Bö) buyer's call

Verkauf *m* **auf Baisse**
   (Bö) bear/short ... sale
   (syn, Baisseverkauf, Leerverkauf)

Verkauf *m* **aufgrund e-r Ausschreibung** (com) sale by tender

Verkauf *m* **auf Kreditbasis** (com) credit sale

Verkauf *m* **auf Ziel**
   (com) credit sale
   – sale for the account
   – (US) charge sale

Verkauf *m* **durch Submission** (Fin) sale by tender

verkaufen
   (com) to sell
   – to vend
   – to cash out

Verkäufer *m* **e-r Kaufoption** (Bö) writer of a call option
   (ie, muß das Wertpapier zum

*Basiskurs liefern, wenn der Käufer
die Option ausübt; syn, Stillhalter
in Wertpapieren)*

Verkäufer *m* **e–r Verkaufsoption**
(Bö) writer of a put option
*(ie, muß das Wertpapier zum
Basispreis abnehmen, wenn der
Käufer der Verkaufsoption die Op-
tion ausübt; syn, Stillhalter in Geld)*

Verkäufer *m* **gedeckter Optionen**
(Bö) covered (option) writer
*(ie, er besitzt Basisobjekt od hat
Gegensicherungsgeschäft abgeschlossen)*

Verkäuferoption *f* (Bö) sellers' option

Verkauf *m* **gegen bar** (com) cash sale

Verkauf *m* **in Bausch und Bogen**
(com) outright sale

Verkauf *m* **mit Preisoption** (com) call
sale *(opp, Kauf mit Preisoption,
qv)*

Verkauf *m* **mit Rückkaufsrecht** (com)
sale with option to repurchase

Verkaufsabrechnung *f*
(com) sales accounting
(Bö) contract/sold . . . note
(ie, of consignee, broker, etc)

Verkaufsabschluß *m* (com) conclusion of a sale

Verkaufsagentur *f* (com) sales agency

Verkaufsangebot *n*
(com) offer to sell
(Bö) offer for sale *(ie, of new securities)*

Verkaufsauftrag *m* (Bö) order to sell

Verkaufsauftrag *m* **bestens** (Bö) sell
order at market

Verkaufsbüro *n*
(com) sales office
– selling agency

Verkaufsfrist *f* (Fin) subscription
period

Verkaufsgebiet *n* (com) sales territory

Verkaufsgemeinschaft *f* (com) selling
association

Verkaufsgespräch *n* (com) sales talk

Verkaufsgruppe *f*
(Fin) selling group

Verkaufsgruppenvertrag *m* (Fin) selling group agreement

Verkaufskurs *m*
(Bö) check rate
(Bö) offering price *(ie, of loan)*
(Fin, US) left-hand side
*(ie, at which bank offers to sell
foreign currency)*

Verkaufsnote *f* (com) sold note

Verkaufsoption *f* (com) selling option
(Bö) put (option)
*(ie, contract entitling the holder, at
his option, to sell to the maker at
any time within the life of the contract, a specified number of shares
of a specific stock, at the price fixed
in the contract; opp, Kaufoption =
call)*

Verkaufsorder *f* (Bö) order to sell

Verkaufspreis *m*
(com) selling price
(Fin) dispoal price *(ie, of bonds)*

Verkaufsprospekt *m* (Bö) offering
prospectus

Verkaufsprovision *f* (com) sales *(or
selling)* commission

Verkaufsraum *m* (com) sales space

Verkaufsrechnung *f* (com) sales invoice

Verkaufsschlager *m*
(com) hot selling line
– top selling article
– (infml) runner
– (infml) hot number
– (sl) smash hit *(eg, the professional copycat's latest fake is an un-
contestable . . .)*

Verkaufsstelle *f*
(Fin) subscription agent

Verkaufssyndikat *n*
(Fin) distributing/selling . . . syndicate
*(ie, brokerage firms and investment
banks link up to sell a security
issue)*

Verkaufs- und Lieferbedingungen *fpl*
(com) conditions of sale and delivery

Verkaufsvergütung *f* (Fin) selling
commission

369

Verkaufsvertrag *m* (Fin) selling agreement

Verkaufsvertreter *m*
(com) salesman
- saleswoman
- (esp. US) salesperson
- (fml) sales representative

Verkaufswert *m*
(com) selling (*or* marketable) value

Verkauf *m* **wegen Geschäftsaufgabe**
(com) closing-down sale
- winding-up sale

Verkauf *m* **zur sofortigen Lieferung**
(com) sale for immediate delivery

Verkehr *m*
(com) traffic
- (US) transportation
- (GB) transport
(com) commerce
(eg, placing goods in the stream of commerce = Waren in den Verkehr bringen)
- commercial transactions

Verkehrsfähigkeit *f*
(com) marketability
(WeR) negotiability

verkehrsfähig
(com) marketable
(WeR) negotiable

Verkehrsgewerbe *n* (com) transport(ation) industry

Verkehrshypothek *f*
(Fin) ordinary mortgage
(ie, nach Art der Rückzahlung wird unterschieden:
1. Tilgungs- bzw. Annuitätenhypothek;
2. Kündigungs- od Fälligkeitshypothek;
3. Abzahlungshypothek; opp, Sicherungshypothek, qv)

Verkehrsleistungen *fpl* (com) transportation services

Verkehrspapier *n* (WeR) negotiable paper

Verkehrswertschätzung *f* (com) estimate of current market value

verkettete Rendite *f* (Fin) linked rate of return

verkleinern
(com) to decrease
- to reduze in size
- to scale down

verkörpern
(WeR) to embody
- to evidence ownership
(ie, Order- und Inhaberpapiere = order and bearer instruments; cf, verbriefen)

Verlag *m*
(com) publishers
- publishing firm (*or* house)

verlagern
(com, EDV) to relocate

verlängern
(com) to extend
- to renew

Verlängerung *f* **e-s Wechsels** (WeR) prolongation of a bill of exchange

Verlängerungsvertrag *m* (Fin) extension agreement *(ie, to extend the due date of debts)*

Verlängerung *f*
(com) extension
- renewal
- prolongation

verletzen
(com) to neglect *(eg, one's duties)*

verlockende Anlage *f* (Fin) alluring investment

Verlust *m* **abdecken** (com) to cover (*or* to make good) a loss

Verlustgeschäft *n*
(com) money-losing deal
- losing bargain

Verlustquote *f* (Fin) charge off rate

vermeidbares Risiko *n* (Fin) avoidable risk
(cf, streuungsfähiges Risiko)

vermietete Erzeugnisse *npl* (com) equipment leased to customers

Vermietung *f* **vollständiger Betriebsanlagen** (Fin) plant leasing

Vermietung *f* **von Investitionsgütern** (com) leasing of capital assets

vermitteln
(com) to go between
- to act as intermediary
- to bring together

– to bring to an understanding
– to use one's good offices

Vermittler *m*
(com) go between
– intermediary
– middleman

Vermittlung *f* **der Befrachtung** (com) freight brokerage

Vermittlungsgebühr *f* (com) introduction charges

Vermittlungsmakler *m* **im Edelmetallhandel** (Fin) bullion broker

Vermittlungsperson *f* (com) middleman

Vermittlungsprovision *f*
(com) commission for business negotiated by commercial agent, § 87 HGB
(Fin) finder's fee

Vermittlungsvertreter *m* (com) agent appointed to negotiate business transactions *(opp, Abschlußvertreter)*

Vermittlungsvorschlag *m* (com) compromise proposal

Vermittlung *f* **von Geschäften** (com) negotiation of business transactions
– business negotiation

Vermögen *n* **der Gesellschaft**
(Fin) partnership assets
(Fin) corporate assets

Vermögen *n* **e-r Unternehmung** (Fin) assets of a business (*or* enterprise)

Vermögen *n* **juristischer Personen** (Fin) corporate assets

Vermögen *n* **natürlicher Personen** (Fin) assets of natural persons

Vermögensbestand *m* (Fin) asset/investment . . . base

Vermögenseinlage *f*
(Fin) investment
(Fin) capital contribution

Vermögenserträge *mpl* (Fin) investment income

Vermögenslage *f*
(com) financial . . . situation/position
(Fin) net worth position
(ie, in einigen gesetzlichen Vor

schriften verwendet, ohne exakt definiert zu werden; cf, 238, 264 II, 297 HGB; Einblick gewährt die Bilanz, die Vermögens- und Kapitalaufbau nach Art, Form und Fristigkeit der Vermögenswerte und Schuldteile zeigt)

Vermögensneuanlagen *fpl* (Fin) new investment of funds

Vermögensobjekt *n* (com) asset

Vermögensstruktur *f* (Fin) assets and liabilities structure

Vermögensumschichtung *f*
(Fin) restructuring of assets
– asset redeployment

Vermögensverhältnisse *npl* (Fin) financial circumstances

Vermögensverwalter *m*
(Fin) investment manager
(Fin) portfolio manager

Vermögensverwaltungsgesellschaft *f*
(Fin) property-management company

Vermögensverwaltung *f*
(Fin) asset/investment/portfolio . . . management

Vermögenswerte *mpl* **einbringen** (Fin) to bring asets to . . .

Vermögenswerte *mpl* (com) assets

Vermögenszuwachs *m*
(Fin) accession
– accretion

Vermögen *n*
(com) assets
– wealth

vermuten (com) = annehmen, qv

verpachten
(com) to lease *(ie, land or building)*
– to let on lease
– to hire out
(Note that ‚to lease' also means ‚pachten' in the sense of ‚to take on lease')

Verpacken *n* (com) packing

Verpacker *m*
(com) packer
(com) packing agent

Verpackung *f* (com) packing and packaging *(ie, generic term)*

Verpackungsanweisung

Verpackungsanweisung *f* (com) packing instructions

Verpackungsbetrieb *m* (com) packer

verpfändete Forderung *f*
(Fin) assigned account
– pledged account receivable

Verpflichtung *f* **eingehen**
(com, Fin) to take on (new) commitments

Verpflichtungsermächtigung *f*
(Fin) commitment authorization

Verpflichtungsschein *m* (WeR) certificate of obligation
(ie, drawn up by a merchant in respect of money, securities or other fungible things, § 363 HGB)

verrechnen
(com) to net (with)
– to set off (against)
– to offset (against)
(Fin) to clear
– to settle

Verrechnung *f*
(com) netting (with)
– setting off (against)
(Fin) clearing
– settlement

Verrechnungsabkommen *n*
(Fin) clearing (*or* settlement) agreement

Verrechnungsdollar *m* (AuW) clearing dollar

Verrechnungseinheit *f* (Fin) unit of account

Verrechnungsgeschäft *n* (com) offsetting transaction

Verrechnungsguthaben *n* (Fin) clearing balance

Verrechnungskurs *m* (Fin) settlement price

Verrechnungssaldo *m* (Fin) clearing balance

Verrechnungsscheck *m* (Fin) collection-only check

Verrechnungsspitze *f* (Fin) clearing fraction

Verrechnungsstelle *f* (Fin) clearing office

Verrechnungstage *mpl* (Fin) clearing days

Verrechnungsverkehr *m* (Fin) clearing transactions

Verrechnungswährung *f* (Fin) clearing currency

Versand *m*
(com) dispatch
– shipment
– shipping
– forwarding
– sending off

Versandbereitstellungskredit *m*
(Fin) packing credit
– anticipatory credit
– advance against a documentary credit
(ie, Akkreditivbevorschussung: dem Exporteur wird unter bestimmten Bedingungen Vorauszahlung eingeräumt; syn, Vorschußkredit)

Versandhauswerte *mpl* (Bö) mail orders

Versandscheck *m* (Fin) out-of-town check

Versandwechsel *m* (Fin) out-of-town bill

verschärfen
(com) to aggravate
– to exacerbate
– (infml) to hot up *(eg, air fare war)*
(com) to sharpen
– to intensify *(eg, competition)*
(Fin) to tighten up *(eg, credit policy)*

verschärfter Wettbewerb *m* (com) heightened competition
(ie, exerts strong pressure on profit margins)

verschrotten
(com) to scrap
– to break up

verschulden, sich
(Fin) to incur debts

Verschuldensneigung *f* (Fin) propensity to incur debts (*or* liabilities)

verschuldet
(Fin) indebted
– (infml) saddled by debt
– (infml) stuffed with debt

372

– (infml) running in the red
– (infml) debt-strapped
Verschuldung f
(Fin) indebtedness
– level of debt
(Fin) contraction of debt
Verschuldungsbereitschaft f   (Fin)
propensity to take up credits
Verschuldungsgrad m
(Fin) debt-equity ratio
(Fin, US) leverage
(Fin, GB) gearing
Verschuldungsgrenze f
(Fin) debt . . . limitations/limit
– borrowing ceiling
(ie, ceiling placed on the amount of
borrowings by individuals, corpo-
rations, or public authorities)
(Fin) borrowing allocation *(ie, fest-*
gelegt vom Vorstand)
Verschuldungskoeffizient m (Fin) =
Verschuldungsgrad
Verschuldungspotential n (Fin) bor-
rowing . . . potential/power
Verschuldungsspielraum m   (Fin)
debt margin
Versicherungsaktien fpl (Bö) insurance stocks
Versicherungsdarlehen n (Fin) actuarial loan
Versicherungswerte mpl
(Bö) insurance stocks
– insurances
versilbern (Fin, infml) to convert into
money
Versorgungswerte mpl (Bö) utilities
Verstärkung f **der eigenen Mittel**
(Fin) strenghtening of capital resources
versteckte Preissenkung f (com) covered price cut
Versteifung f **des Geldmarktes** (Fin)
tightening of the money market
verstimmen (Bö) to unsettle *(ie, the*
market)
vertagen (com) to adjourn (for/till/
until) *(eg, meeting, conference,*
trial)
verteilen
(com) to distribute

– to dole out *(eg, money for ex-*
port financing)
– (infml) to pass out *(eg, free*
samples of merchandise)
Verteiler m
(com) mailing *(or* distribution) list
(com) share-out key
verteuern (com) to raise prices
Verteuerung f (com) price increase
vertraglicher Zinssatz m (Fin) contract rate of interest
vertraglich festgelegter Zinssatz m
(Fin) contract rate of interest
Vertragsgebiet n (com) contractual
territory
Vertragssparen n (Fin) scheme-link-
ed saving
vertretbar
(com) fungible
vertretbare Wertpapiere npl (Fin)
fungible securities
Vertretbarkeit f
(com) fungibility
vertreten
(com) to act for *(or* in place of)
– to deputize for
– to substitute for
Vertreter m
(com) deputy
– substitute
– proxy
Vertretung f
(com) substitution
– deputizing
– proxy
(com) representation
Vertriebskonsortium n
(Fin) selling group
– selling *(or* trading) syndicate
verwahrende Bank f (Fin) custodian
bank
Verwahrung f
(Fin) safekeeping *(eg, of securities)*
– (GB) safe custody *(or* storage)
Verwahrungsbuch n (Fin) custody
ledger
Verwahrungsgebühr f (Fin) custody
fee
Verwahrungsgeschäft n (Fin) custody
transactions

Verwahrungsstücke *npl* (Fin) custody items

Verwahrung *f* **über Clearingstelle** (Fin) central collective deposit *(eg, AKV, Cedel)*

verwaltetes Vermögen *n* (Fin) agency fund

Verwaltungsaktien *fpl* (Fin) management shares
(ie, held in treasury, usu. by an underwriting group on behalf of company's management)

Verwaltungsgebühr *f*
(Fin) management fee

Verwaltungsgesellschaft *f*
(Fin) management company
– fund manager

Verwaltungskredit *m* (Fin) transmitted loan

Verwaltungsrat *m*
(com) administrative board
– board of administration
(ie, of public bodies; opp, supervisory board of stock corporations)
(com) administrative board
(ie, nicht selten in der GmbH zu finden: kann überwachende als auch beratende und entscheidende Kompetenzen haben)
(com) board of directors *(ie, of companies outside Germany)*

Verwaltungsvertrag *m*
(Fin) investment contract

verwässertes Grundkapital *n* (Fin) diluted *(or* watered) capital

Verwässerung *f* **des Aktienkapitals**
(Fin) dilution of equity
– stock watering

Verwässerungseffekt *m* (Fin) share dilution effect

verwerten
(com) to utilize

Verwertung *f*
(com) utilization

Verwertungsaktien *fpl* (Fin) = Vorratsaktien

Verwertungskonsortium *n* (Fin) selling syndicate

verzeichnen
(com) to record

(com) to post *(eg, large increases in orders received)*

verzinsen
(Fin) to pay interest (on)
(Fin) to bear *(or* yield) interest

verzinslich (Fin) bearing interest

verzinsliche Forderung *f* (Fin) interest-bearing debt

verzinsliche Schatzanweisungen *fpl*
(Fin) treasury notes, not discounted

verzinsliches Darlehen *n* (Fin) interest-bearing loan

verzinsliches Guthaben *n* (Fin) money drawing interest *(ie, in a bank account)*

verzinsliches Sonderdarlehen *n* (Fin) special interest-bearing loan

verzinslich mit (Fin) bearing interest at the rate of

Verzinsung *f*
(Fin) rate of interest
(Fin) return
(Fin) interest payment

Verzinsung *f* **des eingesetzten Kapitals** (Fin) return on capital employed

verzögern
(com) to delay
– to retard
– to slow
– (infml) to hold up
– to put back *(eg, decision, production, delivery)*

verzögerte Auszahlung *f* **des Akkreditivbetrages** (Fin) deferred payment

verzollte Ware *f* (com) goods out of bond

Verzug *m*
(Fin) default *(eg, on loan agreement)*

Verzugsklausel *f*
(Fin) default clause
(ie, Gläubiger e–s Euromarktkredits hat die Möglichkeit, das Kreditverhältnis im Falle des Zahlungsverzugs des Schuldners zu kündigen; cf, reziproke Verzugsklausel)

Verzugszinsen *mpl*
(Fin) (penalty) interest on arrears,
§ 288 BGB
– interest on defaulted payment

Vierteljahresdividende *f* (Fin) quarterly dividend

Vierteljahresgeld *n* (Fin) three-month (money)

vierteljährliche Kreditnehmer-Statistik *f* (Fin) quarterly summary reports on credits extended to resident borrowers as per the end of each calendar quarter

vinkulieren (Fin) to restrict transferability

vinkuliert (Fin) registered

vinkulierte Namensaktie *f* (Fin) registered share not freely transferable
(ie, transfer inter vivos contingent upon the consent of the corporation, § 68 AktG)

Vinkulierung *f* (Fin) restriction of transferability

Volatilität *f* (Bö) volatility
(ie, measures the degree of fluctuation in the share price during the previous 12 months; it is calculated on a standard deviation of the price, which is divided by the mean price, and the result may be translated into a scale from 1 to 20; the higher the value, the higher the volatility of the stock)

Volksbank *f* (Fin) people's bank

Vollausschüttung *f* (Fin) full profit distribution

Volleindeckung *f* (Fin) unqualified cover

voll eingezahlte Aktien *fpl* (Fin) fully paid-up shares

voller Schluß *m* (Bö) full (*or* even) lot

Vollfinanzierung *f* (Fin) 100% outside financing

voll gezeichnete Anleihe *f* (Fin) fully subscribed loan

Vollindossament *n*
(WeR) full indorsement
– indorsement in full *(opp, Blankoindossament)*

Vollkonzession *f* (Fin) unlimited banking license
(ie, issued by the banking supervisory authority)

Vollmachtsaktionär *m* (com) proxy shareholder, § 129 AktG

Vollmachtsindossament *n* (WeR) collection indorsement

voll nutzen
(com) to exploit to the fullest practicable extent

vollständig ausgezahlter Kredit *m* (Fin) fully paid-out loan

vollständig gezeichnete Anleihe *f* (Fin) fully subscribed loan

voll verwässerter Gewinn *m* **je Aktie** (Fin) fully diluted earnings per share

Volumen *n*
(Fin) total lendings
(Bö) turnover
– volume

Voranschlag *m*
(Fin) preliminary budget *(ie, part of financial planning)*

vorausbezahlen (com) to pay in advance

vorausbezahlt (com) prepaid

vorausdisponieren
(com) to make arrangements in advance
(com) to buy ahead

Vorausdispositionen *fpl* (com) advance arrangements

Vorausplazierung *f* (Fin) advance selling *(ie, of a securities issue)*

Vorauszahlung *f*
(Fin) cash before delivery, c.b.d.

Vorauszahlungsfinanzierung *f* (Fin) financing by customer advances

Vorauszahlungskredit *m* (Fin) = Kundenanzahlung

Vorbehalt *m* **der Plazierbarkeit** (Fin) best efforts clause
(ie, gilt für den von den Führungsbanken bei Roll-over-Krediten nicht fest übernommenen Kreditbetrag)

vorbehaltlich
(com) subject to

– with the proviso that . . .
– provided that

Vorbesprechung *f*
(com) preliminary discussion
– preparatory conference

Vorbörse *f*
(Bö) before-hour dealings
– market before official hours

vorbörslicher Kurs *m* (Bö) pre-market price

vorbörslich (Bö) before opening of stock exchange

vordatierter Scheck *m* (Fin) postdated (*or* forward-dated) check
(ie, cannot be cashed before the date appearing on its face)

Vordividende *f* (Fin) interim (*or* initial) dividend

Vorfälligkeitsgebühr *f* (Fin) prepayment/termination . . . fee
(ie, bei Roll-over-Krediten am Euromarkt)

Vorfälligkeitsklausel *f* (Fin) acceleration clause
(ie, calls for earlier payment of the entire balance due because of breach of some specified condition)

vor Fälligkeit
(Fin) ahead of schedule (*eg, repayment of loan*)
– prior to . . . maturity/due date

vorfinanzieren
(Fin) to provide advance (*or* preliminary) financing

Vorfinanzierung *f* (Fin) advance/preliminary . . . financing
(ie, by short-term funds, esp in the construction industry)

Vorfinanzierungskredit *m* (Fin) preliminary loan

Vorfinanzierungszusage *f* (Fin) promise to grant preliminary credit

Vorgang *m*
(com) job file *(ie, in office organization)*
– job

Vorgründungsgewinn *m* (Fin) profit prior to company formation

Vorindossant *m* (WeR) previous indorser

Vorlage *f*
(com) submission
– presentation
(WeR) presentation
– production
(Fin) advance

Vorlage *f* **von Dokumenten** (com) tender of documents

Vorlagezinsen *mpl* (Fin) interest on outpayment of unmatured savings account
(syn, Vorschußzinsen, Zwischenzinsen)

Vorlage *f* **zum Inkasso** (Fin) presentation for collection

vorläufiges Aktienzertifikat *n*
(Fin) temporary stock certificate
– (GB) scrip
(ie, a scrip in US usage is a formal certificate representing a fraction of a share)

vorlegen
(com) to submit *(eg, application, plan)*
– to put
(eg, plan to shareholders)
(WeR) to present *(ie, for acceptance or payment)*
(Fin) to advance *(eg, a certain amount of money)*

Vorlegung *f* **e-s Schecks** (WeR) presentation of a check

Vorlegung *f* **e-s Wechsels** (WeR) presentation of a bill

Vorlegungsort *m* (Fin) place of presentation

Vorlegungsverbot *n* (Fin) instruction not to present

Vorlegungsvermerk *m* (WeR) notice of dishonor

Vorlegung *f* **zum Akzept** (WeR) presentation for acceptance

Vorlegung *f* **zur Zahlung** (Fin) presentation for payment

Vormann *m*
(WeR) prior indorser

vormerken
(com) to note
– to put down
– to put somebody's name down

Vormerkkonto *n* (Fin) provisional registration account

Vorprämie *f* **kaufen** (Bö) to give for the call

Vorprämiengeschäft *n* (Bö) trading in calls

Vorprämienkäufer *m* (Bö) giver for the call

Vorprämienkurs *m* (Bö) call price

Vorprämien *f* **verkaufen** (Bö) to take for the call

Vorprämie *f*
(Bö) call
– call option
– premium for the call

Vorprodukte *npl*
(com) primary products

Vorprüfung *f*
(com) feasibility study

Vorräte *mpl*
(com) inventory
– stock of inventory
– inventory stocks
– goods on hand
– (GB) stock-in-trade

vorrätig halten (com) to keep in stock
(com, infml) to keep in
– to have in

vorrätig
(com) in stock
– ready for sale
– (infml) on tap

Vorratsaktien *fpl* (Fin) company's own shares
(ie, held in treasury, § 71 AktG; syn, Verwertungsaktien)

Vorratskredit *m* (Fin) inventory financing loan

Vorratsstellenwechsel *m* (Fin) storage agency bill

Vorrechtsaktien *fpl* (Fin) = Vorzugsaktien

Vorschaltdarlehen *n* (Fin) preliminary loan *(eg, in financing the construction of commercial buildings)*

vorschießen (com) to advance *(eg, money)*

Vorschlag *m*
(com) proposal
– suggestion

vorschüssige Rente *f* (Fin) annuity due
(opp, nachschüssige Rente = ordinary annuity)

Vorschuß *m*
(com) advance
(Fin) advance disbursement

Vorschußakkreditiv *n* (Fin) = Versandbereitstellungskredit

Vorschußkredit *n* (Fin) = Versandbereitstellungskredit, qv

Vorschuß *m* **leisten** (com) to make advance payment

Vorschußwechsel *m* (Fin) collateral bill *(syn, Depotwechsel)*

Vorschußzinsen *mpl* (Fin) = Vorlagezinsen

vorsichtig eröffnen (Bö) to open cautiously

vorsichtiger Optimismus *m* (Bö) guarded optimism

Vorsitz *m* **führen**
(com) to chair *(eg, a meeting)*
– to be in the chair
– to act as chairman
– to preside over *(eg, a meeting)*

Vorstandsaktien *fpl* (Fin) management shares

Vortagesnotierung *f* (Bö) previous quotation

vorteilhafte Investition *f* (Fin) profitable investment

Vorteilhaftigkeit *f*
(Fin) profitability *(ie, of investment projects)*

Vorteilskriterium *n* (Fin) yardstick of profitability *(ie, used in preinvestment analysis)*

Vorteilsvergleich *m* (Fin) comparison of profitabilities
(ie, made in preinvestment analysis)

vorübergehende Kapitalanlage *f* (Fin) temporary investment

Vorvaluten *pl* (Fin) forward values

vorverkaufte Schuldverschreibungen *fpl* (Fin) bonds sold prior to issue

Vorverlegung *f* **der Fälligkeit** (Fin) acceleration of maturity

377

Vorvertrag *m*
(com) letter of understanding

vorzeitige Fälligkeit *f* (Fin) accelerated maturity

vorzeitiger Rückkauf *m* (Fin) repurchase prior to maturity

vorzeitige Rückzahlung *f*
(Fin) advance ... redemption/repayment

vorzeitiges Kündigungsrecht *n* (Fin) right to call a loan prior to maturity

vorzeitige Tilgung *f* (Fin) = vorzeitige Rückzahlung

vorzeitige Zahlung *f* (Fin) payment before due date

vorzeitig rückrufbarer Schuldtitel *m* (Fin) retractable maturity bond

vorzeitig tilgbar (Fin) repayable in advance

vorzeitig zurückzahlen (Fin) to repay ahead of schedule

Vorzüge *pl* (Fin) = Vorzugsaktien

Vorzugsaktien *fpl*
(Fin) preferred stock
– (GB) preference shares
(syn, Stammprioritäten, Vorrechtsaktien, Prioritätsaktien)

Vorzugsaktien *fpl* **ohne Stimmrecht**
(Fin, US) non-voting preferred stock
– (GB) non-voting preference shares *(cf, 139 ff AktG)*

Vorzugsaktionär *m*
(Fin) preferred stockholder
– (GB) preference shareholder

Vorzugsdividende *f*
(Fin) dividend on preferred stock
– preferred dividend

Vorzugsdividendendeckung *f* (Fin) times preferred dividend earned

Vorzugskurs *m* (Bö) preferential price *(ie, below market quotation)*

Vorzugsobligationen *fpl* (Fin) priority bonds

Vorzugssätze *mpl* (Fin) preferential rates

Vorzugsstammaktien *fpl*
(Fin) preferred ordinary shares
– (US) privileged common stock

Vorzugszeichnungsrecht *n* (Fin) preferential right of subscription

Vorzugszins *m* (Fin) preferential interest rate

Vostrokonto *n* (Fin) vostro account *(opp, Nostrokonto)*

W

Wachstumsaktien *fpl* (Fin) growth stocks

Wachstumsanleihe *f* (Fin) premium-carrying loan

Wachstumsfonds *m*
(Fin) growth
– cumulative
– no-dividend ... fund
(syn, Thesaurierungsfonds; opp, Einkommensfonds)

Wachstumstitel *mpl* (Fin) growth stocks

Wachstumswerte *mpl* (Fin) growth stocks

Wagen *m* **mieten** (com) to rent (*or* hire) a car

Wagnisfinanzierungsgesellschaft *f*
(Fin) venture capital company

Wagniskapital *n* (Fin) venture capital
(ie, Grundformen sind:
1. seed financing;
2. start-up financing;
3. first-stage/second-stage/third-stage ... financing;
4. bridge financing;
5. buyouts)

Wagnisse *npl* **wegen Schwankungen der Fremdwährungskurse** (Fin) risks due to fluctuation in currency exchange rates

Wahl *f* (com) election (eg, by secret ballot = geheime Wahl)

während der Gültigkeit des Angebots (com) during the continuance of the offer

Wahrnehmung *f* **von Aufgaben** (com)

discharge of duties (*or* responsibilities)

Wahrscheinlichkeit *f* **des Rückgangs der Aktienkurse** (Bö) downside risk

Währungsakzept *n* (Fin) foreign currency acceptance

Währungsanleihe *f*
(Fin) foreign currency (*or* external) loan

Währungsbezeichnung *f* (Fin) currency denomination *(cf, ISO Code)*

Währungsblock *m* (Fin) currency (*or* monetary) bloc

Währungseinlagen *fpl* (Fin) foreign currency deposits

Währungsgeschäft *n* (Fin) currency transaction

Währungsgewinn *m*
(Fin) foreign exchange earnings
– exchange gain

Währungsguthaben *npl* (Fin) foreign exchange balances *(syn, Fremdwährungsguthaben)*

Währungsklauseln *fpl* (Fin) currency clauses
(syn, Valutaklauseln)

Währungskonto *n* (Fin) foreign exchange account *(syn, Fremdwährungskonto, Devisenkonto)*

Währungskorb *m*
(Fin) currency basket
– (infml) currency cocktail
(ie, methods of determining the value of a financial asset or currency as a weighted average of market exchange rates; a basket can contain two or more currency components; cf, Korbwährung)
– B-unit
(ie, made up of five currencies: USD, GBP, DM, FRF, CHF; großvolumige Handelseinheit)

Währungskredit *m* (Fin) foreign currency loan
(syn, Devisenkredit, Valutakredit)

Währungskurs *m* (Fin) exchange rate

Währungsoption *f* (Fin) currency option

Währungsrisiko *n*
(Fin) currency exposure (*or* risk)
– foreign exchange risk

Währungsscheck *m* (Fin) foreign currency check

Währungsspekulant *m* (Fin) currency speculator

Währungsswap *m* (Fin) cross currency swap *(cf, Swap)*

Währungsumrechnungsfaktor *m*
(Fin) currency conversion rate

Währungsumrechnung *f* (Fin) (foreign) currency translation

Währungsunion *f* (Fin) monetary/currency . . . union

Währungsverluste *mpl* (Fin) currency losses

Wandelanleihe *f* (Fin) convertible bond
– convertible
– (GB) convertible loan stock
(ie, verbrieft das Recht, die Schuldverschreibung in e–e Aktie der emittierenden Unternehmens umzutauschen; fixed-interest security that is convertible into the borrower's common stock; cf, § 221 I AktG)

Wandelgeschäft *n* (Bö) callable forward transaction
(ie, formulas: „per ultimo täglich" or „per ultimo auf Kündigung")

Wandelobligation *f* (Fin) = Wandelanleihe, qv

Wandeloption *f* (Fin) conversion option

Wandelprämie *f* (Fin) conversion premium

Wandelrecht *n*
(Fin) conversion privilege
– right of conversion

Wandelschuldverschreibung *f* (Fin) = Wandelanleihe, qv

Wandelschuldverschreibung *f* **mit Aktienbezugsrecht** (Fin) detachable stock warrant

Wandelvorzugsaktien *fpl* (Fin) convertible preferred stock

Wandlungsaufgeld *n* (Fin) conversion premium

Wandlungsbedingungen *fpl* (Fin) conversion terms

Wandlungspreis *m* (Fin) conversion price

Wandlungsrecht *n*
(Fin) conversion privilege
– right of conversion

Wandlungsverhältnis *n* (Fin) conversion ratio

Ware *f* **abnehmen** (com) to take delivery of goods

Ware *f* **absenden**
(com) to send off
– to dispatch
– to ship . . . goods
– to dispatch an order

Ware *f* **liefern** (com) to deliver goods

Waren *fpl*
(com) goods
– commodities
– merchandise
(com) articles
– products

Warenakkreditiv *n* (Fin) documentary letter of credit

Warenarbitrage *f* (Bö) commodity arbitrage

Warenbeförderung *f* **durch Rohrleitungen** (com) carriage of goods by pipeline

Warenbeleihung *f* (Fin) lending on goods *(syn, Warenlombard)*

Warenbevorschussung *f* (Fin) advance on commodities

Warenbörse *f* (Bö) commodity exchange
(ie, the vast majority are markets in which a single item is traded, such as sugar, coffee, grain, cotton, jute, copper, tin, etc.)

Waren *fpl* **freigeben** (com) to release goods *(eg, to the importer on a trust receipt)*

Warenhandel *m*
(Bö) commodities trading

Waren *fpl* **in Kommission verkaufen** (com) to sell goods on a consignment basis

Warenkredit *m*
(Fin) commodity (*or* trade) credit

(Fin) lending on goods *(syn, Warenlombard)*

Warenlombard *m*
(Fin) advance/lending . . . on goods
– loan collateralized by commodities
(ie, heute nahezu bedeutungslos: das deutsche Recht kennt – ausgenommen vom Vermieterpfandrecht – kein besitzloses Pfandrecht; stattdessen daher Sicherungsübereignung od Sicherungsabtretung, qv)

Warenrembourskredit *m* (Fin) commercial acceptance credit

Warenterminbörse *f* (Bö) commodity futures exchange

Warentermingeschäft *n* (Bö) commodity future (transaction)
(ie, agreement to buy or sell a given amount of a commodity at a future date, at a fixed price)

Warenterminhandel *m*
(Bö) commodity forward dealings (*or* trading)

Warenterminkontrakt *m* (Bö) commodity futures contract

Warenterminmarkt *m* (Bö) commodity futures market

Warenterminoptionen *fpl* (Bö) commodity options
(ie, to buy or sell commodity futures, similar to stock options)

Warenvorschüsse *mpl* (Fin) advances on goods

Warenwechsel *m*
(Fin) trade
– commercial
– commodity . . . bill *(syn, Handelswechsel)*

Warrantdiskont *m* (com) = Warrantlombard

Warrantlombard *m* (Fin) lending on goods
(ie, against delivery of warrant; rarely used in Germany)

Wartezeit *f*
(com) waiting period
(com) detention time *(ie, of a carrier, due to lack of loading or unloading equipment)*

Wartung *f* **durch Fremdfirmen** (com) third-party maintenance (*or* service)

Wasseraktien *fpl* (Bö) heavily diluted stocks

Wechsel *m* (WeR) bill of exchange *(ie, vorwiegend als gezogener Wechsel [Tratte = draft]; cf, § 1 WG)*

Wechselabrechnung *f* (Fin) bill discount note

Wechselabschrift *f* (WeR) copy of a bill *(syn, Wechselkopie)*

Wechselabteilung *f* (Fin) bill discount and collection department

Wechselagent *m* (Fin) = Wechselmakler

Wechselakzept *n* (WeR) acceptance of a bill

Wechsel *m* **akzeptieren** (WeR) to accept a bill *(syn, Wechsel... annehmen/mit Akzept versehen; querschreiben)*

Wechselannahme *f* (WeR) acceptance of a bill

Wechsel *m* **auf kurze Sicht** (Fin) short (dated) bill

Wechselausfertigung *f* (WeR) duplicate of a bill *(eg, first, second, third of exchange)*

Wechsel *m* **ausstellen** (WeR) to make out (*or* draw) a bill

Wechselaussteller *m* (WeR) drawer of a bill

Wechsel *m* **begeben** (WeR) to negotiate a bill

Wechselbestand *m* (Fin) bill holdings

Wechselbezogener *m* (WeR) drawee of a bill

Wechselblankett *n* (WeR) blank bill

Wechselbürge *m* (WeR) guarantor of a bill – collateral acceptor

Wechselbürgschaft *f* (WeR) bill guaranty

Wechseldiskont *m* (Fin) bank discount

Wechsel *m* **diskontieren lassen** (Fin) to get a bill discounted

Wechseldiskontierung *f* (Fin) discounting of a bill – bill discounting

Wechseldiskontkredit *m* (Fin) discount credit

Wechseldiskontlinie *f* (Fin) discount line

Wechseldiskontsatz *m* (Fin) bill discount rate

Wechseldomizil *n* (WeR) domicile of a bill *(ie, place where a bill is made payable)*

Wechsel *m* **domizilieren** (WeR) to domicile a bill

Wechseldrittausfertigung *f* (WeR) third of exchange

Wechselduplikat *n* (WeR) duplicate of a bill *(eg, first, second, third of exchange)*

Wechsel *m* **einlösen** (Fin) to discharge – to honor – to meet – to pay – to take up... a bill

Wechseleinlösung *f* (Fin) payment of a bill

Wechseleinreicher *m* (WeR) party presenting a bill

Wechseleinzug *m* (Fin) collection of bill *(syn, Wechselinkasso)*

Wechseleinzugsspesen *pl* (Fin) bill collection charges

Wechselfähigkeit *f* (WeR) capacity to draw bills

Wechselfälligkeit *f* (WeR) maturity of a bill

Wechselfälschung *f* (WeR) counterfeit of a bill

Wechselfrist *f* (WeR) time limit for payment of a bill

Wechselgeld *n* (com) change – small change (Fin) change fund *(ie, at disposal of cashier)*

wechselgeschäftsfähig (WeR) capable of drawing bills

Wechselgeschäft *n* (Fin) bill business

Wechselgesetz *n* (WeR) Law on Bills of Exchange, of 1 Apr 1934

Wechselgirant *m* (WeR) indorser of a bill

Wechselgiro *n* (WeR) indorsement of a bill

Wechselgläubiger *m* (Fin) bill creditor

Wechselhaftung *f* (WeR) liability under a bill of exchange

Wechselhandel *m* (Fin) bill brokerage

Wechselhereinnahme *f* (Fin) acceptance of a bill

Wechsel *m* **hereinnehmen** (Fin) to accept a bill

Wechsel *m* **honorieren** (WeR) = Wechsel einlösen

Wechsel *mpl* **im Umlauf** (Fin) bills in circulation

Wechselinhaber *m* (WeR) holder of a bill

Wechselinkasso *n* (Fin) collection of a bill *(syn, Wechseleinzug)*

Wechselklage *f*
(WeR) action on a dishonored bill
– suit upon a bill
– (GB) action under the Bills of Exchange Act

Wechselkommission *f* (Fin) bill broking

Wechselkopie *f* (WeR) = Wechselabschrift

Wechselkredit *m* (Fin) acceptance *(or* discount) credit

Wechselkreditvolumen *n* (Fin) total discounts

Wechselkurs *m*
(Fin) exchange rate
– rate of exchange

Wechselkursabwertung *f* (Fin) exchange rate depreciation *(or* devaluation)

Wechselkursbewegungen *fpl* (Fin) currency movements

Wechselkurse *mpl* (Fin) currency rates
(ie, quoted as interbank exchange rates, excluding bank service charges)

Wechselkursmechanismus *m* (Fin) exchange rate mechanism, ERM

Wechselkursnotierung *f* (Fin) exchange rate quotation

Wechselkursparität *f* (Fin) exchange rate parity

Wechselkursregelung *f* (Fin) exchange rate arrangement

Wechselkursregelungen *fpl* (Fin) exchange rate arrangements

Wechselkursrisiko *n* (Fin) exchange risk

Wechselkursschwankungen *fpl*
(Fin) exchange rate/currency... fluctuations
– currency... movements/shifts

Wechselkurssicherung *f*
(Fin) currency hedge
– exchange rate hedging

Wechselkurssicherungskosten *pl* (Fin) cost of currency hedge

Wechselkursumrechnung *f*
(Fin) conversion of exchange rates

Wechselkurszielzone *f* (Fin) exchange-rate target zone

Wechselkurtage *f* (Fin) bill brokerage

Wechsellombard *m* (Fin) lending on bills
(ie, loans collateralized by notes outstanding)

Wechselmakler *m*
(Fin) discounter
– factor
– (GB) bill broker

Wechselmaterial *n* (Fin) bills (of exchange)

Wechselnehmer *m* (WeR) payee of a bill *(syn, Remittent)*

Wechsel *m* **nicht einlösen** (Fin) to dishonor a bill

Wechselobligo *n*
(Fin) bill commitments
– (liability on) bills discounted
– acceptance liabilities
(syn, Akzeptverbindlichkeiten)

Wechselpensionsgeschäft *n* (Fin) presentment of bills at Bundesbank under prepurchase agreements

Wechselportefeuille *n* (Fin) bill holdings *(or* portfolio)

Wechselprolongation *f* (WeR) renewal of a bill

Wechsel *m* **prolongieren** (WeR) to renew a bill

Wechselprotest *m* (WeR) bill protest

Wechselprotestanzeige *f*
(WeR) mandate of protest
– notice of protest
– protest jacket

Wechselprotestkosten *pl* (WeR) protest fees

Wechselprovision *f*   (Fin)   bill brokerage

Wechselrechnung *f* (Fin) computation of simple discount *(syn, Diskontrechnung)*

Wechselrecht *n* (WeR) legal provisions on bills of exchange and promissory notes

Wechselrediskont *m* (Fin) redisounting of bills

Wechsel *m* **rediskontieren** (Fin) to rediscount a bill

Wechselregreß *m* (WeR) recourse to a party liable on a bill

Wechselreiterei *f*
(WeR) bill jobbing
– kite flying
– kiting

Wechselrembours *m* (Fin) documentary acceptance credit

Wechselrückgriff *m* (WeR) = Wechselregreß

Wechselschuldner *m* (WeR) debtor on a bill

Wechselsekunda *f* (WeR) second of exchange

Wechselskontro *n* (Fin) bill ledger

Wechselspesen *pl* (Fin) bill charges

Wechselstube *f* (Fin) exchange office *(ie, of a bank)*

Wechselstubenkurs *m* (Fin) exchange bureau rate

Wechselumlauf *m* (Fin) bills in circulation

Wechsel- und Scheckbürgschaften *fpl* (Fin) guaranties and warranties on bills and checks

Wechselverbindlichkeiten *fpl*   (Fin) acceptance commitments

Wechselverbindlichkeiten *fpl* **eingehen** (Fin) to enter obligations on a bill of exchange

Wechselverpflichteter *m* (WeR) party liable on a bill of exchange

Wechselvorlage *f* (WeR) presentment of a bill

Wechsel *mpl* **weitergeben** (Fin) to rediscount bills of exchange

Wechsel *m* **ziehen (auf)** (WeR) to draw a bill of exchange (on)

Wechselziehung *f* (WeR) drawing of a bill

Wechselzinsen *mpl* (Fin) interest paid on a bill

Wechsel *m* **zum Diskont einreichen** (Fin) to discount a bill with a bank

Wechsel *m* **zu Protest gehen lassen** (WeR) to have a bill protested

Wechsel *m* **zur Annahme vorlegen** (WeR) to present a bill for acceptance

Wechselzweitschrift *f* (WeR) second of exchange

Wegfall *m* **von Anteilen** (Fin) retirement of shares

weiche Währung *f* (Fin) soft currency *(ie, not freely convertible or fluctuating in the exchange markets)*

Weiterbegebung *f* (WeR) renegotiation

Weitergabe *f* **von Handelswechseln** (Fin) rediscounting of commercial bills

weiterleihen
(Fin) to gon on lending
(Fin) to on-lend money *(eg, deposited with banks)*

Weiterleitungskredit *m* (Fin) flow-through credit

Weiterverarbeitung *f* (com) processing

weiterveräußern (com) to resell

Weiterveräußerung *f* (com) resale

Welt-Aktien-Index *m* (Fin) FT-A World Index *(ie, ‚A‘ für ‚Actuaries‘; introduced in London on March 17, 1987; spiegelt die Entwicklung von 2400 Aktien in 23 Ländern wider; 70%*

der gesamten Börsenwerte aller maßgeblichen Aktienmärkte der Welt)

Weltbank *f* (Fin) World Bank *(short for: International Bank for Reconstruction and Development)*

weltweite Liquiditätsschwierigkeiten *fpl* (Fin) worldwide financial crunch

weniger gute Adresse *f*
(Fin) borrower of lesser standing
– lesser-rated borrower

werbende Aktiva *npl*
(Fin) interest-bearing assets

werbendes Vermögen *n* (Fin) earning assets

Wertberichtigungen *fpl* **auf Forderungen und Wertpapiere** (Fin) losses incurred or provided for on loans and securities

Wertberichtigungen *fpl* **im Kreditgeschäft**
(Fin) losses on loans

Wert erhalten
(WeR) value received *(syn, Wert in Rechnung; obsolete phrase)*

wertmäßig
(com) in terms of value
– in value *(eg, exports rose 16% in value)*
– by value *(eg, 30% of the market by value)*

Wertminderung *f* **durch Schwund**
(com) shrinkage loss

Wertpapier *n*
(WeR) security
– (US + GB) negotiable instrument
(ie, In Form e–r Urkunde verbrieftes Vermögensrecht, zu dessen Ausübung der Besitz der Urkunde erforderlich ist; the English concept is more restricted: English law speaks of it only if holder in due course is prejudiced neither by defects in title of previous holder nor by defenses which might be available against previous holders = Wertpapier i.e.S. = Order- und Inhaberpapier)

Wertpapierabrechnung *f*
(Fin) bought (sold) note
– contract note

Wertpapierabsatz *m* (Fin) marketing of securities

Wertpapierabteilung *f* (Fin) securities department *(syn, Effektenabteilung)*

Wertpapieranalyse *f* (Fin) security analysis
(ie, zwecks Bewertung von Kapitalanlagemöglichkeiten; Methoden: Fundamentalanalyse, technische Analyse und Analyse psychologischer Faktoren)

Wertpapieranalytiker *m*
(Fin) security analyst
(Bö) technical analyst
– stock market analyst
– chartist
– technician
(ie, beurteilt Anlagequalität und inneren Wert sowie Kurschancen von Wertpapieren; evaluates information for the stock market as a whole, as well as for individual securities; syn, Analyst, Analytiker)

Wertpapieranlage *f* (Fin) investment in securities

Wertpapierarbitrage *f* (Fin) arbitrage in securities

Wertpapierart *f* (Fin) category of securities

Wertpapieraufstellung *f* (Fin) statement of securities

Wertpapierauftrag *m* **ohne Limit** (Bö) unlimited order

Wertpapierauslieferung *f* (Fin) delivery of securities

Wertpapierberatung *f* (Fin) investment counseling

Wertpapierbereinigungsgesetz *n* (Re) Securities Validation Act

Wertpapierbesitz *m* (Fin) security holdings

Wertpapierbesitzer *m* (Fin) security holder

Wertpapierbestand *m*
(Fin) security holdings (*or* portfolio)

- securities portfolio
(ie, may comprise: Anlagebestand, Terminbestand, Handelsbestand, qv)

Wertpapierbewertung *f* (Fin) valuation of securities

Wertpapierbörse *f*
(Bö) stock exchange
- stock market
- securities exchange
- market
(ie, exchanges on the European Continent are often called Bourses)

Wertpapierbranche *f* (Fin) securities industry

Wertpapierdarlehen *n* (Fin) loan on collateral securities

Wertpapierdepot *n*
(Fin) securities portfolio
(Fin) security deposit account

Wertpapiere *npl*
(Fin) securities
(Fin, GB) stocks *(ie, includes bonds and equities)*

Wertpapiere *npl* **aus dem Markt nehmen**
(Fin) to take up securities
- to take up on the market

Wertpapiere *npl* **beleihen** (Fin) to advance money on securities

Wertpapiere *npl* **der öffentlichen Hand** (Fin) public sector paper

Wertpapiere *npl* **i. e. S.** (WeR) negotiable instruments *(ie, payable to order or bearer; syn, Order- und Inhaberpapiere)*

Wertpapiereigengeschäfte *npl* (Fin) securities transactions for own account

Wertpapiere *npl* **lombardieren** (Fin) to advance money on securities

Wertpapieremission *f* (Fin) security issue

Wertpapiere *npl* **mit kurzer Laufzeit** (Fin) short-dated securities *(syn, Kurzläufer)*

Wertpapierengagement *n* (Fin) security portfolio

Wertpapierfernscheck *m* (Fin) securities transfer order

Wertpapierfinanzierung *f* (Fin) financing through securities

Wertpapierfonds *m* (Fin) security-based investment fund

Wertpapiergeschäft *n*
(Fin) security transaction
(Fin) dealing *(or* trading) in securities
- securities business
- investment business

Wertpapiergiroverkehr *m* (Fin) securities clearing transactions

Wertpapierhandel *m* (Bö) securities trading

Wertpapierhandelshaus *n* (Fin) securities firm

Wertpapierhändler *m* **im Freiverkehr** (Bö) securities dealer

Wertpapierhändler *m*
(Fin) securities ... dealer/firm
- dealer/trade ... in securities
- investment dealer

Wertpapierinhaber *m* (Fin) holder of securities

Wertpapierkaufabrechnung *f* (Fin) bought note

Wertpapier-Kenn-Nummer *f*
(Fin) security code number
- security identification code
- (US) CUSIP number
(ie, im dt System Zahlen mit 6 Stellen; used to achieve uniformity in numerical identification; assigned to each security; CUSIP = Committee on Uniform Securities Identification Procedures)

Wertpapier-Kommissionsgeschäft *n* (Fin) stock broking business

Wertpapierkonto *n* (Fin) securities account

Wertpapierkredit *m* (Fin) credit based on purchase of securities

Wertpapierkurs *m* (Bö) security price *(or* quotation)

Wertpapierlieferung *f* (Fin) delivery of securities

Wertpapierlombard *m* (Fin) loan on securities

Wertpapiermakler *m* (Fin) stock broker

385

Wertpapiermarkt *m* (Fin) securities market

Wertpapier *n* **mit geringen Umsätzen** (Bö) low-volume security

Wertpapiernotierung *f* (Bö) quotation

Wertpapier *n* **öffentlichen Glaubens** (WeR) negotiable instrument

Wertpapierpensionsgeschäft *n* (Fin) repurchase agreement
– repo, RP
(ie, acquisition of funds through the sale of securities, with simultaneous agreement by seller to repurchase them at a later date; rechtlich liegt ein Kaufvertrag mit Rückkaufvereinbarung vor)

Wertpapierplazierung *f* (Fin) placing of securities

Wertpapierportefeuille *n* (Fin) security holdings
– investment/securities... portfolio

Wertpapierposition *f* (Bö) position *(ie, current trading inventory of security dealer)*

Wertpapierrechnung *f* (Fin) computation of effective interest rate *(syn, Effektenrechnung)*

Wertpapierrecht *n* (WeR) law of negotiable instruments
(ie, umfaßt im Englischen nur Order- und Inhaberpapiere

Wertpapierrendite *f* (Fin) yield *(ie, on stocks or bonds)*

Wertpapierrückkauf *m* (Fin) repurchase of securities

Wertpapiersammelbank *f* (Fin) securities clearing and depositing bank
– financial institution operating collective security deposits and giro transfer systems
(ie, an jedem der sieben Hauptbörsenplätze gibt es je e–e W.; verwahrt und verwaltet Wertpapierbestände; Abwicklung „stückelos", durch buchmäßige Übertragung = Effektengiroverkehr; durch die Sammelverwahrung werden

gegenüber der Streifbandverwahrung [Einzelverwahrung] Kosten gespart; aus historischen Gründen auch Kassenverein genannt; cf, Deutscher Auslandskassenverein AG)

Wertpapierscheck *m* (Fin) securities transfer order

Wertpapiersparen *n* (Fin) investment saving

Wertpapierstatistik *f* (Bö) securities statistics *(eg, as issued by Deutsche Bundesbank)*

Wertpapierstückelung *f* (Fin) denomination of securities

Wertpapiertausch *m* (Fin) exchange of securities

Wertpapiertermingeschäft *n* (Bö) forward deal in securities

Wertpapiertransaktion *f* (Fin) securities transaction

Wertpapierübertragung *f* (Fin) transfer of securities

Wertpapierumsatz *m* (Bö) volume of trading

Wertpapierumsätze *mpl* (Bö) turnover in securities

Wertpapierverkäufe *mpl* **des Berufshandels** (Bö) shop selling

Wertpapierverkaufsabrechnung *f* (Fin) sold note

Wertpapierverrechnungskonto *n* (Fin) securities clearing account

Wertpapierverwaltung *f* (Fin) portfolio management

Wertpapierzuteilung *f* (Fin) allotment of securities
(Fin) scaling down

Wertrechte *npl* (Fin) loan stock rights *(ie, not evidenced by certificates; used, for instance, in ‚Treuhandgiroverkehr'; syn, Bucheffekten)*

Wertrechtsanleihe *f* (Fin) government-inscribed stock
(ie, Gläubiger werden in Schuldbüchern der Emittenten – Bund, Länder usw – eingetragen)

Wertschriften *fpl* (Fin) = Wertpapiere, qv

Wertschriftenclearing *n* (Fin) securities clearing

Wertsicherungsklausel *f* (Fin) escalation
– index
– stable-value . . . clause

Wertstellung *f* (Fin) value (date) *(syn, Valutierung: „Val. per . . ." or „Wert per . . ."); (ie, date on which bank account entry becomes effective)*

Wertstellungsgewinn *m* (Fin) float *(ie, profit from different value dates, created by (arbitrary) processing delays in fund transfers; syn, Valutierungsgewinn, Float)*

Wettbewerb *m* (com) competition *(syn, Konkurrenz; may be: tough, intense, powerful, stiff, fierce)*
– contest *(eg, for market shares)*

Wettbewerb *m* **ausschalten** (com) eliminate competition

Wettbewerb *m* **beschränken** (com) to impair competition

Wettbewerb *m* **erhalten** (com) to preserve competition

Wettbewerb *m* **fördern** (com) to promote competition

Wettbewerb *m* **lähmen** (com) to render competition inoperative

Wettbewerb *m* **regeln** (com) to regulate competition

Wettbewerbsfähigkeit *f* **erhalten** (com) to keep one's competitive edge
– to retain competitiveness

Wettbewerbsfähigkeit *f* **stärken** (com) to reinforce one's competitive position *(eg, domestically and internationally)*

Wettbewerbsfähigkeit *f* **wiederherstellen** (com) to restore competitiveness

Wettbewerbspreis *m* (com) competitive price
– free market price

Wettbewerbsverhalten *n* (com) competitive behavior

wettmachen (com) to recover *(eg, earlier losses)*

Widerruf gültig (Bö) good till canceled

widerrufliches Akkreditiv *n* (Fin) revocable letter of credit

Wiederanlage *f* (Fin) reinvestment

Wiederanlagerabatt *m* (Fin) reinvestment discount

Wiederanlagerecht *n* (Fin) reinvestment privilege

Wiederanlage *f* **von Ertragsausschüttungen** (Fin) reinvestment of distributed earnings

wiederanlegen (Fin) to reinvest

Wiederaufbaubank *f* (Fin) = Kreditanstalt für Wiederaufbau

Wiederaufstockung *f* **des Kapitals** (Fin) issue of additional stock

wiedererstatten (com) to pay back
– to refund
– to reimburse
– to repay
– to return

Wiedererstattung *f* (com) refund
– reimbursement
– repayment
– return

Wiedergewinnung *f* (Fin) recovery
– payoff

Wiedergewinnungsfaktor *m* (Fin) capital recovery factor *(ie, applied in preinvestment analysis = Investitionsrechnung; syn, Annuitätsfaktor, Kapitaldienstfaktor)*

Wiedergewinnungszeit *f* (Fin) recovery time
– payback time *(or* period)
– payout time

wiederkehrende Zahlungen *fpl* (Fin) periodical payments

Wiedervorlage *f* (com) re-submission

wilder Eigenkapitalmarkt *m* (Fin) unorganized equity market

Windhandel *m* (Bö) = Leerverkauf

Windprotest *m* (WeR) protest for absence (of drawer) *(syn, Abwesenheitsprotest)*

Wirtschaftlichkeitsrechnung *f* (Fin) capital budgeting
– capital expenditure evaluation
– evaluation of investment alternatives
– investment appraisal
– preinvestment analysis
(ie, method of comparing the profitability = Vorteilhaftigkeit of alternative investment projects; syn, Rentabilitätsrechnung)

Wochenausweis *m* (Fin) weekly return

Wohnungsbaudarlehen *n*
(Fin) house-building loan
– housing loan

Wohnungsbaufinanzierung *f* (Fin) housing finance

Wohnungsbaukredit *m* (Fin) housing loan

Wucherpreis *m* (com) exorbitant price

Wucherzinsen *mpl*
(Fin) usurious interest
– loan shark rates
– extortionate interest rate

Wuchsaktie *f* (Fin) growth stock

Wuchswerte *mpl* (Fin) = Wuchsaktien

Z

zahlbar an Inhaber (WeR) payable to bearer

zahlbar an Order (WeR) payable to order

zahlbar bei Aufforderung (Fin) payable on demand

zahlbar bei Fälligkeit
(Fin) payable at maturity
– payable when due

zahlbar bei Sicht (WeR) payable on demand *(ie, at sight or on presentation)*

zahlbar bei Vorlage (Fin) payable on presentation

zahlbar nach Sicht (WeR) payable after sight

zahlbar stellen (Fin) to domiciliate

Zahlbarstellung *f* (Fin) domiciliation

Zahl *f* **der leerverkauften Aktien** (Bö) short interest (*or* position)

zahlen
(com) to pay
– (infml) to ante up
– (sl) to cough up
– (infml) to pony up
(Fin) to effect
– to make
– to meet ... payment

Zahlkarte *f* (Fin) postal money order

Zahlstelle *f*
(WeR) domicile
(Fin) appointed ... paying agent/payment office) *(ie, for dividend payout)*
(Fin) branch office

Zahlstellenabkommen *n* (Fin) paying agency agreement *(ie, between bond issuer and bank)*

Zahlstellengeschäft *n* (Fin) interest and dividend payout business

Zahlstellenprovision *f* (Fin) paying agency commission

Zahlstellenvereinbarung *f* (Fin) paying agency agreement

Zahlstellenverzeichnis *n* (Fin) list of paying agencies

Zahltag *m*
(WeR) date of payment, Art. 38 WG *(syn, Zahlungstag)*

Zahlung *f* (Fin) payment

Zahlung *f* **ablehnen** (Fin) to refuse payment

Zahlung *f* **auf erstes Anfordern** (Fin) payment upon first demand

Zahlung *f* **aufschieben** (Fin) to defer payment

Zahlung *f* **bei Auftragserteilung** (Fin) cash with order, c.w.o.

Zahlung *f* **bei Bestellung** (Fin) = Zahlung bei Auftragserteilung

Zahlung *f* **bei Erhalt der Ware** (Fin) payment on receipt of goods

Zahlung *f* **bei Fälligkeit** (Fin) payment when due

Zahlung *f* **bei Lieferung** (Fin) payment on delivery

Zahlung *f* **bei Verschiffung** (com) cash on shipment

Zahlung *f* **bei Vorlage** (Fin) payment on presentation

Zahlung *f* **durch Akzept** (Fin) payment by acceptance

Zahlung *f* **durch Dauerauftrag** (Fin) automatic bill paying
(ie, bank is authorized to pay regular bills monthly)

Zahlung *f* **durch Dauerüberweisung** (Fin) automatic bill paying

Zahlung *f* **durch Scheck** (Fin) payment by check

Zahlung *f* **einstellen** (Fin) to stop (*or* suspend) payment

Zahlungen *fpl* **wieder aufnehmen** (Fin) to resume payments

Zahlung *f* **gegen Dokumente** (Fin) payment against documents

Zahlung *f* **gegen Nachnahme** (Fin) cash on delivery, COD

Zahlung *f* **gegen offene Rechnung** (Fin) clean payment

Zahlung *f* **im voraus** (Fin) payment in advance

Zahlung *f* **in offener Rechnung** (Fin) payment on open account

Zahlung *f* **in Raten** (Fin) payment by installments

Zahlung *f* **leisten**
(Fin) to pay
(Fin) to effect
– to make
– to meet . . . payment

Zahlungsabwicklung *f* (Fin) handling of payments

Zahlungsanweisung *f* (Fin) instruction (*or* order) to pay

Zahlungsaufforderung *f*
(Fin) demand for payment
– request to pay

Zahlungsaufschub *m*
(Fin) extension of time for payment
– respite *(ie, delay obtained for payment of sums owed)*

Zahlungsaufschub *m* **bewilligen** (Fin) to grant deferred payment

Zahlungsauftrag *m* (Fin) payment order

Zahlungsbedingungen *fpl*
(com) terms of payment
– terms *(eg, to sell at reasonable terms)*

Zahlungsberechtigter *m* (Fin) party entitled to payment

Zahlungsbereitschaft *f* (Fin) ability to pay

Zahlungsbevollmächtigter *m* (Fin) principal responsible for . . .

Zahlungserinnerung *f* (Fin) prompt note
(ie, sent to an importer to remind him that payment is going to be due shortly)

Zahlungsfähiger *m* (Fin) person able to pay

Zahlungsfähigkeit *f*
(Fin) ability/capacity . . . to pay
– debt paying ability
– solvency
(syn, Solvenz; opp, Zahlungsunfähigkeit)

zahlungsfähig
(Fin) able to pay
– solvent

Zahlungsfrist *f*
(com) period of payment
– time limit for payment

Zahlungsgarantie *f* (Fin) payment guarantee
(ie, wird im Auftrag des Abnehmers der Ware zur Sicherung von Ansprüchen des Lieferanten hinausgelegt; beschränkt auf den Auslandsbereich)

Zahlungsgewohnheiten *fpl*
(Fin) payment behavior (*or* habits)
– prior payment pattern

Zahlungsklauseln *fpl*
(com) payment terms

389

Zahlungsmodalitäten

(ie, bestimmen Zeitpunkt der Zahlung: netto Kasse, Kasse gegen Dokumente, cash on delivery; cf, Handelsklauseln)
(Fin) payment clauses

Zahlungsmodalitäten *fpl* (Fin) payment policies *(or terms)* *(eg, due within 30 days and 2% discount allowed if paid in less than 10 days)*

Zahlungsmodus *m* (Fin) method of payment

Zahlungsmoral *f* (Fin) payment . . . behavior/record

Zahlungsmoratorium *n* (Fin) standstill agreement

Zahlungsobergrenze *f* (Fin) maximum limit for payment

Zahlungspapiere *npl* (Fin) financial documents

Zahlungspflicht *f* (Fin) obligation to pay

Zahlungspflichtiger *m* (Fin) party liable to pay

Zahlungsplan *m* (Fin) cash income and outgo plan

Zahlungsplanung *f* (Fin) cash planning

Zahlungsreihe *f*
(Fin) series of payments

Zahlungsrückstände *mpl*
(Fin) backlog of payments
– payments in arrears

Zahlungsschwierigkeit *f* (Fin) temporary shortage of liquid funds

Zahlungssitten *fpl* (Fin) payment habits

Zahlungsstockung *f* (Fin) liquidity crunch

Zahlungssystem *n* (Fin) payments system

Zahlungstag *m* (WeR) day of payment, Art. 38 WG

Zahlungstermin *m* (Fin) payment date

Zahlung *f* **stunden** (Fin) to grant a respite for payment of debt

Zahlungsüberweisung *f* (Fin) payments transfer

zahlungsunfähiger Schuldner *m*
(Fin) defaulting/bad . . . debtor

zahlungsunfähiger Spekulant *m* (Bö) lame duck
(ie, an unsuccessful speculator)

Zahlungsunfähigkeit *f*
(Fin) inability to pay
– insolvency
(syn, Insolvenz; opp, Zahlungsfähigkeit, Solvenz)

zahlungsunfähig
(Fin) insolvent
– unable to meet one's obligations
(ie, äußert sich in der Zahlungseinstellung und ist Konkursgrund nach § 145 KO)

Zahlungsverkehr *m*
(Fin) money
– monetary
– payment . . . transactions
– payments

Zahlungsverkehrabwicklung *f* (Fin) handling of payments

Zahlungsverkehrssystem *n* (Fin) funds transfer system

Zahlungsverkehr *m* **zwischen Banken** (Fin) interbank payment transactions

Zahlungsverpflichtung *f*
(Fin) obligation (*or* duty) to pay
– commitment to pay
– financial obligation

Zahlungsverpflichtung *f* **eingehen** (com) to undertake a financial commitment
– to promise to pay

Zahlungsverpflichtungen *fpl* **nachkommen** (Fin) to meet one's payments

Zahlungsverschiebungen *fpl*
(Fin) shift in the pattern of payments

Zahlungsversprechen *n* (WeR) promise to pay

Zahlungsverweigerung *f* (WeR) dishonor by nonpayment

Zahlungsverzug *m* (Fin) default (*or* delay) in payment

Zahlungsvorgang *m* (Fin) payments transaction

Zahlungsweise *f* (Fin) method (*or* mode) of payment

Zahlungsziel *n* **einräumen**
(com) to allow time for payment
– to allow a time of credit for settlement
– to grant credit

Zahlung *f* **verweigern** (Fin) to refuse payment

Zahlung *f* **vor Fälligkeit** (Fin) payment before maturity

Zeichenpapier *n* **mit Maßeinteilung** (com) chart paper

zeichnen (Fin) to subscribe (for)

Zeichnerbank *f* (Fin) subscribing bank

Zeichner *m* **von Aktien** (Fin) subscriber to shares

Zeichnung *f*
(Fin) subscription
(ie, written obligation to buy a certain amount of newly issued bonds or shares)

Zeichnung *fpl* **neuer Aktien** (Fin) subscription for new shares

Zeichnungsagio *n* (Fin) subscription premium

Zeichnungsangebot *n* (Fin) subscription offer

Zeichnungsantrag *m* (Fin) subscription application

Zeichnungsbedingungen *fpl* (Fin) terms of subscription
(eg, stating nominal rate, subscription rate, redemption, repayment, relating to newly issued shares)

zeichnungsberechtigt (com) authorized to sign

Zeichnungsberechtigung *f* (com) signature power

Zeichnungsbetrag *m* (Fin) share application money

Zeichnungsbevollmächtigter *m* (com) duly authorized signatory

Zeichnungseinladung *f*
(Fin) invitation to prospective subscribers
– invitation to subscribe

Zeichnungsformular *n* (Fin) subscription blank

Zeichnungsfrist *f* (Fin) subscription period

Zeichnungsgebühr *f* (Fin) subscription charges

Zeichnungskurs *m*
(Fin) offering price
– subscription rate

Zeichnungsprospekt *m* (Fin) issue prospectus

Zeichnungsrecht *n* (Fin) subscription right

Zeichnungsrendite *f* (Fin) yield on subscription

Zeichnungsschein *m* (Fin) subscription slip
(ie, through which purchaser of new securities agrees to payment on stipulated conditions, to issue price, etc., § 185 AktG)

Zeichnungsschluß *m* (Fin) closing of subscription

Zeichnungsstelle *f* (Fin) subscription agent
(ie, bank accepting subscriptions for newly issued securities)

Zeichnungsurkunde *f* (Fin) letter of subscription

Zeichnungsvollmacht *f* (com) authority to sign
(eg, company documents with legally binding effect)

Zeitgeschäfte *npl*
(Bö) dealings in futures (*or* for the account)
– forward dealings (*or* transactions)

zeitlicher Verlauf *m* (Fin) time shape
(eg, of cash flows)

zeitliche Umschichtung *f* **von Ausgaben** (Fin) rephasing of expenditures

Zeitpunkt *m* **der Anleihebegebung** (Fin) = Zeitpunkt der Emission

Zeitpunkt *m* **der Emission** (Fin) date (*or* time) of issue

Zeitpunkt *m* **der Fälligkeit** (Fin) date of maturity

Zeitrente *f*
(Fin) annuity certain
– temporary annuity *(opp, ewige Rente)*

Zeitsichtwechsel *m* (WeR) bill pay-

able at fixed period after sight
(syn, Nachsichtwechsel)

Zeitwechsel *m* (WeR) time draft

zentralbankfähige Aktiva *npl*
(Fin) eligible assets *(ie, assets
which the central bank is willing to
monetize)*

zentralbankfähiger Wechsel *m*
(Fin) eligible bill
– bill eligible for rediscount

zentralbankfähige Wechsel *mpl*
(Fin, GB) eligible paper *(ie, bank
bills and fine trade bills)*

zentralbankfähige Wertpapiere *npl*
(Fin) eligible paper

Zentralbank *f* **in Anspruch nehmen**
(Fin) to have recourse to the central bank

Zentralbörse *f* (Bö) leading stock exchange

Zentraler Kapitalmarktausschuß *m*
(Fin) Central Capital Market
Committee
*(ie, presently 11 members repre-
senting the largest West German issue banks: advises one-time issuers
on time, volume and terms of a
loan issue; syn, Kapitalmarktkom-
mission, Kleine Kapitalmarktkom-
mission)*

Zentraler Kreditausschuß *m* (Fin)
Central Loans Committee

Zentralkasse *f* (Fin) central organization of credit cooperatives

Zentralmarktausschuß *m* (Fin) Central Market Committee
*(ie, voluntary agency comprising
representatives from commercial,
savings, and mortgage banks + one
observer from Deutsche Bundesbank)*

Zentralrat *m* **der Bundesbank** (Fin)
Bundesbank Central Council

zerlegen
(com) to apportion
– to break down
– to classify
to subclassify
– to itemize
to subdidvde

(IndE) to disassemble
– to break down/apart (into)

Zero Bonds *pl* (Fin) zero (coupon)
bonds
*(ie, Abzinsungspapier ohne Zins-
kupon; Zinsen werden voll abdis-
kontiert, so daß der Ausgabepreis
erheblich unter dem Rückzahlungskurs von 100% liegt; sell at discounts of par until their final
maturity, when payment of principal at par plus all compound interest is made in a lump sum; syn,
Nullkuponanleihen, Nullprozenter)*

zerrüttete Finanzen *pl* (Fin) shattered
finances

Zertifikatskapital *n* (Fin) unit capital
(ie, of investment funds)

Zessionskredit *m* (Fin) advance on
receivables

Ziehung *f* (Fin) drawing

Ziehungsavis *n* (Fin) draft advice

Ziehungsermächtigung *f*
(Fin) authority to draw
– drawing authorization
*(ie, oft nur Refinanzierungsmög-
lichkeit des Exporteurs, ohne ab-
straktes Schuldversprechen der
Bank; Hauptformen: authority to
purchase und order to negotiate;
syn, Negotiationskredit)*

Ziehungsliste *f* (Fin) list of drawings

Ziel *n*
(Fin) time for payment

Zielwechsel *m* (Fin) time bill

Zins *m*
(Fin) interest
(Fin) interest rate

Zinsabbau *m* (Fin) lowering rates

zinsabhängiges Geschäft *n* (Fin) in-
terest-based business
*(ie, of banks; opp, service-based
business)*

Zinsabstimmung *f* (Fin) collusion
(among banks) in changing their
interest rates
*(eg, delay in raising rates paid on
savings deposits)*

Zinsanleihe *f* (Fin) loan repayable on
a fixed date

(ie, with or without premium; opp, Tilgungsanleihe)

Zinsanpassung *f* (Fin) interest rate adjustment

Zinsanstieg *m* (Fin) uptick in interest rates

Zinsarbitrage *f*
(Bö) interest arbitration
– interest-rate arbitrage
(ie, purchase and sale of spot and futures in money in order to take advantage of differences in interest rates between two countries)

Zinsarbitrage-Geschäft *npl* (Bö) interest-rate arbitrage dealings

Zinsauftrieb *m*
(Fin) improvement
– surge
– upsurge
– upswing
– upturn . . . in interest rates

Zinsausfall *m* (Fin) loss of interest

Zinsausfallrisiko *n* (Fin) interest loss risk

Zinsausgleichsteuer *f* (Fin) interest equalization tax *(US 1964)*

Zinsausschläge *mpl* (Fin) erratic rate movements

Zinsausstattung *f*
(Fin) rate of interest
(Fin) coupon rate

Zinsbeihilfen *fpl* (Fin) interest subsidies

Zinsbelastung *f* (Fin) interest load

Zinsberechnung *f* (Fin) calculation of interest

Zinsbewußtsein *n* (Fin) interest-mindedness *(eg, of investors)*

Zinsbogen *m* (Fin) coupon sheet

Zinsbonifikation *f* (Fin) additional interest

zinsbringend (Fin) interest bearing

Zinsdauer *f* (Finh) number of terms

Zinsdeckel *m* (Fin) cap
(ie, Höchstzins bei Cap-Floatern)

Zinsdeckung *f*
(Fin) times interest earned ratio, qv
– coverage

Zinsdruck *m* (Fin) interest rate pressure

zinsempfindlich (Fin) interest sensitive

Zinsen *mpl* **aus Teilschuldverschreibungen** (Fin) interest on bonds

Zinsen *mpl* **berechnen** (Fin) to calculate interest
(Fin) to charge interest

Zinsen *mpl* **bezogen auf 360 Tage** (Fin) ordinary interest *(ie, applied in German and French)*

Zinsen *mpl* **bezogen auf 365 Tage** (Fin) exact interest *(ie, used in Great Britain and in German Civil Code)*

Zinsen *mpl* **bringen** (Fin) = Zinsen tragen

Zinsendienst *m* (Fin) interest service

Zinsen *mpl* **für Festgeldanlagen** (Fin) time deposit rates

Zinsen *mpl* **senken**
(Fin) to ease back
– to bring down
– to relax . . . interest rates

Zinsen *mpl* **sinken** (Fin) interest rates decline *(or* fall)

Zinsenstamm *m* (Fin) renewal coupon *(syn, Talon, Erneuerungsschein)*

Zinsen *mpl* **tragen**
(Fin) to bear
– to yield
– to generate
– to produce . . . interest *(ie, on the principal = Kapital)*

Zinsentspannung *f* (Fin) easing of interest rates

Zinsen *mpl* **und Tilgung** *f* (Fin) interest and repayment (of principal)

Zinsen *mpl* **und zinsähnliche Aufwendungen** *mpl (Fin)* interest and related expenses

Zinserneuerungsschein *m* (Fin) renewal coupon

Zinserträge *mpl* **aus Darlehen** (Fin) interest yield on loans

Zinserträge *mpl* **aus Wertpapieren** (Fin) interest on securities

Zinserträge *mpl*
(Fin) interest income (*or* earnings)
– interest earned (*or* received)

Zinsertragsbilanz *f* (Fin) interest income statement

Zinsertragskurve *f* (Fin) yield curve
(ie, spread between long-term and short-term interest rates)

Zinserwartungen *fpl* (Fin) interest-rate expectations

Zinseszins *m* (Fin) compound interest

Zinseszinsperiode *f* (Fin) accumulation/conversion . . . period

Zinseszinsrechnung *f* (Fin) compound interest calculation

Zinseszinstabelle *f* (Fin) compound interest table

Zinsfälligkeitstermin *m* (Fin) interest due date
Zinsflexibilität *f* (Fin) interest rate flexibility

zinsfrei
(Fin) free of interest
– paying no interest (on)

zinsfreies Darlehen *n*
(Fin) interest-free loan
– non-interest-bearing loan

zinsfreies Darlehen *n* **aufnehmen**
(Fin) to borrow interest-free (from)

zinsfreies Darlehen *n* **gewähren**
(Fin) to lend money interest-free (to)

Zins *m* **für Ausleihungen** (Fin) lending rate

Zins *m* **für Festgeld** (Fin) fixed period interest rate

Zins *m* **für Neukredit** (Fin) incremental borrowing rate

Zinsfuß *m*
(Fin) interest rate
– rate of interest

Zinsgarantie *f* (Fin) interest payment guaranty

zinsgebundener Kredit *m* (Fin) fixed rate loan

Zinsgefälle *n*
(Fin) interest-rate
. . . differential/gap/spread

Zinsgefüge *n* (Fin) structure/pattern . . . of interest rates

Zinsgipfel *m* (Fin) interest peak

Zinsgleitklausel *f* (Fin) interest escalation clause

zinsgünstige Finanzierung *f* (Fin) reduced-interest financing

zinsgünstiger Festkredit *m* (Fin) low-fixed-rate loan

zinsgünstiger Kredit *m* (Fin) soft loan

zinsgünstiges Darlehen *n* (Fin) low-interest/reduced-interest . . . loan

Zinsgutschrift *f* (Fin) credit for accrued interest

Zinshedging *n* (Fin) interest hedging
(ie, kompensatorischer Abschluß von variablen oder Festzins-Geschäften, um das Zinsänderungsrisiko auf beide Bilanzseiten gleich aufzuteilen)

Zinshöhe *f* (Fin) level of interest rates

Zinshypothek *f* (Fin) redemption mortgage
(ie, debtor repays in equal annual installments; syn, Annuitätenhypothek, Tilgungshypothek, Amortisationshypothek)

Zinsinstrument *n* (Fin) interest-rate tool

Zinskonditionen *fpl* (Fin) lending (*or* interest) terms

zinskongruent (Fin) at identical rates

Zinskontrakte *mpl*
(Fin) futures contracts in interest rates
– interest rates futures
– financial futures contracts
(ie, evidencing purchase or sale of a fixed amount of a financial commodity, at a price agreed at the present, on a specified future date; it facilitates the transfer of risks from parties that do not wish to bear it (hedgers) to those who are prepared to bear it (speculators); risk of loss – or possibility of gains – arises from movement in prices, interest rates, or exchange rates)

Zinskonversion *f* (Fin) interest-rate reduction through conversion

(ie, not to be confounded with ‚Zinsreduktion' and ‚Zinssenkung')
Zinskosten *pl* (Fin) interest cost
Zinskupon *m* (Fin) interest coupon
Zinslast *f* (Fin) interest burden (*or* load)
Zinsleiste *f* (Fin) renewal coupon
Zinsleistungen *fpl* (Fin) interest payments
zinslos (Fin) interest-free
zinsloses Darlehen *n* (Fin) interest-free loan
– (infml) flat (*or* gift) credit
zinsloses Guthaben *n* (Fin) free balance
Zinsmanagement *n* (Fin) interest-rate management
(ie, mittels standardisierter börsengehandelter Kontrakte od frei vereinbarter, maßgeschneiderter (over-the-counter) Kontrakte)
Zinsmarge *f* (Fin) interest margin
Zinsniveau *n* (Fin) level of interest rates
Zinsniveau *n* **senken**
(Fin) to lower the interest rate level
– to peg interest rates at a lower level
Zinsnote *f* (Fin) interest statement *(syn, Zinsrechnung)*
Zinsobergrenze *f*
(Fin) interest rate ceiling
– (US) cap *(eg, in the case of adjustable rate mortgages; opp, Zinsuntergrenze = collar)*
Zinsoption *f* (Fin) interest rate option
Zinsparität *f*
(Fin) interest rate parity
(ie, forward margins equal the interest rate differentials on equivalent securities in two financial centers involved)
Zinsperiode *f*
(Fin) interest (*or* conversion) period
zinspolitische Abstimmung *f* (Fin) = Zinsabstimmung
Zinsreagibel (Fin) interest sensitive

Zinsrechnung *f* (Fin) computation of interest
Zinsreduktion *f* (Fin) reduction of nominal interest rate
Zinsregulierungsklausel *f* (Fin) interest adjustment clause
Zinsrisiko *n* (Fin) interest rate risk
(ie, risk of gain or loss, due to possible changes in interest rate levels)
Zinsrobust (Fin) insensitive to interest rate fluctuations
Zinssatz *m* (Fin) interest rate
Zinssätze *mpl* **bleiben hoch** (Fin) interest rates stay at present high levels
Zinssätze *mpl* **für Ausleihungen** (Fin) lending rates
Zinssätze *mpl* **für Bankkredite** (Fin) bank loan rates
Zinssätze *mpl* **für Eurodollareinlagen** (Fin) Eurodollar deposit rates
Zinssätze *mpl* **für Kurzläufer** (Fin) short rates
Zinssätze *mpl* **für Langläufer** (Fin) long rates
Zinssätze *mpl* **für Spareinlagen** (Fin) savings deposit rates
Zinssätze *mpl* **geben nach** (Fin) interest rates start moving down
Zinssatz *m* **für Festverzinsliche** (Fin) coupon rate
Zinssatz *m* **steigt** (Fin) interest rate . . .
– moves up
– rises
– goes up
– increases
Zinsschein *m*
(Fin) interest coupon (*or* warrant)
– coupon
Zinsscheine *mpl* **einlösen** (Fin) to collect coupons
Zinsscheineinlösungsdienst *m* (Fin) coupon service
Zinsschwankungen *fpl* (Fin) interest rate fluctuations (*or* volatility)
Zinssenkung *f* (Fin) interest rate cut
Zinsspanne *f*
(Fin) interest spread (*or* margin)

– rate spread
(ie, difference between interest paid by banks on deposits and received for credits; eg, to make a buck on a thin interest spread)
Zinsspannenrechnung *f* (Fin) margin costing
Zinsspekulation *f* (Fin) interest rate speculation
Zinssteigerung *f*
(Fin) increase in interest rates
– (infml) run-up in interest rates
Zinsstopp *m* (Fin) interest freeze
Zinsstrukturkurve *f* (Fin) yield curve
Zinssturz *m* (Fin) nosedive of interest rates *(ie, sudden large drop)*
Zinssubvention *f* (Fin) interest subsidy
Zinssubventionierung *f* (Fin) subsidizing interest rates
(eg, for loans in foreign trade)
Zinsswap *m* (Fin) interest rate swap
(ie, klassischer Swap: zwei Parteien tauschen ihre Zinszahlungen auf e-n nominellen Kapitalbetrag – üblich ist Festsatz gegen variablen Satz –, ohne dabei den Kapitalbetrag auszutauschen; cf, Swap)
Zinstage *mpl* (Fin) interest days
Zinstermin *m*
(Fin) due date for interest payment
– interest (due) date
– coupon date
Zinsterminhandel *m* (Bö) interest rate futures trading
Zinsterminkontrakt *m*
(Bö) future rate agreement, FRA
– interest future
(ie, Zinssicherungsinstrument mit symmetrischer Risikoverteilung: Rechte und Pflichten für beide Parteien; (90 Tage), mittelfristig (10 Jahre), langfristig (20–30 Jahre))
Zinsterminkontrakte *mpl*
(Bö) interest rate futures
– interest rate futures contracts
Zinsterminmarkt *m* (Fin) interest rate futures market

zinstragend
(Fin) interest . . . earning/yielding
– bearing interest
zinstragendes Aktivum *n* (Fin) interest earning asset
zinstragendes Wertpapier *n* (Fin) active paper
Zinsüberschuß *m*
(Fin) net interest received
– net interest revenue
– surplus on interest earnings
Zinsumschwung *m* (Fin) interest rebound
zinsunabhängige Geschäfte *npl* (Fin) non-interest business
zinsunelastisch (Fin) interest inelastic
Zinsuntergrenze *f*
(Fin) interest rate floor
– (US) collar *(opp, Zinsobergrenze = cap)*
zinsvariable Anleihe *f*
(Fin) floating rate note, FRN
– *floater*
(ie, Zinssatz wird alle 3 od 6 Monate der Rendite kurzfristiger Mittel am Eurogeldmarkt angepaßt; Bezugsgröße ist der Libor-Satz, zu dem Termineinlagen am Eurogeldmarkt verzinst werden; medium to long term, evidenced by negotiable bearer notes (begebbare Inhaberschuldscheine) in denominations of at least $1,000, and with a coupon consisting of a margin usually over Libor for 3 od 6 months deposits, paid at the end of each interest period and then adjusted in line with current rates for the next period; market almost entirely by telephone or telex; syn, variabel verzinsliche Anleihe)
zinsverbilligter Kredit *m* (Fin) interest-subsidized loan
Zinsverbilligung *f* (Fin) subsidizing interest rates
Zinsverbindlichkeiten *fpl* (Fin) interest payable
Zinsverzicht *m*
(Fin) waiver of interest
– interest forgiveness

Zinswende *f* (Fin) turnaround in interest rate movements
Zinswettbewerb *m* (Fin) interest rate competition
Zinswettlauf *m* (Fin) interest rate war
Zinszahlung *f* (Fin) interest payment
Zinszuschuß *m* (Fin) interest rate subsidy
Zirkakurs *m* (Bö) approximate price
Zirkularkreditbrief *m* (Fin) circular letter of credit
Zollgarantie *f* (Fin) customs guarantee
(*ie, dient der finanziellen Absicherung ausländischer Zollbehörden gegen mögliche Risiken; meist in Form e–r Rückgarantie hinausgelegt*)
Zonentarif *m* (com) zone rates
Zubehör *n*
(com) accessories
Zuckerbörse *f* (Bö) sugar exchange
zufließen
(Fin) to go (*eg, proceeds go to . . .*)
Zuführungen *fpl* **zu Rückstellungen im Kreditgeschäft** (Fin) provision for possible loan losses
Zuführung *f* **neuen Eigenkapitals** (Fin) injection of new equity capital
Zuführung *f* **von Finanzmitteln** (Fin) provision of finance
Zugänge *mpl* **bei den Beteiligungen** (Fin) additional investment in subsidiaries and associated companies
Zugang *m* **zu Finanzmärkten** (Fin) access to the financial markets
zugelassenes Wertpapier *n* (Bö) registered security
zugesagte Mittel *pl* (Fin) promised funds
zugrundeliegendes Wertpapier *n* (Bö) underlying security (*ie, security for which an option is written*)
Zug-um-Zug-Order *f* (Bö) alternative order
(*ie, gleichzeitige Leistung: Kassageschäft*)

Zukauf *m*
(com) complementary purchase
(Bö) fresh buying
zukunftsträchtig (com) promising
zulässige Bandbreite *f* (Fin) admissible range of fluctuations
Zulassungsantrag *m* (Bö) request for listing
Zulassungsausschuß *m* (Bö) Listing Committee
Zulassungsbedingungen *fpl*
(com) admission . . . requirements/standards
(Bö) listing requirements
(*ie, requirements for having a security traded on a stock exchange*)
Zulassungsbescheid *m* (Bö) listing notice
Zulassungsstelle *f* (Bö) Listing Board, § 36 BörsG
Zulassungsverfahren *n*
(Bö) listing procedure
Zulassungsvorschriften *fpl* (Bö) listing requirements
Zulassung *f* **von Wertpapieren zum Börsenhandel** (Bö) admission to listing, §§ 36–49 BörsG
Zulassung *f* **zum Handel** (Bö) acceptance for trading on a stock exchange
Zulassung *f* **zur Börsennotierung** (Bö) admission to listing
zulegen (Bö) to move ahead (*eg, security prices*)
Zulieferer *m*
(com) supplier
– component supplier
– outside supplier
zum Akzept vorlegen (WeR) to present for acceptance
zum Diskont einreichen (Fin) to present for discount
zum Einzug (Fin) for collection (*ie, form of indorsement on a note or check*)
zum Handel zugelassen (Bö) admitted to dealings
zum Inkasso (Fin) for collection
zum Inkasso vorlegen (Fin) to present for payment in cash

zum Kurswert ausweisen

zum Kurswert ausweisen (Fin) to report at market value
zum Nennwert (Fin) at par
zum Nennwert ausweisen (Fin) to report at principal amount
Zunahme *f* **der Geldmenge** (Fin) run-up in the money supply
zu niedrig bewertete Aktie *f* (Bö) underpriced share
zu pari (Fin) at par
zu Protest gehen lassen (WeR) to dishonor a bill
zur Tilgung aufgerufen (Fin) called for redemption
zurückerstatten
  (com) to pay back
  – to refund
  – to reimburse
  – to repay
  – to return
Zurückerstattung *f*
  (com) refund *(eg, on defective goods)*
  – repayment
  – reimbursement
zurückfordern
  (com) to claim back
  – to reclaim
zurückgehen
  (com) to decline
  – to decrease
  – to fall (off)
  – to come down
  – to drop (off) *(eg, prices, demand)*
zurückgewinnen
  (com) to get back
  – to regain
  – to recover
  – to recapture
  – to recoup
zurückhalten, sich (Bö) to move to (*or* stay on) the sidelines
Zurückhaltung *f* **der Anleger**
  (Bö) buyers' resistance
  – investor restraint
zurückkaufen
  (com) to buy back
  – to repurchase
  – to purchase back

  (Bö) to buy back
  – to cover stock
  (ie, buy a security which has previously been sold shortly)
zurücknehmen
  (Bö) to mark down *(ie, a stock)*
zurückrufen
  (Fin) to recall
  – to withdraw
zurückstellen
  (com) to put off
  – to put aside (for the time being)
  – to put on the shelf
  – to shelve
  – to pigeonhole
  – to lay aside
zurückzahlen
  (com) to pay back
  – (infml) to pay off (= pay back)
  – to refund
  – to reimburse
  – to repay
  – to return
  – (GB) to pay off *(ie, the whole of a debt)*
Zurückzahlung *f*
  (com) reimbursement
  – refund
  – repayment
  – return
zurückziehen (com) to withdraw
  – to abandon *(eg, a bid, proposal)*
zur Zeichnung auflegen (Fin) to invite subscriptions
zusagen
  (com) to promise *(to do/that)*
  – to undertake *(to do)*
  – to engage *(oneself, to do)*
  – to commit *(to/to doing)*
Zusagen *fpl* **aus Eigenmitteln** (Fin) lendings from own resources
Zusageprovision *f* (Fin) commitment commission (*or* fee)
zusammenarbeiten
  (com) to cooperate
  – to collaborate
  – to work together
  – to act jointly (*or* in concert)
  – to join forces
  – to band together

– to team up
– to pull together

zusammengesetzte Arbitrage f (Fin) compound arbitration

zusammengesetzte Dividende f (Fin) compound dividend

Zusammenlegung f **von Aktien** (Fin) grouping of shares, § 222 AktG

Zusatzaktie f (Fin) bonus share *(syn, Gratisaktie, qv)*

Zusatzdividende f (Fin) additional dividend

Zusatzfinanzierung f (Fin) front-end financing

Zusatzkapital n (Fin) additional capital *(ie, generated by self-financing; shown on the books as open reserves)*

zusätzliche Mittel pl (Fin) fresh finance

Zuschlag m **an den Meistbietenden** (com) knockdown to the highest bidder

zuspielen (com) to lateral-pass *(eg, copy of a sensitive letter)*

zustimmen
(com) to agree (to)
– to accept
– to consent (to)
– (infml) to fall in with *(ie, proposal, suggestion, terms of contract)*
(com) to agree with *(ie, e–r Meinung sein mit)*

zuteilen
(Fin) to allot
– to scale down *(syn, repartieren)*

Zuteilung f
(Fin) allotment
– scaling down *(syn, Repartierung)*

Zuteilungsanzeige f (Fin) allotment letter

Zuteilungsbetrag m (Fin) allotment money

Zuteilungsempfänger m (Fin) allottee

Zuteilungskurs m (Fin) allotment price

zuteilungsreif (Fin) available for draw-downs *(ie, on building society deposits)*

Zuteilungsschein m (Fin) certificate of allotment

Zuteilung f **von Wertpapieren** (Fin) issuance of securities *(eg, to the first purchaser thereof)*

Zuwachs m
(Fin) appreciation
– gain
– increment

Zuweisung f **von Mitteln** (Fin) allocation *(or* appropriation) of funds

Zuzahlungen fpl (Fin) shareholder contributions

Zuzahlungen fpl **der Aktionäre** (Fin) additional contributions of shareholders

Zwangseinziehung f (Fin) forced retirement of shares

Zwangskonversion f (Fin) forced conversion *(ie, gesetzlich verfügte Herabsetzung von Zinssätzen für Schuldverschreibungen)*

Zwangsregulierung f (Bö) forced settlement *(syn, Exekution)*

Zwangsrücklauf m (Fin) compulsory redemption of bonds

Zweckbindung f
(Fin, FiW) earmarking
– appropriation

zweckentfremden
(Fin) to divert
– to misuse *(eg, funds)*

zweckentfremdete Mittel pl (Fin) diverted/misused . . . funds

zweckgebundene Einnahmen fpl (Fin) earmarked/restricted . . . receipts

zweckgebundene Mittel pl (Fin, FiW) earmarked funds

zweckgebundener Liquiditätsüberschuß m (Fin) reserve fund

zweckgebundenes Kapital n (Fin) specific capital

Zwecksparen n (Fin) special-purpose saving

Zweckvermögen n
(Fin) special-purpose fund

– assets earmarked for a special purpose
– conglomeration of property for a specific purpose

Zweiganstalt *f* (Fin) branch
(eg, Landeszentralbanken as branches of Deutsche Bundesbank)

Zweigstelle *f* **im Kreditwesen** (Fin) branch
(ie, replacing the older term ‚Depositenkasse‘)

Zweitakkreditiv *n* (com) back-to-back credit

zweitbeauftragte Bank *f* (Fin) paying/intermediate ... bank *(ie, in handling letters of credit)*

Zweitemission *f* (Fin) secondary offering

Zweithand-Leasing *n* (Fin) second hand leasing

Zweitmarkt *m* (Bö) secondary market
(syn, Parallelmarkt, nicht amtlicher Markt)

Zwischenausweis *m* (Fin) interim return

zwischenbetrieblicher Gewinn *m* (Fin) intercompany profit

Zwischendividende *f*
(Fin) interim/quarter ... dividend
– fractional dividend payment
(ie, paid in anticipation of the usual periodic dividend, usually each quarter; in USA üblich, nicht in Deutschland; syn, Abschlagsdividende, Interimsdividende)

Zwischenfinanzierung *f*
(Fin) bridging
– interim
– intermediate ... financing/finance

Zwischenfinanzierungskredit *m* (Fin) bridging loan

zwischengeschaltetes Kreditinstitut *n* (Fin) intermediary banking institution

Zwischenkredit *m*
(Fin) bridging
– bridge-over
– interim
– intermediate ... loan
(syn, Überbrückungskredit)

Zwischenschein *m*
(Fin) interim (stock) certificate
– (GB) scrip
(ie, provisional stocks or bonds issued to buyers of a new issue; cf, § 10 AktG; opp, permanent securities)

Zwischentermin *m*
(Fin) intermediate maturity
(Fin) cock/broken ... date
(ie, an off-the-run period in the Euromarket, such as 28 days; contrasts with a fixed date, which is 30, 60, 90 days etc days hence)

Zwischenverwahrung *f* (Fin) = Drittverwahrung

Zwischenzinsen *mpl*
(Fin) interim interest
(ie, Diskont bei vorzeitiger Rückzahlung der Schuld)
(Fin) = Vorlagezinsen

Buchanzeigen

Käßl
Das Wechsel-ABC

Ein praktischer Ratgeber in allen Wechselfragen. Annahmefrist, Akzept, Bestandteile, Diskont, Einzug, Indossament, Protest, Rückgriff, Versteuerung, Vorlegung, Wechselarten, Zahlung.
(dtv-Band 5800)

Herrling
Der Kredit-Ratgeber

Grundfragen der Finanzierung, Kreditwürdigkeitsprüfung, Kreditvertrag, Verbraucher-Schutzbestimmungen, Kreditformen, Leasing, Baufinanzierung und Steuervorteile, Bürgschaft, Verpfändung, Grundpfandrechte, Kleines Kredit-ABC.
(dtv-Band 5801)

Herrling/Krapf
Der Wertpapier- und Anlage-Ratgeber

Aktien, Festverzinsliche Wertpapiere, Investmentanteile, Anleihen, Spareinlagen, Festgelder, Lebensversicherungen, Bausparen, Immobilien, Staatliche Förderung, Versteuerung, Anlagetips, ABC der Geldanlage.
(dtv-Band 5802)

Bestmann
Börsen und Effekten von A–Z

Die Fachsprache der klassischen und modernen Finanzmärkte.
(dtv-Band 5803)

Schäfer
Financial Dictionary

Fachwörterbuch Finanzen, Banken, Börse.

Teil I: Englisch-Deutsch
(dtv-Band 5804)
Teil II: Deutsch-Englisch
(dtv-Band 5805)

Perk
Professionelle Aktienanalys
für jedermann

Technische Aktienanalyse, Char Beurteilung der Marktverfassu Trend, Typische Kursverläufe, P grammierte Unterweisung für Ka und Verkaufssignale.
(dtv-Band 5806)

Dichtl (Hrsg.)
Schritte zum Europäischen
Binnenmarkt

Grundlagen, Grenzkontrolle Rechtsschutz, Verbrauchsteue Einkommensbesteuerung, Öffen ches Auftragswesen, Gewerbefr heit, Verkehrsmarkt, Kreditgewerb Währung, Zentralismus.
(dtv-Band 5807)

Uszczapowski
Optionen und Futures
verstehen

Grundlagen und neuere Entwicklungen.
(dtv-Band 5808)

Wicke/de Maizière/
de Maizière
Öko-Soziale Marktwirtschaf
für Ost und West

Der Weg aus Wirtschafts- und Ur weltkrise.
(dtv-Band 5809)

FINANZEN im dtv

Risse · Ratgeber für
Unternehmerfrauen
(dtv-Band 5811)

Horváth
Das Controllingkonzept
Der Weg zu einem wirkungsvollen
Controllingsystem.
(dtv-Band 5812)

Dieterle/Winckler
Gründungsfinanzierung
(dtv-Band 5813)

Kota · PR- und Medien-
arbeit im Unternehmen
Mittel, Möglichkeiten und Wege
effizienter Öffentlichkeitsarbeit.
(dtv-Band 5814)

Schäfer
Management & Marketing
Dictionary
Teil I: Englisch-Deutsch
(dtv-Band 5815)
Teil II: Deutsch-Englisch
(dtv-Band 5816)

Thieme
Soziale Marktwirtschaft
Ordnungskonzeption und
wirtschaftspolitische Gestaltung.
(dtv-Band 5817)

Öpfert · Die argumentative
Bewerbung
Anforderungen berücksichtigen,
Erwartungen erfüllen, Argumente
finden, Begründungen liefern, Bei-
spiele anführen, Nachweise erbringen, Bestätigungen bieten, Ein-

wänden begegnen, Bedenken zer-
streuen, Vorurteile abbauen.
(dtv-Band 5818)

Herrling
Der Zahlungsmittel-Ratgeber
Bargeld, Sorten, Devisen, Scheck,
Wechsel, Reisescheck, Überwei-
sung, Lastschrift, Eurocheque,
Kreditkarten, Electronic Cash,
Geldmenge, Inflation, ABC der
Zahlungsmittel.
dtv-Band 5819)

Müller · Konsument und
Marktwirtschaft
Eine praktische Orientierungshilfe.
Markt und Preisbildung, Kaufvertrag, Warenkennzeichnung, Ver-
braucherrechte, Mietrecht, soziale
Sicherung, Arbeitsrecht, Steuern,
Versicherungen, Kredite, Vermö-
gensbildung, Umweltschutz.
(dtv-Band 5820)

Dichtl · Der Weg zum Käufer
Das strategische Labyrinth.
(dtv-Band 5821)

Mol· Investmentfonds-ABC
Vermögensaufbau für jedermann.
(dtv-Band 5823)

Siebers/Siebers
Das Anleihen-Seminar
Geld verdienen mit Festverzinslichen.
(dtv-Band 5824)

**Beck-Wirtschafts-
berater im**

Wirtschaft und Finanzen im dt

Beck-Wirtschafts-
berater im